Deutsch im Alltag

Michael Hager

Ulrike Brisson

Printed and bound in Canada
1 2 3 4 5 06 05 04

For more information contact Thomson Nelson
1120 Birchmount Road,
Scarborough, Ontario, M1K 5G4.
Or you can visit our internet site at http://www.nelson.com

This textbook is a Nelson custom publication. Because your instructor has chosen to produce a custom publication, you pay only for material that you will use in your course.

ISBN 0-17-617349-8

Deutsch im Alltag

Michael Hager

Ulrike Brisson

Inhaltsverzeichnis

		conjunctions
Abschnitt 7 Dresden	music, body parts, clothes	the perfect tense, regular and irregular participles, participles with sein and haben, da-compounds
Abschnitt 8 Berlin	government, nightlife	ordinal numbers, dative case, verbs with the dative case, prepositions with the dative case
Abschnitt 9 Schwerin	driver's license, shopping, health	destination versus location, *werden*, *wer, wen,* and *wem*
Abschnitt 10 Lüneburger Heide	landscape, Heidepark, health spas	comparatives and superlatives, time before place
Abschnitt 11 Hamburg/Bremen	marriage, looking for an apartment forms of transportation	adjective endings, simple past tense of *sein* and *haben*, simple past tense of regular verbs, simple past tense of irregular verbs, modal verbs in the simple past tense, past perfect tense
Abschnitt 12 Ruhrgebiet	work, women at work, foreigners, Karneval	directions *in/auf zu/nach*, present subjunctive of modal verbs, reflexive verbs
Abschnitt 13 Frankfurt	environment, banking	the passive, the passive with modal verbs, the future tense
Appendix	grammar overview	

Daniels Zeitplan

am 6. Juni	Frankfurt, Ankunft
vom 7. Juni bis zum 9. Juni	Freiburg
vom 10. Juni bis zum 13. Juni	Zürich
vom 14. Juni bis zum 17. Juni	München
vom 18. Juni bis zum 21. Juni	Innsbruck
vom 22. Juni bis zum 26. Juni	Wien
vom 27. Juni bis zum 1. Juli	Linz
vom 2. Juli bis zum 5. Juli	Dresden
vom 6. Juli bis zum 11. Juli	Berlin
vom 12. Juli bis zum 16. Juli	Schwerin
vom 17. Juli bis zum 20. Juli	Lüneburger Heide
vom 21. Juli bis zum 26. Juli	Hamburg
vom 27. Juli bis zum 3. August	Ruhrgebiet
vom 4. August bis zum 9. August	Frankfurt
am 9. August	Abflug

Aus dem Inhalt

Kultur

Hier lernen Sie

begrüßen und Abschied nehmen
die Zahlen
das Alphabet

Grammatik

the verb “heißen“

Die Ankunft

→ For more practice, see exercise A.8 in the workbook.

Exkursion eins: Die Ankunft

Multi-Kulti Aktivität A.1

Read the following situation and choose one of the answers below. There is only one correct answer.

You are at a reception in Hamburg and you want to network and make some connections because you would like to do an internship there for several months. A German acquaintance of yours, the only person you know at this reception, introduces you to a couple. How do you act when being introduced to these people?

1. You stand there with a friendly posture and say "Guten Tag."
2. You shake the man's hand and say "Guten Tag" to him and his wife at the same time.
3. You shake the wife's hand, nod your head and say "Guten Tag" all at the same time.
4. You stand there with your hands in your pockets and say "Hallo."

Die Wort-Box

Guten Morgen!	Good morning!
Guten Tag!	Hello! / Hi!
Auf Wiedersehen.	Good-bye.
Tschüss.	(informal) Good-bye.
Danke schön.	Thank you.
Bitte.	You're welcome./ Please.
der Reisepass (-pässe)	passport
landen	to land
der/die Beamte/in (-en)	official
der Zug (-üge)	train
fliegen	to fly
im Urlaub	on vacation
angenehm	pleasant
Woher kommen Sie?	Where are you from?
Ich komme aus ...	I'm from ...

Der Anflug — The Approach

Daniel Walker, an American student, is flying to Europe on vacation for the first time. He has heard so many interesting stories about Germany and Austria from his grandma that he can hardly wait to see some of the places she has often talked about. Of course, it will also be a real pleasure to meet his Austrian relatives, he's heard so much about. Daniel is sitting in his seat dreaming about his future experiences.

Daniel: I've learned so much German in my courses at Columbia. I hope it's enough. Will I understand the different accents? Will everyone understand me? Grandma does, or is she only being polite? Will I like it in

Europe? Grandma has only good thing to say, but then she has forgotten many of the reasons why she was happy to leave with grandpa and came to the States. I wonder what my relatives are really like? Will I like them? Will I be able to get along with the cultural differences? Will I have culture shock? I hope I don't make too many faux-pas. I'm so nervous!!!!!!

Suddenly, Daniel is brought back to reality when he hears over the airplane speaker.

Guten Morgen, meine Damen und Herren, wir werden bald in Frankfurt landen. Bitte klappen Sie Ihre Tische und Sitzlehnen hoch für unsere Landung. Alle elektronischen Geräte müssen für die Landung ausgeschaltet sein. Wir bedanken uns, dass Sie mit der Lufthansa geflogen sind. Einen schönen Aufenthalt in Frankfurt oder eine angenehme Weiterreise wünschen wir Ihnen. Auf Wiedersehen.	Good morning, ladies and gentlemen, we will soon be landing in Frankfurt. Please return your tables and seats to their upright position for landing. All electronic devices have to be turned off for landing. We would like to thank you for flying Lufthansa. We would like to wish you a pleasant stay in Frankfurt or a good continuing trip. Good-bye.
Daniel ist endlich angekommen und steigt aus dem Flugzeug.	Daniel has finally arrived and gets off the airplane. Frankfurt
Flugbegleiterin: Auf Wiedersehen. Daniel: Tschüss.	Good-bye.
Daniel läuft zur Gepäckausgabe. Unterwegs kommt er zur Passkontrolle.	Daniel walks to baggage claim. On the way he comes to the passport control.
Daniel: Guten Tag. Beamte: Guten Tag, Ihren Reisepass, bitte.	Hello. Hello, your passport please.
Daniel gibt dem Beamten seinen Reisepass.	Daniel gives his passport to the official.
Beamte: Dankeschön. Daniel: Bitte. Beamte: Auf Wiedersehen. Daniel: Auf Wiedersehen.	Thank you. You're welcome. Good-bye. Good-bye.

Daniel geht weiter und holt seinen	Daniel goes on and picks up his backpack

Wan

Rucksack ab und findet den Zug nach Frankfurt. Im Zug spricht er mit einem Mann.	and finds the train to Frankfurt. In the train he talks to a man.
Daniel: Guten Tag. Mann: Guten Tag. Daniel: Ist das der richtige Zug nach Frankfurt? Mann: Ja. Woher kommen Sie? Daniel: Ich bin Amerikaner. Ich komme aus Kalifornien.	 Is this the right train to Frankfurt? Yes. Where do you come from? I'm an American. I come from California.
Daniel gibt dem Mann die Hand.	Daniel shakes the man's hand.
Daniel: Und Sie? Mann: Ich komme aus Bremen. Ich war im Urlaub in Amerika. Daniel: Schön. Ich bin auch hier im Urlaub.	And you? I come from Bremen. I was on vacation in America. Great. I am also here on vacation.
Der Zug kommt in Frankfurt an.	The train arrives in Frankfurt.
Daniel: Angenehme Reise nach Bremen. Mann: Danke. Angenehmen Urlaub. Daniel: Danke. Auf Wiedersehen. Mann: Auf Wiedersehen.	Pleasant trip to Bremen. Thanks. Pleasant vacation.

Richtig oder falsch?

____ 1. Daniel fliegt mit der Lufthansa.
____ 2. Daniel fliegt nach Frankfurt.
____ 3. Daniel kommt aus Kalifornien.
____ 4. Der Mann kommt aus Hamburg.
____ 5. Daniel ist im Urlaub.

Kultur-Aspekte

In German-speaking countries, it is expected when greeting someone you do not know and even someone you do know to shake that person's hand. This is true in most formal situations. They shake hands with everyone; however, if you meet a couple in a formal setting, always shake the wife's hand first in order to avoid offending the couple (Hall and Hall). Note that just any kind of hand shake is not good enough. It must be a firm one done in the proper way otherwise you will be considered to have a weak character. Germans refer to shaking hands with such people as shaking hands with a dead fish. When greeting someone you do not know, you say your last name while shaking that person's hand "Guten Tag; Schmidt," in Switzerland it would be "Grüezi; Schmidt," and in Bavaria and in Austria it is "Grüß Gott, Schmidt." Among young people, shaking hands in informal situations is giving way to kissing each other on the cheek.

Because Germans tend to be more formal than Americans, they will use their last names in most public situations. When asked what your name is, you always reply by saying your last name. Your first name is unimportant at this point in a formal situation. Only much later, sometimes years later, will Germans use your first name. However, among younger people first names are being used more and more. In business, it is even possible that people at work will refer to you always by your last name only. "Hagen said that it wouldn't work." According to Flamini, a 1994 law abolished double surnames. So today women must decide to keep their maiden names or adopt their husband's name. It is also possible for the husband to adopt his wife's name; but not both in a hyphenated form, e.g. Schmidt-Meyer. At the same time parents must decide which surname the children will have. When naming children, you must decide from an official list of names. If the name you decide upon is not found in this list, you are not permitted to use this name.

Bilton, Paul. 1999. *Xenophobe's Guide to the Swiss*. London: Oval Books.
Flamini, Roland. 1997. *Passport Germany*. San Rafael, CA: World Trade Press.
Hall, Edward and Mildred Hall. 1990. *Understanding Cultural Differences*. Yarmouth, ME: Intercultural Press.
James, Louis. 1994. *Xenophobe's Guide to the Austrians*. London: Ravette Books.
Zeidenitz, Stefan and Ben Barkow. 1993. *Xenophobe's Guide to the Germans*. Horsham, GB: Ravette Publishing.

Witz

Ein Pilot bringt die Maschine einen Meter vor dem Ende der Piste zum Stehen:
"Blöde Landebahn, nur 100 Meter lang, aber 2 Kilometer breit!!!"

Exkursion zwei: Die Begrüßung

Multi-Kulti Aktivität A.2.

The following activity will provide you with some experience in using different forms of greeting people.

Situation: You've just arrived at the airport in a foreign country and you are trying to find your host. Because this society is culturally very mixed, the forms of greeting people are extremely different. Everyone on this trip has already received information about such ceremonies (found on a small instruction card) from the trip organizer. The group is divided up into host and guest. It is possible that one host has more than one guest. Everyone receives a small instruction card which s/he needs to follow exactly. This greeting transpires without words.

Discussion: After completing the greeting ceremony, as a complete class discuss your reactions and how you felt during the greeting phase. The following questions may be of help to you.

1. Which forms of greeting were pleasant or not so pleasant? Why?
2. Were there any greetings that were misunderstood (e.g., as a pick-up or hostility)?
3. What kind of feelings did you have while experiencing an unfamiliar form of greeting? How would you have liked to respond to these?
4. What kind of strategy did you implement in order not to be "hurt" by any of these greetings?
5. What should one do in the case of unfamiliar customs and habits? Are there any rules that should apply to such situations?

This activity was taken from

Losche, Helga. 2000. *Interkulturelle Kommunikation.* Augsburg: ZIEL.

Die Wort-Box	
Wie heißen Sie?	What's your name?
Ich heiße ...	My name is ...
der Vorname	first name
der Nachname	last name
die Nationalität	nationality
der Geburtsort	place of birth

Im Hotel

Daniel geht ins Hotel und läuft zur Rezeption.	Daniel enters the hotel and goes to the reception desk.
Daniel: Guten Morgen.	Good morning.
Portier: Guten Morgen.	
Daniel: Ich habe eine Reservierung.	I have a reservation.
Portier: Wie heißen Sie?	What's your name?
Daniel: Ich heiße Walker.	My name is Walker.
Portier: Wie schreiben Sie das?	How do you spell that?
Daniel: W A L K E R	WALKER
Portier: Ihr Vorname?	Your first name?
Daniel: Daniel	Daniel.
Portier: Was ist Ihre Nationalität?	What's your nationality?
Daniel: Ich bin Amerikaner.	I'm an American.
Portier: Geburtsort?	Place of birth?
Daniel: Salt Lake City.	Salt Lake City
Portier: USA?	The USA?
Daniel: Ja.	Yes.

Kultur-Aspekte

Like in English there are various ways of greeting people and saying good-bye. The most informal way of greeting someone is to say "Hallo." However, this would not do in formal situations. What you can say in such situations will depend on where you are in Germany, Austria or Switzerland. In Germany the general formal greeting is "Guten Tag," whereas in Southern Germany or Austria, one would say "Grüß Gott," in Switzerland "Grüezi," and in the North "Moin moin." The same applies to saying good-bye. In general, the standard way of saying good-bye is "Auf Wiedersehen." However, in Northern Germany most people will say "Tschüs(s)" (this expression tends to be less formal than "Auf Wiedersehen"). In Southern Germany and Austria you can hear expressions like "Ferti" and "Servus." The trendy way of saying goodbye everywhere in the German speaking countries is to use the Italian "Ciao." In the German speaking countries, **no** one would use the expression "How are you?" as a form of greeting someone. If you ask a European how they are, they will really tell you because they believe you really want to know.

At what time of day would you say the following expressions? Write the appropriate expression below the corresponding picture.

Guten Tag Guten Morgen Gute Nacht Guten Abend

________________ ________________ ________________ ________________

To practice the differences, each student gets a greeting or good-bye. The student says it to the whole class and they have to say whether it is formal or informal and where it would be said.

Die beliebtesten Vornamen
Knaben
Mädchen
Deutschschweiz
Luca
Simon
Jan
Joel
Lukas
Laura
Michelle
Sarah
Lea
Julia
Franz. Schweiz
David
Alexandre
Thomas
Nicolas
Loïc
Léa
Laura
Sarah
Chloé
Jessica
Ital. Schweiz
Luca
Alessandro
Matteo
Mattia
Andrea
Sara
Chiara
Alessia
Martina
Giulia
Roman. Schweiz
Fabio
Gian
Sandro
David
Nico
Laura
Leonie
Alexandra
Alessia
Anna
Stand 2000
© Globus
841S

Wer bin ich? With a partner, reread the dialogue "Im Hotel"; however, this time one of you is one of the persons listed below instead of Daniel. Do this for at least two of the people in the table. Each time switch roles.

Name	Albert Einstein	Nina Hagen	Franz Liszt	Marlene Dietrich
Nationalität	Deutscher	Deutsche	Österreicher	Deutsche
Geburtsort	Ulm	Ostberlin	Burgenland	Westberlin
Beruf (profession)	Physiker	Sängerin	Komponist	Schauspielerin

Was sage ich?

1. Daniel is in a travel agency where he has reserved his train ticket to Freiburg. What does he and the travel agent say?

Daniel: ....
Reisebüroagentin:...
Daniel: Ich habe eine Reservierung nach Freiburg.
Reisebüroagentin: Wie...?
Daniel: WALKER.
Reisebüroagentin: Wie...?
Daniel:...

Reisebüroagentin: Ach ja, hier ist das Ticket.

Sie gibt Daniel das Ticket. *She gives Daniel the ticket.*

Daniel: D…………………………..
Reisebüroagentin: B…………………………..
Daniel: ……………………………………
Reisebüroagentin: ....

2. Daniel meets Thomas at his hotel.

Daniel:……………………… Ich heiße Daniel.

Er gibt Thomas die Hand.

Thomas: .... Daniel, woher kommst du?
Daniel: Ich komme aus .... Und du, Thomas?
Thomas: Ich? Ich .... Halle.
Daniel: Halle?
Thomas: Halle ist in Ostdeutschland.
Daniel: Oh. Schön.
Thomas: Daniel, hier ist meine Freundin Silvana.
Daniel: ....

Er gibt Silvana die Hand.

Silvana: ....

Sie sprechen lange. They talk a long time.

Daniel: Bis morgen, Thomas. Until tomorrow.
Thomas: ………….., Daniel.
Daniel: …………, Silvana.
Silvana: …………, Daniel.

Hörverständnis A.1: Listen to the four dialogues and answer the following questions.

What time of day is it in the conversations? And where do the people come from?

1. ____

2. ____

3. ____

4. ____

Woher kommen Sie?

Das Alphabet

A (ah)	K (kah)	U (uh)
B (beh)	L (ell)	V (fow, as in *now*)
C (tseh)	M (emm)	W (veh)
D (deh)	N (enn)	X (iks)
E (eh)	O (oh)	Y (üpsilon)
F (eff)	P (peh)	Z (tsett)
G (geh)	Q (kuh)	Ä (ah Umlaut)
H (hah)	R (airr)	Ö (oh Umlaut)
I (ee)	S (ess)	Ü (uh umlaut)
J (yott)	T (teh)	ß (scharfes ess or ess-tsett)

For practice, see exercises A.1-2 in the workbook.

Repeat the German letters after your teacher.

Mein Name

Spell your name to your neighbor who writes your name on the board.

Hörverständnis A.2: Listen to the CD and correct the names that Daniel has misspelled.

1. Schmitt	2. Mayer	3. Peulsen	4. Valter
5. Redens	6. Muller	7. Haze	8. Lütt
9. Schon	10. Vanner		

Wie schreiben Sie das?

Introduce yourself to a student you don't yet know.

Beispiel: S1: Ich heiße ________________________.
S2: Wie bitte?
S1: (Repeat your name and spell it.)
S2: Alles klar!

Hörverständnis A.3

Listen to your instructor spell some common German abbreviations and write them.

1. ________	6. ________
2. ________	7. ________
3. ________	8. ________
4. ________	9. ________
5. ________	10. ________

Die Wort-Box

Grüß Gott! (Southern German, Austrian)	
Grüezi! (Swiss)	Hello! /Hi!
Moin, moin! (Northern German)	
Ferti! (Southern German, Austrian)	
Servus! (Austrian)	
Ciao! (Italian, international)	
Guten Abend!	Good evening!
Gute Nacht!	Good night!
die Reservierung (-en)	reservation
sprechen	to talk/speak
Woher kommst du?	Where are you from? (informal)

Exkursion drei: Der Abschied

Multi-Kulti Aktivität A.3

Read the following text and decide which of the following statements are correct. There is only one correct statement.

You are at a party a German colleague of yours is giving. You are tired and have decided to leave. What do you do?

1. You say good-bye to the people you were talking to by saying "Tschüss" and waving good-bye to them.
2. You say good-bye to the people you were talking to by saying "Tschüss" and at the same time you shake their hands.
3. You say good-bye to everyone at the party and shake their hands.
4. You say good-bye to the host and tell him/her what a great party it was.

Die Wort-Box

Wie geht's?/Wie geht's dir?	How are you?
prima	excellent
Wie alt bist du?	How old are you?
Mach's gut.	Bye. (literarlly: Fare ye well.)
Bis bald.	See you soon.
Tschüs.	Good bye (informal)

In der Studentenkneipe **In the student bar**

As your instructor reads the dialog out loud, follow along.

	Daniel locates a bar frequented by students near his hotel and unexpectedly he meets an acquaintance from Columbia there.
Peter: Grüß dich. Daniel: Hallo, Peter. Peter: Wie geht's dir? Daniel: Prima, und dir? Peter: Auch gut! Daniel,	Greetings How are you? Great, and you? Also good! Daniel,
Peter zeigt auf eine junge Frau.	Peter points to a young woman.
das ist Henni. Daniel: Hallo, Henni. Henni: Tag, Daniel.	This is Henni.
Henni gibt Daniel die Hand.	
Daniel, das ist meine Kusine Claudia aus Mainz. Daniel: Freut mich.	Daniel, this is my cousin Claudia from Mainz. A pleasure.
Daniel gibt Henni die Hand.	
Henni: Hallo, Daniel.	
Ein bisschen später im Gespräch.	A little later in the conversation.
Henni: Daniel, wie alt bist du? Daniel: 20. Henni: Ach, mein Bruder ist auch 20. Ich bin 22. Daniel: Und du, Claudia? Claudia: 21.	Daniel, how old are you? Hey, my brother is also 20.

Daniel: Peter ist hier der alte Mann. Peter: Ja, ja, ich bin 23. Sehr alt, nicht?	Peter is the old man here. .... Very old, right?
Sie lachen alle. *Einige Stunden später ist Daniel sehr müde und er will in sein Zimmer.*	They all laugh. Several hours later Daniel is very tired and he wants to go to his room.
Daniel: Tschüss, Claudia.	
Daniel gibt Claudia die Hand.	
Claudia: Mach's gut, Daniel.	Bye, Daniel.
Daniel wendet sich an Henni.	Daniel turns to Henni.
Daniel: Ciao, Henni.	
Daniel gibt Henni die Hand.	
Henni: Alles Gute, Daniel. Daniel: Peter, bis bald.	All the best, Daniel. Peter, see you later.
Daniel gibt Peter die Hand.	
Peter: Ja, bis Columbia, ciao. Daniel: Tschüssi allerseits.	 Bye everyone.

What is the correct order of the following events.

____ 1. Daniel geht ins Hotel zurück.
____ 2. Daniel geht in die Kneipe.
____ 3. Daniel, Henni und Claudia sprechen über das Alter (age).
____ 4. Daniel spricht (talks to) mit Peter und Henni.

Kultur-Aspekte

As already stated, Germans tend to be more formal than Americans. This can even be seen in the language. German makes a difference in the English "you" by having formal and informal forms, "Sie" and "du/ihr." Germans will tend to use the "Sie" form in unclear situations. If you know a person well, you will usually use "du." However, this only applies if the older person or the person in higher rank has offered you the "du" form. Some people, especially from the older generation, then follow the German tradition of drinking to "Bruderschaft" to confirm the use of "du." It is, however, possible that co-workers have worked together for twenty or thirty years and still use the "Sie" form with each other. When talking to children, one uses the "du" form until a child is 16, at that time the form changes to "Sie." Nees points out that it is even the law that a teacher must use the "Sie" with students once they turn 16. It is even possible that children have known friends of their parents all their life and they still use "Sie" with these friends. The word "du" is always used to represent one person (singular) in the informal while the word "ihr" represents the plural of this form. The word "Sie" can be either singular or plural.

Nees, Greg. 2000. *Germany Unraveling an Enigma.* Yarmouth, ME: Intercultural Press.

Welche Form? Which form "Sie", "ihr", or "du" would you use in the following situations?

1. You have just met the parents of a very good friend.
2. You have just met your best friend's girlfriend.
3. You have started a new job and you are introduced to your new colleagues.
4. You are at a student party and you introduce yourself to some of the people you meet there.
5. You are playing with your colleague's five-year-old daughter.
6. You are talking to a group of friends.

Grammatik-Spot **The verb *heißen***

Like in English, verbs have different forms. In English this is usually found in the third person singular, i.e., he sees. Three forms in German have the same form as the infinitive of the verb. Which forms are they?

heißen

ich heiße	wir heißen
du heißt	ihr heißt
er	sie heißen
sie heißt	Sie heißen
es	

Some examples in German are: *Ich heiße Daniel. Wie heißen Sie?*

For practice, see exercise A.3 in the workbook.

Was ist korrekt?

1. You are at a party and one of the guests asks: Wie heißen Sie? What do you say?
2. You are together with several of your friends at the local café and you introduce your friends to an acquaintance who has just arrived. What do you say?
3. You and your sister are at the bus stop and a friend of yours asks what your sister's name is. What do you say?

4. Your father is standing next to you and you point out one of your friends to him. He asks you what his name is. What do you say?
5. Your girlfriend is telling you about her parents and you want to know their names. You ask "Wie heißen sie?" How does your girlfriend answer?

Wie ist Ihr Name?

Walk around the class and introduce yourself to your classmates.

Beispiel:

S1: Mein Name ist ________________.
S2: Ich heiße ______________________.
S1: Woher kommen Sie?
S2: Aus ______________________ und Sie?
S1: Aus __________________________.

Wie heißen Sie?

Daniel gets to know several people at the hotel. Fill in the correct forms of "heißen."

Daniel: Guten Tag, ich _____________ Walker. Wie ________________ Sie?
Älterer Mann: Ich ____________ Meyer.

Daniel: Hallo, ich __________ Daniel und wie ________________ du?
Junger Mann: Ich _______________ Hans.

Daniel: Ciao, ich _____________ Daniel. Wie ____________ ihr?
Zwei (2) junge Frauen: Wir _______________ Stefanie und Monika. Und unser Bruder (our brother) ___________ Marco.

Daniel: Claudia, meine Mutter ____________ Mary. Wie ____________ deine Mutter?
Claudia: Sie _____________ Helga.
Walk around the room and ask your classmates what their names are. When you are finished introduce two of your classmates.

http://www.t-info.de/

Die Zahlen auf Deutsch

null	0	zehn	10	zwanzig	20	dreißig	30
eins	1	elf	11	einundzwanzig	21	vierzig	40
zwei	2	zwölf	12	zweiundzwanzig	22	fünfzig	50
drei	3	dreizehn	13	dreiundzwanzig	23	sechzig	60
vier	4	vierzehn	14	vierundzwanzig	24	siebzig	70
fünf	5	fünfzehn	15	fünfundzwanzig	25	achtzig	80
sechs	6	sechzehn	16	sechsundzwanzig	26	neunzig	90
sieben	7	siebzehn	17	siebenundzwanzig	27	hundert	100[1]
acht	8	achtzehn	18	achtundzwanzig	28		
neun	9	neunzehn	19	neunundzwanzig	29		

→ For practice, see exercise A.4 in the workbook.

Was ist deine Hausnummer?
Was ist deine Telefonnummer?
Was ist deine Vorwahl?

Welche Nummer ist das?

Tombola

Daniel read the local newspaper yesterday and saw the winning numbers for the lottery. However, some of the numbers were missing. Find out from your partner what the missing numbers are. One of you uses the numbers below and your partner uses the numbers at the end of this chapter. Each of you must find the five missing numbers. Each of you has a different set of five numbers missing.

Tombola-Gewinne

BERLIN – Hier die Endzahlen der Tombola-Gewinnnummern vom Tag der offenen Tür auf dem Flughafen Schönefeld: 28136, 28660, ______, 29735, 29832, 30347, 30475, 30633, 30844, 31308, 31415, 31445, 35168, 35548, 35559, ______, 35688, 45018, 45359, 45361, 45948, 46192, ______, 46390, 46414, 46588, 46808, 47336, 47671, 48549, 48834, 48864, 48882, 48954, 49303, 49404, ______, 50325, 50494, 50504, 51034, 51317, 51350, 51599, 51863, 64277, 64295, ______, 64884 (ohne Gewähr). Den Gewinnanspruch muss man bis 21. Juni anmelden unter: ☎ 6091 1637.

Beispiel: Haben Sie die Nummer.............?
Ja/Nein, ich habe......................

Was sind die Informationen?

Work with a partner and ask your partner for the information you don't have.

Questions

Wie heißt die Person?
Woher kommt die Person?
Was ist die Adresse?
Was ist die Postleitzahl?

Was ist die Telefonnummer?

Beispiel: Wie heißt die Person?
Sie heißt Petra.
Woher kommt Petra?
Sie kommt aus.................

Name	Petra		Gabi		Monika
Stadt		Hamburg		Kassel	
Adresse	Bremer Straße 105				
Postleitzahl	14357			34177	
Telefonnummer			926 45 82		651 48 71

Now interview your neighbor and find out the same information for your partner.

Wie heißen Sie?
Woher kommen Sie?
Was ist Ihre Adresse?
Was ist Ihre Postleitzahl?
Was ist Ihre Telefonnummer?

→ For practice, see exercises A.5-6 in the workbook.

Hörverständnis A.4

Was ist die Telefonnummer? Write down the telephone number that you hear on the CD.

In German telephone numbers, the *Vorwahl* is separated from the local telephone number by a /, e.g. 030/89 67 54.

1. ____________ 2. ____________ 3. ____________ 4. ____________

5. ____________ 6. ____________ 7. ____________ 8. ____________

9. ____________ 10. ____________

Vorwahlen

Now look up the *Vorwahl* in the list below. In which city is each telephone number?

Vorwahl	Stadt
02151	Krefeld
030	Berlin
0341	Leipzig
0351	Dresden
040	Hamburg
0431	Kiel
0561	Kassel
06101	Frankfurt
06420	Marburg
0711	Stuttgart
07221	Baden-Baden
0761	Freiburg
0851	Passau
089	München
08707	Landshut

Kultur-Aspekte

For many the use of German numbers is confusing. However, before the Norman Conquest in 1066, numbers in English after twenty also started with the one digit, e.g., one – twenty, three-forty. In Germany some numbers are written differently than in the States. A 1 starts with a tail , while a 9 can also have a tail . The 7 is the same as the American seven; however, there is a bar through the middle of it . When Germans count on their fingers, they start with their thumb as number one and end with their pinkie finger as number five.

Telephone numbers do not always consist of seven digits plus the area code like in the States. Depending on the locale, a telephone number can have as few as three digits. If there is an even number of digits, they are usually in pairs, e.g. 23 47 83. Area codes are normally for only one city. Depending on the size of the city, the area code has at least three digits for the larger cities and at least four for the smaller towns and communities. Berlin has the area code of 030 while Hamburg 040; this number can include the out-lying areas. The zero in the area code is a routing number to keep the call within Germany. If one calls from abroad, one drops the first zero, for example, the country code for Germany is 0049 and then 30 for Berlin followed by the local telephone number. This zero principle applies to all European countries and cities.

Zip codes or the Postleitzahl system was originally started before the fall of the Berlin wall in 1989. Because of this, numbers had to be added for East German addresses. Those areas around Dresden use a Postleitzahl starting with zero, the areas around Berlin use 1, around Hamburg 2, around Stuttgart 7 and around Munich 8, for instance.

→ For practice, see exercise A.7 in the workbook.

Hörverständnis A.5

Listen to the following German Kennzeichen (license plate numbers) and write down what you hear.

1.__________ 2.__________ 3.__________ 4.__________

5. __________ 6.__________ 7.__________ 8. __________

9.__________ 10. __________

Kultur-Aspekte

In the German speaking countries, a license plate number is different in various respects to an American one. The number in Switzerland has one similarity to the United States. In Switzerland, the canton (the Swiss equivalent of a state) is the basis for the number. One can easily see where the car comes from. For example, the following plate indicates that the car is registered in Zurich through the use of the "ZH" and the official coat of arms of the canton Zurich found on the right of the plate. In addition, one knows that it is a Swiss registered car by the Swiss flag found on the left of the plate.

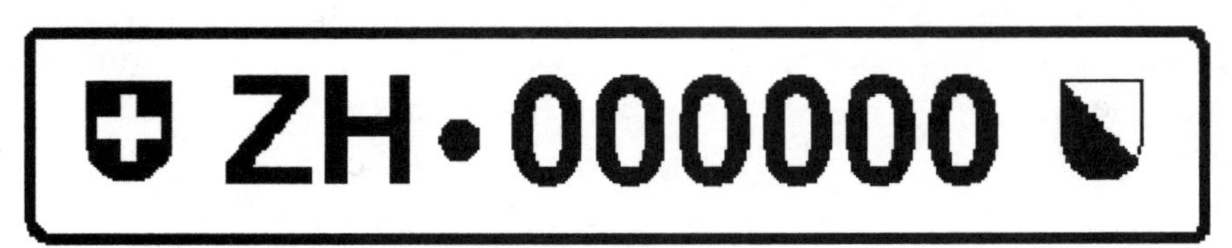

taken from http://www.ipa-switzerland.org/deutsch/regionen/zh/autoliste/auto_ch.htm

In Germany and Austria, the form of the plate is similar; however, on the left there is the flag of the European Union and on the right either a "D" for Deutschland or an "A" for Österreich. The number itself will start with at least one letter. In Germany, the large cities have only one letter, for example, **B** for **B**erlin, **D** for **D**üsseldorf or **M** for **M**ünchen, while smaller cities will have two letters, for example, **KA** for **K**arlsruhe, **BS** for **B**raunschweig, or **PZ** for **P**renzlau. Exceptions to this rule are the Hanse cities of Hamburg, Bremen, Lübeck, Rostock, Greifswald, and Stralsund. These cities have an H before the second letter which is the first letter of the name of the city, for example, **HH** for **H**ansestadt **H**amburg, **HB** for **H**ansestadt **B**remen, **HL** for **H**ansestadt **L**übeck, and **HG** for **H**ansestadt **G**reifswald. This system was set up before East Germany became a part of the West. Therefore, there are some Hanse cities in the former German Democratic Republic that have three letters. This is due to the fact the double letters were already being used by other west German cities, for example, **HRO** for **H**ansestadt **Ro**stock and **HST** for **H**ansestadt-**St**ralsund. Small towns and communities always have three letters in their number. The system functions basically the same way in Austria.

www.kennzeichen.org - Informationen rund ums Nummernschild

For a complete listing of all numbers see the following Web sites.

http://www.kennzeichen1.de/

http://www.ipa-switzerland.org/deutsch/regionen/zh/autoliste/auto_ch.htm

http://www.ipa-switzerland.org/deutsch/regionen/zh/autoliste/auto_au.htm#ABD

Daniels Reflectionen

Daniel is reflecting on his various German courses and he remembers many of the expressions he and his teachers used to communicate with each other. Some of these expressions are

Lehrer/Lehrerin

Bitte...........
Schreiben Sie........
Hören Sie zu ....
Öffnen Sie die Bücher auf Seite.......
Lesen Sie.........
Wiederholen Sie.......
Haben Sie Fragen?
Alles klar?
Bitte noch einmal!

Daniel/Sie

Bitte langsamer!
Wie bitte?
Wie schreibt man ....?
Ich habe eine Frage.
Wie heißt das ___________ auf Deutsch?

Das weiß ich nicht.
Ich verstehe das nicht.
Ja, ...
Nein, ...
Danke (schön).

Rollenspiel

You are at a cocktail party and know almost no one at the party other than the host. The host is busy with getting the food served; so you are left alone. Of course, you are interested in meeting as many people at the party as possible. Your classroom serves as the location of the party and your classmates are the guests. Mingle and get to know the guests. Remember, this is a German party. Handshaking is very appropriate. Keep notes of everyone's name, where they come from, and how old they are. (CULTURE NOTE: You would never ask a German you don't know better their age! This is only for practice.)

Wort-Box

die Zahl	number
die Nummer	number
die Hausnummer	house number
die Telefonnummer	phone number
die Vorwahl	area code
wählen	to dial

Key

Multi-Kulti Aktivität A.1

1. This answer could create some bad feelings among Germans. In a formal situation you need to shake a person's hand in order not to come across as unfriendly.
2. Shaking the man's hand is necessary but you usually shake the women's hand first if you are in mixed company. This could insult someone.
3. This is the correct answer. Shaking the women's hand first, nodding your head slightly and saying "Guten Tag" is the correct way of greeting someone. However, in the south of Germany you would be better off saying "Grüß Gott."
4. This is probably the worst possible answer. Germans consider it to be very rude standing around with your hands in your pockets in almost all situations; combined with only saying "hallo" would be a flop. Saying "hallo" in an informal situation could be appropriate but not the hands in your pockets.

Multi-Kulti Aktivität A.2

Information cards to be photocopied.

You belong to the They greet others by	Copper Eskimos hitting someone on the head and shoulder with their fist.
You belong to the They greet others by	Eipo of New Guinea. saying nothing.
You belong to the They greet others by	Dani of New Guinea. hugging someone for a minute and shedding tears of emotion.
You belong to the They greet others by	Loango. clapping their hands.
You belong to the They greet others by	Assyrians. giving the other a piece of clothing.
You belong to the They greet others by	Germans. shaking hands.
You belong to the They greet others by	Indians. putting their palms together in front of them and bowing slightly.
You belong to the They greet others by	Latin Americans. placing their head on the other's right shoulder and hitting the other on the back three times. Then they place their head on the other's left shoulder and hit this person on the back three times.
You belong to the They greet others by	Mongols. smelling the other's cheek and touching their nose and rubbing it.

Multi-Kulti Aktivität A.3

1. Saying good-bye is appropriate but just waving good-bye won't make it. You have to shake everyone's hand when saying good-bye.
2. This is the right step but you need to do this for everyone at the party if the party is not extremely big. You also must remember the host(ess).
3. This is the correct way of doing it in a formal setting.
4. This is good but you need to remember the other guests as well.

Hörverständnis A.1:

1. Guten Tag.
Guten Tag.
Woher kommen Sie?
Aus den USA. Und Sie?
Aus Deutschland.

2. Guten Abend.
Guten Abend.
Ich komme aus Kanada. Und Sie?
Aus England.

3. Guten Morgen.
Guten Morgen.
Sie kommen aus Frankfurt?
Nein, ich komme aus Bremen.
Und Sie?
Ich? Ich komme aus Dresden.

4. Grüß Gott.
Grüß Gott.
Woher kommen Sie?
Ich komme aus Innsbruck.
Sie auch?
Nein, ich komme aus Zürich.

Hörverständnis a.2:

1. Schmidt
2. Meyer
3. Paulsen
4. Walter
5. Redenz
6. Müller
7. Hase
8. Lüth
9. Schön
10. Wanner

Hörverständnis A.3

1. VW	6. GM
2. IBM	7. USA
3. AEG	8. UK
4. BMW	9. EU
5. BASF	10. KO

Hörverständnis A.4

1. 040/23 87 59	2. 030/442 87 12	3. 0431/15 35 69	4. 07221/55 78 93
5. 06420/357 29 15	6. 0711/67 88 37	7. 09401/556 87 30	8. 0561/12 98 1
9. 02151/56 32 19	10. 06101/99 76 53		

Hörverständnis A.5

1. B-RD 1997	2. HH-KL 123	3. K-MN 1245	4. M-SD 537
5. DD-CR 2897	6. OHV-AD 2011	7. BS-TX 6325	8. S-IJ 15
9. L-XE 4218	7. FB-EA 3502		

Partner exercises

Tombola

Tombola-Gewinne

BERLIN – Hier die Endzahlen der Tombola-Gewinnnummern vom Tag der offenen Tür auf dem Flughafen Schönefeld: _____, 28660, 29430, 29735, 29832, 30347, 30475, 30633, 30844, 31308, 31415, 31445, 35168, _____, 35559, 35640, 35688, 45018, 45359, 45361, 45948, 46192, 46253, 46390, _____, 46588, 46808, 47336, 47671, 48549, 48834, 48864, 48882, 48954, 49303, 49404, 49409, 50325, _____, 50504, 51034, 51317, 51350, _____, 51863, 64277, 64295, 64530, 64884 (ohne Gewähr). Den Gewinnanspruch muss man bis 21. Juni anmelden unter: ☎ 6091 1637.

Wie sind die Informationen?

Name		Andreas		Martin	
Stadt	Berlin		Frankfurt		Freiburg
Adresse		Kinder-Allee 37	Berliner Straße 23	Erikaweg 12	Bingen-Straße 54
Postleitzahl		22297	60528		79089
Telefonnummer	365 82	880 35 62		25 48 33	

Aus dem Inhalt

Kultur

Hier lernen Sie etwas über:

Landeskunde (den Schwarzwald, Freiburg)
die aktuelle Zeit
Kuckucksuhren

Grammatik

Personal Pronouns
Gender, the Definite Article, Plural
The Verbs *sein* and *haben*

Abschnitt 1

Der Schwarzwald

1. Wo liegt der Schwarzwald?
2. Was ist die wichtigste Stadt im Schwarzwald?
3. Welche Länder liegen südlich (south) von Deutschland?

→ For practice, see exercise 1.13 in the workbook.

Exkursion Eins: Die Fahrt zum Schwarzwald

Multi-Kulti Aktivität 1.1

The following activity will provide you experience with the different use of time.

This activity is partner work. One of you wants to negotiate a sale with your counterpart. You can decide upon what you would like to sell or buy. In the negotiation process the seller is interested in making the deal now and making all the arrangements now. The customer is interested in making a deal for the future and is interested in making the arrangements for the future. Both of your bosses expect you to come up with the arrangements during the meeting. So you must come up with a compromise if you can't totally agree upon everything.

1. How do the negotiations transpire?
2. Who becomes most frustrated?
3. What do you agree upon in order to have successful negotiations?

Wort-Box

die Zeit	time	kaufen	to buy
die Uhr	clock, watch	fahren	to go, to drive
Wie spät ist es?	What time is it?		
die Frau (-en)	woman		
der Zug (-üge)	train		
die Postkarte (-n)	postcard		

Auf dem Bahnsteig	On the train platform
Daniel hat sein Ticket schon gekauft und wartet auf dem Bahnsteig. Es ist sehr interessant die Menschen zu beobachten. Sie sehen fast wie Amerikaner aus. Sie bewegen sich ein kleines bisschen anders, und sie gehen miteinander anders um, obwohl es ähnlich erscheint. Daniel hört den	*Daniel has already bought his ticket and is waiting on the train platform. It is very interesting to observe the people. They look almost like Americans. They move a little differently, and they treat (deal with) each other differently, even though it seems similar. Daniel listens to the*
Lautsprecher: Achtung auf Gleis drei, der planmäßige Zug aus Köln über Bonn und Bingen hat sich um 10 Minuten verspätet. Die Ankunftszeit ist voraussichtlich 16.40 Uhr.	loudspeaker: Attention on track three, the scheduled train from Cologne via Bonn and Bingen is 10 minutes late. The arrival is scheduled for 4:40 pm.
Daniel sieht auf seine Uhr. Es ist schon 16.30 Uhr.	*Daniel looks at his watch. It is already 4:30.*
Daniel: Hmm, was mache ich jetzt?	Daniel: Hmmm, what should I do now?

Eine kleine alte Frau kommt schnell auf Daniel zu und fragt	*A little old lady comes quickly over to Daniel and asks*
Alte Frau: Ist der Zug schon da?	Is the train already here?
Daniel: Nein, er kommt 10 Minuten später.	No, it will be 10 minutes late.
Alte Frau: Wie spät ist es jetzt?	What time is it now?
Daniel: Es ist 16.31 Uhr.	It's 4:31.
Alte Frau: Prima, ich habe genug Zeit. Junger Mann, würden Sie mir mit meinem Koffer helfen?	Great, I have enough time. Young man, would you help me with my suitcase?
Daniel: Ja, sicher!	Yes, sure!
Alte Frau: Sie sind so freundlich. Sind Sie Deutscher?	You are so friendly. Are you a German?
Daniel: Nein, ich bin Amerikaner.	No, I'm an American.
Alte Frau: Das wundert mich nicht. Die Amerikaner nach dem Krieg waren auch immer sehr freundlich und hilfsbereit. Woher kommen Sie?	That does not surprise me. Americans after the war were always very friendly and helpful. Where do you come from?
Daniel: Aus Kalifornien.	From California.
Alte Frau: Ach, meine Tochter lebt mit ihrem Mann in San Francisco. Er war Soldat in Deutschland. Er ist so nett. Wohin fahren Sie?	Oh, my daughter lives with her husband in San Francisco. He was a soldier in Germany. He is so nice. Where are you going to?
Daniel: Ich fahre nach Freiburg.	I'm going to Freiburg.
Alte Frau: Freiburg?	Freiburg?
Daniel: Ja, ich will den Schwarzwald sehen.	Yes, I want to see the Black Forest.
Alte Frau: Und Kuckucksuhren kaufen, was?	And buy cuckoo clocks, right?
Daniel sieht sie komisch an.	*Daniel looks at her in a strange way.*
Alte Frau: Alle Amerikaner wollen eine. Deutsche finden Kuckucksuhren kitschig, aber Amerikaner lieben sie.	All Americans want a cuckoo clock. Germans find them kitschy, but Americans love them.
Daniel: Na ja, meine Mutter möchte eine.	Well, my mother would like one.
Alte Frau: Sehen Sie, ich habe eine große Uhr zu Hause, aber keine Kuckucksuhr.	See, I have a big clock at home but no cuckoo clock.
Die Frau wird unterbrochen, weil der Zug ankommt. Daniel hilft ihr mit ihrem Koffer und er fragt sich, wie sie ihn tragen konnte,	*The woman is interrupted, because the train is arriving. Daniel helps her with her suitcase and he asks himself how she could*

weil er so schwer ist.	carry it because it is so heavy.

Richtig oder falsch?

_____ 1. Daniel steht auf dem Bahnsteig.
_____ 2. Eine junge Frau kommt mit ihrem Koffer.
_____ 3. Die Tochter wohnt in New York.
_____ 4. Daniel will die Alpen sehen.
_____ 5. Der Zug ist verspätet.

→ For practice, see exercise 1.1 in the workbook.

Dialoganalyse

Take another look at the dialogue and what is the correct German word for each of the personal pronouns in the following list?

I	____________	we	____________
you	____________	they	____________
he	____________	she	____________
it	____________		

1. How are these personal pronouns used?
2. What function do they have in the sentence?
3. In this dialogue you only found one form of the personal pronoun you. What is a possible reason for this?

Grammatik-Spot **Personal Pronouns**

Like in English, a personal pronoun stands for a person or a noun. German has personal pronouns to express various persons in the subject of a sentence.

	singular	plural
1st person	ich I	wir we
2nd person	du you (informal)	ihr you (informal)
3rd person	er he sie she es it	sie they
	Sie you (formal)	Sie you (formal)

Note: The first person singular *ich* is only capitalized at the beginning of a sentence.

The third person singular pronouns *er, sie*, and *es* correspond to the gender of the noun they represent (the antecedent). Consequently, not only *es* corresponds to the English *it*, but also *er* or *sie* may also mean *it.*

Ich habe genug Zeit.
Er kommt 10 Minuten später.
Deutsche finden Kuckucksuhren kitschig, aber Amis lieben sie.

→ For practice, see exercises 1.2-3 in thev bworkbook.

Hörverständnis 1.1: Daniel hat einige Fragen. (Daniel has a few questions.) Listen to the questions and write down the corresponding pronoun for the gender of the noun you hear.

1. _______ ist in der Stadt.
2. _______ heißt Max.
3. _______ kommt aus Genf.
4. _______ kommt um 14.20 Uhr.
5. _______ heißt Eichhorterweg.
6. ______ studiert in Freiburg.
7. ______ ist um 20 Uhr.
8. ______ kommt aus dem Schwarzwald.
9. ______ heißt Petra.
10. ______ beginnt im Januar.

Die Postkarte

Liebe Oma,

_____ bin jetzt in Deutschland. _____ ist sehr schön hier. Die Menschen sind sehr freundlich und _______ helfen mir viel. Das Essen ist super. _______ ist lecker und billig. Die Zeit geht schnell vorbei (time passes fast). _____ fahre bald nach Linz. ______ kannst deine Linzer Torte machen, denn ich möchte ______ essen. Und ______ gehen

mit Waldi in die Stadt und trinken Kaffee zusammen.
Die Postkarte ist aus dem Schwarzwald. _____ ist sehr schön!

Dein Daniel

Die aktuelle Zeit - ein Dienst der Universität zu Köln

http://www.uni-koeln.de/bin2/zeit

Wie viel Uhr ist es?

Es ist zwei.	**14.00**	Es ist zwei Uhr. Es ist vierzehn Uhr.
Es ist fünf (Minuten) nach eins.	**13.05**	Es ist ein Uhr fünf. Es ist dreizehn Uhr fünf.
Es ist Viertel nach drei.	**15.15**	Es ist drei Uhr fünfzehn. Es ist fünfzehn Uhr fünfzehn.
Es ist halb sieben.	**18.30**	Es ist sechs Uhr dreißig. Es ist achtzehn Uhr dreißig.

Wie spät ist es?

Es ist zehn (Minuten) nach sechs.	**18.10**	Es ist sechs Uhr zehn. Es ist achtzehn Uhr zehn.
Es ist Viertel vor neun.	**20.45**	Es ist acht Uhr fünfundvierzig. Es ist zwanzig Uhr fünfundvierzig.
Es ist acht (Minuten) vor neun.	**20.52**	Es ist acht Uhr zweiundfünfzig. Es ist zwanzig Uhr zweiundfünfzig.

Tipp

Eine Minute hat sechzig Sekunden, eine Stunde sechzig Minuten und ein Tag vierundzwanzig Stunden.

Officially time is expressed by using a 24 hour clock.

3.30 – 12.00	3:30 am – 12:00 noon
16.00 – 24.00	4 pm – 12:00 midnight

Midnight is either *Mitternacht* or *null Uhr*.

Die Schlagzeile

The following headline was taken from the Berlin newspaper *Tagesspiegel.* Read it through without looking up any words. What does it mean? Read it again and look up any words you do not know. What do you think it means this time?

<u>**Zeitgeist**</u>
Die Rolex geht zuletzt
„Geld spielt keine Rolex" - Das Image der Uhr der Reichen und Erfolgreichen ist alt und bekannt. Wie groß ist der Mythos Rolex noch?

Wie spät ist es auf jeder Uhr?

1. 
Es ist.............

2. 

3. 

4. 

5.

Wann fährt der Zug?

Freiburg(Brsg)Hbf → Zürich HB

Fahrplanauszug – Angaben ohne Gewähr –
Gültig vom 16.06.2002 bis 14.12.2002

Ab	Zug	Umsteigen	An	Ab	Zug	An	Verkehrstage
3.54	RE 18031 2.Kl	Basel SBB	4.57	5.20	IC 469	**6.20**	01
4.50	RB 18035	Basel SBB	6.03	6.20	IR 1855	**7.20**	02
5.27	D 203	Basel SBB Zürich Altstetten	6.34 7.43	6.46 7.49	IR 1459 S S9	**7.56**	täglich
5.27	D 203	Basel SBB	6.34	6.53	IR 1759	**8.00**	03
5.49	RE 18039	Basel Bad Bf Waldshut	6.38 7.12	6.42 7.33	IRE 3971 S	**8.21**	04
6.05	RB 18043	Basel SBB Olten	7.19 7.53	7.27 8.15	IC 863 IR 511	**8.53**	täglich
6.05	RB 18043	Basel SBB	7.19	8.07	IC 761	**8.58**	05
6.40	RE 18047	Basel Bad Bf Waldshut Baden(CH)	7.34 8.14 9.06	7.44 8.42 9.13	IRE 3851 R 7432 D 2711	**9.30**	04
7.02	IC 501	Basel SBB	7.46	8.07	IC 761	**8.58**	05

01 = Mo - Fr; nicht 1. Aug
02 = Sa, So; auch 3. Okt, 1. Nov
03 = Mo - Fr; nicht 3. Okt, 1. Nov
04 = Mo - Fr; nicht 1. Aug, 3. Okt, 1. Nov

= Schlafwagen
= BordRestaurant
= SnackPoint
= Liegewagen
= BordBistro

Daniel will nach Zürich fahren. Wann kann er fahren? (Daniel wants to travel to Zurich. When can he leave?)

Look at the above train schedule and ask your partner when a train leaves for Zurich.

Beispiel:
Partner A: Wann fährt ein Zug nach Zürich?
Partner B: Um 3.54 Uhr.

1. Wo arbeitet man am meisten?
2. Wo am wenigsten?
3. Wie viele Stunden arbeitet man in Deutschland? In der Schweiz? In den USA?

Kultur-Aspekte

Time can play an important role in how we organize and perceive our world. Hall and Hall maintain that there are primarily two types of culture, *monchronic* and *polychronic*. In a monochronic culture, a person will do one thing after another. In a polychronic culture, a person will do many different things at the same time. An example of a monochronic culture is Switzerland and a polychronic one is Brazil. Lewis refers to these two groups as linear-active and multi-active cultures respectively. He maintains, that the Germans and the Swiss are very high on the linear-active scale because they attach great importance to analytical work, compartmentalization of it, and the completion of one problem before tackling another. They concentrate on each part resulting in the achievement of near perfection. Americans tend also to be very linear-active; however, they have several differences in attitude. Because Americans believe time is money, they sometimes will push Germans into action before the latter is ready to act. Germans are strong believers that the past plays an important role for making decision about the future. Consequently, they will want to explain a lot of background to American counterparts in order to put current actions into context. This often drives Americans crazy because they want "to get down to business" (p. 39-40).

Another time characteristic of Germans or Swiss is that they are very punctual. One exception is at the university where there is an expression "akademisches Viertel" which means "academic quarter." If a class is scheduled to start at 2 o'clock, it usually begins at 2.15. If the lecture is scheduled to end at 4, it normally stops at 3.45. However, in all other cases be very punctual. Hall and Hall point out that Germans will tend to show up early for an appointment, for example, in order to be sure that they are exactly on time and wait outside until the exact moment of the appointment. This is exemplified by the German expression, *Deutsche Pünktlichkeit ist 5 Minuten vor der Zeit.* (German punctuality is 5 minutes before the time.)

According to Bilton, 'time is everything' was an advertising line used by the Swiss airline which could be the maxim for all Swiss. He maintains that the Swiss (this includes the Germans and the Austrians!) are so punctual that they have a concept of time that is incomprehensible to many other cultures which is "überpünktlich." The Swiss (this also includes the Germans and the Austrians!) do not view this as a fault but as a virtue. Bilton believes this is a reason why the Swiss (Germans and Austrians too!) ask 'How late is it?' when they want to know 'What time it is.'

Bilton, Paul. 1999. *Xenophobe's Guide to the Swiss.* London: Oval Books.

Hall, Edward and Mildred Hall. 1990. *Understanding Cultural Differences.* Yarmouth, ME: Intercultural Press.

Lewis, Richard. 1996. *When Cultures Collide; Managing Successfully across Cultures.* London: Nicholas Brealey Publishing.

Exkursion zwei: Die Qualität

Multi-Kulti Aktivität 1.2

You want to buy a new watch. You have enough money to buy what you are interested in. What would you consider first when buying this watch? (Pick only one)

1. the price
2. the make
3. the quality
4. the warranty

5. the service

Wort-Box			
die Qualität (-en)	quality	am meisten	the most
teuer	expensive	am wenigsten	the least
kennen	to know, to be familiar with		
die Fahrkarte (-n)	ticket		

Im Zug	**In the Train**
Alte Frau: Sie haben nicht viel mit. Daniel: Na ja, ich habe einen Rucksack und zwei Taschen. Alte Frau: Aber, wenn Sie viele Souvenirs in Deutschland kaufen,........... Daniel: Ja, ich weiß, ich muss Dinge nach Hause schicken. Die Post in Deutschland ist teuer, nicht wahr? Alte Frau: Ja, alles ist jetzt mit dem Euro teuer. Die D-Mark war viel besser! Daniel: Na ja, der Euro ist gut, weil ein Euro circa ein Dollar ist. Alte Frau: Ja Ja. Sagen Sie mal, was machen Sie in Freiburg? Daniel: Ich weiß es nicht genau. Kennen Sie Freiburg? Was meinen Sie?	You don't have much with you. Well, I have a rucksack and two bags. But if you buy a lot of souvenirs in Germany, ... Yes, I know I must send the things home. The post office (postage) is expensive in Germany, right? Yes, everything is now expensive with the euro. The D-mark was much better! Well, the euro is good because one euro is about one dollar. Oh well. Tell me what are you doing in Freiburg? I don't know exactly. Do you know Freiburg? What do you think?
Alte Frau: Wenn Sie Uhren interessant finden, fahren Sie nach Lenzkirch. Dort ist ein Markt, wo Sie eine Kuckucksuhr kaufen können. Daniel: Lenzkirch? *Daniel holt eine Landkarte raus. Die alte Frau zeigt ihm, wo Lenzkirch liegt.* Alte Frau: In Schonach ist eine Fabrik. Die Uhrenstraße ist sehr schön. Daniel: Sehr gut. Haben Sie noch andere Ideen? Alte Frau: Ja, Freiburg selbst ist sehr interessant. *Der Schaffner kommt und fragt nach den Fahrkarten.*	If you find clocks interesting travel to Lenzkirch. There is a market there where you can buy a cuckoo clock. *Daniel gets out a map. The old woman shows him where Lenzkirch is.* There is a factory in Schonach. The "clock road" is very beautiful. Very good. Do you have any other ideas? Yes, Freiburg itself is very interesting. *The train conductor comes and asks for the tickets.*

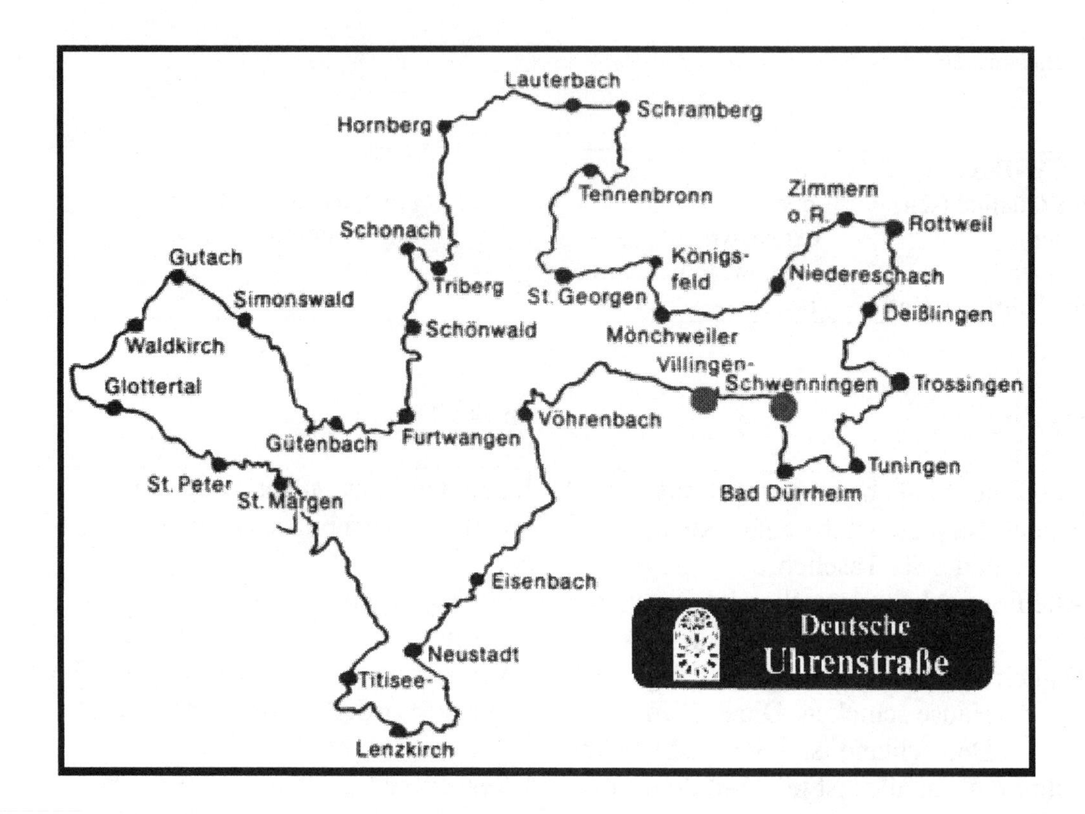

Finden Sie die Städte aus dem Dialog auf der Karte!
Was kann Daniel in diesen Städten machen?

→ For practice, see exercises 1.4-5 in the workbook.

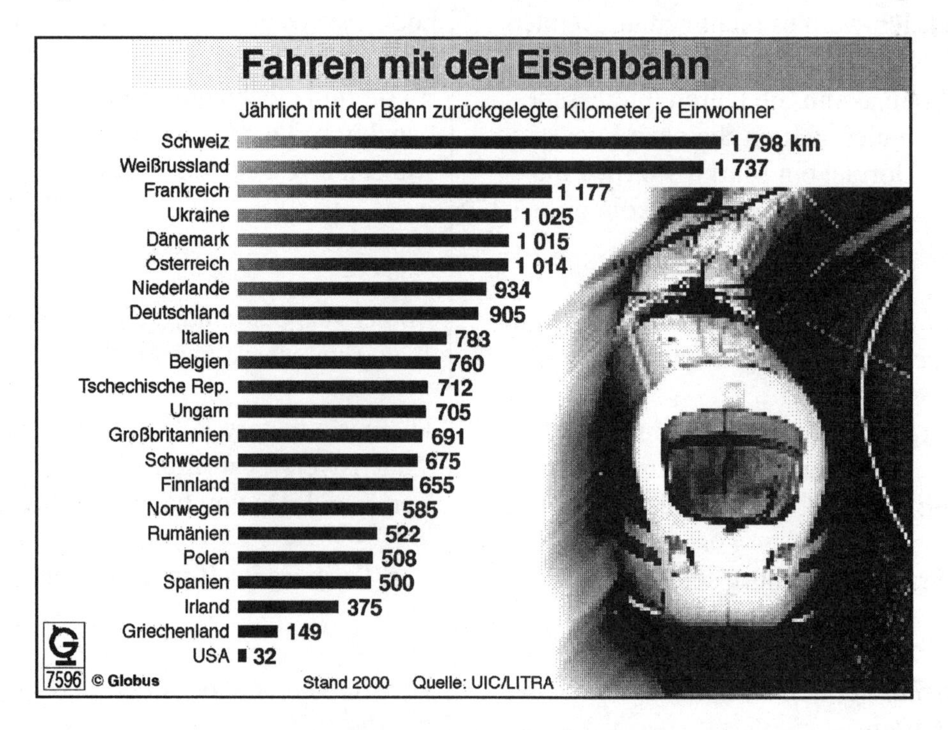

1. In welchem Land fahren die Leute am meisten mit der Bahn?

2. In welchem Land fahren die Leute am wenigsten?
3. Wie viel fahren die Leute in Österreich?

Dialoganalyse

Read the dialogue "Im Zug" again and find six nouns in the plural form. What is the singular form of these nouns? What can you infer from these six nouns about German nouns and their plural?

Grammatik-Spot **Genders, Definite Articles, and Plurals**

In German, nouns are classified by grammatical gender, masculine, feminine, or neuter. The German equivalent of *the* is **der, die,** and **das** (the definite articles) depending on the gender of the noun. Nouns can easily be recognized in German because they are always capitalized.

Masculine: **der**	Feminine: **die**	Neuter: **das**
der Rucksack	die Post	das Ding
der Euro	die Uhr	das Buch
der Dollar	die Landkarte	das Symbol

Aber die Post in Deutschland ist teuer.
Der Euro ist gut.

The gender of nouns that refer to human beings usually corresponds to the biological gender. In other words, words referring to males are normally masculine and words referring to women feminine. Predicting which gender a word will have is difficult.

Even words from other languages are given a German gender.

›der Flirt-Chat

There are some rules of thumb that can help. In general, any noun that ends in *–e* will tend to be feminine, e.g. *die Landkarte.*

The suffix ***–in*** always indicates a feminine noun,
der Student – die Student***in***
der Amerikaner – die Amerikaner***in***.

When the suffix ***-chen*** or ***-lein*** are added to a noun, these nouns are always neuter in gender,
der Mann – das Männ*lein* (little man)
das Buch – das Büch*lein* (little book).

These endings change the meaning of the word to a diminutive. Note that nouns with the vowels a, o, u or au change these vowels to ä, ö, ü, or äu when such a suffix is added.

Compound nouns like *Landkarte* always take the gender of the last word in the compound: *das Land + die Karte =* ***die*** *Landkarte.*

Because there are only a few rules of thumb for predicting the gender of a word it is better to learn the definite article with each noun.

Learning the plural forms of nouns is also essential. Like in English, a noun can either be in the singular or the plural. Normally, in English the plural is formed by adding an *–s* with the exceptions of child = children, goose = geese, for instance; however, there is not just one way of forming the plural in German. Predicting the plural form is difficult; therefore, it is easier to just learn the plural when learning the noun and its definite article.

singular	**plural**
der Markt	die Märkte
die Landkarte	die Landkarten
das Buch	die Bücher

→ For practice, see exercise 1.6 in the workbook.

Welches Geschlecht?

Go back through the previous dialogue and find four nouns for each gender and put each word in the correct column. Also include the plural form of each noun in the list.

masculine	**feminine**	**neuter**
der________/die_______	die________/die_______	das________/die_______
______________________	______________________	______________________
______________________	______________________	______________________
______________________	______________________	______________________

Hörverständnis 1.2 Listen to Daniel's list of souvenirs and write down the gender of the nouns listed below.

1. _______ Postkarte
2. _______ Kuckucksuhr
3. _______ Buch
4. _______ Hut
5. _______ CD
6. _______ Schinken
7. _______ Konzertticket

Kultur-Aspekte

The 18th century was the beginning of the cuckoo clock. However, there were already predecessors of it made of wood and only with an hour hand before this time. In the middle of the century, Franz Ketterer in Schönwald developed the clock which had a cuckoo on the hour.

In the 19th century, the clock was developed further so that a little bird appeared in the gable. A real clock industry developed between St. Georgen and Neustadt at this time. Especially farmers' sons, who did not expect to inherit any land, became very involved in making clocks. Because the youngest son inherited the family farm, the other brothers usually had to find some other way of supporting themselves. Many of them became involved in making clocks, especially cuckoo clocks.

Over time, these clocks became more precise through the change from totally wooden clocks to metal clockwork mechanisms. Eventually, the profession of the clock carrier (Uhrenträger) evolved. These „Uhrenträger" traveled through the various countries of Europe selling clocks. In 1981, the largest Black Forest clock in the world was built by Josef Dold and since 1991 one can enjoy the German Clock Road (die deutsche Uhrenstraße).

One aspect of this clock building industry, not only in Germany but also in Switzerland, that has become extremely important to the mentality of German-speaking peoples, is the concept of quality. According to Bilton, "the Swiss long ago abandoned hope of making anything cheap and instead found a niche at the other end of the market. Of course, expensive things will only sell if they are of the highest quality and Switzerland is synonymous with quality (p. 27)." Today's clock and watch makers in the German-speaking countries are renowned for their excellent quality. However, this applies to products in general. The quality of a product plays a much more important role than in the United States where the price is the determining factor for most people. In Germany, Switzerland and Austria, people buy a product for its quality so that it will last "for ever." That is perhaps also why so many of these early clocks have survived to this day.

Bilton, Paul. 1999. *Xenophobe's Guide to the Swiss*. London: Oval Books.

Schwarzwälder Uhrenträger (from the Schwarzwald-Museum in Triberg)

Exkursion drei: Die Stadtbesichtigung

Wort-Box

die Stadt (-ädte)	city	lecker	delicious
öfter	often	die Torte (-n)	cake
das Buch (-ücher)	book	der Schinken (-)	ham, bacon
das Bild (-er)	picture	der Hunger	hunger
nicht alt genug	not old enough	der Durst	thirst
der Alkohol (-e)	alcohol		

Die Stadt Freiburg

Alte Frau: Nun, Freiburg ist eine sehr alte Stadt. Das Münster oder der Dom ist das Symbol der Stadt.	Well, Freiburg is a very old city. The cathedral or minster is the city symbol.
Daniel: Kommen Sie aus Freiburg?	Do you come from Freiburg?
Alte Frau: Nein, nein, aber ich kenne die Stadt gut. Ich bin öfter in dieser wichtigen Stadt des Schwarzwaldes. Geben Sie mir bitte das Buch.	No, no, abut I know the city well. I am often in this important city of the Black Forest. Please. Give me that book, please.

Now interview your neighbor and answer the five questions for him/her.

Wer bin ich? Read the text and say who the text is about. Make your choice from the following people.

Helmut Kohl   Sissi   Max Planck   Sandra Völker   Franz Liszt

1. Ich bin ein Mann. Ich bin Komponist und komme aus Österreich. Mein Geburtsort ist das Burgenland. Ich bin leider schon tot. Aber meine klassische Musik ist noch sehr beliebt auf der Welt. Wer bin ich?

2. Sie ist eine Frau. Sie kommt aus München, aber ihr Ehemann (husband) ist Österreicher. Jetzt ist sie auch Österreicherin. Sie ist Kaiserin und in Österreich ist sie sehr beliebt. Leider ist sie schon tot. Es gibt (there are) sehr viele Filme über sie und auch ein Musical in Wien (Vienna). Wer ist sie?

3. Er ist ein großer Mann in Deutschland. Er ist Politiker und er kommt aus der Pfalz. Er hat zwei Söhne (sons) und eine Frau. Er ist nicht tot, aber seine Frau ist tot. Wer ist er?

Hast du Hunger? Daniel is following the old woman's advice and he is going to a restaurant in Freiburg to try some of the Black Forest specialties. At the youth hotel he met a young woman from Poland and they are at the restaurant together. Fill in the blanks with the correct forms of *sein* und *haben.*

Daniel und Sylvia __sind__ Studenten. Es __ist__ Mittag und sie __sind__ im Restaurant "Schwarzwald".

Sylvia fragt Daniel: __Hast__ du großen Hunger?
Daniel: Ich __habe__ immer Hunger. Und du?
Sylvia: Ich __habe__ mehr Durst. Aber ich __habe__ Appetit auf Schwarzwälder Kirschtorte.
Daniel: Ja, aber ich __habe__ großen Hunger; erst ein bisschen Schwarzwälder Schinken.
Kellner[1]: Guten Tag.
Daniel und Sylvia: Guten Tag.
Kellner: Bitte.
Daniel: Ein Bier und eine Portion Schwarzwälder Schinken.
Kellner: Es tut mir Leid (I'm sorry), wir __haben__ heute nur Bratwurst.
Daniel: Was? Sie __haben__ nur Bratwurst?
Kellner: Ja.
Daniel: Na gut, dann Bratwurst.

Der Kellner sieht Sylvia an.   The waiter looks at Sylvia.

---

[1] waiter

Kellner: Und Sie?
Sylvia: Ich? Ein Stück Schwarzwälder Kirschtorte.
Kellner: Gut, ein Stück Schwarzwälder Kirschtorte. Mit Kaffee?
Sylvia: Ja, bitte.

Später.

Daniel: Das Essen ______ gut.
Sylvia: Ja, die Küche[2] im Schwarzwald ________ exzellent, nicht wahr?
Daniel: Ja, sie ________ sehr gut. Das Bier auch.

Der Kellner kommt wieder.	The waiter returns.
Kellner: Möchten Sie noch etwas?	Would you like something else?

Daniel: Nein, wir __________ genug.
Sylvia: Das Essen ________ super.
Kellner: Danke.

→ For vocabulary practice, see exercises 1.10-11 in the workbook.

Kultur-Aspekte

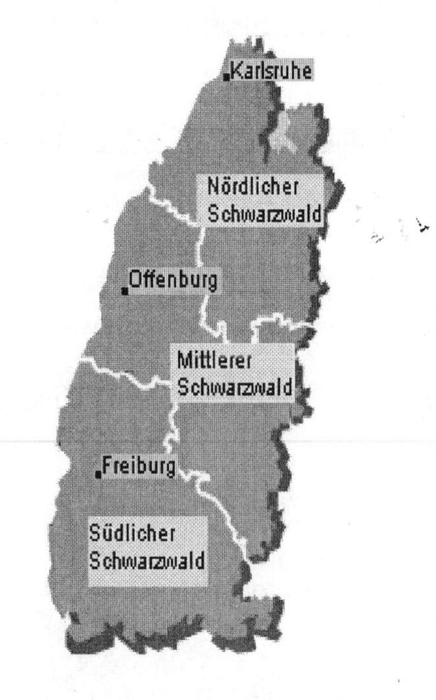

Where does the name of the Black Forest come fror According to Eck, the name "Schwarzwald" has something do with the fir and the pine trees, the dark forest. At the hig elevations the Black Forest primarily consists of coniferous trees that allow only a little light to penetrate through their needles. Eck questions whether it is the idea of this light penetration or the reality of it that influences the name. Already in the 19th century there were comments about hov dark and sinister the forest was. The present name was first recorded in 868 in a document from the monastery in St. Gallen, Switzerland, in which it was referred to as "Saltu Svrzwald" meaning "the Black Forest mountains."

One of the major cities in the Black Forest is Freibu Freiburg is located in the southern part of the Black Forest. The history of this city is long and varied. Because of its location on the Swiss and French borders it has been influenced by many cultures. The Celts and the Romans we the first to make real settlements here. The city of Freiburg was founded in the year 1120. It is known for it Gothic architecture, the Black Forest, and the wine from the Kaiserstuhl region, for example. The Münster (cathedral) in Freiburg is a perfect example of Gothic architecture.

---

[2] kitchen, here: cuisine

Hörverständnis 1.1

1. Wo ist die Post? _______
2. Wie heißt der Mann? ______
3. Woher kommt die Frau? _______
4. Wann kommt der Zug? _______
5. Wie heißt die Straße? _______
6. Wo studiert der Student? ______
7. Wann läuft der Film? _______
8. Woher kommt die Uhr? ______
9. Wie heißt das Kind? _______
10. Wann beginnt das Semester? ______

Hörverständnis 1.2

Auf meiner Souvenirliste stehen: die Postkarte, der Hut, der Schinken, das Konzertticket, die CD, das Buch, die Kuckucksuhr. Ich hoffe, dass ich alles finde.

Aus dem Inhalt

Kultur

Hier lernen Sie etwas über:

Nationalitäten, Sprachen, Länder
Studienfächer
die Europäische Union
das Wetter
die Währungsunion
die Tage der Woche

Grammatik

Infinitives and the present tense
Yes/no questions
ein, kein and nicht

Abschnitt 2

Zürich

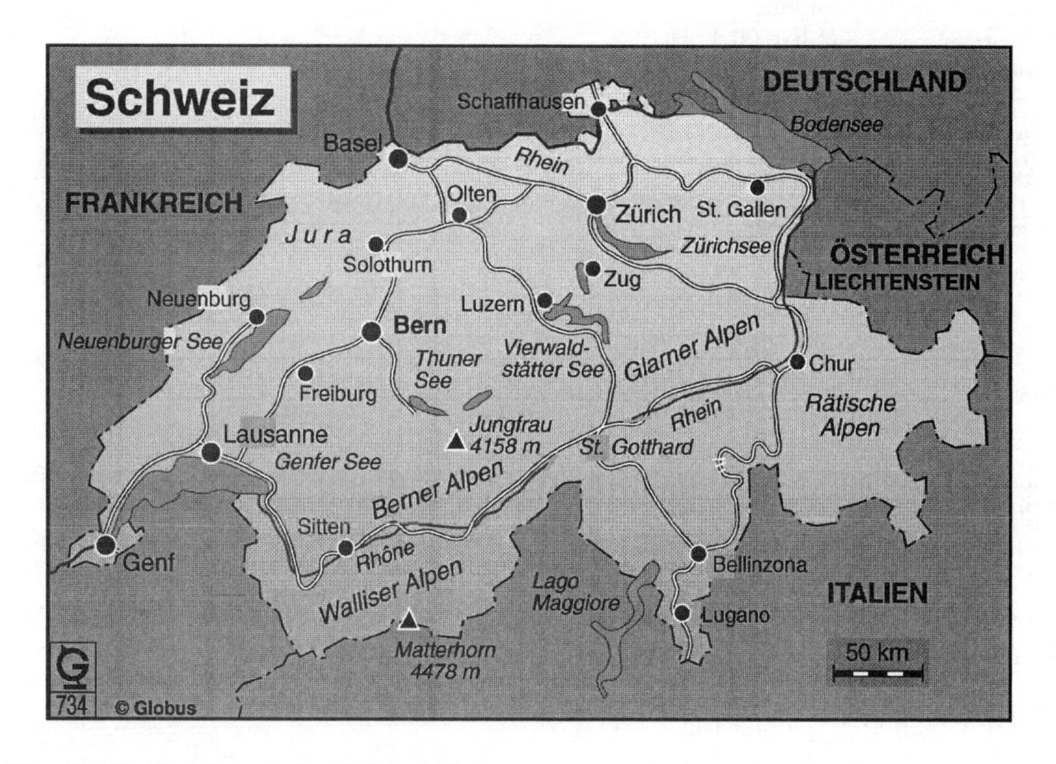

1. Was ist die Hauptstadt der Schweiz?
2. Wie heißt das Bankzentrum der Schweiz?
3. Wie heißen die Nachbarländer der Schweiz?

→ For practice, see exercise 2.12. in workbook.

Exkursion eins: In die Schweiz fahren

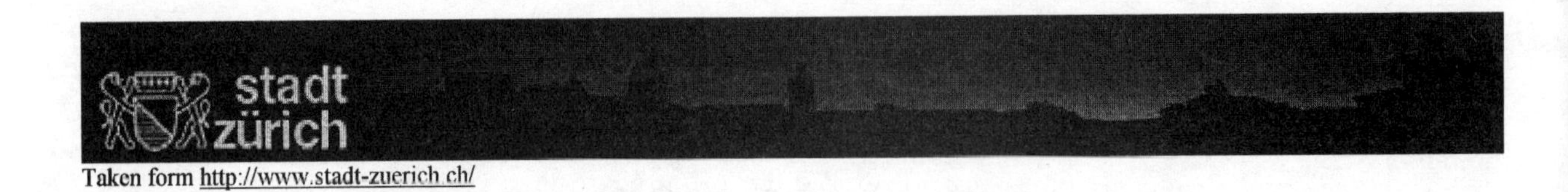

Taken form http://www.stadt-zuerich.ch/

Wort-Box

der Platz (-ätze)	place, seat
Ist hier frei?	Is this seat taken? (lit. Is it free here?)
der/die Italiener/in	Italian
wohnen	to live (at a place)
ich bin geboren	I was born
der Gastarbeiter (-)	guest worker
der Ausländer (-)	foreigner
arbeiten	to work
BWL	Management, Economics; short for: Betriebswirtschaftslehre

Der Zug nach Zürich

Hören und lesen Sie den Dialog und beantworten Sie die folgenden Fragen.

Daniel steigt in den Zug und fährt nach Zürich. Im Zug sucht er einen Platz und sieht, wo Plätze reserviert sind. Er findet ein Abteil mit freien Plätzen. Er macht die Tür auf. Daniel: Guten Tag. Ist hier frei?	*Daniel gets on the train and travels to Zurich. In the train he looks for a seat and sees where seats are reserved. He finds a compartment with free seats. He opens the door.*
Ein junger Mann sitzt im Abteil. Luigi: Die zwei sind belegt, aber der Platz... *Luigi zeigt auf den Platz.* … ist frei. Daniel: Danke schön. *Daniel nimmt Platz. Er denkt, dass dieser*	*A young man is sitting in the compartment.* These two are taken, but that seat... *Luigi points to the seat.* … is free. Thanks. *Daniel sits down. He thinks that this young man isn't a German because he*

junge Mann kein Deutscher ist, denn er sieht nicht deutsch aus. Der junge Mann hat schwarze Haare und sehr dunkle braune Augen.	*doesn’t look German. The young man has black hair and very dark brown eyes.*
Daniel: Ich heiße Daniel und bin Amerikaner. Woher kommen Sie?	
Luigi: Ich wohne in Düsseldorf, aber ich bin Italiener.	I live in Düsseldorf, but I am an Italian.
Daniel: Ach so.	Really.
Er versteht nicht richtig.	*He doesn’t really understand.*
Sie wohnen in Düsseldorf, aber Sie sind Italiener?	You live in Düsseldorf, but you are an Italian?
Luigi: Richtig. Ich bin in Düsseldorf geboren, aber meine Mutter und mein Vater kommen aus Italien.	Yes, that’s right. I was born in Düsseldorf, but my mother and father come from Italy.
Daniel: Ich verstehe. Ich bin in Salt Lake City, Utah, geboren, und meine Mutter und mein Vater sind Amerikaner.	I understand. I was born in Salt Lake City, Utah and my mother and father are Americans.
Luigi: Wir wohnen in Düsseldorf, denn meine Eltern sind Gastarbeiter.	Yes, we live in Düsseldorf, because my parents are “guest workers.”
Daniel: Was sind Gastarbeiter?	What are guest workers?
Luigi: Ausländer, die in Deutschland arbeiten.	Foreigners who work in Germany.
Daniel: Ach so.	Oh.
Luigi: Und ich studiere in Düsseldorf.	And I study in Düsseldorf.
Daniel: Ich studiere BWL an der Columbia University in New York City.	I’m studying management at Columbia University in New York City.
Luigi: Ach, ich studiere auch BWL. Ich bin jetzt unterwegs nach Florenz. Ich möchte meine Familie in Italien besuchen.	Really, I’m studying management too. I’m on my way to Florence. I want to visit my family in Italy.
Daniel: Ich bin in Europa auf Urlaub. Warum arbeiten Ihre Eltern in Deutschland?	I’m in Europe on vacation. Why do your parents work in Germany?
Luigi: Du kannst “du“ sagen.	You can say “you.”
Daniel: Gut, dann “du“.	Good, then “you.”
Luigi: Ja, sie sind hier, denn in Deutschland verdient man sehr gut. Hier sind viele Ausländer. Sie kommen nach Deutschland um zu arbeiten und bleiben. Ihre Kinder	Yes, they are here because you make good money in Germany. There are many foreigners here. They come to Germany to work and stay. Their children speak sometimes only German and are foreigners

sprechen manchmal nur Deutsch und sind Ausländer in ihrer eigenen Heimat.	in their home country.
Daniel: Sie sind keine Deutschen?	They aren't German?
Luigi: Nein! Die Mutter oder der Vater muss Deutscher sein, bevor das Kind Deutscher ist.	No! The mother or father must be a German before the child can be a German.
Daniel: In Amerika......	In America....
Luigi: Du meinst die USA?	You mean the USA?
Daniel: Ja, in den USA ist ein Kind Amerikaner, wenn es in den USA geboren ist.	Yes, in the USA a child is an American if it is born in the USA.
Luigi: Du meinst US-Amerikaner.	You mean US-American.
Daniel: Richtig.	Right.
Die Diskussion mit Luigi ist sehr interessant, und Daniel sieht nicht, wie schnell die Zeit vergeht. Der Zug kommt langsam in Zürich an.	*The discussion with Luigi is very interesting, and Daniel doesn't see how fast time goes by. The train is slowly arriving in Zürich.*
Sehr geehrte Fahrgäste! In wenigen Minuten treffen wir in Zürich ein. Wir entschuldigen uns für die 15 Minuten Verspätung! Wir wünschen einen angenehmen Aufenthalt in Zürich.	*Dear guests! In a few minutes we will be arriving in Zürich. We would like to excuse ourselves for the delay! We would like to wish you a pleasant stay in Zürich.*
Daniel: Mensch, ich muss hier aussteigen! Luigi, unsere Diskussion ist sehr interessant, aber ich muss hier raus. Ich wünsche dir eine gute Weiterfahrt und viel Spaß in Italien.	Man, I have to get off here! Luigi, our discussion is very interesting, but I have to get off here. I wish you a good continuing journey and a lot of fun in Italy.
Luigi: Gleichfalls!	The same to you!

Beantworten Sie die folgenden Fragen.

1. Woher kommt Daniel? Und Luigi?
2. Warum wohnen Luigis Eltern in Deutschland?
3. Wohnen seine Eltern gern in Deutschland? Warum, warum nicht? (The answer to this question cannot be found in the text. Students must assume if the parents like it. This is a possible discussion point either in German or English.)
4. Warum ist Daniel in Europa?
5. Sind Sie schon in Europa gewesen? Wo? Wann?

Kanada	Kanadier	kanadisch	Mexiko	Mexikaner	mexikanisch
Portugal	Portugiese	portugiesisch	Griechenland	Grieche	griechisch

Europa	Europäer	europäisch

→ For practice, see exercise 2.5 in workbook.

Which nationalities do the following flags represent?

Beispiel: *Ich................*

Ich bin Amerikaner.

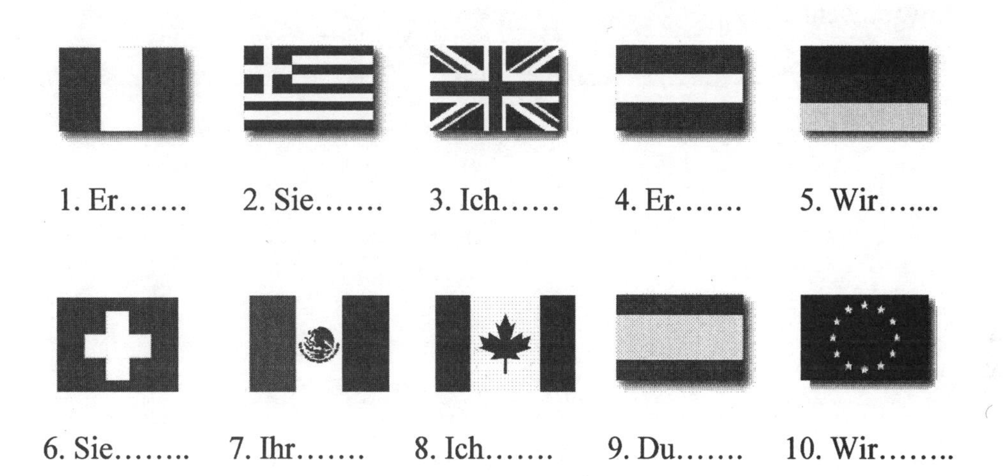

1. Er....... 2. Sie....... 3. Ich...... 4. Er....... 5. Wir.......

6. Sie........ 7. Ihr....... 8. Ich....... 9. Du....... 10. Wir........

Witz

Ein Franzose, ein Engländer und ein Deutscher sind im Lokal. Sagt der Franzose: "Ist das am Tisch nicht Jesus?" Der Deutsche geht hin und fragt: "Sind Sie Jesus?" Jesus: “Ja, ich bin es.“ Der Deutsche geht zurück: "Ja, er ist es." Darauf geht der Engländer hin und lässt sich von Jesus seine kranke Schulter heilen. Danach geht der Franzose hin und lässt sich sein krankes Kreuz heilen. Nachdem Jesus mit dem Essen fertig ist, kommt er zu dem Deutschen und fragt ihn, ob er denn keine Schmerzen habe. Darauf der Deutsche: "Nehmen Sie bloß die Finger weg, ich bin noch zwei Wochen krank geschrieben!"

http://www.blinde-kuh.de/witze/allerlei.html

Was studieren Sie? Sehen Sie die Tabelle an und sagen Sie, was Sie studieren. (Look at the table and say what you are studying.)

Beispiel: Ich studiere Physik.

Astronomie	Geschichte (*history*)	Philosophie
Betriebswirtschaft/BWL (*management*)	Informatik *(information systems*)	Physik
Biologie	Kunst (*art*)	Politologie
Chemie	Literatur	Psychologie
Deutsch/Germanistik	Maschinenbau *(engineering*)	Russisch
Englisch/Anglistik	Mathematik	Soziologie
Französisch/Romanistik	Musik	Spanisch/Romanistik
Geographie	Pädogogik	Volkswirtschaft (*economics*)

Jetzt interviewen Sie Ihre Mitstudenten: Was studierst du? (Walk around and interview your fellow students.)

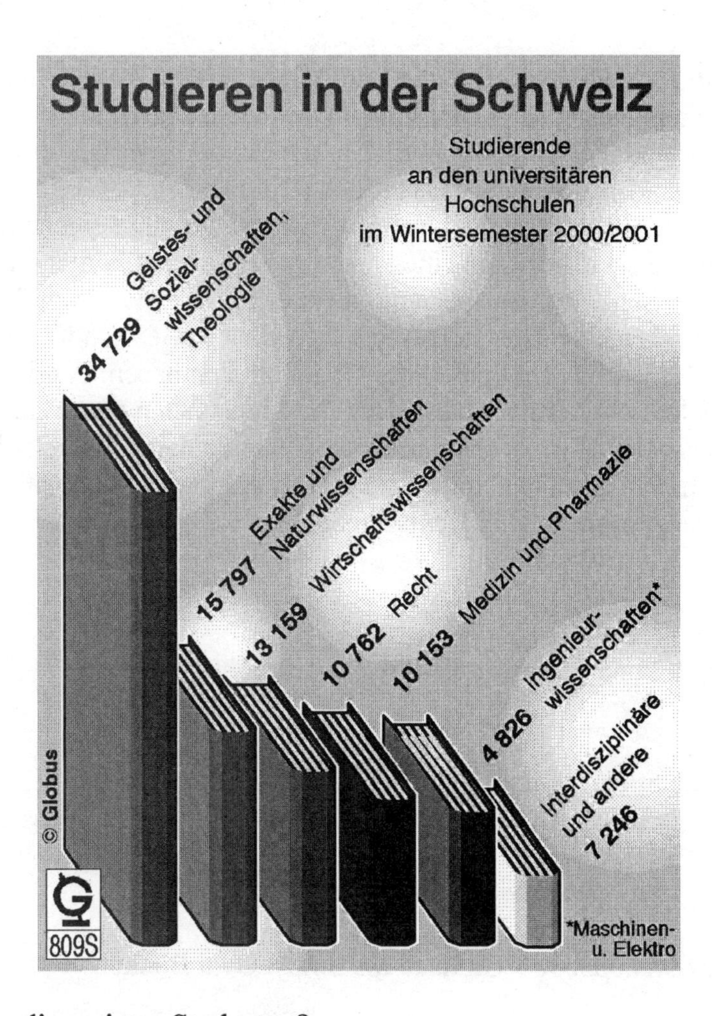

1. Was studieren die meisten Studenten?
2. Wie viele Studenten studieren Recht?
3. Was studieren die wenigsten Studenten?

→ For practice, see exercise 2.6-7 in workbook.

Hörverständnis 2.1: Hören Sie die Informationen an und schreiben Sie auf, was die Studenten studieren.

1. a.________________________ b. ________________________
2. a.________________________ b. ________________________
3. a. ________________________ b. ________________________

Kultur-Aspekte

Heute wohnen in der Bundesrepublik Deutschland über 7 Millionen Ausländer (113.500 Amerikaner im Jahr 2001). Sie kommen aus allen Ländern der Welt. Viele kommen aus der Türkei (über 1,9 Millionen im Jahr 2001). Berlin hat die meisten türkischen Mitbürger. Viele Deutsche und Österreicher arbeiten auch im Ausland. Zum Beispiel wohnen viele Deutsche in Deutschland und viele Österreicher in Österreich, aber sie arbeiten im Ausland, z.B. in der Schweiz. In der Schweiz verdient (to earn) man sehr gut, besser als in Deutschland oder in Österreich (Bilton).

Viele Ausländer möchten zwei Nationalitäten haben, ihre eigene (own) und die deutsche. Aber in Deutschland kann eine Person nur eine Nationalität haben. Ein Ausländer kann Deutscher werden (become), aber er muss seine andere Nationalität aufgeben (give up). Nach deutschem Gesetz (according to German law) kann eine Person nach dem 18. Lebensjahr keine zwei Nationalitäten haben. Vorher (before that) ist es möglich. In der Schweiz ist es ein bisschen anders. Wenn eine Person mit einem/er SchweizerIn verheiratet ist, ist es leichter für die Person einen Schweizer Reisepass und die Schweizer Nationalität zu bekommen (to get). Die doppelte Nationalität ist erlaubt (permitted), dies ist aber nicht so in Deutschland.

Statistiken für
Deutschland
http://www.statistik-bund.de/basis/d/erwerb/erwerbtxt.htm

Österreich
http://www.statistik.at/index.shtml

die Schweiz
http://www.statistik.admin.ch/index.htm

Bilton, Paul. 1999. *Xenophobe's Guide to the Swiss*. Oval Books.

Beantworten Sie die Fragen zum Text.

1. Wie viele Ausländer wohnen in Deutschland? In den USA?
2. Woher kommen die meisten Ausländer in den USA und in Deutschland?
3. Wo in Deutschland wohnen die meisten Türken?
4. Leben die Ausländer legal in Deutschland und in den USA? (The answer is not in the text. Students again must assume. This is a possible discussion point in German or English in class.)
5. Kann eine Person in Deutschland und in den USA zwei Nationalitäten haben?
6. Ist es gut zwei Nationalitäten zu haben? Warum, warum nicht?
7. Möchten Sie im Ausland wohnen? Warum, warum nicht?

Taken from http://www.stadt-zuerich.ch/

Exkursion zwei: Zürich

Multi-Kulti Aktivität 2.2

All class participants stand in a circle, and the instructor throws a ball to one person in the circle and at the same time says the name of one country. The person who catches the ball spontaneously says whatever comes to mind about the country named. Then this person throws the ball to another person and names another country. The new ball recipient says whatever comes to mind about the country just named. This is done until everyone has had the chance to receive the ball at least once.

Possible discussion questions

1. What was your reaction to the game? Was it easy for you to spontaneously come up with an association for the country(ies) you received?
2. Which countries were difficult?
3. How differentiated were the associations?
4. What was the possible source for the thought connections (own experience, TV, the press, assumptions)?

Taken from Losche, Helga. 2000. *Interkulturelle Kommunikation: Sammlung praktischer Spiele und Übungen*. Augsburg: Ziel, p.200.

Wort-Box	
(er/sie) steigt ein	(s/he) gets in, boards
das erste Mal	for the first time
Woher kommen Sie?	Where are you from?
ich komme aus	I'm from
der/die Schweizer/in	Swiss (person)
das Wetter	weather
heiter	friendly
ein bisschen	a little
Danke gleichfalls	thanks, and you too
verheiratet	married

Die Taxifahrt

Hören und lesen Sie den Dialog.

Am Bahnhof in Zürich steigt Daniel in ein Taxi. Taxifahrer: Grüezi. Wohin, bitte? Daniel: Grüss Gott. Pension Luzern in der Bartoldigasse.	*At the train station in Zurich Daniel gets into a taxi.* Hello. Where to? Hello. Pension Luzern in the Bartoldigasse.

Der Taxifahrer fährt los. Und Daniel sieht Zürich zum ersten Mal.	*The taxi driver drives off. And Daniel sees Zurich for the first time.*
Taxifahrer: Schon lange hier?	Have you been here long?
Daniel: Erst 30 Minuten.	Only 30 minutes.
Taxifahrer: Das erste Mal?	The first time?
Daniel: Ja. Mein erstes Mal überhaupt in Europa.	Yes. My first time in Europe at all.
Taxifahrer: Woher kommen Sie?	
Daniel: Aus den USA.	
Taxifahrer: Oh, Sie sprechen gut Deutsch.	Oh, you speak German well.
Daniel: Danke schön.	
Taxifahrer: Ja, ich wohne schon 8 Jahre in der Schweiz.	Yes, I've lived already 8 years in Switzerland.
Daniel: Sind Sie kein Schweizer?	You aren't Swiss?
Taxifahrer: Jain, ich komme aus Bulgarien.	Yes and no, I come from Bulgaria.
Daniel denkt: Wo sind die Schweizer?	*Daniel thinks: Where are the Swiss?*
Taxifahrer: Meine Frau ist Schweizerin und unsere zwei Kinder auch. Mit einer Schweizerin als Ehefrau ist es leicht hier zu bleiben und Schweizer zu werden. Ich habe jetzt zwei Nationalitäten.	My wife is Swiss and my two children too. It's easy to stay here with a Swiss wife and to become Swiss. I have two nationalities.
Daniel: Ist das möglich?	Is that possible?
Taxifahrer: In der Schweiz und in Bulgarien, ja. In Deutschland z.B., nein.	In Switzerland and in Bulgaria yes. In the Federal Republic of Germany no, for example.
Daniel: Ja, das weiß ich schon.	Yes, I know already.
Taxifhrer: Wie lange bleiben Sie in der Schweiz?	How long are you staying in Switzerland?
Daniel: Nicht lange. Übermorgen fahre ich nach München.	Not long. Day after tomorrow I'm going to Munich.
Taxifahrer: Sie haben Glück. Heute ist das Wetter ein bisschen besser. Gestern war es furchtbar kalt und regnerisch.	You are lucky. Today the weather is a little better. Yesterday it was horribly cold and rainy.
Daniel: Ja, wo bleibt der Sommer dieses Jahr? Ein Sommer hier ist wie Winter in meiner Heimatstadt.	Yes, where is the summer this year? A summer here is like winter in my home town.
Taxifahrer: Laut Wetterbericht ist es morgen schön und warm. Etwa 18° C.	According to the weather report it will be nice and warm tomorrow. About 18° C.
Daniel: 18° C? Wie viel ist das in Fahrenheit?	18° C? How much is that in Fahrenheit?

Der Taxifahrer hört ihn nicht und redet weiter.	*The taxi driver doesn't hear him und continues talking.*
Taxifahrer: Heute Nachmittag heiter und 15° C Höchsttemperatur. Also eine Jacke heute Abend mitnehmen.	This afternoon clear and the high of 15° C. Therefore, take a jacket with you this evening.
Daniel: Ich denke daran.	I'll remember that.
Taxifahrer: Hier ist die Bartoldigasse. Welche Hausnummer ist es?	Here's the Bartoldigasse. Which number is it?
Daniel: Moment mal, ich schaue nach. Hier steht's: Nr. 83.	Just a second, I'll look. Here's written No. 83.
Taxifahrer: Gut, noch ein bisschen.	Good, just a little more.
Er fährt ein bisschen weiter.	*He drives a little further.*
So, hier sind wir. Das macht 35 Franken.	So, here we are. It's 35 Swiss francs.
Daniel denkt: Mensch, das ist teuer!	*Daniel thinks: Man, this is expensive!*
Daniel: Nehmen Sie Kreditkarten?	Do you take credit cards?
Taxifahrer: Natürlich, in der Schweiz nehmen wir alles.	Of course, in Switzerland we take everything.
Daniel: Ich muss nämlich noch Geld umtauschen.	I still have to exchange money.
Taxifahrer: Brauchen Sie eine Quittung?	Do you need a receipt?
Daniel: Nein, nur meinen Beleg von der Kreditkarte.	No, only a credit card receipt.
Taxifahrer: Bitte schön.	Here you are.
Er reicht Daniel einen Beleg.	*He gives Daniel a receipt.*
Daniel: Danke schön.	Thank you.
Beim Aussteigen sagt Daniel:	*While getting out Daniel says*
Schönen Tag noch.	Have a good day.
Taxifahrer: Danke gleichfalls.	Thanks, you too.

Sind die Aussagen (statements) richtig oder falsch?

_____ 1. Der Taxifahrer kommt aus Rumänien.
_____ 2. Der Taxifahrer ist verheiratet.
_____ 3. Der Taxifahrer hat nur eine Nationalität.

_____ 4. Pension Luzern ist in der Bachgasse.
_____ 5. Die Taxifahrt kostet 45 Euro.
_____ 6. Daniel zahlt mit der Kreditkarte.

→ For practice, see exercise 2.8 in workbook.

1. Wie viele Ausländer wohnen in Deutschland?
2. Welches Land hat die wenigsten Ausländer?
3. Welches Land hat prozentual die meisten Ausländer?

Die Hauptstädte

Tragen Sie die folgenden Hauptstädte in die Karte ein.

Brüssel	Paris	Oslo	Berlin	Rom	Madrid
London	Edinburgh	Kopenhagen	Lissabon	Athen	Prag
Helsinki	Dublin	Bern	den Haag	Stockholm	Wien
Luxemburg					

Die Sprachen in den einzelnen Ländern

Die offiziellen Amtssprachen sind klein markiert. Ist bei einem Land keine Sprache klein markiert, ist keine offizielle Amtssprache definiert.

Argentinien	**Spanisch**
Australien	**Englisch, kreolische Dialekte, Sprachen der Ureinwohner**
Belgien	**Niederländisch, Französisch, Deutsch**

Brasilien	Portugiesisch, indianische Sprachen
Dänemark	Dänisch, im Süden Jütlands Deutsch
Deutschland	Deutsch, Dänisch, Sorbisch, Friesisch
Finnland	Finnisch, Schwedisch, Samisch/Lappisch, Russisch.
Frankreich	Französisch, Elsässisch, Baskisch, Bretonisch, Korsisch, Katalanisch, Okzitanisch
Griechenland	Griechisch
Großbritannien	Englisch
Italien	Italienisch, regional Französisch und Deutsch; außerdem Lombardisch, Kalabrisch, Sardisch
Japan	Japanisch
Kanada	Englisch, Französisch. Englisch sprechen 59%, Französisch 23%, beide Sprachen gleich gut 18%
Luxemburg	Luxemburgisch, Französisch, Deutsch
Niederlande	Niederländisch sowie regional Friesisch, daneben Deutsch und Englisch als Verkehrssprache
Österreich	Deutsch
Polen	Polnisch
Portugal	Portugiesisch
Schweden	Schwedisch
Schweiz	Deutsch (63,6%), Französisch (19,2%), Italienisch (7,6%) und Rätoromanisch (0,6%)
Spanien	Spanisch, außerdem Katalanisch, Galizisch und Baskisch
Vereinigte Staaten von Amerika	amerikanisches Englisch
Zypern	Griechisch, Türkisch

List taken from http://www.erdkunde-online.de/sprachen/index1.htm

Welche Sprache?

Welche Sprache spricht man in diesen Ländern? (Which language does one speak in these countries?)

Beispiel: In Polen spricht man Polnisch.

1. In Polen?
2. In der Schweiz?
3. In Norwegen?
4. In Österreich?
6. In Australien?
7. In Südafrika?
8. In Liechtenstein?
9. In Belgien?

wohnen	nächste Woche	in Berlin/Hamburg/New York City...
kommen	nie	aus____________
studieren	jetzt	Mathe/Englisch/Physik...............

Woher kommt die Wettervorhersage?

Woher wissen die Meteorologen aber, wie das Wetter morgen aussieht? Dazu müssen sie viele Informationen haben: Satellitenbilder, Radarbilder, Daten aus den Wetterstationen und auch das Wetter von gestern und heute. Alle diese Informationen werden zusammengefasst und daraus entsteht dann eine Wetterkarte, wo du dann die Vorhersage für morgen und für die nächsten Tage nachlesen kannst.

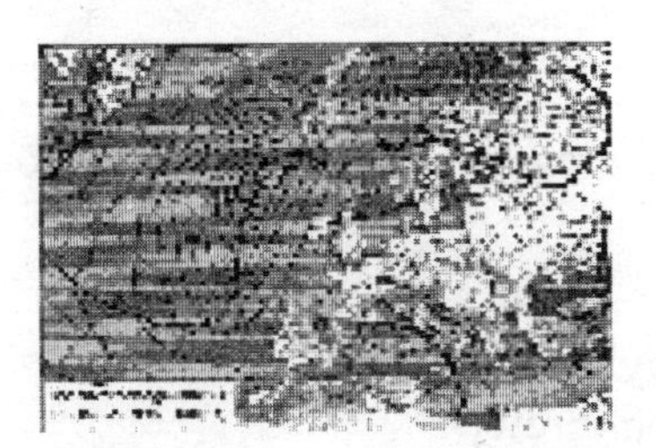

Text and map taken from http://www.physikforkids.de/lab1/wetter/karte/wkarte.html

Beantworten Sie die folgenden Fragen.

1. Wer macht die Wettervorhersage?
2. Welche Informationen müssen die Meteorologen haben?
3. Was ist wichtig für die Herstellung einer Wetterkarte[1]?
4. Wo können Sie über das Wetter nachlesen?

Wie ist das Wetter? Schauen Sie die Bilder an, wie ist das Wetter in jedem Bild? (Look at the pictures, what is the weather like in each picture?)

Beispiel: Es ist sonnig.

[1] the production of a weather map

Wie ist das Wetter heute (today)?
Wie ist das Wetter morgen (tomorrow)?
Am Wochenende?

Das Wetter heute

Work together with a partner and ask your partner for information about the cities you are missing. The information for partner A is on this page, and the information for partner B is at the end of this chapter.

Partner A

1.	2.	3.	4.
- 10 Helsinki	? London	25 Sydney	18 Bangkok

5. 6. 7. 8.

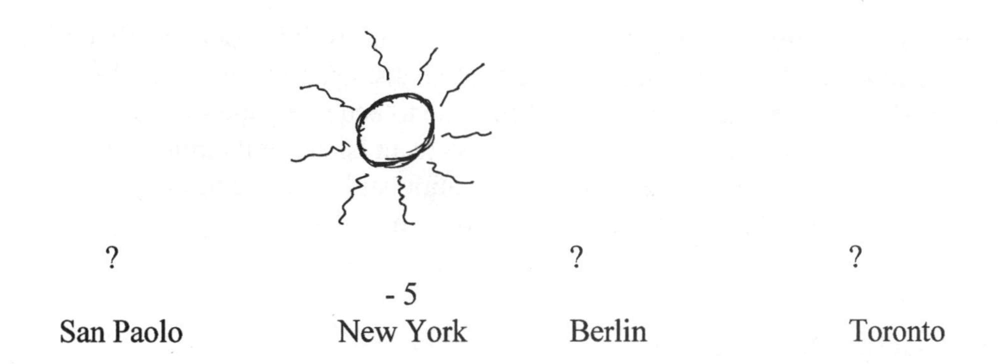

→ For practice, see exercise 2.9 in workbook.

Hörverständnis 2.2: Hören Sie die folgenden Wetterberichte an. Schreiben Sie die Nummer des Berichts neben das passende Bild.

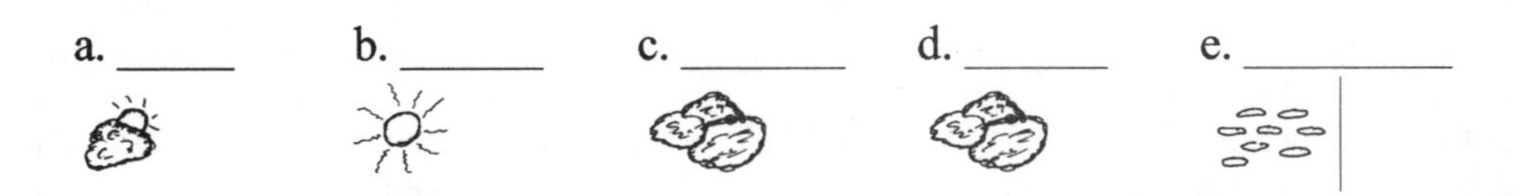

Kultur-Aspekte

[illegible] opean Union began shortly after the Second World War. Previously [illegible] a united Europe; however, national pride and the compulsion to [illegible] er were prevalent throughout Europe and prevented the realization [illegible] 46 Winston Churchill suggested the new founding of the European [illegible] prevent any possibility of war on the European continent. Shortly [illegible] WII, Belgium, the Netherlands, and Luxemburg formed the customs [illegible] nelux. France, Germany, and Italy together with the Benelux countries [illegible] opean Coal and Steel Community in 1950 which is considered to be the forerunner of the EU. The merger of the European Economic Community, the European Atomic Energy Community, and The European Coal and Steel Community was signed in 1965 in the Treaty of Rome. This created the European Community. In 1994, the European Union was established through the economic and monetary union. The following countries are today members of the EU; Austria, Belgium, Denmark, Finland, France, Germany, Great Britain, Greece, Ireland, Italy, Luxemburg, the Netherlands, Portugal, Sweden, Spain, Bulgaria, the Czech Republic, Estonia, Cyprus, Latvia, Lithuania, Hungary, Malta, Poland, Romania, Slovenia, and Slovakia.

Because Switzerland has enjoyed neutrality for centuries, it is not a member of the EU. In several plebiscites, the Swiss people have continually rejected giving up their neutrality. In 2002 Switzerland decided for the first time to become a member of the United Nations. Because of their neutrality, the Swiss are an island in the middle of Europe with their own currency, customs and immigration authorities, and laws. Traveling between the EU and Switzerland is, however, no problem.

Exkursion drei: Die Währung

Multi-Kulti-Aktivität 2.3

You are in Germany and you want to make a large purchase. What is the best way to pay for it?

1. You use your credit card.
2. You pay cash.
3. You pay by check.

Wort-Box	
kennen lernen	to get to know
der/die Bekannte	acquaintance
niedlich	cute, sweet
Geld umtauschen	to exchange money
die Wechselstube (-n)	exchange office
der Geldautomat (-en)	money exchange machine
Geld abheben	to withdraw money
der Kurs	here: exchange rate

Kennen lernen Hören und lesen Sie den Dialog und schreiben Sie die Fragen für die Antworten.

Daniel und eine Bekannte sind unterwegs im Zentrum von Zürich.	*Daniel and an acquaintance are underway in the city center of Zurich.*
Daniel: Das Zentrum ist wirklich schön, nicht wahr?	The center is really beautiful, isn't it?
Gabi: Ja, das stimmt. Aber ein bisschen kleiner als in Berlin.	Yes, that's right. But a little smaller than in Berlin.
Daniel: Berlin ist bestimmt sehr groß mit vielen Hochhäusern.	Berlin is certainly very big with many skyscrapers.
Gabi: Richtig. Wir haben in Berlin mehrere große Zentren. Aber die wunderschönen Berge haben wir in Berlin nicht.	Right. We have several big centers in Berlin. But we don't have the beautiful mountains in Berlin.
Daniel: Ja, die Berge sind hier toll. So schön grün. Und die Häuser sind	Yes, the mountains are excellent here. So beautifully green. And the houses are so

3. Daniel
___ hat einen Ausweis mit.
___ hat keinen Ausweis mit.
___ hat ein Ticket mit.

4. Daniel
___ hat keine Buskarten mit.
___ hat eine Buskarte mit.
___ hat Buskarten mit.

Was macht Daniel nicht?

Daniel denkt darüber nach (thinks about), was er machen muss und was nicht. Setzen Sie „nicht" ein, wo nötig (where needed).

Morgen fahre ich ______ zum Zoo und sehe ______ die Elefanten, aber ich will die Reptilien _______ sehen. Gabi will ____________ mitkommen, denn sie geht ins Museum __________. Ich will im Zoo _________ essen, denn es ist ________ teuer. Nach dem Zoo fahre ich in die Stadt __________ und besuche Peter __________. Peter und ich gehen abends ins Kino __________.

Gern oder nicht gern? Find out what the following people like to do or don't like to do by asking your partner.
Partner 2, see end of chapter.

Beispiel: Partner 1: Was macht Daniel gern?
Partner 2: Er trinkt gern Bier. Was macht Gabi nicht gern?
Partner 1: Sie arbeitet nicht gern.

Partner 1

	Daniel	Luigi	Monika	Taxifahrer	Gabi
gern		ins Theater gehen	studieren		arbeiten
nicht gern	Hausaufgaben machen			kochen	

Was machen Sie gern?
Was machen Sie nicht gern?

Die Währung[2]

Euro Währung	Vortag[3]	Eröff.[4]	Akt.[5]	Datum	Zei

[2] currency
[3] previous day
[4] Eröffnung = opening rate

Euro-Australischer Dollar	1,7844	1,7849	1,7843	01.11.	18:13
Euro-Britisches Pfund	0,6328	0,6328	0,6373	01.11.	18:13
Euro-Hongkong-Dollar	7,7269	7,7288	7,7809	01.11.	18:13
Euro-Japanischer Yen	121,3250	121,3350	121,7850	01.11.	18:12
Euro-Kanadischer Dollar	1,5445	1,5449	1,5538	01.11.	18:13
Euro-Norwegische Krone	7,3609	7,3628	7,3623	01.11.	18:13
Euro-Schwedische Krone	9,0713	9,0692	9,1041	01.11.	18:13
Euro-Schweizer Franken	1,4630	1,4624	1,4628	01.11.	18:12
Euro-Singapur-Dollar	1,7506	1,7510	1,7582	01.11.	18:13
Euro-Südafrikanischer Rand	9,9219	9,9243	9,9715	01.11.	18:13
Euro-US Dollar	0,9908	0,9909	0,9977	01.11.	18:13

Table taken from http://waehrungen.onvista.de/

Daniel is standing at a bank window looking at the exchange rates for the euro before he leaves to go to Munich. He has to plan his financial situation. He exchanged too much money in Switzerland and doesn't want to take the Swiss francs with him.

1. Daniel hat 130 Sfr zu viel. Er möchte (would like) das Geld umtauschen (to exchange). Wie viel bekommt Daniel für 130 Sfr in Euro?

. Daniel hat auch 125 US$. Was bekommt er in Euro für die 125 US$?

3 Nächstes Jahr fliegt Daniel nach Japan und er hat 159 Euro. Wie viele Yen bekommt er

4. n August fliegt Daniel nach Stockholm, und sein Hotel kostet 850 Kronen pro Nacht. Wi viel Geld muss Daniel für drei Nächte im Hotel umtauschen?

5. D iel kaufte gestern (yesterday) 200 Euro. Er möchte aber heute die 200 Euro zurück in U Dollar umtauschen. Wie viele Dollar bekommt er?

Der Eu o

Lesen Si den Text.

In Europa ibt es heute noch viele verschiedene Währungen. Aber heute gibt es den Euro in Hartgel In vielen Ländern der EU (Europäischen Union) gibt es nur den Euro. In Großbritann en gibt es zum Beispiel noch weiter das Pfund. Die Schweiz ist kein Mitglied der EU und dort gibt es nur den Franken. Aber in Deutschland und in Österreich gi es nur den Euro. Auf jedem Euroschein gibt es eine Brücke auf der einen Seite und auf er anderen ein bekanntes Motiv in einem Euroland. Die Brücke symbolisiert d Verbindung zwischen den EU-Ländern

---

[5] aktuell = current

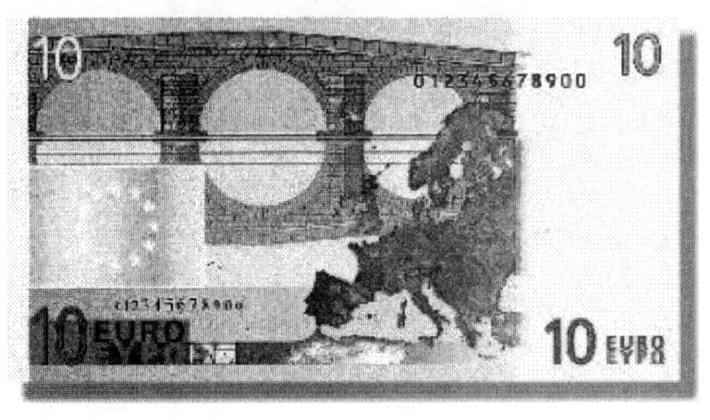

Klicken Sie http://www.ihr-euro.de/muenzen_euro_cent_1_2_5.htm, http://www.ihr-euro.de/muenzen_euro_cent_10_20_50.htm, http://www.ihr-euro.de/muenzen_euro_1_2.htm, http://www.ihr-euro.de/banknoten_uebersicht_sicherheitsmerkmale_index.htm, um weiteres Geld zu sehen.

Es gibt is in English the equivalent of *there is* and *there are*. When using **es gibt,** you do not have to make the difference in number like in English.

Beispiel: Wie viele Länder gibt es in der EU?
Es gibt 15 Länder in der EU.

1. Welche Währungen gibt es in Europa?
2. In welcher Form gibt es heute den Euro?
3. Welche Währung gibt es in Großbritannien?
4. Welche Währung gibt es in der Schweiz?
5. Was gibt es auf dem Euroschein?

Die Tage der Woche

Schönherr 2003

	1	2	3	4	5	6	7	8	9	10	11	12	13	14	15	16	17	18	19	20	21	22	23	24	25	26	27	28	29	30	31	
Januar	Mi	Do	Fr	Sa	So	Mo	Di	Mi	Do	Fr	Sa	So	Mo	Di	Mi	Do	Fr	Sa	So	Mo	Di	Mi	Do	Fr	Sa	So	Mo	Di	Mi	Do	Fr	31
Februar	Sa	So	Mo	Di	Mi	Do	Fr	Sa	So	Mo	Di	Mi	Do	Fr	Sa	So	Mo	Di	Mi	Do	Fr	Sa	So	Mo	Di	Mi	Do	Fr				28
März	Sa	So	Mo	Di	Mi	Do	Fr	Sa	So	Mo	Di	Mi	Do	Fr	Sa	So	Mo	Di	Mi	Do	Fr	Sa	So	Mo	Di	Mi	Do	Fr	Sa	So	Mo	31
April	Di	Mi	Do	Fr	Sa	So	Mo	Di	Mi	Do	Fr	Sa	So	Mo	Di	Mi	Do	Fr	Sa	So	Mo	Di	Mi	Do	Fr	Sa	So	Mo	Di	Mi		30
Mai	Do	Fr	Sa	So	Mo	Di	Mi	Do	Fr	Sa	So	Mo	Di	Mi	Do	Fr	Sa	So	Mo	Di	Mi	Do	Fr	Sa	So	Mo	Di	Mi	Do	Fr	Sa	31
Juni	So	Mo	Di	Mi	Do	Fr	Sa	So	Mo	Di	Mi	Do	Fr	Sa	So	Mo	Di	Mi	Do	Fr	Sa	So	Mo	Di	Mi	Do	Fr	Sa	So	Mo		30
Juli	Di	Mi	Do	Fr	Sa	So	Mo	Di	Mi	Do	Fr	Sa	So	Mo	Di	Mi	Do	Fr	Sa	So	Mo	Di	Mi	Do	Fr	Sa	So	Mo	Di	Mi	Do	31
August	Fr	Sa	So	Mo	Di	Mi	Do	Fr	Sa	So	Mo	Di	Mi	Do	Fr	Sa	So	Mo	Di	Mi	Do	Fr	Sa	So	Mo	Di	Mi	Do	Fr	Sa	So	31
September	Mo	Di	Mi	Do	Fr	Sa	So	Mo	Di	Mi	Do	Fr	Sa	So	Mo	Di	Mi	Do	Fr	Sa	So	Mo	Di	Mi	Do	Fr	Sa	So	Mo	Di		30
Oktober	Mi	Do	Fr	Sa	So	Mo	Di	Mi	Do	Fr	Sa	So	Mo	Di	Mi	Do	Fr	Sa	So	Mo	Di	Mi	Do	Fr	Sa	So	Mo	Di	Mi	Do	Fr	31
November	Sa	So	Mo	Di	Mi	Do	Fr	Sa	So	Mo	Di	Mi	Do	Fr	Sa	So	Mo	Di	Mi	Do	Fr	Sa	So	Mo	Di	Mi	Do	Fr	Sa	So		30
	Mo	Di	Mi	Do	Fr	Sa	So	Mo	Di	Mi	Do	Fr	Sa	So	Mo	Di	Mi	Do	Fr	Sa	So	Mo	Di	Mi	Do	Fr	Sa	So	Mo	Di	Mi	31

Die Tage der Woche sind Montag, Dienstag, Mittwoch, Donnerstag, Freitag, Samstag und Sonntag.

1. Wie viele Tage hat die Woche? How many days in week
2. Mit welchem Tag beginnt die Woche in Amerika? In der Schweiz? In Deutschland? In Österreich?
3. Mit welchem Tag beginnt das Wochenende?
4. Wie viele Tage hat das Wochenende? Welche?
5. Wie viele Wochen hat ein Jahr?
6. Wie viele Tage hat der Monat März?
7. Wie viele Montage hat der Monat Februar im Jahr 2003?
8. Wie viele Donnerstage hat der Monat Januar im Jahr 2003?
9. Mit welchem Tag beginnt der Monat April im Jahr 2003?
10. Mit welchem Tag endet der Monat März im Jahr 2003?

Das Datum To state the date in German, you use an ordinal number plus the preposition **am**, for example, **am 11.6.2002** (elften sechsten zweitausendzwei). In this case **am** is the equivalent of *on* in English. To form the ordinal numbers, you take the cardinal number and add the suffix *–te* or *–ste*. There is, however, a big difference between dates in German and English. At present the date in German speaking countries starts with the day then the month and year. However, the European Union has suggested starting the date with the year followed by day and then month.

Fragen, Fragen, Fragen

Beispiel: Wann ist Neujahr?
Am 1.1.

1. Wann haben Sie Geburtstag?
2. Wann hat Ihr Vater Geburtstag?
3. Wann beginnt die Universität?
4. Wann endet das Semester?
5. Wann ist Thanksgiving in Amerika?

Hörverständnis 2.4: Hören Sie Daniels Pläne (plans) an und schreiben Sie das richtige Datum auf.

1. Wann fliegt Daniel nach Frankfurt?
2. Wann ist er in Zürich?
3. An welchem Tag fährt (travels) er nach Wien?
4. Wann ist er in Hamburg?
5. Wann beginnt die Universität?

Kultur-Aspekte

The Monetary Union

In December 1995, the EU politicians decided upon the name of the new currency, the euro; 1 euro = 100 cents. In 1997, the monetary union established which EU countries would use the new currency. At that time Greece wanted to be a member of this union; however, Greece was not able to meet the requirements. Today Greece is a member. Great Britain, Denmark and Sweden decided not to take part in the monetary union. Denmark has held several referenda on this question but it has been rejected each time. Through the establishment of a single currency for most EU countries, there was a need for a central organization to control the monetary reserves of this union. Consequently, the Central Bank was established and located in Frankfurt. The hard currency was first introduced in January 2002 which eliminated the old currencies of the monetary union member countries. Because of its neutrality, Switzerland still uses the Swiss franc. However, there is a great deal of trading in Switzerland involving the euro. Being the banking center it is, Switzerland has no choice but to be involved in the euro. Consequently, throughout most of Western Europe you need only one currency, the euro.

www.euro.de

Treffpunkt: Schreiben Sie mit einem Partner einen Dialog. Gabi und Daniel lernen sich in diesem Dialog kennen. "Wo", "wann", und "wie" ist wichtig! ODER Schreiben Sie mit einem Partner, wie der Dialog oben vor der Bank weiter geht.

Multi-Kulti-Aktivität 2.3

1. This would probably be the correct answer for the States but not Germany. Less than 10% of all purchases are paid for by credit card. It is even possible that many stores do not accept credit cards. If they do it is possible that they will charge you an extra fee to pay by credit card.
2. This is the correct answer. Germans tend to pay for most of the things in cash. For large purchases, such as buying a car, they do a money transfer from their bank account (*Überweisung*) or use a credit card.
3. This would get you nowhere. Checks are not a common form of payment. Traveler's checks are accepted in tourist areas, but even then many shops and stores are not interested in taking even traveler's checks. It could be possible that the shop would send you to the nearest bank to have you cash your traveler's check there.

Hörverständnis 2.1:

1. Reporter: Guten Tag, ich bin von CNN und möchte wissen, was Sie studieren.
Student: Ich? Ich studiere Pädagogik in Hamburg.
Reporter: Und Sie?
Studentin: Ich studiere auch Pädagogik in Hamburg.

2. Reporter: Grüß Gott, ich bin von der New York Times und möchte wissen, was Sie studieren.
Student: Ich studiere Mathe.
Reporter: Und was studieren Sie?
Studentin: Ich studiere Maschinenbau in Zürich.

3. Reporter: Guten Abend, ich bin von der Financial Times und möchte wissen, was Sie studieren.
Studentin: Ich studiere Geschichte und Englisch.
Reporter: Und Sie?
Studentin: Ich studiere Kunst. Moderne Kunst in Düsseldorf.

Hörverständnis 2.2:

1. Es wird heute in München regnerisch sein.
2. Heute Nachmittag wird es sonnig und warm sein.
3. Vorsicht! Heute wird es in der Stadt neblig sein.
4. Heute wird es in Hamburg heiter sein.
5. Morgen wird es in Berlin wieder bedeckt sein.

Hörverständnis 2.3:

Daniel: Gabi, hast du eine Kreditkarte mit?
Gabi: Nein, ich habe keine, aber ich habe Geld.

Daniel: Gut! Hast du einen Ausweis mit?
Gabi: Ja, ich habe immer einen mit. Warum fragst du?
Daniel: Ich habe keinen mit. Er ist im Hotel.
Gabi: Und hast du eine Kreditkarte mit?
Daniel. Hmmm, sie liegt auch im Hotel.
Gabi: Und die Buskarten?
Daniel: Die habe ich mit. Warum?
Gabi: Ich habe keine. Du hast auch meine.
Daniel: Ja, sicher.

Hörverständnis 2.4:

Am 13.4. bin ich noch in New York City. Aber am 6.6. fliege ich nach Frankfurt. Am 10.6. will ich in Zürich sein und dann fahre ich nach München. Am 22.6. fahre ich nach Wien und bleibe bis zum 26.6. Am 27.6. besuche ich meine Oma in Linz. Am 21.7. bin ich in Hamburg und am 10.8. fliege ich nach New York City. Die Universität beginnt am 26.8.

Übung: Gern oder nicht gern? Partner 2

Partner 2

	Daniel	Luigi	Monika	Taxifahrer	Gabi
gern	Bier trinken			essen gehen	
nicht gern		arbeiten	in die Oper gehen		einkaufen gehen

Das Wetter heute
Partner B

1.
?
Helsinki

2.
-10
London

3.
?
Sydney

4.
?
Bangkok

5.

23
San Paolo

6.
New York

7.
3
Berlin

8.

- 15
Toronto

Aus dem Inhalt

Kultur

Hier lernen Sie etwas über:

Traditionen
Farben
Dachau
die Monate des Jahres

Grammatik

Word order
Separable verbs
kennen und wissen

Abschnitt 3

München

1. In welchem Bundesland liegt München?
2. Welches Land liegt direkt südlich von Bayern?
3. Welche Berge liegen in Bayern?

→ For practice, see exercise 3.9 in the workbook.

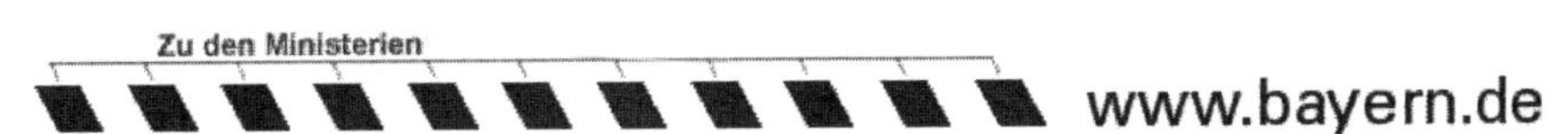

Exkursion eins: Die Fahrt nach München

Multi-Kulti-Aktivität 3.1

Very often one can hear or read in German language newspapers that Germans, Swiss and Austrians do not consider their countries to be a country of immigrants. What does this say to you about these people? Why do you think that Germans, Swiss and Austrians might feel this way? How do you think this might affect foreigners in Germany, Switzerland and Austria today?

Im Zug nach München

Daniel und Gabi sitzen im Zug unterwegs nach München.	*Daniel and Gabi are sitting in the train on their way to Munich.*
Daniel: Ich kann's kaum erwarten, bis ich in München bin.	I can hardly wait until I'm in Munich.
Gabi: Warum?	Why?
Daniel: Ich will die deutsche Stadt sehen.	I want to see the German city.
Gabi: Die deutsche Stadt? München ist eine Stadt in Deutschland, aber nicht die deutsche Stadt.	The German city? Munich is one city in Germany but not the German city.
Daniel: Na ja, jeder Amerikaner denkt, dass Bayern typisch deutsch ist, und München ist die Hauptstadt.	Well, every American thinks that Bavaria is typically German, and Munich is the capital.
Gabi: Das stimmt überhaupt nicht. Du glaubst auch höchstwahrscheinlich, dass die Deutschen Lederhosen und Dirndl tragen.	That's absolutely not right. You probably also believe that Germans wear Lederhosen and Dirndl.
Daniel: Meine Oma hat immer ein Dirndl getragen. Und sie kommt aus Österreich.	My grandma always wore a dirndl. And she comes from Austria.
Gabi: Genau! Das ist typisch in Bayern, aber sonst nicht in Deutschland.	Exactly! That is typically Bavarian but otherwise not German.

Daniel: Du hast kein Dirndl?	Do you have a dirndl?
Gabi: Als ich klein war, hatte ich eins. Meine Eltern fanden es sehr niedlich.	When I was young, I had one. My parents thought it was cute.
Daniel: Mir gefällt's.	I like it.
Gabi: Mir auch. Aber es ist nicht typisch deutsch. Meinst du, dass alle Amerikaner Cowboystiefel und einen Cowboyhut tragen?	Me too. But it is not typically German. Do you believe that all Americans wear cowboy boots and a cowboy hat?
Daniel: Natürlich nicht.	Of course not.
Gabi: Na, siehst du?	Well, you see.
Daniel denkt einen Moment nach und sagt dann	*Daniel thinks a moment and then says*
Daniel: Es ist aber sehr schade, dass es noch nicht Oktober ist.	It's really a pity that it isn't October.
Gabi: Warum das?	Why that?
Daniel: Ich könnte in München zum Oktoberfest.	I could go to the Oktoberfest in Munich.
Gabi verdreht die Augen.	*Gabi rolls her eyes.*
Gabi: Es ist nicht wahr. Du hast alle Klischees drauf.	It can't be true. You are full of clichés.
Daniel: Was meinst du?	What do you mean?
Gabi: Du denkst höchstwahrscheinlich, dass das Oktoberfest auch typisch deutsch ist.	You probably think that the Oktoberfest is also typically German.
Daniel: Ist es das nicht?	Isn't it?
Gabi: Nein! Es ist nicht typisch deutsch. Das Oktoberfest findet man normalerweise nur in Bayern. Und übrigens, das Oktoberfest ist nicht im Oktober.	No! It is not typically German. You normally only find the Oktoberfest in Bavaria. And by the way the Oktoberfest is not in October.
Daniel: Nein?	No?
Gabi: Nein! Es ist immer Ende September und wir haben jetzt erst Juli.	No! It is always at the end of September and it is now July.
Daniel: Mein Sommer in Europa.	My summer in Europe.
Gabi: Ja, leider ist mein Urlaub vorbei. Nun muss ich mein Praktikum beginnen.	Yes, unfortunately my vacation is over. Now I have to begin my internship.
Daniel: Dein Praktikum?	Your internship?
Gabi: Ja, ich werde bei Schering in Berlin arbeiten.	Yes, I'm going to work at Schering in Berlin.
Daniel: Wann beginnt dein Semester?	When does your semester begin?
Gabi: Erst im Herbst. Mitte Oktober.	In the fall. The middle of October.

Die Monate des Jahres und die Jahreszeiten

Schönherr 2003

	1	2	3	4	5	6
Januar	Mi	Do	Fr	Sa	So	Mo
Februar	Sa	So	Mo	Di	Mi	Do
März	Sa	So	Mo	Di	Mi	Do
April	Di	Mi	Do	Fr	Sa	So
Mai	Do	Fr	Sa	So	Mo	Di
Juni	So	Mo	Di	Mi	Do	Fr
Juli	Di	Mi	Do	Fr	Sa	So
August	Fr	Sa	So	Mo	Di	Mi
September	Mo	Di	Mi	Do	Fr	Sa
Oktober	Mi	Do	Fr	Sa	So	Mo
November	Sa	So	Mo	Di	Mi	Do
Dezember	Mo	Di	Mi	Do	Fr	Sa

Die Jahreszeiten sind Frühling, Sommer, Herbst und Winter.
Welche Monate hat der Fühling? Sommer? Herbst? Winter?

Fragen, Fragen, Fragen Beantworten Sie die folgenden Fragen.

1. In welchem Monat sind Sie geboren?
2. In welchem Monat hat Ihre Mutter Geburtstag?
3. In welchem Monat fahren Sie normalerweise in den Urlaub?
4. In welchem Monat beginnen Ihre Sommerferien?
5. In welchem Monat regnet es viel?
6. In welchem Monat schneit es?
7. In welchem Monat ist es sehr warm?

Die Ferien

Schulferien					
Land	Ostern	Pfingsten	Sommer	Herbst	Weihnachten
Baden-Württemberg	14.4. - 26.4.	2.6. - 13.6.	24.7. - 6.9.	3.11. - 8.11.	22.12. - 5.1.
Bayern	14.4. - 26.4.	10.6. - 21.6.	28.7. - 8.9.	27.10. - 31.10.	24.12. - 7.1.

In welchem Monat sind die folgenden Ferien?

Beispiel: Thanksgiving
Thanksgiving ist im November.

Welche Jahreszeit ist es in jedem Bild?

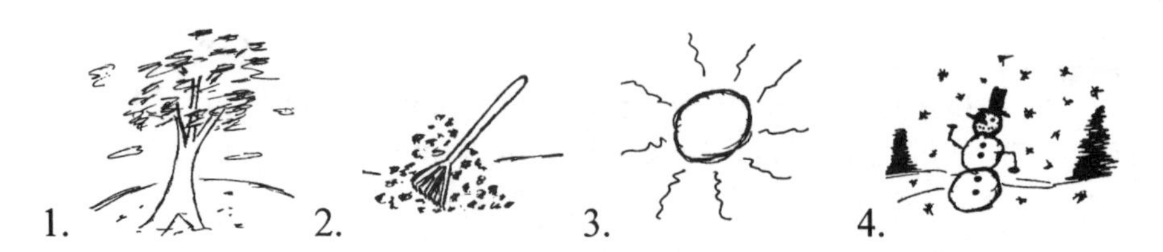

1. Der Baum im ____________________
2.Das Laub im______________
3. Die Sonne im_________________
4. Der Schneemann im ____________________

→ For practice, see cxercise 3.3 in the workbook.

Kultur-Aspekte

Custom and Tradition

German-speaking peoples value customs and follow them ardently. They appreciate traditions and have numerous ones; however, the majority of these are local rather than national in nature (Zeidenitz and Barkow). Harvest time is an opportunity for appreciating and celebrating the bountiful crops (the same reasons for the American Thanksgiving). This includes the wine-making and brewing traditions of the three major German speaking countries. The best known of these is the Munich Beer Festival: *das Oktoberfest*. According to Nees, several of the most frequently found stereotypes for Germans held by Americans are that they are boisterous beer drinkers, dressed in lederhosen and enthusiastically enjoy the Oktoberfest (p. 71). These images, which are not entirely true, come from the media for the most part or are found in stories and anecdotes which were heard by Americans while growing up. However, as Gabi points out the Oktoberfest is a Bavarian celebration, not a national one (German) and the wearing of traditional garb is limited in appeal. According to Flamini, Bavaria is one of the few places in Europe where you find people wearing traditional clothing to work, for example. Throughout the rest of Germany, regional dress does rarely exist, except for festivals or other special occasions. These stereotypes apply some of the time to some of the people, but not all of the time to everyone. This also applies to the American stereotype some Germans have: all Americans wear cowboy boots and hats and carry a revolver.

Flamini, Roland. 1997. *Passport Germany*. San Rafael, CA: World Trade Press.

Nees, Greg. 2000. *Unraveling an Enigma*. Yarmouth, MA: Intercultural Press. Zeidenitz, Stefan Zeidenitz and Ben Barkow. 1993. *Xenophobe's Guide to the Germans*. Horsham, GB: Ravette Publishing.

Exkursion zwei: Kultur

Multi-Kulti-Aktivität 3.2

The colors of emotion

In general, people of most cultures associate colors with certain nouns of emotion, e.g., anger, fear, jealousy. The following activity is to establish how you associate such nouns.

For each of the four emotions, circle the number that indicates the degree to which you associate each color to that particular emotion. The number 1 does not remind you of that color at all, while the number 6 reminds you very much of that color.

1	2	3	4	5	6
not at all					very much

anger	envy	fear	jealousy
black 1 2 3 4 5 6	black 1 2 3 4 5 6	black 1 2 3 4 5 6	black 1 2 3 4 5 6

green	1 2 3 4 5 6	green	1 2 3 4 5 6	green	1 2 3 4 5 6	green	1 2 3 4 5 6
red	1 2 3 4 5 6	red	1 2 3 4 5 6	red	1 2 3 4 5 6	red	1 2 3 4 5 6
violet	1 2 3 4 5 6	violet	1 2 3 4 5 6	violet	1 2 3 4 5 6	violet	1 2 3 4 5 6
blue	1 2 3 4 5 6	blue	1 2 3 4 5 6	blue	1 2 3 4 5 6	blue	1 2 3 4 5 6
white	1 2 3 4 5 6	white	1 2 3 4 5 6	white	1 2 3 4 5 6	white	1 2 3 4 5 6
pink	1 2 3 4 5 6	pink	1 2 3 4 5 6	pink	1 2 3 4 5 6	pink	1 2 3 4 5 6
yellow	1 2 3 4 5 6	yellow	1 2 3 4 5 6	yellow	1 2 3 4 5 6	yellow	1 2 3 4 5 6
brown	1 2 3 4 5 6	brown	1 2 3 4 5 6	brown	1 2 3 4 5 6	brown	1 2 3 4 5 6
grey	1 2 3 4 5 6	grey	1 2 3 4 5 6	grey	1 2 3 4 5 6	grey	1 2 3 4 5 6
orange	1 2 3 4 5 6	orange	1 2 3 4 5 6	orange	1 2 3 4 5 6	orange	1 2 3 4 5 6
purple	1 2 3 4 5 6	purple	1 2 3 4 5 6	purple	1 2 3 4 5 6	purple	1 2 3 4 5 6

Adapted from Goldstein, Susan. 2000. *Cross-Cultural Explorations: Activities in Culture and Psychology*. Boston: Allyn and Bacon, 171-176.

1. Compare your results with your classmates. What does this perhaps indicate?

2. Are there metaphors or expressions in English dealing with emotions and colors that support your results?

Example, in English there is the expression "green with envy."

Die Neue Pinakothek

Daniel ist in München ausgestiegen und Gabi ist weiter nach Berlin gefahren. Die bayerische Hauptstadt ist sehr interessant. Daniel hat sich eine Welcome Card gekauft und fährt durch die Stadt. Bei der Neuen Pinakothek steigt er aus. Er geht zum Eingang und macht die Tür für viele Leute auf. Er geht dann zur Kasse.	*Daniel got off the train in Munich and Gabi traveled on to Berlin. The Bavarian capital is very interesting. Daniel bought a "Welcome Card" and is traveling through the city. At the new Pinakothek he gets off. He goes to the entrance and opens the door for many people. He then goes to the ticket window.*
Daniel: Eine Studentenkarte, bitte. Kassiererin: 3 Euro.	
Daniel gibt ihr das Geld, nimmt die Karte und geht zur Garderobe und gibt seine Tasche und seinen Schirm ab.	*Daniel gives her the money, takes the ticket and goes to the coat check and turns in his bag and umbrella.*
Daniel: Wo fange ich an? Ich finde moderne Kunst sehr gut. Aber die deutschen Künstler aus "der Brücke" sind auch sehr gut. Hier gibt's eine sehr gute Beckmann-Ausstellung. Also, was mache ich nun?	

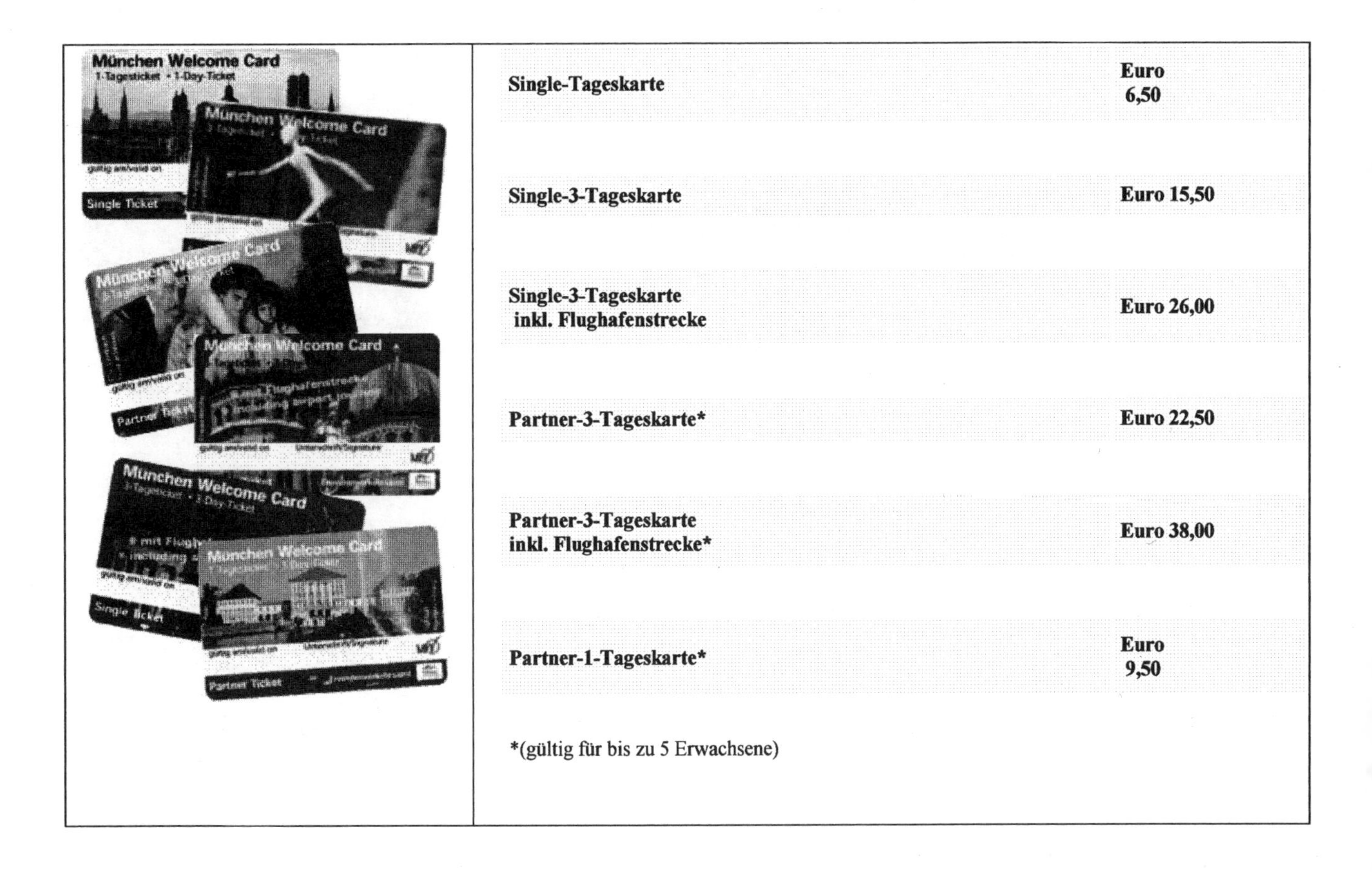

Single-Tageskarte	Euro 6,50
Single-3-Tageskarte	Euro 15,50
Single-3-Tageskarte inkl. Flughafenstrecke	Euro 26,00
Partner-3-Tageskarte*	Euro 22,50
Partner-3-Tageskarte inkl. Flughafenstrecke*	Euro 38,00
Partner-1-Tageskarte*	Euro 9,50

*(gültig für bis zu 5 Erwachsene)

Die Welcome Card Sehen Sie die Tabelle an und sagen Sie, wie viel eine Karte kostet.

Beispiel: Die Single-3-Tageskarte kostet 15,50 Euro (fünfzehn Euro fünfzig).
Die Single-3-Tageskarte und die Single-Tageskarte kosten 22 Euro.

→ For practice, see exercise 3.6 in the workbook.

Die Farben

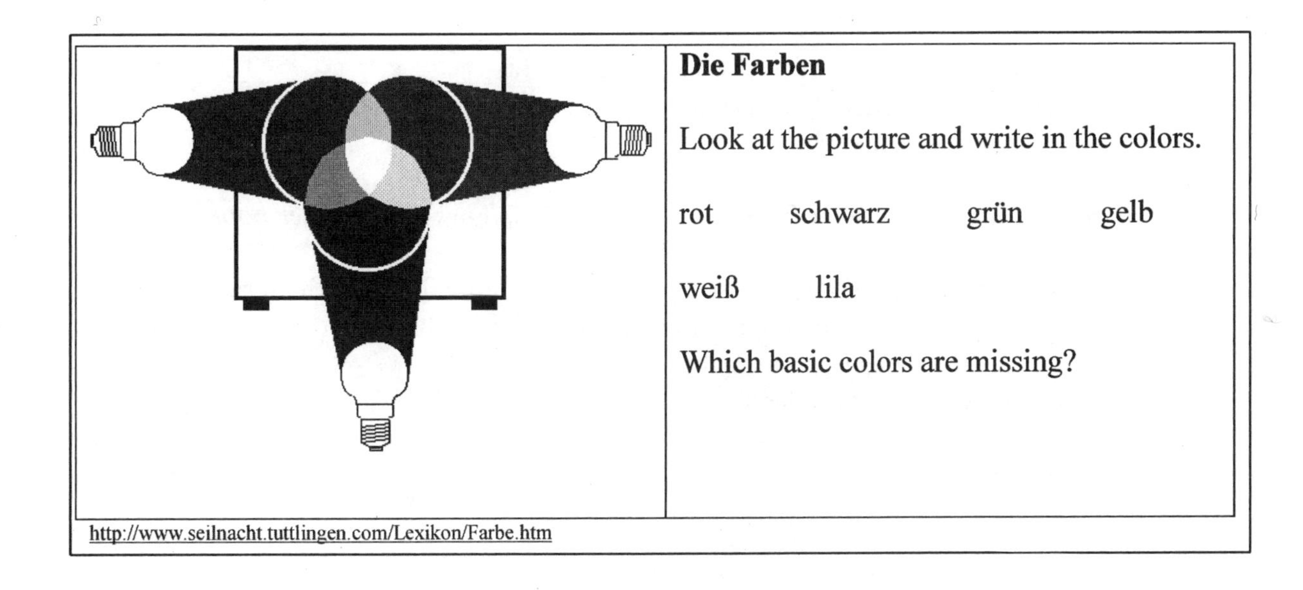

Welche Farben hat jede Fahne?

die EU　　Deutschland　　Österreich　　die Schweiz　　Liechtenstein

1. Die EU-Fahne ist ....
2. ....
3. ....
4. ....
5. ....

Welche Form?

gerade　　dreieckig　　rund　　oval　　viereckig

1. Welche Form hat ein Kreis?
2. Welche Form hat ein Dreieck?
3. Welche Form hat ein Quadrat?
4. Welche Form hat eine Straße?
5. Welche Form hat ein Ei (egg)?

Im Buchladen Monique und Daniel sind im Buchladen der Neuen Pinakothek.
Use the following words only once in the dialogue.

schön	gut	lala	praktisch	ausgezeichnet	viereckig
oval	rund	prima	exzellent		

Monique: Schau her, Daniel. Dieses Buch ist sehr _________________.
Daniel: Na ja, ich suche[1] etwas über Expressionismus.
Monique: Dieses ist auch _________________.

Sie zeigt ihm ein anderes Buch.　　*She shows him another book.*

Daniel: Ja, aber die Bilder sind so ___________. Ich will etwas Besseres.
Monique: Schau her, die Graphik in diesem Buch ist sehr _____________.
Daniel: Ja, aber ich suche das nicht.
Monique: Was suchst du denn?

[1] to look for

Daniel: Das Buch muss ___________ sein, schöne Bilder, tolle Formen; ___________, _________, __________ usw.[2]

Monique unterbricht Daniel.

Monique: Hier ist das Buch!

Daniel sieht es an.

Daniel: ____________! Das ist das Buch, das ich suche. Alles im Buch ist ______________; die Bilder, die Texte, die Grafiken und die Figuren.

Hörverständnis 3.2 Daniel ist an der Kasse und möchte wissen, wie viel alles kostet. Helfen Sie ihm und formulieren Sie seine Fragen für die unten stehenden Artikel.

Beipsiel: Wie viel kosten die Kunstkarten?

1. die Kunstkarten ________
2. der Bildband _________
3. die Stifte ________
4. die Zeitschriften _______
5. die Bilder von Nolde _______
6. der Kugelschreiber ___________
7. die Vase ___________
8. das Poster von Beckmann ______
9. das Papier ___________
10. das Schlüsselbund ___________

Kultur-Aspekte

Farben

According to various theories about color perception, language can play a role in the labeling and identification of colors. A developing child learns the words for colors and uses them in order to identify colors. Even though healthy individuals are able to detect the same range of colors, there are languages without certain words for particular colors. The colors red, green and blue are good examples of this. Red is always represented by a separate word, whereas green and blue are sometimes not distinguished. Some people attempt to explain this through environmental conditions. The less vivid colors are less salient to non-European cultures, and consequently, they are less likely to be identified and labeled with a separate word (Shiraev and Levy).

The social and individual psychological meaning of color can play an important role in the understanding of color perception. Across cultures there are strong universal trends in feelings about colors. According to Adams and Osgood, there are stable cross-cultural similarities. The people in this study perceived the color red as being salient and active. Black and grey were thought to be bad, while white, blue and green were considered to be good. Yellow, white and grey were perceived to be passive.

---

[2] und so weiter – and so on

Hupka et al. in their study with Americans, Germans, Mexicans, Poles, and Russians found that all five cultures associated black and red with anger, black was associated with fear, and red with jealousy. However, there were several cross-cultural differences. Poles also associated anger, envy, and jealousy with purple, while for Germans yellow was the color for envy and jealousy. Americans associated envy with the colors black, green, and red. And for Russians black, purple, and yellow were for envy. This can be easily seen in the language. In German there are expressions that confirm these findings; for example, *Ich sehe rot* if a person is angry, *Ich sehe schwarz* if a person is very negative or pessimistic and *gelb vor Neid* (green with envy).

Adams, F. and C. Osgood. 1973. "A Cross-Cultural Study of the Affective Meaning of Color. *Journal of Cross-Cultural* Psychology, 4-2, 135-156.
Hupka, R.B., Z. Zalenski, J. Otto, L. Reidl and N. Tarabarina. 1997. "The Colors of Anger, Envy, Fear and Jealously: A Cross-Cultural Study. *Journal of Cross-Cultural Psychology*, 28, 156-171.
Shiraev, Eric and David Levy. 2001. *Introduction to Cross-Cultural Psychology*. Boston: Allyn and Bacon.

→ For practice, see exercise 3.7 in the workbook.

Wie viel kostet es?

Daniel hat sehr viel in der Neuen Pinakothek für Familie und Freunde gekauft. Er weiß aber nicht, wie er alles an sie schicken soll. Bestimmte Sachen kann er in seinem Rucksack mitnehmen, aber andere Sachen muss er senden. Daniel hat eine Broschüre von der Post und er liest, wie viel es kostet, die Sachen zu schicken (send). Unten stehen Informationen aus dieser Broschüre.

Maße/Preise

Was kostet die Welt? Ein Blick genügt.

Maße

Quaderform

Min. 15 x 11 x 1 cm

Max. 120 x 60 x 60 cm

Rollenform

Min. Länge 15 cm, ø 5 cm

Max. Länge 120 cm, ø 15 cm

Für den Rollenversand ohne industriell gefertigte Beförderungshilfe ist eine zusätzliche Rollenservicemarke zum Preis von 1,50 EUR erforderlich.

Zone 1 (EU): Andorra, Azoren, Belgien, Dänemark, Färöer, Finnland, Frankreich, Griechenland, Grönland, Großbritannien, Guernsey, Irland, Italien, Jersey, Korsika, Liechtenstein, Luxemburg, Madeira, Monaco, Niederlande, Nordirland, Österreich, Polen, Portugal, San Marino, Schweden, Schweiz, Slowakei, Spanien (inkl. Balearen), Tschechien, Vatikanstadt.

Zone 2 (Rest-Europa): Albanien, Armenien, Aserbeidschan, Belarus, Bosnien-Herzegowina, Bulgarien, Estland, Georgien, Gibraltar, Island, Jugoslawien, Kanarische Inseln, Kasachstan, Kroatien, Lettland, Litauen, Mazedonien, Malta, Rep. Moldau, Norwegen, Rumänien, Russische Föderation, Slowenien, Türkei, Ukraine, Ungarn, Zypern.

Zone 3 (Welt Zone 1): Ägypten, Algerien, Bahrain, Irak, Iran, Israel, Jemen, Jordanien, Kanada, Katar, Kuwait, Libanon, Libyen, Marokko, Oman, Saudi-Arabien, St. Pierre u. Miquelon, Syrien, Tunesien, USA, Vereinigte Arab. Emirate.

Zone 4 (Welt Zone 2): Rest-Welt.

Preise

Gewicht	Deutschland	Zone 1	Zone 2	Zone 3	Zone 4
	EUR	EUR	EUR	EUR	EUR
bis 5 kg	6,70	16,50	25,00	29,00	35,00
über 5 bis 10 kg	9,70	20,50	35,00	39,00	50,00
über 10 bis 20 kg	13,00	28,50	45,00	59,00	80,00

Ein Produkt der Deutsche Post AG. Im Übrigen gelten die Allgemeinen Geschäftsbedingungen der Deutschen Post Paket/Express National und Express International (AGB Paket/Express National und Express International) in der jeweils gültigen Fassung.

Noch ein praktischer Hinweis: Testen Sie unsere Packsets. Gibt's in jeder Postfiliale.

Taken from Postpaket: geschickt ganz wie gewünscht, Deutsche Post, März 2003, Mat.-Nr. 675-601-107

Beantworten Sie die folgenden Fragen

1. Daniel will eine Kunstkarte an seine Oma in Linz schicken. Wie viel kostet es?

2. Er will ein Poster von Beckmann an Gabi in Berlin schicken. Das Poster wiegt (weighs) 50 Gramm. Wie viel kostet es?

3. Der Bildband für seine Mutter ist sehr schwer. Es wiegt 500 Gramm. Wie viel kostet das Porto (postage)? Soll Daniel das Buch schicken oder kann er Platz in seinem Rucksack dafür finden?

4. Die Bilder von Emil Nolde sind sehr groß und passen (fit) nicht in seinen Rucksack. Wie viel kosten sie mit der Post? Sie wiegen 300 Gramm.

5. Daniel hat auch einen Brief an seine Eltern geschrieben. Wie viel kostet ein Brief nach Amerika?

Wenn Sie die Informationen in der Tabelle nicht finden, klicken Sie die Website der deutschen Post an und suchen Sie die Kosten unter „Gebührenkalkulator", www.deutschepost.de.

Exkursion drei: Das Konzentrationslager

Multi-Kulti Aktivität

Dieter Kronzucker, a German journalist, once wrote that the American Indian was murdered by the white Americans because the Indians were different than the European settlers. Even today in German speaking countries, one can hear people claiming that white Americans mercilessly eliminated the American Indian.

How would you react if someone accused you of killing the American Indians?
How do you think young Germans might feel when they sometimes are accused of killing so many Jews during World War II?
Is it possible to compare the killing of the American Indian with the killing of Jews during World War II?

Dachau

Daniel und Monique treffen sich zum Frühstück. Danach fahren sie mit dem Bus nach Dachau.	*Daniel and Monique meet for breakfast. After which they go by bus to Dachau.*
Daniel: Ich bin gespannt. Monique: Ja, ich auch. Sowas Grauenvolles! Daniel: Aber wir dürfen es nicht	I'm so curious. Yes, me too. Something so gruesome. But we shouldn't forget it otherwise it

vergessen, sonst kann es wieder passieren.	could happen again.
Monique: Ja, die Nazis haben über 200.000 Juden in Dachau inhaftiert.	Yes, the Nazis had incarcerated more than 200,000 Jews in Dachau.
Daniel: Ja, meine Oma kommt aus Österreich, und sie hat mir Geschichten erzählt.	Yes, my grandma comes from Austria, and she told me stories.
Monique: Echt?	Really?
Daniel: Ihre beste Schulfreundin war Jüdin. Auf einmal war sie weg. Niemand wusste, wohin oder wie.	Her best friend from school wasa Jew. All of a sudden she was gone. No one knew where to or how.
Monique: Ja, mein Opa war in Salzburg zu der Zeit, und es war für ihn auch sehr schwer.	Yes, my grandpa was in Salzburg at the time and it was also very difficult for him.
Daniel: Schau, dort vor uns ist das Tor.	Look, there in front of us is the gate.

http://www.kz-gedenkstaette-dachau.de/index.html

Daniel und Monique sehen alles genau an, als sie in Dachau ankommen.	*Daniel and Monique look at everything closely when they arrive at Dachau.*
Monique: Schau dahin! Die Häuser sind sehr leicht gebaut.	Look there! The buildings are built very flimsily.
Daniel: Oh Gott, im Winter ist es da eiskalt!	
Monique: Und die Toiletten sind nur ein Loch.	And the toilets are only a hole.

Daniel: Oh, alles macht mich so traurig.	Oh, everything makes me so sad.
Monique: Ja, es ist deprimierend.	Yes, it is depressing.
Daniel: Wie kann man so sein?	How can someone be like that?
Monique: Ich weiß es nicht!	I don't know!
Daniel: Heute kann es nicht wieder passieren.	It couldn't happen today.
Monique: Ihr Amis habt es ähnlich in Vietnam gemacht!	You Americans did something the same in Vietnam!
Daniel: Nein, überhaupt nicht!	No, not at all!
Monique: Zu der Zeit des Vietnamkrieges haben viele Europäer das gedacht.	At the time of the Vietnam war many Europeans thought so.
Daniel: Echt?	Really?
Monique nickt. Der Reiseführer kommt wieder, um der Gruppe mehr zu zeigen.	*Monique nods her head yes. The guide comes again to show the group more sights.*
Reiseführer: Entschuldigen Sie die Unterbrechung! Hier ist eine Wohnbaracke.	Excuse me for the interruption! This is one of the shacks in the camp.
Daniel: Schau dir das an, Monique.	Look at that, Monique.
Monique: Die Menschen haben wie Tiere gelebt.	The people lived like animals.
Daniel: Ja, ich finde es furchtbar.	Yes, I find it to be terrible.
Monique: Und die Duschen?	And the showers?
Daniel: Ich will sie gar nicht sehen!	I don't even want to see them.
Monique: Ich weiß! Du stehst unter der Dusche und dann kommt.......	I know! You stand under the shower and then comes………
Daniel: Hör auf!	Stop!
Monique: Na ja, es ist die Wirklichkeit. Es war so.	Well, it's reality. It was so.
Daniel: Ja, aber ich finde es grausam.	Yes, but I find it to be gruesome.
Eine Stunde später.	*An hour later.*
Monique: Gott sei Dank, es ist zu Ende.	Thank goodness, it's over.
Daniel: Ja, hoffentlich schlafe ich heute Abend ein.	Yes, hopefully I can fall asleep tonight.
Monique: Einschlafen wird kein Problem sein, aber hoffentlich wache ich nicht immer wieder auf.	Falling asleep won't be a problem, but hopefully I won't wake up again and again.
Daniel: Ich verstehe. Jetzt habe ich es aber gesehen. Es ist gut so, ich vergesse es nie.	I understand. But now I've seen it. It's good so, I'll never forget it.
Monique: Ich auch nicht. Aber ich finde immer noch sehr schlecht, was da passierte.	Me neither. But I still find it bad what happened.

Daniel: Ich finde, wir sollten jetzt etwas anderes machen. Monique: Gerne.	I think we should do something else now. So do I.

Was ist die richtige Reihenfolge (order)?

_____ 1. Die Menschen haben wie Tiere gelebt.
_____ 2. Einschlafen wird kein Problem sein, aber hoffentlich wache ich nicht immer wieder auf.
_____ 3. Die Häuser sind sehr leicht gebaut.
_____ 4. Ihr Amis habt es ähnlich in Vietnam gemacht!
_____ 5. Hier ist eine Wohnbaracke.

Hörverständnis 3.3 Wie findet Monique die folgenden Sachen?

1. die Bilder__________________
2. das Wetter ______________________
3. die Landschaft __________________
4. München ______________________
5. Dachau ___________________

Was ist Ihre Meinung (opinion) zu den folgenden Begriffen (expressions)?

1. Zürich
2. Lederhosen und Dirndl
3. Oktoberfest
4. Kuckucksuhren
5. eine Reise nach Europa

Ich habe gern Was hat Daniel gern oder nicht gern?

nicht gern	nicht so gern	gern	sehr gern
--	-	+	++

Beispiel: die rote Vase ++
Er hat die rote Vase sehr gern.

1. das Beckmann-Poster +
2. Dachau --
3. die Stadt München +
4. Gabi ++
5. die Reise nach Europa ++

Was haben Sie gern?
Was haben Sie sehr gern?
Was haben Sie nicht so gern?

Was haben Sie nicht gern?

Interviewen Sie Ihre(n) Nachbar(in) und schreiben Sie die Dinge auf.

→ For practice, see exercise 3.8 in the workbook.

Wissen and **kennen** both mean *to know* in English; however, **wissen** means *to know facts* and **kennen** means *to know or be acquainted with someone or something.*

*Ich **weiß** es nicht.*
*Ich **kenne** Monique aus New York City.*

wissen		**kennen**	
ich weiß	wir wissen	ich kenne	wir kennen
du weißt	ihr wisst	du kennst	ihr kennt
er sie weiß es	sie wissen	er sie kennt es	sie kennen
Sie wissen		Sie kennen	

Hörverständnis 3.4 Monique hat immer noch Fragen an Daniel. Hören Sie ihre Fragen und markieren Sie Daniels Reaktion.

	Ich weiß es nicht.	Nein, ich kenne es nicht.
1.	___	___
2.	___	___
3.	___	___
4.	___	___
5.	___	___

Wissen Sie? Daniel und Fritz wohnen im selben Hotel. Lesen Sie den Dialog und setzen Sie **wissen** oder **kennen** richtig ein.

Fritz: Daniel, kennst du, wie ich zur Neuen Gallerie komme?
Daniel: Nein, das weiß ich nicht. Aber sie ist im Zentrum. Das kenne ich.
Fritz: weißt du, wie viel der Bus kostet?
Daniel: Das kenne ich, 2,80 Euro.
Fritz: kennst du schon ein gutes Restaurant hier in München?
Daniel: Ja, ich weiß eins. Es ist nicht weit von hier.
Fritz: Du kennst den Weg, oder?
Daniel: Monique und ich kenne schon den Weg. Wir waren (were) gestern Abend dort. Monique weiß dich noch nicht, oder?
Fritz: Nein, ihr wisst, dass ich erst gestern gekommen bin (came).
Daniel: Ja, das kennen wir schon.

→ For practice, see exercise 3.9 in the workbook.

Kultur-Aspekte

On March 21, 1933, Heinrich Himmler ordered the construction of the concentration camp in Dachau. This was the start of a terror system that is not comparable to any other official persecution and penal system. Dachau served as the example for the development of all other concentration camps. This included the set up of the concentration camp into two areas. One area was the prisoner camp that was surrounded by security systems and watch towers, and the other the command post with administration buildings and barracks for the SS.

The first prisoners of Dachau were political opponents of the Hitler regime, communists, Social Democrats, union members and other individuals from various conservative and liberal political parties. The first Jewish prisoners were sent to Dachau because of their political views. In the following years, other groups were also brought to Dachau: Jews, homosexuals, gypsies, Jehovah Witnesses among others. As the result of "crystal night" over 10,000 Jews were brought to Dachau.

Starting in the spring of 1938 after the annexation of Austria, prisoners from Austria were also transported to Dachau. This concentration camp became a collecting point for prisoners from most occupied countries. After a while, the German prisoners were in the minority with Poles being the largest national group confined there.

Information taken from http://www.kz-gedenkstaette-dachau.de/index.html

Das Hauptlager

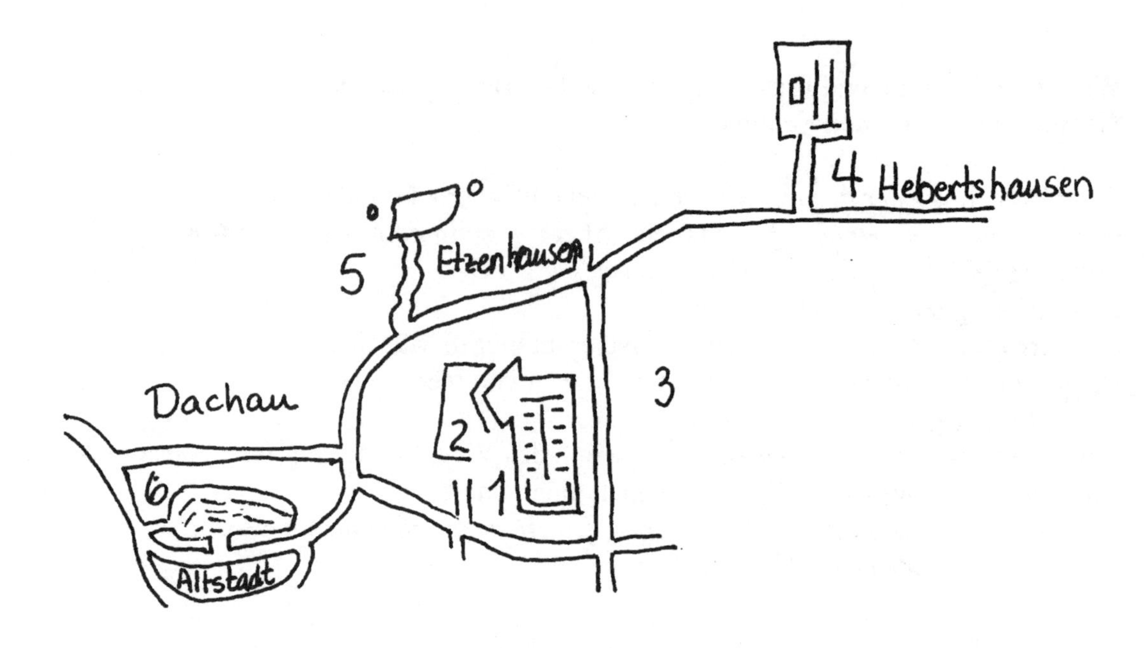

1. the prisoners' camp
2. the former SS area
3. camp's work commando
4. the shooting square Hebertshausen
5. concentration camp cemetery Leitenberg
6. camp grave site

Eine Postkarte Sie sind Daniel und Sie schreiben eine Karte an die Oma. Sie erzählen, was Sie in München gelernt haben.

→ For practice, see exercise 3.10 in the workbook.

Lese-Ecke

Wo stehen Sie im Leben?

Verhältniswörter

von Hildegard Wohlgemuth

Ich stehe nicht an
Du stehst nicht auf
Er steht nicht hinter
Sie steht nicht neben
Es steht nicht in

Key

Multi-Kulti-Aktivität 3.1

Here the number of guest workers who have stayed in Germany is a good example of how there are immigrants to Germany. Their children are even a better example of how one can be born in a country and still not be a citizen of that country. The German law that grants citizenship according to bloodline dates back to 1913. However, people from Eastern Europe that can prove German heritage are permitted to immigrate with few problems. Greg Nees (2000), *Germany: Unraveling an Enigma,* provides a good discussion of this situation (pp.154-157).

Hörverständnis 3.1

1. Morgen höre ich eine CD an.
2. Mein Urlaub hört im August auf.
3. In drei Wochen bin ich in Hamburg.
4. Normalerweise stehe ich im Urlaub um 8 Uhr auf.
5. Mein Semester fängt Ende August an.
6. Heute Abend rufe ich Gabi in Berlin an.
7. Ich fahre nächste Woche nach Innsbruck.

Hörverständnis 3.2

Daniel: Grüß Gott.
Kassier: Grüß Gott.
Daniel: Wie viel kosten die Kunstkarten?
Kassier: Sie kosten 4 Euro.
Daniel: Und der Bildband?
Kassier: Er kostet 35 Euro.
Daniel: Die Stifte?
Kassier: Sie kosten 3,60 Euro.
Daniel: Die vier Zeitschriften?
Kassier: Sie kosten 16,80 Euro.
Daniel: Das Beckmann-Poster da drüben?
Kassier: 15 Euro.
Daniel: Und dieser Kugelschreiber?
Kassier: 2,50 Euro.
Daniel: Die rote Vase dort?
Kassier: Sie kostet 19,90 Euro.
Daniel: Die Nolde-Bilder sind schön. Was kosten sie?
Kassier: Sie kosten 1.000 Euro.
Daniel: Das grüne Papier?
Kassier: 5.95 Euro.
Daniel: Das kleine Schlüsselbund ist prima. Wie viel?
Kassier: 49.90 Euro.
Daniel: Prima, ich nehme alles.

Hörverständnis 3.3

Monique findet die Bilder im Museum sehr gut, aber das Wetter deprimierend. Sie findet die deutsche Landschaft toll, München sehr schön, aber Dachau grausam.

Hörverständnis 3.4

1. Wann beginnt das Wintersemester?
2. Kennst du das neue Buch über Dachau?
3. Wo ist die Toilette?
4. Ist die Philharmonie in München gut?
5. Kennst du Österreich?

Aus dem Inhalt

Kultur

Hier bekommen Sie:

Informationen über Freizeitaktivitäten
Informationen über das Reisen
Informationen über Innsbruck

Grammatik

möchte
Akkusativ
kein
Frage-Formulierung

Abschnitt 4

Innsbruck

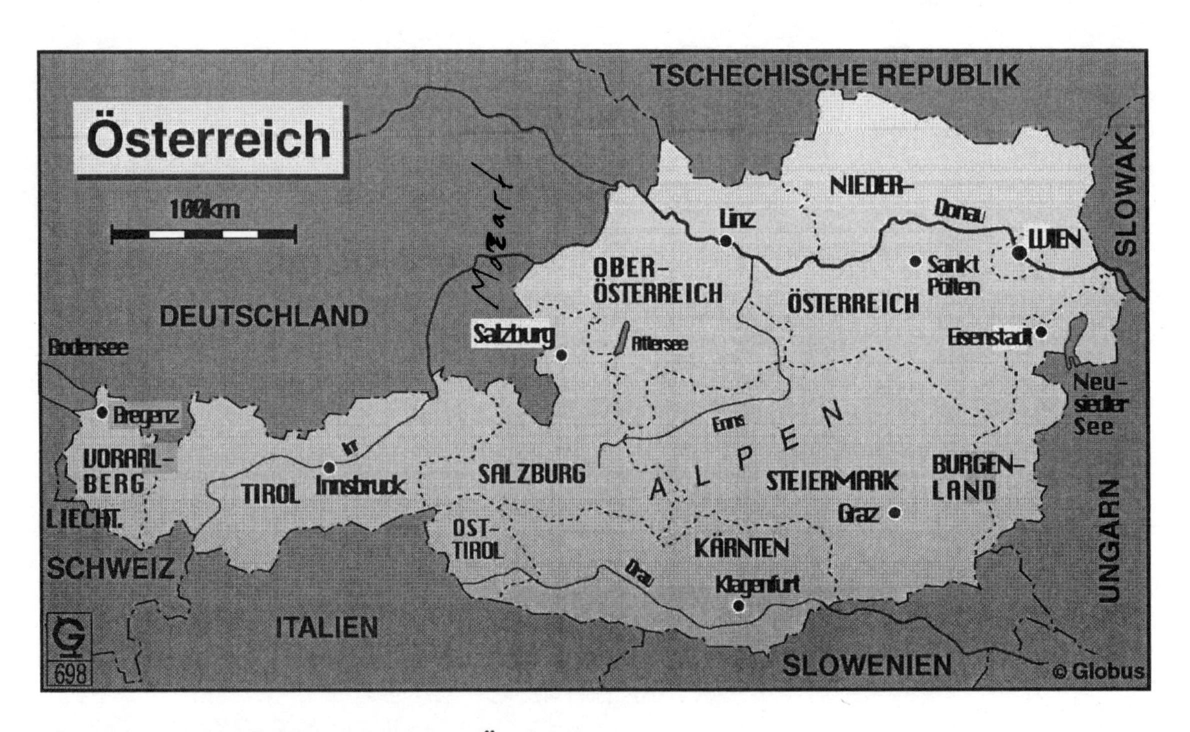

1. Was sind die Nachbarländer von Österreich?
2. In welchem Bundesland liegt Innsbruck?
3. Welcher Fluss fließt durch Innsbruck?

→ For practice, see exercise 4.15 in the workbook.

Exkursion eins: Die Verabredung

Multi-Kulti Aktivität 4.1

You are in an Austrian hostel and you meet several young Austrians who are on vacation. They are nice enough people but you aren't really interested in getting to know them better. They tell you that they will be coming to the United States in several months. You want to be polite and do the right thing in their eyes. What do you say? Choose only one answer.

1. You are polite and tell them to come by and visit you anytime.
2. You ask them when they will be in the States and you set a date with them for a visit.
3. You ignore the topic.
4. You tell them that you won't be in New York City at that time.

Wort-Box

Die Jugendherberge (-n)	youth hostel
müde	tired
das erste Mal	the first time
vorgestern	the day before yesterday
ein bisschen	a little
Echt klasse!	Really cool!
Quatsch!	Nonsense
prima	excellent, very good
die Dusche (-n)	shower (but not rain shower)

Der Ausflug — **The excursion**

Daniel kommt in der Jugendherberge in Innsbruck an. Er ist müde. Er geht in den Schlafsaal, findet ein Bett und packt aus. Im Schlafsaal ist ein anderer junger Mann. Er schreibt gerade eine Postkarte.	*Daniel has arrived at the youth hostel in Innsbruck. He is tired. He goes to the dormitory, finds a cot and unpacks. There is another young man in the dorm, who is just writing a postcard.*

Innsbruck

Markus: Hallo, neu in Innsbruck? Daniel: Ja, ich bin das erste Mal hier. Markus: Übrigens, ich bin Markus. Und wie heißt du?	Yes, this is my first time here. By the way, my name is Markus. And what's your name?

Daniel: Ich heiße Daniel. Woher kommst du?	
Markus: Ich bin aus Frankfurt. Ich studiere dort Informatik.	
Daniel: Wie lange bist du schon in Innsbruck?	How long have you been here?
Markus: Ich bin seit vorgestern hier. Morgen Nachmittag fahre ich weiter in die Dolomiten.	I have been here since the day before yesterday. Tomorrow afternoon I'm traveling on to the Dolomites.
Daniel: Was machst du in den Dolomiten? Wandern?	What are you doing in the Dolomites? Hiking?
Markus: Wandern – das ist langweilig. Die Dolomiten sind ein Paradies für Felskletterer.	Hiking – that's boring. The Dolomites are a paradise for mountain climbers.
Daniel: Uuh, Felsklettern, das ist aber gefährlich!	Uh, mountain climbing, that's dangerous!
Markus: Nun ja, ein bisschen Nervenkitzel macht Spaß. Übrigens, hier in Innsbruck kann man auch klettern.	Well, a little tickling of the nerves is fun. By the way, it's possible to climb here in Innsbruck.
Daniel: Ach ja? Kletterst du die Fassaden hoch und schaust den Leuten ins Fenster?	Really? Do you climb up façades and look into people's windows?
Markus: Quatsch! Es gibt eine super Kletterwand. Sie ist im neuen Sportzentrum, im Tivoli. Ich trainiere dort für die Tour in den Dolomiten.	Nonsense! There is a super climber's wall. It's in the new sports hall at Tivoli. I'm training there for my tour to the Dolomites.
Daniel: Was kann man in dem Sportzentrum sonst noch machen?	What else can one do in this sports center?
Markus: Es hat ein riesiges Stadion und eine Schwimmhalle. Alles ist nagelneu und ganz modern. Echt klasse!	There is a huge stadium and a swimming pool. Everything is brand new and very modern. Really great!
Daniel: Das möchte ich mir mal ansehen.	I'd like to see that.
Markus: Übrigens, das könnte für dich als Ami interessant sein. Es gibt hier auch eine Football-Mannschaft, also nicht Fußball. Sie heißt "Papa Joe's Tyrolian Raiders".	By the way, it could be interesting for you being an American. There is also a football team, not a soccer team. The team's name is "Papa Joe's Tyrolian Raiders".
Daniel: Das ist ja ein lustiger Name. Wann spielen die?	That's a funny name. When do they play?
Markus: Ich weiß es leider nicht. Aber wir wollen uns morgen Vormittag mal das Olympiastadion und das Tivoli ansehen. Ich weiß ja wo es ist.	Unfortunately, I don't know. But we want to take a look at the Olympic stadium and Tivoli tomorrow morning. I know where everything is.
Daniel: Ist die Skisprungschanze Bergisel auch gleich da? Die möchte ich	Is the ski jump Bergisel also right there in the vicinity? I would really like to see it.

Among German-speaking people, sports play an important role not only for health reasons but also for social reasons. Because there are few public sports facilities (exception swimming pools) most people, who are interested in doing some kind of sport usually have to be a member of a club in order to have access to sports facilities (Zeidenitz and Barkow). This is, however, not the only reason. A sports club also functions as a meeting place for friends. Germans, Austrians, and the Swiss tend to be less open to new acquaintances. Flamini points out that personal friends tend to include childhood friends, friends from college and/or those individuals meet during military service. He believes that this rarely includes foreigners.

In general, Germans, Austrians and the Swiss have clubs and associations for every possible activity. These range from eating clubs to nudism. According to Zeidenitz and Barkow, clubbiness reflects the Germans like for doing something in groups. A part of this is also due to their love for organizing things. In some cases, the fun of being in a club is more because of the organizing of an activity than really carrying it out. Zeidenitz and Barkow also believe that this liking of clubs is due to the need for social climbing. Which German would not like to be club president? This clubbiness can also be found in the language: "Hier sind wir unter uns." Zeidenitz and Barkow believe that this phrase demonstrates that one may let one's hair down and enjoy oneself among others of the same persuasion.

Flamini, Roland. 1997. *Passport Germany.* San Rafael, CA: World Trade Press.
Zeidenitz, Stefan and Ben Barkow. 1996. *Xenophobe's Guide to the Germans*. West Sussex, GB: Ravette Publishing.

Tirolerhof

In der Touristenauskunft in Innsbruck hat Daniel verschiedene Informationen gefunden und er liest im Moment das Prospekt vom Tirolerhof.

Welche Informationen findet Daniel in dieser Broschüre?

Richtig oder falsch

______ 1. Das Solarium kostet 3,50 Euro für 10 Minuten.
______ 2. Das Schwimmbad hat 28° C.
______ 3. Das Schwimmbad kostet 2,50 Euro für Kinder unter 15 Jahren.
______ 4. Das Hallenbad hat zwischen 9.00 und 23.00 Uhr geöffnet.
______ 5. Es gibt 2 Sorten von Massagen im Tirolerhof.

HALLENSCHWIMMBAD 28°C

Größe 5 x 7 m. mit Gegenstromanlage, Massagedüsen, Fontaine.

SOLARIUM

Lassen Sie Ihre eigene Sonne scheinen. 10 Minuten € 3,00.

SAUNABEREICH

Finnische Sauna, Dampfbad, Aromakabine, Erlebnis- und Soledusche, Kneippdusche, Ruheraum, Wärmebänke, Granderwasserbrunnen.

EINTRITT

Hallenbadbenützung € 4,30, Kinder von 6 bis 15 Jahren € 2,50
Saunabereich und Hallenbad € 11,00, Kinder von 6 bis 15 Jahren € 5,00
10er Block Erwachsene € 80,00

Für Kinder ist der Aufenthalt nur im Beisein der Eltern gestattet. Wir übernehmen keine Haftung.

ÖFFNUNGSZEITEN

Hallenbad täglich von 9.00 bis 22.00 Uhr.
Saunabereich täglich ab 16.00 Uhr (im Sommer nach Anmeldung ab drei Personen).
Vom 01. 11. 2002 bis 20. 12. 2002 Montag und Freitag ab 16.00 Uhr (nach Anmeldung).

MASSAGE

Klassische Massage:
25 Minuten € 22,00 50 Minuten € 40,00
Fußreflexzonenmassage:
50 Minuten € 40,00
Kombikarte (Vital + Massage):
25 Minuten € 26,00, 50 Minuten € 42,00
Terminvereinbarungen an der Rezeption.

Tel. (05339) 8118-0 • www.hoteltirolerhof.at • www.erharter.co.at

Exkursion zwei: Verreisen

Multi-Kulti Aktivität 4.2

The class divides up into groups of 4 to 6 participants. Each group takes a card with the name of a country on it.

Each group develops a written advertisement for their country in which they emphasize their country's attributes. This part should take no longer than 15 minutes.

Then each group sets up a travel agency for their country. One member from each remaining group goes to a travel agency to get information and advice about that particular country. Each person at the travel agency has something to contribute to the advice given. At this point only the positive characteristics of the country are emphasized which is followed by several negative stereotypes. Finally each group decides upon the country they would like to go to (you may only use those countries represented at the travel agencies).

Possible discussion questions

1. What kind of experience have you had with these countries? What was you experience like with the travel agency representatives?

2. How did you come up with additional information?

3. Were some of the travel agents overruled by other agents during the advising sessions in your opinion?

4. Did you feel forced to take part in the discussion (advising sessions)?

5. Are stereotypes sometimes helpful (orientation)?

6. What effects do stereotypes have? Which expectations are created by stereotypes and which are missed or ignored?

Wort-Box	
gegen 7.15 Uhr	around 7:15
schnarchen	to snore
das Frühstück	breakfast
die Tasse (-n) Kaffee	cup of coffee
faul	lazy
dick	big, voluminous
bleiben	to stay

In der Jugendherberge in Innsbruck.

Es ist gegen 7.15 Uhr. Daniel trifft Markus in der Jugendherberge beim Frühstücken.	*It is about 7:15 a.m. Daniel meets Markus for breakfast at the youth hostel.*

Daniel: Morgen Markus. Gut ausgeschlafen?	Morning Markus. Did you sleep well?
Markus: Na ja, es geht. Der Typ über mir hat schrecklich geschnarcht, und es ist noch wahnsinnig früh.	Well, ok. The guy above me snored and it is really early.
Daniel: Ja, hier gibt's nur von 7-8 Uhr Frühstück. Bist du denn fit für einen Besuch des Tivoli und der Skisprungschance?	Yes, it's only possible to have breakfast between 7 and 8. Are you fit for a visit to Tivoli and the ski jump?
Markus: Na klar. Zwei Tassen Kaffee und ich klettere alle Wände hoch.	Of course. Two cups of coffee and I can climb up every wall.
Daniel: Hast du einen Stadtplan? Ich möchte wissen, wie weit wir gehen müssen.	Do you have a map of the city? I'd like to know how far we have to go.
Markus: Ja, ich habe einen Plan hier. Schau, das Olympische Dorf ist nicht weit von hier.	Yes, I have one here. Look, the Olympic village is not far from here.
Daniel: Zeig mal. Tatsächlich, wir gehen nur über die Grenobler Brücke und wir sind fast da.	Show me. Really, we only have to go across the Grenoble Bridge and then we are almost there.
Markus: Mmm, den Kaffee kann man trinken. Nicht schlecht für einen Jugendherbergskaffee.	Mmmm, one can drink the coffee. Not bad for coffee at the youth hostel.
Daniel: Ja, das stimmt. Jetzt haben wir Energie für den Besuch des Tivoli und des Bergisels. Los geht's!	Yes, that's right. Now we have enough energy for the visit to Tivoli and Bergisel. Let's go!
Markus trinkt ein bisschen Kaffee.	*Markus takes a sip from the coffee.*
Später sitzen Daniel und Markus im Bus.	*Daniel and Markus are sitting in the bus later.*
Daniel: He, da sind so viele Menschen unterwegs.	Hey, there are so many people on the go.
Markus: Ja, sehr viele Deutsche kommen in Urlaub nach Österreich. Sie wandern sehr gerne.	Yes, very many Germans come to Austria on vacation. They like to go hiking.
Daniel: Interessant. Amerikaner machen nicht viel. Sie sind ziemlich faul.	Interesting. Americans don't do much. They are lazy.
Markus: Ja, Amerikaner sind sehr dick, nicht wahr?	Yes, Americans are very fat, aren't they?
Daniel: Na ja. Bin ich dick?	Well, am I fat?
Markus: Nein, aber deine Familie kommt aus Österreich. Hast du doch gesagt, oder?	No, but your family comes from Austria. You said that, didn't you?
Daniel: Ja, aus Linz.	Yes, from Linz.

____

Hörverständnis 4.2

Sie hören jetzt einen Dialog zwischen Markus und Daniel. Sie sprechen über Urlaub in Österreich, Deutschland und den USA.

(statistische Daten von www.tourism-watch.de)

Hören Sie den Dialog noch einmal und schreiben Sie auf, wie viele Urlaubstage die Österreicher, die Deutschen und die Amerikaner haben und was sie in ihrer Freizeit machen.

Österreicher: ______________________________

____

Deutsche: ______________________________

____

US-Amerikaner: ______________________________

____

Was haben sie zu Hause? Was haben die Österreicher, die Deutschen, die Schweizer und die Amerikaner zu Hause?

Auto (n), Fahrrad (n); Klimaanlage (f), Fenster (pl); Fernseher (m), Stereoanlage (f); Hund (m), Katze (f); Skier (pl), Schneeschuhe (pl); Jeans (f), schicke Kleider (pl); Haus (n) und Garten (m), Wohnung (f); Swimming Pool (m), Gartenteich (m)

Beispiel: S1: Was haben viele Amerikaner?
S2: Ich glaube, viele Amerikaner haben **ein Auto**.

S1: Und was haben viele Deutsche?
S2: Ich glaube, viele Deutsche haben **ein Fahrrad**.

Koffer packen

 der Koffer

die Seife

 das Deodorant

 der Film

 die Socken

Die Klasse fährt in Urlaub. Machen Sie eine Liste von Dingen, die Sie in einen Koffer packen.

die Liste

____
____
____
____
____

S1: Ich packe eine Zahnbürste ein.
S2: Ich packe eine Zahnbürste und einen Rasierapparat ein.
S3: Ich packe eine Zahnbürste, einen Rasierapparat und eine Kamera ein.
S4: Ich packe … ein.

Geburtstage
Geburtstage gibt es immer. Was möchten diese Personen?

die Reise	das T-Shirt
das Buch	die Halskette
die CD von Die Prinzen	der Hund

Markus: Aber das ist zu früh für mich! Wann sind wir in Auffach, wenn wir um 11 Uhr von Wörgl losfahren?
Daniel: ________________________________. Eigentlich möchte ich aber auch nach Wildschönau fahren.
Markus: Dann müssen wir um ___________, __________ oder um ____________ fahren.
Daniel: Aber wir können um 13.50 Uhr nicht fahren.
Markus: Warum?
Daniel: ____________________________________.
Markus: Dann fahren wir um _______________ und steigen in Auffach um.[1]
Daniel: Ja, das ist eine gute Idee!

Kultur-Aspekte

[2]

Jugendherbergen

The German-speaking people are devoted tourists. The German language exemplifies this by such words as "Wanderlust" or "Fernweh." Youth hostels offer an economic way of allowing people to fulfill their desire to travel. This one is a romantic one which permits them to escape into what the German poet Heinrich Heine referred to as "the airy realm of dreams." According to Flamini, this innate romanticism can only be fulfilled far from familiar surroundings.

Youth hostels are a common way for fulfilling one's Wanderlust. People or groups of all ages and nationalities can stay overnight at a relatively inexpensive and safe place. It is open to everyone with a membership card. Youth hostels are frequented by low-budget travelers such as students, hikers or cyclists, by families, youth groups or by groups of school children. It is an excellent meeting place for people from all over the world.

Some youth hostels provide kitchen facilities where guests can prepare their own meals and/or provide the meals in cafeterias. Guests receive bed sheets from the youth hostel warden or can bring their own sheets. Whereas years ago guests used to have to follow the schedule of the hostel, such as fixed times for meals (Innsbruck 7-8 a.m.) or set opening hours, they no longer have to do so in many places. Youth hostels increasingly accommodate for their guests' wishes to stay out late by handing out card keys or by being open for 24 hours.

In the evenings people can sit and chat or watch TV in a common room or email friends and family from available computers. The common room is a perfect place to meet many interesting people who share their travel stories, offer advice on inexpensive

---

[1] umsteigen (sep) – to change, to transfer

[2] The blue triangle, hut and tree, and the words "Hostelling International" are the registered trade marks of the International Youth Hostel Federation in many countries.

restaurants, point out cheap ways of traveling or discuss the quality of other youth hostels.

This enthusiasm for travel is a sign of affluence (Bilton); however, it is also a sign of character. The combination of this together with the love of nature has led to many different kinds of hiking clubs, for example. Before the fall of the Berlin Wall, West Germans would make 90 million vacations per year. The Swiss and the Austrians are just as enthusiastic about traveling as the Germans.

Bilton, Paul. 1999. *Xenophobe's Guide to the Swiss*. London: Oval Books.
Flamini, Roland. 1997. *Passport to Germany*. San Rafael, CA: World Trade Press.

Exkursion drei: Der Reiseführer

Multi-Kulti Aktivität 4.3

You and several of your German friends want to go on vacation. What would you do to get ready to go? Think of two different things.
Do you think that your German friends would do things differently? If so, in which way?

Word-Box	
das Dachl	diminutive in Austrian of "Dach" roof
erforschen	to explore, to discover
die Sehenswürdigkeit (-n)	sight (lit. things worth looking at)
der Dom (-e)	cathedral
seit	since
von 1514-1889 = say: von 1514 bis 1889	from … to …
die Kirche (-n)	church
die Schule (-n)	school
das Gefängnis (-se)	prison
das Rathaus (-äuser)	townhall
besichtigen	to look at, visit

Das Goldene Dachl

Markus ist in die Dolomiten abgefahren. Daniel erforscht am Nachmittag Innsbrucks Innenstadt. Er ist am Domplatz und versucht sich zu orientieren und herauszufinden, wohin er gehen soll. Neben ihm ist eine Gruppe Touristen aus Deutschland. Ein Touristenführer erklärt	*Markus has left for the Dolomites. Daniel explores the city of Innsbruck in the afternoon. He is at the Domplatz and is trying to get a sense of where he is and where to go. Next to him is a group of tourists from Germany. A tour guide explains the sights around the Domplatz to*

die Sehenswürdigkeiten am Domplatz. Daniel hört aufmerksam zu.	*them. Daniel listens carefully.*
Meine Damen und Herren,	Ladies and Gentlemen,
Direkt vor Ihnen steht der Dom zu St. Jakob. Seit 1270 ist er durch eine Urkunde bekannt. Ab 1650 ist die Kirche ein beliebter Pilgerort und das Mariahilf-Bild von Lucas Cranach kommt in die Kirche. 1944 wird sie von alliierten Bomben schwer zerstört. Aber nun ist sie wieder ganz renoviert. Schauen Sie nun hinter sich.	Directly in front of you is the St. Jakob's cathedral. It has been recorded in documents since 1270. Since 1650 the church has been a favorite of pilgrims and the picture "Mariahilf" by Lucas Cranach is located in the church. In 1944 it was heavily damaged by Allied bombs. Today it is totally renovated. Now look behind you.
Die Gruppe dreht sich um 180 Grad.	*The group turns 180 degrees.*
Zwischen dem Brixnerhaus und dem Wohnhaus des Bischofs – übrigens ist das die erste Schule in Innsbruck – standen der Kräuterturm und das Kräuterhaus. Beide existieren nicht mehr. Von 1514-1889 sind beide Gebäude ein Gefängnis. Man sagt, dass sich der Herzog Ferdinand 1579 beklagt, weil man die Schreie der Gefangenen hört.	Between the Brixner house and the Bishop's home – by the way that is the first school in Innsbruck – was located the Herb tower and the Herb house. Neither exists today. From 1514 to 1889 both buildings were a prison. Some say that in 1579 Herzog Ferdinand complained about the cries of the prisoners there.
Daniel folgt der Gruppe die Pfarrgasse entlang, bis sie zum Haus mit dem goldenen Dachl kommen.	*Daniel follows the group along the Pfarrgasse until they reach the building with the golden roof ("Goldenes Dachl").*
Und nun, meine Damen und Herrn, schauen Sie nach oben. Dort sehen Sie das berühmte „Goldene Dachl" von Innsbruck. Kaiser Maximilian I. hat das Dach um 1500 an dieses Haus bauen lassen. Zu seiner Zeit ist der Kaiser gern in Innsbruck, und weil er sich gern dem Volk zeigt, hat er eine Loge mit dem goldenen Dachl konstruieren lassen.	And now Ladies and Gentlemen, take a look up there. There you see the famous "Golden Roof" of Innsbruck. Kaiser Maximilian I had this roof built on this house in 1500. At this time the Kaiser likes to spend time in Innsbruck, and because he likes to appear before the people, he has a balcony built with the golden roof.
Dabei wird Daniel von den vielen Namen der Kaiser, Fürsten, und Grafen, die der Touristenführer auflistet, ganz schwindelig. Daniel erkennt, dass er gerade am Anfang	*Meanwhile Daniel is getting dizzy from all the names of emperors, dukes, and princes that the tour guide lists. Daniel realizes*

seiner Entdeckungen der Stadt steht, die voll mit Geschichte ist. Er muss einen Plan machen. Jemand kommt auf ihn zu und bietet ihm Hilfe an.	*that he is just at the beginning of his exploration of a city imbued with history. He needs to make a plan. Somebody comes up to him and offers help.*
Nette Person: Servus. Kann ich Ihnen helfen?	Hello, can I help you?
Daniel: Ja, wissen Sie, ich möchte mir die Stadt anschauen, aber ich weiß nicht genau wo ich anfangen soll.	Yes, do you know, I want to look at the city, but I don't know exactly where to start.
Nette Person: Das ist tatsächlich nicht einfach. Es gibt so viel in Innsbruck.	That isn't really easy. There is so much in Innsbruck.
Daniel: Wo finde ich das schönste Gebäude von Innsbruck? Und wo ist das berühmte Helblinghaus? Kann man es innen besichtigen? Ich möchte auch das alte Rathaus besichtigen. Der Bürgersaal im 2. Stock soll sehr schön sein. Wie lange ist der heute offen und wie komme ich zum Rathaus?	Where can I find the most beautiful building in Innsbruck? And where is the famous Helbling house? Can you see the inside of it? I would also like to see the old city hall. The citizen's room on the second floor is supposed to be very beautiful. How long is it open today and how do I get to the city hall?
Nette Person: Halt, halt! Immer langsam, das sind zu viele Fragen auf einmal	Stop, stop! Slowly, that's too many questions at once.
Aber Daniel hat noch viel mehr Fragen im Kopf.	*But Daniel has many more questions in his mind.*

Richtig oder falsch

_____ 1. Die Person St. Jakob ist durch eine Urkunde bekannt.
_____ 2. Das Mariahilf-Bild kommt 1650 in den Dom.
_____ 3. Die Kirche wird 1944 renoviert.
_____ 4. Die erste Schule von Innsbruck ist heute das Wohnhaus des Bischoffs.
_____ 5. 1579 sitzt der Herzog Ferdinand im Gefängnis. Er schreit vor Schmerz.
_____ 6. Kaiser Maximilian I baut das „Goldene Dachl".
_____ 7. Der Bürgersaal ist im Ratskeller.

→ For practice, see exercises 4.7-9 in the workbook.

Fragen Sie nun Ihre KlassenkameradInnen nach diesen Plätzen und Gebäuden. Erlauben Sie die Antwort: "Ich weiß es nicht." Wenn alle fertig sind, schreibt der/die Lehrer(in) die Antworten an die Tafel.

Rollenspiel: Der Regentag

Rollen: reisender Student in Innsbruck
Herbergsvater der Jugendherberge

Sie sind als Tourist in der Jugendherberge in Innsbruck. Leider regnet es. Fragen Sie den Herbergsvater, was man an einem Regentag in Innsbruck machen kann. Ihr/e Partner/in macht Vorschläge in der Rolle des Herbergsvaters. Denken Sie an die Höflichkeitsform von „möchte," an die Verwendung von „kein" und an die Stellung des Verbs in Fragesätzen.

Und nun geht's los!

Schreib mal wieder!

Daniel's stay in Innsbruck is approaching its end. He is full of impressions and writes a letter to Gabi in Berlin.

Complete his letter by telling Gabi about the sights in Innsbruck. Write about 10 sentences.

Liebe Gabi,

Innsbruck ist eine tolle Stadt! Es gibt wahnsinnig viel zu sehen und so viel Geschichte.
Innsbruck ist eine Olympiastadt und hat …
Innsbruck ist auch eine historische Stadt und hat…
Es gibt …

Ich hoffe, es geht dir gut.

Grüße
Daniel

Kultur-Aspekte

Der Reiseführer

Daniel's approach to discover Innsbruck is a very adventurous one. Many German-speaking people like to prepare their trip months in advance by getting various travel guides and other information about their destination and studying it in great detail before departing. Before leaving, these individuals would have planned an exact itinerary day by day if not hour by hour.

Background information is extremely important for many German-speaking people. For them it is important to have as much background information as possible in the decision-making process in order to make the right decision for the future (Lewis). In the case of vacation, this thoroughness is extremely important for these people to make the right decision so there will be no foul ups while away. In addition, knowledge is a symbol of power (Lewis). Because of all their background information they can impress their friends and family on vacation. However, not all German-speaking people prepare their trips thoroughly. Some people prefer to go on a trip quite spontaneously.

Another important character trait is orderliness. There is the German expression "Ordnung muss sein" which says it all. There must be orderliness. And Daniel's approach to planning his stay in Innsbruck is not orderly for German, Swiss (especially), and Austrian standards. Nees points out that *Ordnung* permeates German society. And Lewis maintains that "Germans believe in a world governed by *Ordnung,* where everything and everyone has a place in a grand design calculated to produce maximum efficiency (p. 70)." Ordnung and delineation of space also means allowing everyone a degree of space and freedom so that one will not encroach too strongly onto someone else's life.

Lewis, Richard. 1996. *When Cultures Collide: Managing Successfully across Cultures.* London: Nicholas Brealey.

Nees, Greg. 2000. *Germany: Unraveling an Enigma.* Yarmouth, ME: Intercultural Press.

→ For practice, see exercise 4.14 in the workbook.

Leseecke

Lesen Sie den Titel des Gedichts. Was bedeutet er?

Wo – vielleicht dort

von Jürgen Becker

wo
vielleicht dort
wohin
mal sehen
warum
nur so
was dann
dann vielleicht da
wie lange

Key

Multi-Kulti-Aktivität 4.1

1. You are polite and tell them to come by and visit you anytime. This would be absolutely the wrong thing to do. They would take you seriously and end up on your doorstep to your surprise. They will take you for word value and not understand that you are only being polite. To them you are not being honest which in turn is also not polite.
2. You ask them when they will be in the States and you set a date with them for a visit. You welcome them on that date. This is the correct answer. It's clear and direct to the point.
3. You ignore the topic. This is a way out of the situation but it is not the best possibility.
4. You tell them that you won't be in New York City at that time. This too is a way out, but you are not being honest.
5. You tell them that you would like them to visit you, but won't have time for them during their visit to the US. This is not ideal, but honest.

Multi-Kulti-Aktivität 4.3

Elicit from your students what ideas they had and list them on the black board. Then talk about whether this is adequate planning for a trip, for example to Europe for four weeks. Talk about the need for planning and how planning could hinder one's flexibility if one adamantly adhered to such a plan.

Then answerthe question:

What can the planning of a trip perhaps say about the person's or a people's character?

Hörverständnis 4.1

A. Daniel: Mir ist heiß. Ich möchte etwas Kühles.
Markus: Schau, da ist ein nettes Café. Café Munding.

B. Daniel: Prima Idee, ich möchte gern ein Eis essen.
Markus: Ja, das erste Eis aus Tirol kommt von diesem Café.

C. Kellnerin: Servus, was möchte der Herr?
Daniel: Ich möchte gern ein Glas Wasser und ein Vanilleeis.
Kellnerin: In Ordnung, ein Mineralwasser und ein Vanilleeis.
Daniel: Nein, ich möchte normales Wasser, kein Mineralwasser.

D. Markus: He, Daniel möchtest du auf die Kletterwand?
Daniel: Nein danke, ich möchte noch ein bisschen leben.

Hörverständnis 4.2

Daniel: Sag mal, Markus, stimmt das? Die Österreicher haben die meisten Urlaubstage?
Markus: Ja, das stimmt. Die meisten Österreicher haben ca. 30 Tage bezahlten Urlaub im Jahr? Das sind 6 Wochen Urlaub.
Daniel: Mensch, das ist nicht schlecht. Die meisten Amerikaner haben nur ca. 10 Tage Urlaub. Wieviel Urlaub haben die Deutschen?
Markus: Sie haben ca. 24 Tage bezahlten Urlaub. Ja, und dann haben die

Österreicher und die Deutschen auch noch 8 bis 13 Feiertage.

Daniel: Was machen die Österreicher und Deutschen mit so viel Freizeit?

Markus: Viele Leute reisen and viele haben Hobbys. Sie haben ein Surfbrett und fahren ans Meer zum Surfen oder sie haben Skier und fahren im Winter in die Berge.

Daniel: Amerikaner reisen auch viel. Aber sie bleiben auch zu Hause. Sehr viele Amerikaner haben ein Haus und im Urlaub bleiben sie zu Hause.

Markus: Ist das nicht langweilig?

Daniel: Ich glaube nicht. Sie haben viel Arbeit im Haus und im Garten, und sie haben einen Fernseher zur Unterhaltung. Sie haben Freunde und Verwandte. Sie treffen sich. Ja, und manche Amerikaner arbeiten lieber und möchten keinen Urlaub nehmen oder sie haben kein Geld.

Markus: Die Deutschen und Österreicher haben immer Geld für Urlaub.

Aus dem Inhalt

Kultur

Hier lernen Sie etwas über:

das österreichische Essen
die Wohnung
Möbel und Zimmer
die Ellbogengesellschaft

Grammatik

Possessive Pronouns
verbs with vowel changes
the Imperative
Accusative Prepositions

Abschnitt 5

Wien

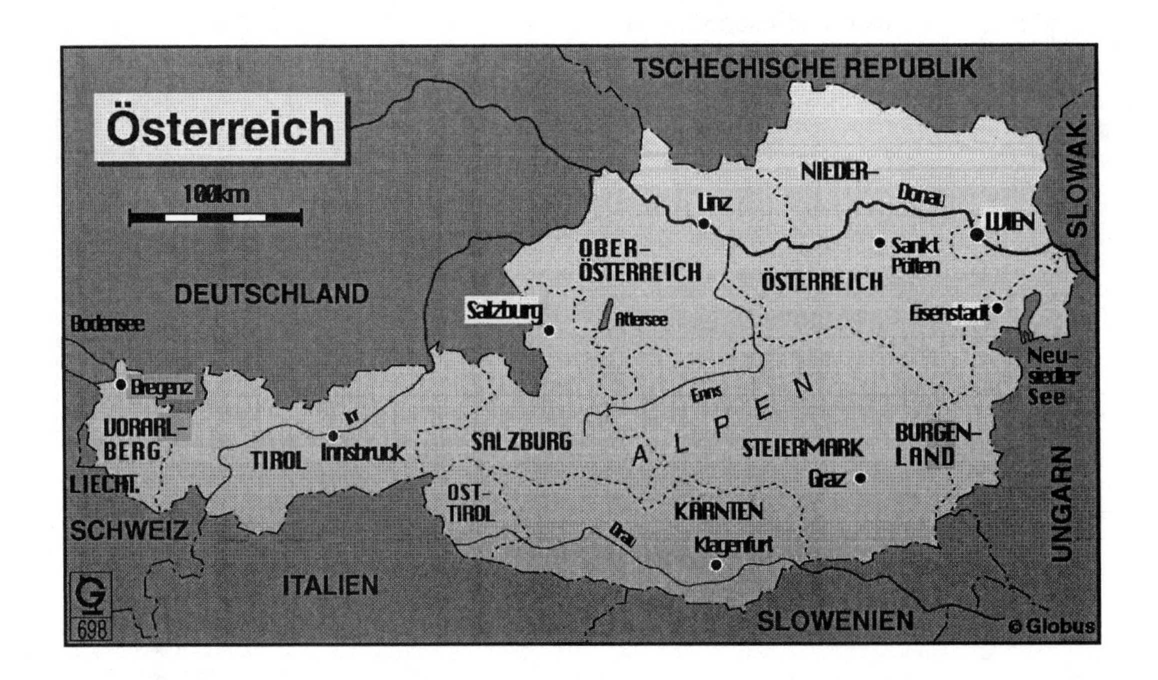

1. Welche Stadt ist die Hauptstadt von Österreich?
2. In welchem Bundesland liegt Wien?
3. Welcher Fluss fließt durch Wien?

→ For practice, see exercise 5.14 in the workbook.

Exkursion eins: Eine kulinarische Stadt

Multi-Kulti Aktvitiät 5.1

Make a list of typical food items and beverages you think are typical for the Austrians, the Swiss, and theGermans.
Also make a list of typical food items and beverages you think are typical for Americans.

What, do you think, do food and drink say about a country and its culture?

Wort-Box			
besuchen	to visit	schüchtern	shy
träumen	to dream	(et-)was Leckeres	sth. delicious
die Geschichte (-n)	history; story		
die Tradition (-en)	tradition		
die Stimme (-n)	voice		
die Mutter (-ütter)	mother		
die Tante (-n)	aunt		
die Eltern (pl)	parents		
der Handy (-s)	mobile phone		

Die Dame in Wien

Und wieder sitzt Daniel im Zug, und das Ziel ist dieses Mal Wien. Er will seine Tante Lissi besuchen. Sie lebt dort schon seit dreißig Jahren. Daniel schaut aus dem Fenster auf die vorbei fliegende Landschaft, aber seine Gedanken fliegen schon viel weiter. Er träumt von Wien.	*And Daniel is on the train again, and Vienna is the destination this time. He wants to visit Aunt Lissi. She has been living there for thirty years. Daniel looks out of the window at the landscape that flies by, but his thoughts already fly much further. He dreams of Vienna.*
Wien ... Eine Stadt mit langer Geschichte, eine Stadt mit Traditionen... die Türken vor Wien, am Rand von Orient und Okzident ... Wiener Cafés und Wiener Kuchen ... natürlich, Wien und Musik, Mozart, Strauß, der Wiener Walzer ... und Hauptstadt von Österreich. Ja aber, wie ist Wien heute? Was machen junge Leute in Wien? Die tanzen bestimmt nicht alle Wiener Walzer. ...	*Vienna ... A city with a long history, a city with traditions ... the Turks before Vienna, on the threshold between Orient and Occident ... Viennese cafés and Viennese pastry ... of course, Vienna and music, Mozart, Strauß, the Vienna Waltz ... and capital of Austria. Well, but what is Vienna like today? What do young people do in Vienna? They surely don't all dance waltz.*
Daniel schläft ein, bis neben ihm die Leute	*Daniel falls asleep until people get up next*

aufstehen und er merkt, dass der Zug Wien erreicht hat. Eine Stimme im Lautsprecher mit starkem Wiener Akzent kündigt die Einfahrt des Zuges an: "Wien. In wenigen Minuten erreichen wir den Hauptbahnhof von Wien. Bitte alle aussteigen. Endstation des Zuges." *Daniel nimmt schnell sein Gepäck und eilt zum Ausgang des Wagens. Er stellt sich auf den Bahnsteig und schaut nach Frauen, die vielleicht ein bisschen wie seine Mutter aussehen. Er hatte seine Tante das letzte Mal gesehen, als er noch ein kleiner Junge war. Sie hatte seine Eltern in den USA besucht, aber er erinnert sich kaum an ihren Besuch. Inzwischen ist sie älter geworden, und er weiß nicht genau, wie sie heute aussieht. Der Bahnsteig ist leer, niemand ist gekommen. Er hat die Telefonnummer seiner Tante, aber nicht ihre Adresse. Daniel wird unruhig. "IIabe ich ihr am Telefon die falsche Ankunftszeit gegeben?"*	*to him and he notices that the train has reached Vienna. A voice in the loudspeaker announces with a strong Viennese accent the arrival of the train: "Vienna. We'll reach the central station of Vienna in a few minutes. Everyone depart. Final stop of the train."* *Daniel quickly grabs his luggage and hurries to the exit of the car. He positions himself on the platform and looks for women who might look a bit like his mother. The last time he saw his aunt was when he was still a little boy. She had visited his parents in the US, but he hardly remembers her visit.* *In the meantime, she has become older, and he is not sure what she might look like today. The platform is empty, nobody came. He has his aunt's phone number, but not her address. Daniel is getting nervous. "Did I tell her a wrong arrival time?"*
Gerade will er sein Handy aus der Tasche nehmen, da kommt eine elegante Frau auf den Bahnsteig gelaufen:	*He is about to take his cell phone out of his bag, when an elegant woman rushes onto the platform:*
Daniel?	Daniel?
Endlich, da ist sie! Erleichtert umarmen sie sich. Tante Lissi sagt mit starkem österreichischem Akzent:	*At last, there she is! They embrace each other in relief. Aunt Lissi says with a heavy Austrian accent:*
Tante Lissi: Daniel, es tut mir Leid, dass ich zu spät komme. Ich konnte keinen Parkplatz in der Nähe des Bahnhofs finden.	Daniel, sorry, I'm late. I could not find parking spot near the train station.
Daniel ist noch ein bisschen schüchtern.	*Daniel is still a bit shy.*
Daniel: Oh, das macht nichts. Ich bin froh, dass du da bist. Tante Lissi: Daniel, du sprichst ja hervorragend Deutsch! Wir können also Deutsch miteinander reden.	Oh, it doesn't matter. I'm glad that you are there. Daniel, your German is excellent! We can speak German with each other.

Lissi ______________ Familie hat immer viel zu machen, nicht?

Stereotype Bilder

1) Read the text "Zwischen Delikatessen und DJs: der Naschmarkt" below and Kultur-Aspekte and compare this information with your lists from Multi-Kulti Aktivität 5.1.
2) Imagine you would like to open up a restaurant in Vienna. What kinds of foods do you think would attract guests?
3) Design your own menu card keeping the above information in mind. You can use the words from the sample menu card or your own.

Zwischen Delikatessen und DJs: der Naschmarkt[1]

Mit der **Produktvielfalt** des Wiener **Naschmarkts** kann kein Supermarkt konkurrieren. Mit seinem **Flair** und **Ambiente** sowieso nicht. In erster Linie war und ist der Naschmarkt ein **Nahversorgungszentrum**[2] . Der Käufer findet hier frisches Obst und Gemüse, Wurst, Käse und allerlei **Delikatessen.** Von ganz gewöhnlichen bis zu **exquisiten**. Einen gewissen Schwerpunkt[3] bilden Waren aus der **Balkanregion**, aber auch **mitteleuropäische** und asiatische Köstlichkeiten sind hier zu finden.
Imbiss-Stände[4] und kleine **Esslokale** bilden die logische Erweiterung des Marktlebens. Nirgends in Wien ist die **Sushi-Bar-Dichte**[5] so hoch wie am Naschmarkt. Mit dem **Naschmarkt-Deli** , das neben Essen – zwischen **türkisch** und **amerikanisch** – auch **elektronische Musik** bietet, hat sich eine junge, creative Szene etabliert.

Die Wochenkarte vom Restaurant *Gulaschmuseum*

Vocabulary:

der Kürbis/-se	*pumkin*	gebacken	*baked*
die Suppe/-n	*soup*	das Kraut/"-er	*herb(s)*
das Gemüse/-	*vegetables*	die Scholle/-n	*plaice (fish)*
der Schweinsbraten/-	*pork roast*	die Kartoffel/-n	*potato(es)*

Wochenkarte

Mittagsmenü

---

[1] naschen – to nibble der Naschmarkt – the market for nibblers
[2] das Nahversorgungszentrum – center for local supplies
[3] der Schwerpunkt – main focus
[4] der Imbiss-Stand, "-e – snack or hot-dog stand
[5] die Dichte - density

jeden Tag nur: € 6,20

MONTAG	**Kürbiscremesuppe, Augsburger mit Mischgemüse und Petersielkartoffel**
DIENSTAG	**Minestrone, Polpetti**
MITTWOCH	**Nudelsuppe, Schweinsbraten mit Kraut und Knödel**
DONNERSTAG	**Zucchinicremesuppe, gebackene Gemüsevariationen mit Sauce Tartare**
FREITAG	**Kräutercremesuppe, Scholle in Basilikum-Oberssauce mit Butterkartoffel**

http://info.wien.at/portal.html?advpack

Hörverständnis 5.1

Tante Lissi und Daniel reden weiter und Daniel erzählt ein bisschen von seiner Reise.

Welche Antwort ist richtig?

1. Daniel hat im Schwarzwald ___________________ gegessen.
    a. Schinken und Kartoffelsalat
    b. Schinken und Schwarzwälder Kirschtorte
    c. Wurst und Schwarzwälder Kirschtorte

2. In Zürich hat Daniel ___________________ gegessen
    a. Kartoffeln und Steak
    b. Kartoffeln und Bratwurst
    c. Kartoffeln und Gulasch

3. Daniel hat Kartoffelsalat und Bratwurst in ________________ gegessen.
    a. Innsbruck
    b. München
    c. Zürich

4. Daniel hat Pommes frites mit __________________ gegessen.
    a. Ketchup
    b. Ketchup und Mayonaise
    c. Mayonaise

1. Wie viel Erdbeeren essen die Österreicher?
2. Was ist die Lieblingsobstsorte der Österreicher?
3. Was essen die Österreicher am wenigsten?

Das Kochrezept

Lesen Sie den kleinen Artikel.

Gaumen-Freuden

Inspiration für Kochkünstler

Was darf's denn sein? Ein friesischer Kasseler-Birnentopf? Oder doch lieber die Apfel-Ente. Die Entscheidung fällt nicht leicht. Die Tipps und Anleitungen auf daskochrezept.de verheißen echte Gaumenfreuden. Die Liste der Gerichte ist lang und lässt kaum einen Wunsch zwischen normaler, leichter und vegetarischer Küche oder dem Dessert offen. Dazu gibt's Tipps für den geeigneten Drink zum Essen und aufschlussreiche Artikel zur Ernährung. Wer mit seinem Küchenlatein am Ende ist, findet hier auf jeden Fall Inspiration.

www.daskochrezept.de

Situation eins
Sie laden Freunde zum Essen ein und wollen Pizza und Tiramisu servieren. Wo finden Sie Rezepte für das Essen auf der Website www.daskochrezept.at?

Situation zwei
Ihre Eltern kommen zum Abendessen und Sie wollen ein schönes Essen für sie kochen. Was kochen Sie und wo finden Sie es auf der Website www.daskochrezept.at?

Situation drei
Ihre Kollegen geben eine Party auf der Arbeit und Sie wollen etwas mitbringen. Sie wollen etwas Spezielles kochen Was kochen Sie und wo finden Sie es auf der Website www.daskochrezept.at?

Kultur-Aspekte

All too often our understanding of specific habits and customs in a culture is very limited and antiquated. Our ideas have become locked in time, whereas the cultures have undergone changes and mutations. The sight of Germans in Lederhosen has become rare, and often just a tourist attraction. Italians do not live entirely on pizza and spaghetti, nor do the Swiss eat cheese fondue every night. As the examples above illustrate, cultures are not pure, but they merge with influences from other countries. They often develop some form of hybrid result; think of Tex-Mex food, for example. Thus the Viennese kitchen has become equally varied. It reflects the influences of Austria's many surrounding countries, such as Hungary, Croatia, the Czech Republic, Slovakia, and Italy as well as places as far away as Japan and the USA. However, it must be said that some typical food items are exemplary for each culture. The variety of German breads is insurmountable (Zeidenitz and Barkow), while the Austrians are world renown for their pastries (James) and the Swiss for their chocolate and cheese (Bilton).

However, there are several characteristics that do prevail among the German speaking countries. For example, breakfast is an important meal for these countries. This type of breakfast is not similar to an American one. Germans, Austrians and the Swiss will tend to eat a kind of breakfast that most Americans would consider to be lunch: open-faced sandwiches with cheese or cold cuts of some sort. In Switzerland, Dr. Bircher-Brenner invented *Muesli* (Bilton) which has become a staple for many German speaking people at breakfast time, sometimes even at lunch for the Swiss (Bilton). However, in Germany, Switzerland, and Austria the main meal of the day is at lunchtime. This lunch would be comparable to the American evening meal when everyone would eat a warm meal with meat, potatoes and some sort of vegetable. Today vegetarian meals are becoming more and more popular for health reason. And the evening meal in Germany, Austria and Switzerland would be considered by Americans to be merely lunch. Most people will again eat sandwiches in the evening, very similar to breakfast. Many people consider eating a large meal in the evening as not being healthy.

Bilton, Paul. 1999. *Xenophobe's Guide to the Swiss*. London: Oval Books.
James, Louis. 1994. *Xenophobe's Guide to the Austrians*. London: Ravette Books.
Zeidenitz, Stefan and Ben Barkow. 1993. *Xenophobe's Guide to the Germans*. Ravette Publishing.

Guter Grund No 1:
Wien ist eine wunderschöne Stadt
6

Exkursion zwei: Eine Bleibe

Multi-Kulti Aktivität 5.2

Draw a floor plan of the house you lived in as a child. Show where the windows and the doors are located in your house.

After completing your drawing answer the following questions. Please keep your floor plan you will need it for later tasks.

1. How many people live in this house?
2. Which doors are usually open?
3. Which are usually closed?
4. Which are locked? When? Why?
5. Where are visitors entertained?
6. Where do visitors sleep?
7. Are there any spaces that belong to one member of the family?
   Which spaces? Which family members?
8. Does the house have a front garden? A back garden? A fence?

This exercise is taken from *Cultural Awareness*, Barry Tomalin and Susan Stempleski, pp. 78-79.

Wort-Box			
das Gebäude (-)	building	drüben	over there

krumm	crooked	bauen	to construct
schief	tilted, crooked	verwöhnen	to spoil
winklig	odd cornered		
komisch	funny, strange, weird		
die Möbel (pl)	furniture		
zumachen (sep) = schließen	to close, lock		

Die Löwengasse

Daniel und seine Tante steigen ins Auto und fahren Richtung Donau. Daniel ist von den prunkvollen Gebäuden, die er auf der Fahrt sieht, schon sehr beeindruckt. Aber er kann sich nicht auf die Stadt konzentrieren, denn die Tante will alles genau über seine Eltern und sein Leben in den USA wissen. Sie halten vor einem merkwürdigen Haus an. Es liegt im 3. Stadtdistrikt. Es ist ganz krumm und schief, wie ein Urwald überwachsen und ganz bunt. Es ist das Hundertwasserhaus. Tante Lissi hat dort eine Wohnung. Als allein stehende Künstlerin und Architektin möchte sie auch in einem künstlerisch und architektonisch besonderen Haus wohnen und hat hier eine kleine Wohnung gemietet.	*Daniel and his aunt get into the car and drive toward the Danube. The stately buildings, which he sees during the ride, impress him very much. But he cannot concentrate on the city, because his aunt wants to know everything about his parents and his life in the US.* *They stop in front of a strange house.* *It is in the third city district. It is all crooked and tilted, grown over like a jungle and very colorful. It is the Hundertwasser House. Aunt Lissi has an apartment there. As a single artist and architect, she wants to live in an artistically and architecturally special house and she rented a small apartment here.*
Daniel: Mensch, Tante Lissi, das ist ja ein komisches[6] Haus. Ist innen auch alles so winklig?	Wow, Aunt Lissi, this is quite a strange house. Is it equally full of odd corners inside?
Tante Lissi: Komm rein, und schau selbst. Ich führe dich, folge mir nur. ... Wir sind hier eine große Gemeinschaft. Jeder kennt mich, und ich kenne jeden.	Come on inside and see for yourself. I'll lead you, follow me ... We are a big community here. Everyone knows me, and I know everyone.
Die Ausstattung	*The furnishings*
Daniel: Mensch, Tante Lissi, du hast ja eine tolle Wohnung. Woher hast du diese merkwürdigen Holzmöbel? Sie sehen ganz ungewöhnlich aus.	Gee, aunt Lissi, you have a great apartment. Where did you get this strange wooden furniture? It looks very unusual.
Tante Lissi: Zum Teil habe ich sie selbst gebaut. Du weißt, ich habe Schreiner	Part of it I made myself. You know, I studied to be a carpenter and then later I

[6] Sprachnotiz: *komisch* has two meanings in German: a)funny, amusing, b) strange, puzzling

gelernt und erst später Architektur studiert. Ein Freund von mir hat eine Werkstatt, und da habe ich den Esstisch und die Stühle dazu gebaut.	studied architecture. A friend of mine has a workshop, I made the dining table and chairs there.
Daniel: Und dieser Schrank, ist der auch von dir?	And this cabinet, did you also make it?
Tante Lissi: Nein, mein Freund hat ihn passend zum Esszimmer gebaut.	No, my friend made it to fit the dining room.
Daniel: Deine Möbel passen genau zum Haus. Sie sind auch ganz winklig und farbenfroh.	Your furniture fits the house exactly. It is also very curved and very colorful.
Tante Lissi: Ja, deshalb möchte ich hier auch leben. Das ist mein Stil, und das ist mein Heim.	Yes, that's reason why I want to live here. That is my style, and this is my home.
Daniel: Unser Haus in den USA ist dagegen ganz langweilig. Es ist viereckig, aus Holz und hat eine graue Farbe. Meine Eltern leben darin schon seit 5 Jahren, und sie mögen es sehr.	Our home in the USA in comparison is very boring. It is square, out of wood and is grey in color. My parents have already lived there five years and they love it.
Darf ich auf die Toilette?	May I go to the restroom?
Tante Lissi: Natürlich. Sie ist drüben.	Of course. It's over there.
Tante Lissi zeigt Daniel, wo die Toilette ist.	*Aunt Lissi shows Daniel where the restroom is.*
Tante Lissi: Daniel, bitte nicht vergessen, die Tür zuzumachen, wenn du fertig bist. Ich erinnere mich, dass Amis es nie machen.	Daniel, please don't forget to close the door when you are finished. I remember that Americans never do it.
Daniel fragt sich, was sie meint.	*Daniel wonders what she means.*
Daniel: Natürlich, aber warum? Wie kann man wissen, dass die Toilette belegt ist, wenn die Tür immer zu ist?	Of course, but why? How can one know that the restroom is occupied if the door is always closed?
Tant Lissi: Wir machen die Tür immer zu, sonst stinkt es. Wenn jemand auf der Toilette ist, schließt man ab. Auf diese Art und Weise weiß man, dass jemand darauf ist.	We always close the door otherwise it stinks. If someone is in the restroom, one locks the door. In this way one knows that it is occupied.
Daniel denkt komische Sitten! Daniel und Tante Lissi gehen ins Esszimmer. Sie sitzen auf den ungewöhnlichen Stühlen im Esszimmer beim Abendessen.	*Daniel thinks that these are strange manners! Daniel and Aunt Lissi go into the dining room. They sit on the unusual chairs in the dining room and eat dinner.*
Daniel: Mmm, dein Wiener Schnitzel ist	Mmm, your Wiener Schnitzel is really

echt lecker. Mom macht es manchmal auch zu Hause nach traditionellem Rezept, aber das schmeckt nicht so gut wie dieses hier.	tasty. Mom sometimes make it at home according to a traditional receipt, but it doesn't taste as good as this.
Tante Lissi: Du bist hier, und ich will dich ein bisschen verwöhnen. Deine Mutter soll nicht sagen, dass ich dich nicht gut versorge.	You are here, and I want to spoil you a little. Your mother shouldn't say that I didn't take care of you.
Daniel: Ich sage Mom, dass du mich total verwöhnst.	I'll tell mom that you totally spoiled me.

Richtig oder Falsch

_____ 1) Tante Lissi hat komische Möbel.
_____ 2) Lissis Freund hat alle Möbel von Lissi in seiner Werkstatt gebaut.
_____ 3) Lissi hat Schreiner gelernt.
_____ 4) Daniels Eltern leben in einem roten Haus, das sie lieben.
_____ 5) In Deutschland schließt man die Toilettentür ab, wenn man die Toilette belegt.
_____ 6) Moms Wiener Schnitzel ist besser als Lissis, denn es ist nach traditionellem Rezept gemacht.

http://www.hundertwasserhaus.at/memoriam.htm

Das Hundertwasser-Projekt

Finden Sie im Internet weitere Projekte des Architekten und Malers Friedensreich Hundertwasser. Sagen Sie der Klasse (auf Englisch ist o.k.), wo das Projekt steht, das Baujahr und warum Sie dieses Projekt gewählt haben.

http://www.hundertwasserhaus.at/at_main.htm

Das Traumhaus

Zeichnen Sie Ihr Traumhaus und erklären Sie es Ihrem Nachbarn/Ihrer Nachbarin. Beginnen Sie mit:

Mein Haus hat viele Fenster. Sie sind groß.
oder: Unser Haus hat einen Balkon. Er ist klein.

Fenster, Türen, Dach, Wände, Zimmer, Swimmingpool, Jacuzzi, Schornstein, Kamin, Garten, Bäume, Atrium, Solarzellen, Fitnessraum, Küche, Bad	groß, hell, breit, gemütlich, grün, exotisch, elegant, solide, effizient, praktisch, ruhig, klein, sonnig, warm, kühl.

Wie wollen Sie wohnen?

Daniel hat die folgende Umfrage[7] gefunden und liest sie durch. Lesen Sie die Umfrage und füllen sie diese aus.

[7] questionnaire

Ausfüllen und gewinnen!

1. Ich wohne:

- ❒ bei meinen Eltern
- ❒ allein
- ❒ mit Partnerin/Partner
- ❒ mit Familie
- ❒ in einer Wohngemeinschaft

2. Ich wohne in:

- ❒ einer Mietwohnung
- ❒ einer Eigentumswohnung
- ❒ einem Eigenheim

3. Mit meiner Wohnung bin ich:

- ❒ sehr zufrieden, ich möchte mich nicht verändern
- ❒ zufrieden, trotzdem möchte ich mich verbessern
- ❒ nicht zufrieden, weil:
  - ❑ zu klein
  - ❑ zu alt
  - ❑ modernisierbedürftig
  - ❑ schlechte Lage
  - ❑ zu teuer
  - ❑ sonstiges ____________

4. Meine Wohnung hat:

____ Räume ____ qm Wohnfläche
(ohne Bad und Küche)

5. Ich beabsichtige, umzuziehen:

in ca. ________ Jahren

6. Ich möchte leben:

- ❒ allein
- ❒ mit Partnerin/Partner
- ❒ mit Familie
- ❒ in einer Wohngemeinschaft

7a. Gerne würde ich wohnen in einem:

- ❒ Einfamilienhaus
- ❒ kleinen Mehrfamilienhaus
- ❒ großen Mehrfamilienhaus
- ❒ Hochhaus

7b. Am liebsten im:

- ❒ Altbau
- ❒ Neubau

8. Wie viele Räume:

sollte Ihre zukünftige Wohnung haben?
____ Räume ____ qm Wohnfläche
(ohne Bad und Küche)

9a. Ich wünsche mir meine Wohnung:

- ❒ in Berlin, im Stadtteil ____________
- ❒ im Umland ____________
- ❒ spielt keine Rolle

9b. Mir ist dabei wichtig:

- ❒ nähe zum Arbeitsplatz
- ❒ ruhige Lage
- ❒ gute Einkaufsmöglichkeit
- ❒ hoher Freizeitwert
- ❒ sonstiges ________

10. Ich stelle mir vor:

- ❒ zur Miete zu wohnen
- ❒ in den eigenen vier Wänden zu wohnen

11. Dafür würde ich monatlich zahlen:

________ Euro

12. Heute kann ich monatlich beiseite legen:

- ❒ nichts
- ❒ bis 100 Euro
- ❒ von 101 bis 200 Euro
- ❒ mehr

13. Sparen lohnt sich für:

- ❒ größere Anschaffungen (z.B. Möbel, Auto)
- ❒ Urlaub
- ❒ Altersvorsorge
- ❒ Eigentumswohnung
- ❒ eigenes Haus
- ❒ sonstiges

14. Folgende Sparformen nutze ich zur Zeit:

- ❒ festverzinsliche Anlagen
- ❒ Aktien / Fonds
- ❒ Bausparvertrag
- ❒ Lebensversicherung
- ❒ private Rentenversicherung
- ❒ keine

15. Ich plane innerhalb der nächsten 12 Monate folgende Sparformen zu nutzen

- ❒ festverzinsliche Anlagen
- ❒ Aktien / Fonds
- ❒ Bausparvertrag
- ❒ Lebensversicherung
- ❒ private Rentenversicherung
- ❒ keine

Zu meiner Person

ich bin ____ Jahre alt

❒ weiblich ❒ verheiratet ❒ Schüler/in ❒ Auszubildende/r
❒ männlich ❒ allein stehend ❒ Student/in ❒ berufsstätig als ______

Name

Straße

PLZ, Ort Tel.-Nr.

Schicken Sie den Fragebogen in einem frankierten Umschlag an die **LBS Norddeutsche Landesbausparkasse Berliner Straße 148 10715 Berlin.** Übrigens können Sie auch im Internet antworten: www.lbs-nord.de

Gehen Sie alle Fragen mit der ganzen Klasse durch. Welche Antworten sind am beliebsten?

Hörverständnis 5.2 Tante Lissi und Daniel sitzen noch in der Küche und Daniel erzählt vom neuen Haus seiner Eltern. Welche Zimmer erwähnt (mentions) Daniel? Wie viele Zimmer von jeder Sorte gibt es?

_____ das Badezimmer	_____die Diele	_____ das Wohnzimmer
_____ das Schlafzimmer	_____ die Terasse	_____ die Küche
_____ das Esszimmer	_____ das Treppenhaus	_____ das WC

4. Singt diese Person eine Arie in der Oper? Nein, ___________ singt ein Lied im Musical.

Is this woman driving baby to kindergarden

5. Fährt diese Frau ihr Baby (n) zum Kindergarten? Nein, sie nimmt es zur Arbeit mit.

6. Rudern diese Männer ein Boot auf dem Rhein? Nein, _________rudern _________ auf der Donau.

Kultur-Aspekte

Das Hundertwasserhaus in Wien, Löwengasse

Friedensreich Hundertwasser (1928-2000) together with two engineers built this housing complex. There are 50 apartments in this building, and approximately 200 residents manage the house. Many of the residents even knew Hundertwasser personally. Through the construction of this building, Hundertwasser wanted to achieve a symbiosis between man, nature, and architecture. Hundreds of plants create an atmosphere of tranquility and security within this complex.

Hundertwasser had many different artistic projects throughout the world. Some such projects are to name a few a public toilet in New Zealand, a garbage disposal complex in Osaka, a vineyard in Napa Valley, and a train station in the little town of Uelzen in Northern Germany. All of these projects reflect Hundertwasser's style; curved, colorful, dainty and mosaic in design. See http://www.hundertwasserhaus.at/at_main.htm for more information.

However, not only does this house reflect Hundertwasser and his architectural style, but also a folk's mentality, character. Windows, for example, play an important role. Germans, Austrians and the Swiss live in an area of Europe where it can be grey and dreary for days on end. Because of this, everyone is very interested in having as much light in their apartment or home as possible, the bigger the windows the better or the more windows the better. In buildings built several centuries ago, there are few windows and when there are, they are usually very small. The reason for this is that at the time of the construction of the building windows were taxed. Consequently, one wanted as few windows and as small as possible in order to save on taxes.

However, today the more *natural* light one has in a home the more attractive it is. Windows are also important for another reason. The German-speaking people *need* fresh air (Bilton). They are constantly airing out the rooms even in the middle of winter. This tends to be less of a problem because there are normally separate heating units in each room that are used only when the room is being occupied. In order to save money and benefit the environment, they heat their rooms much less than in the States. It is much easier and cheaper to keep the heat down and wear a sweater in winter than to heat. No one would wear only a t-shirt and turn up the heat to keep warm!!!! Consequently, houses are built much more sturdy (Bilton) and environmentally friendly than in the States (Zeidenitz and Barkow, Bilton, and James). In summer, you will rarely find an apartment or home with air conditioning 1) because it seldom gets hot enough to merit having air conditioning and 2) because German speaking people believc air conditioning is not healthy. Fresh air is of paramount importance, not filtered air from an air conditioner, for example.

According to Hall and Hall, the door symbolizes important psychological characteristics for Germans (this includes the Austrians and the Swiss). Hall and Hall believe that the door functions as a protective barrier between the individual and the outside world. If the door is closed, the room is sealed off and one is safe. Doors are usually thick and very solid, the door hardware is heavy, tight fitting and it allows for few tolerances resulting in few cracks. German-speaking peoples tend to keep doors closed at all times. If you encounter a closed door, you knock and wait to be asked in. The closed door preserves the integrity of the room and supplies a form or boundary between people (pp. 40-41).

Bilton, Paul. 1999. *Xenophobe's Guide to the Swiss.* London: Oval Books.
Hall, Edward and Mildred Hall. 1990. *Understanding Cultural Differences: Germans, French, and Americans.* Yarmouth, ME: Intercultural Press.
James, Louis. 1994. *Xenophobe's Guide to the Austrians.* London: Ravette Books.
Zeidenitz, Stefan and Ben Barkow. 1993. *Xenophobe's Guide to the Germans.* Ravette Publishing.

Summary: Briefly characterize Hundertwasser's ambitions, his style, and the apartment complex in the Löwengasse.

Exkursion drei: Die Kulturmetropole

gestaltet. Wiener/innen und Fachleute können Einfluss auf die weiteren Planungsschritte nehmen und sich mit guten Ideen beteiligen. Mehr ...

http://www.wien.gv.at

Daniel findet auf der Webseite Informationen über den Prater.
Er findet das ganz spannend. Aber Daniel wundert sich, dass so viele Wörter auf Englisch sind.

Prater (Vergnügungspark)
zwischen Prater Hauptallee und Straße des 1. Mai
U1 Praterstern
Eine Mischung aus uralter und brandneuer Vergnügung mit High-Speed-Boomerang-Loopings neben Rutschturm,[8] Bungee-Ejection-Seat neben Geisterbahn,[9] Fliegender Teppich neben der "Neuen Wiener Hochschaubahn".[10]

Sprachtip: German, Austrian, and Swiss German have become increasingly penetrated by American-English expressions. You use terms like hype or cool to demonstrate that you are "in." Professions and industries that want to appear progressive, or at the cutting-edge borrow heavily from English, such as the media, the entertainment industry, the fashion world and the leisure industry.

Daniels Tagebuchnotizen von seinem Besuch im Prater.

Super-Blick vom Riesenrad, 60 Meter hoch! Hat 15 große, rote Gondeln. Die Geisterbahn ist ok. Prater ist etwas nostalgisch, nicht wie ein supermoderner Freizeitpark. Viele Touristen aus aller Welt. Viele Imbiss-Buden, aber sehr teuer. Viele Souvenirs für Touristen, etwas kitschig. Kaufe ein T-Shirt für mich, einen Bierseidel für Mom und eine Postkarte für Gabi.
Interessant, das Pratermuseum. Volksprater aus dem 19. Jahrhundert. Lusthaus, heute Restaurant, früher Besitz des Kaisers. Bin jetzt total müde.

---

[8] der Rutschturm – sliding tower
[9] die Geisterbahn – ghost ride
[10] die Hochschaubahn – high view track

Fragen, Fragen, Fragen.
Stellen Sie sich vor, Sie sind Lissi und fragen Daniel über seinen Besuch im Prater. Finden Sie einen Partner/eine Partnerin, der/die Fragen beantwortet.

Beispiel: Wie hoch ist das Riesenrad?
Wie ist der Blick vom Riesenrad?

Kolariks Freizeitbetriebe GmbH
Wiener Prater **http://www.kolarik.at/**

Um sich vom Besuch des Praters hinterher zu entspannen, sucht Daniel ein Entspannungsprogramm.

Wien ist superrelaxed – Körper und Entspannung

Tipps für den Wiener Besucher
Der Körper auf Reisen – Reisen kann sehr stressig sein. Abends geht man ins Restaurant und isst zu viel. Man geht in ein Beisel[11] und trinkt zu viel. Man kommt zu spät nach Hause und schläft zu wenig. Man geht lange über harte Asphaltstraßen und hat schmerzende Füße.
Aber Wien bietet dem Gast Erholung. Hier sind ein paar Tipps:
Jogge durch die grünen Parks von Wien. Mach einen Spaziergang an der Donau. Schau die Straßenkünstler an. Iss in einem feinen vegetarischen Restaurant. Geh in die Sauna oder in eines der vielen Kinos in Wien. Hör ein klassisches Konzert an. Auf jeden Fall, lass dir Zeit für einen Besuch in Wien.

[11] Sprachnotiz: Eine Kneipe oder Bar heißt in Österreich „Beisel."

Nach dem Weg fragen

Redemittel

rechts	*right*
links	*left*
geradeaus	*straight ahead*
entlang	*along*
folgen	*to follow*
überqueren	*to cross*
abbiegen (sep)	*to turn*
die Ampel	*traffic light*

Anweisungen geben

Stellen Sie sich vor, sie sind ein/e Einwohner/in Wiens. Ein/e Tourist/in fragt Sie nach dem Weg vom Stephansdom zum Kunsthistorischen Museum oder eine andere Route Ihrer Wahl.

Geben Sie die Anweisungen in der **Sie**-Form!

Beispiel: Gehen Sie …!
Biegen Sie … ab!
Überqueren Sie …!

Hörverständnis 5.3
Hören Sie nun folgende Mini-Dialoge.

Hören Sie die Dialoge noch einmal. Verfolgen Sie (trace) die Wege auf der Karte.

Empfehlungen geben. Arbeiten Sie in einer Gruppe.
Sie wollen mit Freunden einen Abend verbringen. Geben Sie Empfehlungen, was die Gruppe machen kann.

Geben Sie die Empfehlungen in der **wir**-Form.

Beispiel: Gehen wir in ein Restaurant.

Kultur-Aspekte

In the US and Britain standing in line in an orderly fashion is an unspoken rule. This is not the case in all cultures, where the rule "first come, first serve" sometimes overrides respect for others. In German speaking countries "Ordnung muss sein" is the rule, but it does not apply to lines in general. Zeidenitz and Barkow point out that the bus stop is one

Dienstag, den 11. Juli

Prater-Besuch. Fahrt mit dem ___________________. ________________ ist der Blick auf Wien wunderbar (Stephansdom, _________, Wiener Hofburg, Millenium Tower, das Rathaus). Das Wetter ist ____________. Viele _________________ besuchen den Prater. Es ist viel _____. Aber die Bratwürstl sind beim Prater sehr ____________.

die Donau	sehr schön	Riesenrad	los	von oben	Touristen
teuer					

Die Wien-Karte
Daniel hat sich eine Wien-Karte gekauft. Schauen Sie die Karte an und ergänzen Sie die richtigen Informationen.

Daniel: Guten Tag, ich möchte eine Wien-Karte kaufen.
Verkäuferin: Sie kostet ______________.
Daniel: Wie lange ist die Karte gültig[14]?
Verkäuferin: ______________.
Daniel: Wofür kann ich die Karte benutzen?
Verkäuferin: ______________________________.
Daniel: Wenn ich noch Informationen brauche, wo kann ich anrufen?

[14] good, valid

Verkäuferin: Unter der Nummer ______________________________.
Daniel: Wie kann ich die Karte entwerten?
Verkäuferin: Führen Sie ____________________________________.
Daniel: Sehr schön! Eine Karte bitte.
Verkäuferin: Also, das macht _________________________.
Daniel: Bitte schön.

Daniel gibt ihr das Geld.

Verkäuferin: Danke schön.

Aufgabe: Besuchen Sie die Webseite http://www.wien.gv.at/ecards/gallery2.html und schreiben Sie eine e-Postkarte an eine Person in der Klasse. Schreiben Sie etwas über Wien.

Fakten zu Wien
Bevölkerung Wien: 1,6 Millionen Einwohner
Bevölkerung Österreich: 8 Millionen Einwohner
Hauptstadt und selbständiges Bundesland
Wien ist Kulturmetropole und Messezentrum
Viele Grünflächen entlang der Donau
Viele Restaurants und elegante Geschäfte
Freundliche und serviceorientierte Großstadt
Wiener sind elegant, warm, freundlich und locker

http://www.wien.citysam.de/wien-info.htm

Die Stadt Wien: Stellen Sie sich vor, Sie sind Tante Lissi und erklären Daniel die Innenstadt von Wien. Finden Sie dazu Informationsmaterial zu den im Dialog genannten Gebäuden, Plätzen, Denkmälern (mindestens 2 davon).

Stellen Sie Ihre Ergebnisse in einem Mini-Referat vor.

→ For practice, see exercise 5.13 in the workbook.

Kultur-Aspekte

Vienna is the Austrian capital as well as a city state. Vienna is located in the northeast of Austria and has a population of 1.6 million residents of which 20% are foreigners. On the whole, every fifth Austrian lives in Vienna. In addition, Vienna produces approximately one third of the Austrian gross domestic product. Vienna is the political, economic and cultural center of Austria as well as a major tourist attraction.

The location of Vienna makes the city extremely attractive. It is surrounded by beautiful nature; however, the city itself provides its residents and visitors with many

Hörverständnis 5.1

Meine Reise ist sehr schön. Im Schwarzwald habe ich viel gegessen. Der Schinken dort ist sehr gut. Die Schwarzwälder Kirschtorte ist ausgezeichnet! In Zürich habe ich viel Kartoffeln und Gulasch gegessen. Natürlich habe ich in München Bratwurst und Kartoffelsalat gegessen. Überall auf der Straße habe ich auch Pommes frites mit Ketchup und Mayonnaise bekommen. Innsbruck war sehr schön. Dort habe ich Sachertorte gegessen und sehr guten Kaffee getrunken. Aber das Beste ist die Schokolade in der Schweiz. Ich glaube, dass die Schweizer die beste Schokolade auf der Welt haben.

Hörverständnis 5.2

Tante Lissi, du musst zu Besuch kommen. Meine Eltern haben ein neues Haus. Es ist sehr groß. Wir haben 5 Schlafzimmer und drei Badezimmer im ersten Stock. Unten haben wir ein großes Wohnzimmer, eine große Küche, ein Esszimmer, ein Badezimmer und ein Treppenhaus. Unser Haus ist anders als in Österreich, wir haben keine Diele, kein WC und keine Terrasse.

Hörverständnis 5.3

Tourist: Entschuldigen Sie, wie komme ich vom Stephansdom zum Stadtpark?
Wiener: Das ist einfach. Gehen Sie immer die Schulerstraße entlang.
Tourist: Vielen Dank.
Wiener: Gern geschehen.

Tourist: Servus, die Dame. Ich möchte von hier, also vom Stadtpark, zum Kunsthistorischen Museum.
Wienerin: Folgen Sie zuerst dem Schubertring. Gehen Sie dann rechts in den Kärntner Ring. Überqueren Sie an der Ampel die Operngasse. Gehen Sie den Opernring entlang ganz bis zum Museum.
Tourist: Herzlichen Dank.
Wiener: Keine Ursache.

Aus dem Inhalt

Kultur

Hier lernen Sie etwas über:

Essen und Lebensmittel
Kaffeehäuser
die Familie

Grammatik

Modal Verbs
Modal Verbs with separable prefix verbs
Dependent clauses and subordinating conjunctions

Abschnitt 6

Linz

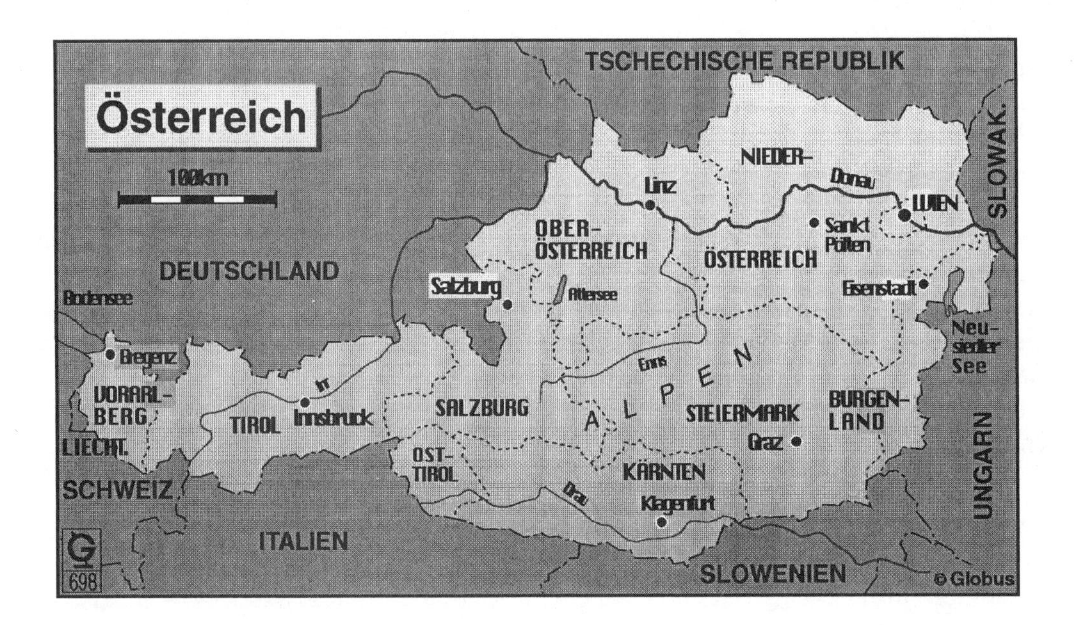

1. In welchem Bundesland liegt Linz?
2. Welcher Fluss fließt durch Linz?
3. Welches Land liegt nördlich von Linz?

→ For practice, see exercise 6.14 in the workbook.

Multi-Kulti-Aktivität 6.1

You are giving a presentation about an international organization for a group of Germans, Swiss, and Austrians. Which one of the following options would you be sure to include in your presentation.

1. A detailed historical overview of the organization.
2. A quick historical overview of the organization.
3. No historical overview of the organization.
4. A short historical overview of the organization and its future goals.

260 m Seehöhe
186298 Einwohner
Lage: Am Fluss, Donau

Wort-Box			
mein Bub = österr. Junge	my boy	vergessen	to forget
wirklich	really, in fact		
ist lieb	is sweet		
der Bäcker (-)	baker		
losgehen	to leave, to go (on foot)		
unterwegs	on the way to		
sich vorstellen	hier: to imagine		
der/die Dichter/in (-)	poet		

Exkursion eins: **Ankunft in Linz**

Daniel hat den Zug von Wien nach Linz genommen. Oma, seine Großmutter, erwartet ihn mit ihrem kleinen Dackel Waldi am Bahnhof.	*Daniel took the train from Vienna to Linz. Oma, his grandmother, awaits him at the station with her little Dachshound Waldi.*

Vorschau: Was glauben Sie, sagen Daniel und Oma, wenn sie sich wiedersehen?

Am Linzer Bahnhof. Hören und lesen Sie nun den folgenden Dialog.

Oma: Servus, junger Mann. Daniel?	Servus, young man. Daniel?
Daniel: Oma, hallo. Wie geht's?	
Oma: Danke gut, mein Bub, danke. Du bist	Thanks fine, my boy. You are a young man

[1] herstellen – to produce

ja ein junger Mann und kein Bub mehr!	and no longer a boy!
Daniel: Ja, Oma ich gehe jetzt zur Universität.	Yes, Oma, I'm at the university now.
Ein Hund knurrt im Hintergrund.	*A dog growling in the background.*
Oma: Oh, Waldi, sei still! Daniel, das ist mein Hund Waldi. Er ist ganz lieb.	Oh, Waldi, be quiet! Daniel, this is my dog Waldi. He is very nice.
Hundeknurren im Hintergrund	*Dog growling in the background*
Daniel: Wirklich?! Ich glaub', er mag mich nicht.	Oh really?! I think, he doesn't like me
Oma: I wo, das stimmt nicht. Gib Waldi ein Hundekucherl. Dann ist er still.	Oh no, not at all. Hand Waldi a dog biscuit. Then he'll be quiet.
Daniel: Hier Waldi, guter Hund, ja fein.	Here, Waldi, good dog, there you go.
Oma: Siehst du, das ist besser. Bub, du musst müde sein. Wann musstest du von Wien losfahren?	You see, that is better. Boy, you must be tired. When did you have to leave Vienna?
Daniel: Um 13.16 Uhr vom Wiener West-Bahnhof. Tante Lissi hat mich dorthin gebracht.	At 1:16 p.m. from the Vienna West Station. Aunt Lissi took me there.
Oma: Das ist typisch Lissi. Sie möchte allen Leuten helfen, aber sie darf sich dabei nicht selbst vergessen.	This is typical Aunt Lissi. She wants to help all people, but she should not forget herself by doing so.
Daniel: Lissi ist wirklich sehr nett.	Aunt Lissi is really very nice.
Oma: So, mein Bub, du musst nach der langen Fahrt im Zug Hunger haben.	Well, my boy, you must be hungry after such a long train ride.
Daniel: Ja, ein bisschen schon.	Yes, I am a bit.
Oma: In Linz gehen die Leute am Nachmittag gern in ein Café und ich mag das Café Amadé und gehe jeden Nachmittag in dieses Café. Der Bäcker kann sehr gute Mehlspeisen herstellen.[1]	People in Linz like to to go to a coffee house in the afternoon and I like the coffee house Amadé and go to this café every afternoon. The baker can make very good "flour food".
Daniel: Mehlspeisen? Was ist das? Sind das Klöße oder ist das Brei? Und das in einem Café?	"Flour food?" What is that? Are those dumplings or is it porridge? And this in a café?
Oma: Oh, mei! Nein, nein, das ist Kuchen! Wir nennen das Mehlspeisen. Kuchen ist ja aus Mehl, wie du weißt.	Oh my! No, no, this is pastry. We call it "flour food." Pastry is made of flour, as you know.
Daniel: Dann will ich mal sehen was es für Mehlspeisen gibt.	Then I would like to know what kinds of flour food there are.
Oma: Gut, dann wollen wir jetzt los.	O.k. Let's go now.

Unterwegs zum Café Amadé.	*On the way to coffee house Amade.*
Daniel und Oma gehen zum Café Amadé, das im Zentrum von Linz liegt. Unterwegs gibt Oma Daniel viele Informationen über die Geschichte der Stadt Linz.	*They walk to Café Amadé, which is located in the center of Linz. Oma provides Daniel with a lot of information about the history of Linz on their way there.*
Daniel: Woher kommt der Name Linz?	Where does the name Linz come from?
Oma: Das ist interessant. Die Römer waren schon in Linz und nannten diesen Ort Lentia. Und Lentia stammt vom keltischen Wort "lentos". Das bedeutet biegsam oder gekrümmt.	This is very interesting. The Romans were already in Linz and called this place Lentia. And Lentia stems from the celtic word "lentos." It means bendable or bent.
Daniel: Aber was ist denn an Linz so krumm?	What is so bent about Linz?
Oma: Wenn du auf den Stadtplan schaust, siehst du, dass Linz um die Biegung der Donau gebaut ist. Linz ist deshalb eine krumme Stadt.	If you look at the city map, you see that Linz is constructed along a bend of the river Danube. Linz is therefore a bent city.
Daniel: Dann ist Linz ja schon uralt.	Then Linz is a very, very old city.
Oma: Ja, Linz hat eine sehr alte Geschichte. Archäologen haben Spuren von Siedlungen aus der Jungsteinzeit gefunden und dann natürlich von den Römern, die ca. 700 Jahre hier waren.	Yes, Linz has a very old history. Archeologists found traces of settlements from the neolithicum and then, of course, from the Romans, who were here for about 700 years.
Daniel: Wow! 700 Jahre. Das kann man sich gar nicht vorstellen!	Wow! 700 years. This is unimaginable!
Oma: Und das ist erst der Anfang.	And that is only the beginning.
Daniel: Weißt du, in den USA glaubt man, dass etwas ganz alt ist, wenn es 100 Jahre alt ist.	You know, people in the US take something for really old when it is 100 years old.
Oma: Für Österreicher ist das noch relativ neu. Das Landesmuseum Francisco-Carolinum wurde 1895 eröffnet. Es ist also noch nicht so alt. Die ehemalige Wollzeugfabrik ist schon älter. Sie wurde 1672 von Christian Sindt gegründet. Und das Haus, in dem ich wohne, ist aus dem Jahre 1863. Das ist auch das Geburtsjahr des Linzer Dichters und Kritikers Hermann Bahr.	This is still relatively new for Austrians. The Museum Francisco-Carolinum was opened in 1895. It is not so old yet. The former wool textile factory is a bit older. It was founded by Christian Sindt in 1672. And the house in which I live is from 1863. It is the year of birth of the Linz poet and critic Hermann Bahr.
Daniel: Gibt es hier auch etwas, das wirklich ganz neu ist? Ich meine	Is there also something here that is really new? I mean something that Americans

etwas, das auch Amerikaner als neu verstehen?	would understand as new?
Oma: Ja, natürlich. Linz ist keine antike Stadt. Brandneu ist zum Beispiel das Techcenter Linz-Winterhafen. Es ist ein moderner Glasbau. Die Eröffnung war im Frühjahr 2002. Attraktiv für junge Leute wie dich ist das Großkino "Cineplexx World Linz."	Yes, of course. Linz is not an ancient city. The Techcenter Linz-Winterhafen, for example, is brandnew. It is a modern glass construction. It opened in the spring of 2002. Attractive for young people like you is the mega cinema "Cineplexx World Linz."
Daniel: Was ist das genau?	What is it exactly?
Oma: Das ist ein riesiger Kinokomplex. Aber ich gehe nicht dahin. Das ist nichts für alte Leute wie mich. Es ist viel zu groß.	It is a huge movie theater building. But I don't go there. This place is nothing for old people like me.

→ For practice, see exercise 6.1 in the workbook.

Unterstreichen Sie die richtige Antwort.

1. Wann verlässt der Zug Wien?
um 13.40 Uhr   um 16.30 Uhr   um 13.16 Uhr   um 3.10 Uhr

2. Wer ist Bub?
Omas Begleiter[2]   Omas Hund   ein Passant   Daniel

3. Was ist typisch für Lissi?
Sie vergisst alles   sie vergisst sich manchmal selbst   sie vergisst andere Leute
Sie vergisst nie etwas

4. Wohin gehen Oma und Daniel?
ins Café Amadé   in den Film Amadeus   ins Restaurant am Ade   ins Café Jottwidé

5. Was isst Daniels Oma gern?
Klöße und Brei aus Mehl   Nudeln und Spaghetti   Mehlspeisen   Apfelkuchen

6. Woher kommt der Name Linz?
"Lenz" altes Wort für Frühling   keltisches Wort "lentos"   germanisches Wort "lentia"
römisches Wort "lentiscus"

7. Wie alt ist Linz?
aus der Zeit der Römer   aus der Zeit der Kelten   aus der Steinzeit   aus dem Jahr 700

8. Aus welchem Jahr ist das Haus von Daniels Oma? (more than one possible)
1672   1863   dem Geburtsjahr von Hermann Bahr   1895

---

[2] der Begleiter (die Begleiterin, feminine version) – accompanying person

die Liste

1. ______________________
2. ______________________
3. ______________________
4. ______________________
5. ______________________

Beispiel:

S1: Hallo, *Susan*. Was möchtest du haben? **S1:** Was möchtest du machen?
S2: Ich möchte einen Porsche. **S2:** Ich möchte Ballon fliegen.

d) **Was ist Ihr Lieblingsessen?** Was mögen Sie gern? Machen Sie eine Liste. Fragen Sie Ihren Nachbarn/Ihre Nachbarin.

die Liste

1. ___________________________
2. ___________________________
3. ___________________________
4. ___________________________
5. ___________________________

Beispiel: **S1:** Was magst du gern?
S2: Ich mag gern *Pizza.*

Erzählen Sie dann der Klasse, welches Essen sie oder er mag.

Beispiel: **S1 zur Klasse:** *Andy*,mag gern Spaghetti mit Tomatensoße.

> ⚡ **Note:** When the meaning of the sentence is very clear, the infinitive form is not necessary at the end of the sentence.
> Gut, dann **wollen** wir jetzt los. (-gehen)

Kultur-Aspekte

The example above demonstrates that our concept of history is not universal, but differs from culture to culture. European tourists to the States are sometimes puzzled by monuments or museum exhibits that are relatively recent, i.e. 100 years old or less. From a European historical point of view these objects in many cases are not yet worthy of historical preservation. For US Americans who have enjoyed a shorter history than the Europeans, some of the buildings and monuments in Europe are awe inspiring because of their age, whereas they are hardly perceived in the eye of a European. Century-old churches, castles, monasteries, and other such buildings in Europe have been a mainstay of everyday life. Consequently, the historical significance of these building is easily overlooked. Occasionally, it takes people such as an American tourist to make Europeans realize the historical importance of some of the treasures they have been taking for granted for so long.

Not only the concept of what is worthy of historical significance can vary from culture to culture but also how a culture perceives the historical value of events and how this is related to the present or future can vary from culture to culture. In general, Americans tend to be very near future oriented with a need for only enough information to be able to make a decision for the moment. Or as in our Multi-Kulti example, Americans feel it is not so important to provide the audience with detailed historical information whereas German speaking peoples believe this to be important. They need this information in order to be able to make a justified decision they can adhere to. Once they have made a decision they normally will stick to it. Therefore, information from the past is relevant for the present and for making a decision (Lewis). In the eyes of German speaking peoples, Americans will change their minds at a whim. As Americans get more or new information they will go with the flow whereas German speaking peoples will tend to stick to their decisions based on historical facts.

Lewis, Richard. 1996. *When Cultures Collide: Managing Successfully across Cultures.* London: Nicholas-Brealey.

Exkursion zwei: Die Kaffehäuser

Multi-Kulti-Aktivität 6.2

You are in Europe and you go to a coffee house. What do you do there? Which of the following answers would you pick? You may choose only two. Once everyone has selected his/her answers, your teacher will survey which answers were picked the most. In a class discussion explain why you chose your particular answers.

Drink a cup of coffee.
Eat a piece of cake.
Read a newspaper.
Watch the people.
Sleep.
Meet friends.

Wort-Box	
der Hund (-e)	dog
die Bedienung	waiters, staff: service
bedienen	to wait on
außerdem	besides
du darfst	you are allowed to
einem etwas tun	to do harm to sb.
überall	everywhere

Im Café Amadé

Lesen Sie den Text und beantworten Sie die Fragen.

Oma: Daniel, hier ist das Café Amadé.	Daniel, here's the Café Amadé.
Daniel: Ja, so habe ich mir ein traditionelles österreichisches Café vorgestellt - in einem alten Gebäude und mit antiken Möbeln.	Yes, this is how I imagined a traditional Austrian coffee house – in an old building with antique furniture.
Oma: Besonders die Linzer Senioren mögen dieses Café. Die Bedienung ist nett, und der Service ist gut. Außerdem kann ich auch Waldi mitbringen.	The senior citizens of Linz like this place in particular. The waiting personnel is nice and the service is good. Besides I'm allowed to bring Waldi along.
Daniel: Wie, du darfst Waldi ins Café mitbringen?	What? You are allowed to take Waldi into the café?
Oma: Ja, warum soll ich ihn nicht ins Café mitnehmen? Der tut keinem was.	Yes, why should I not take him into the café? He doesn't harm anyone.
Daniel: In den USA darf man das nicht. Da muss man seinen Hund zu Hause lassen.	You are not allowed to do so in the US. You have to leave your dog at home.
Oma: Das ist aber nicht nett. Waldi freut sich immer auf unsere Kaffeestunde. Er darf hier einen Löffel Schlagobers essen.	That is not very nice. Waldi always looks forward to our coffee hour. He can have a spoon of whipped cream here.
Daniel: Ist das überall so?	Is it like this everywhere?
Oma: In den meisten Cafés, Beisels und Restaurationen[5] sind Tiere erlaubt, aber nicht überall. Man soll zuerst immer nachfragen.	Animals are permitted in most of the cafés, bars, and restaurants, but not everywhere. One should always ask first.
Sie betreten das Cafe.	*They walk into the coffee house.*
Oma: So, da woll'n wir uns mal setzen.	So, let's sit down.
Daniel: Halt! Müssen wir nicht warten, bis man uns einen Platz gibt?	Stop! Don't we have to wait to be seated?
Oma: I wo, nicht hier in Österreich! Wenn was frei ist, setzt man sich dahin, egal ob im Café oder in einer Restauration.	Oh no, not here in Austria! Whenever a seat is empty you take it, regardless whether it is in a café or a restaurant.
Daniel: In den USA kann man das nicht machen. Man wird dann nicht bedient.	You cannot do so in the USA. They might not wait on you. There is a special person

[5] Note that „Restauration" in Austrian means *restaurant* and not restauration.

Es gibt speziell eine Person, die einen zu einem freien Tisch führt.	who takes you to your table.
Oma: Das wäre mir zu umständlich.	That would be too complicated for me.
Daniel: Na ja, in einem amerikanischen Café, wo die Leute nur für einen Kaffee hingehen und gleich an der Kasse bezahlen, ist das auch nicht so.	Well, it is not like that in an American café where people go just for some coffee and pay right at the counter.
Oma: An der Kasse zahlen? Das ist ja wie im Supermarkt! Gibt es denn keine Bedienung?	Paying right at the cash register? That's like a supermarket! Is their no waiting service?
Daniel: Warum? Man holt sich den Kaffee und den Kuchen vom Thresen und bezahlt gleich dort. Das ist viel schneller als stundenlang auf eine Bedienung zu warten.	Why? You get your coffee and pastry from the counter and you pay right there. That is a lot faster than waiting for hours for the waiter or waitress.
Oma: Ihr jungen Leute habt ja auch nie Zeit!	You young people never have time!
Daniel: In einem amerikanischen Restaurant warten wir auch auf die Bedienung. Aber es geht meistens schneller als hier.	We also wait for service at an American restaurant. But it is usually much faster than here.

→ For practice, see exercise 6.5 in the workbook.

Was passt wo? Welche Aussagen (statements) aus dem Dialog passen zusammen? Verbinden Sie die Sätze mit Linien (lines).

1) Besonders die Linzer Senioren	a) sind Tiere erlaubt.
2) In einem amerikanischen Restaurant	b) und bezahlt gleich dort.
3) In den meisten Cafés, Beisels und Restaurationen	c) warten wir auch auf die Bedienung.
4) Die Bedienung ist nett,	d) mögen dieses Café.
5) Wenn was frei ist,	e) und der Service ist gut.
6) Man holt sich den Kaffee und Kuchen vom Thresen	f) setzt man sich dahin.

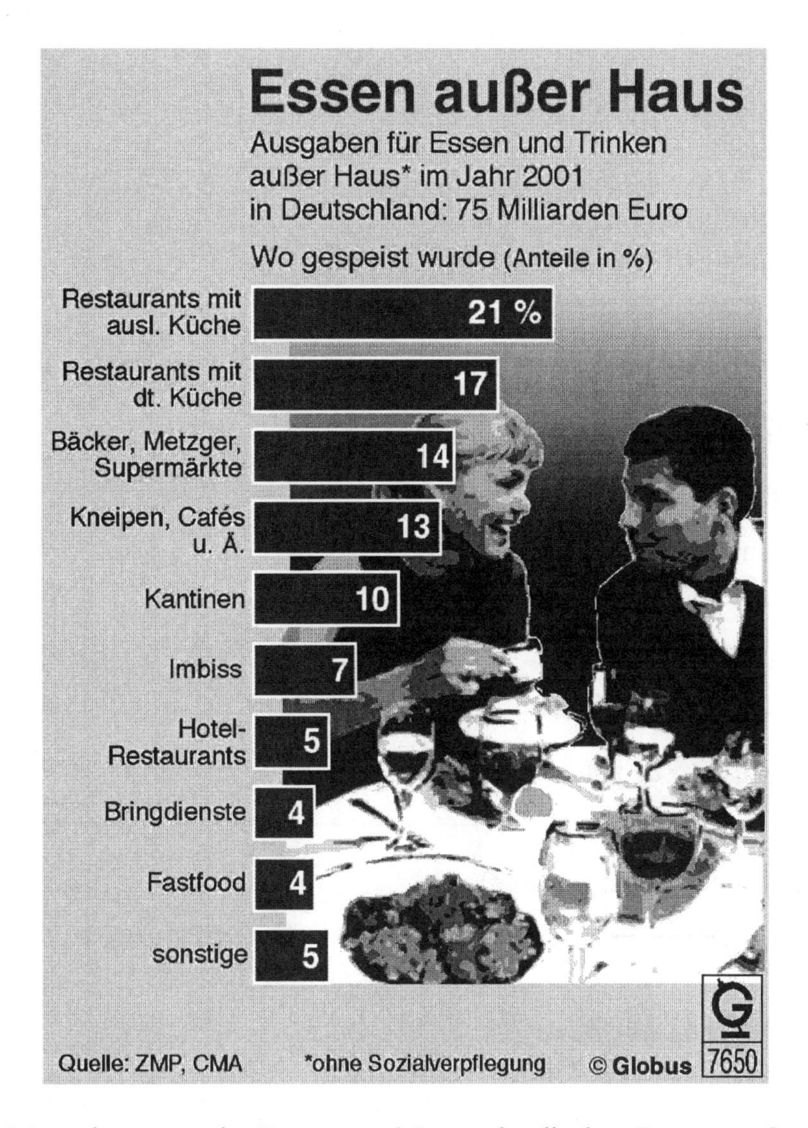

1. Wie viele Menschen essen im Restaurant? Im ausländischen Restaurant?
2. Wie viele Deutsche essen Fastfood?
3. Was sind die Ausgaben für Essen und Trinken in Euro?

Grammatik -Spot	**Modal Verbs with Separable-Prefix Verbs**

You have already learned about verbs with separable prefixes in chapter 3. Now you'll learn more about these kinds of verbs in connection with modal verbs.

*Du **darfst** Seppl ins Café **mit**bringen?*
*Man **soll** immer **nach**fragen.*

In a sentence with a modal verb the prefix goes back to the verb and appears in its infinitive form at the end of the sentence.

Seppl **darf** hier einen Löffel Schlagobers ***auf**essen.*
Warum **soll** ich ihn nicht ins Café ***mit**nehmen*?

→ For practice, see exercise 6.6 in the workbook.

Befehle

Ändern Sie folgende Befehle in Sätze mit einem Modalverb.

Beispiel: Räum dein Zimmer auf! (müssen) — Du musst dein Zimmer aufräumen.
Trinkt die Milch aus! (sollen) — Ihr sollt die Milch austrinken.

1.) Mach das Fenster auf! (sollen)

____

2.) Fahrt pünktlich ab! (sollen)

____

3.) Steh früh auf! (müssen)

____

4.) Steigt ein, der Zug fährt ab! (müssen).

____

5.) Mach die Musik aus! (müssen)

____

Der ungesunde Zimmernachbar

Daniels Zimmernachbar Tom lebt nicht sehr gesund. *Er fängt den Tag ohne Frühstück an. Er steht immer zu spät auf. Er macht nie das Fenster auf. Er probiert immer nur neue Computerspiele aus. Er hört sehr laute Rockmusik an. Er sieht von morgens bis abends fern. Er fährt nie Rad. Tom schläft immer sehr spät ein.*

Sagen Sie Tom, was er besser machen soll. Verwenden Sie *sollen, müssen, dürfen.*

Tom, du darfst den Tag nicht ohne Frühstück anfangen. Du __________ früher

_____________. Du ___________ das Fenster _______________. Du ____________ nicht immer nur neue Computerspiele ___________________________. Du __________ nicht so laute Rockmusik __________________. Du _______________ nicht immer von morgens bis abends ____________________. Du ______________ mal wieder _________________. Du ______________ nicht immer so spät ____________________.

Haben Sie einen Zimmernachbarn/in? Ist sie/er perfekt? Sagen Sie, was sie/er besser machen soll, tun muss oder darf. Mindestens 3 Sachen.

Kultur-Aspekte

Kaffeehäuser

The coffee house in Austria has a long tradition. It started in Vienna in 1683 after the Turkish siege of the city. After Vienna was delivered from the Turks, Georg Kolschitzky, who was instrumental in the freeing of Vienna, was to be rewarded for his deeds. Because of his trips to Turkey he knew the coffee bean. When asked what he wanted for his rewards, he requested all the sacks of coffee beans left by the fleeing Turks. Not much later he opened the first coffee house in Vienna.

Today coffee houses offer coffee, hot chocolate, various soft drinks, and an assortment of liqueurs. However, this limited assortment of drinks makes it rather difficult for these houses to be able to pay their rent. Consequently, the old traditional coffee houses are changing in style or closing. See *Die Geschichte des Kaffeehauses in Wien* on the Web site http://www.vienna.cc/dkaffeeh.htm for more information about the history of the coffee house in Vienna.

Those people who go to a coffee house are primarily interested in having a good cup of coffee. But that is not the only reason for going. Many students will go to coffee houses to read the newspaper, meet friends or watch people. People watching is a favorite pastime of many Europeans. In summer the street cafés are full of people watchers.

Americans tend to be surprised when they go to a coffee house or, for that matter, to any kind of restaurant because there is usually no one there to seat you. You simply wander between all the tables until you come to one that is not occupied. However, if there are no free tables and you see that there is a table with chairs that are not occupied, you simply go over and ask if you may use the free chair. No one will think anything of it. Try it in the States and see what kind of reaction you would probably get.

In most restaurants and cafes, no one would bat an eye at you bringing your dog with you just like Daniel's grandma does. According to James, if you do not keep a grandmother in Austria, you keep either a dog or a cat. Pets are very high on the priority list.

James, Louis. 1994. *Xenophobe's Guide to the Austrians*. London: Ravette Books.

Exkursion drei: **Die Bedienung**

Multi-Kulti-Aktivität 6.3

Pick the best possible answer for Austria.

1. You are waiting for the menu. What do you do?
a. You try to get the waiter's attention by snapping your fingers.
b. You walk over to the waiter and ask for a menu.
c. You make eye contact with the waiter and indicate that you would like to have a menu.
d. You wait until the waiter finally comes to your table.

2. You want to pay. What do you do?
a. You ask for the bill and pay at the cash register.
b. You ask for the bill and pay the waiter.
c. You wait for the waiter to bring you the bill and you pay at the cash register.
d. You wait for the waiter to bring you the bill and you pay the waiter.

3. You want to leave a tip. What do you do?

a. You put 15% of the bill on the table and leave the restaurant.
b. You round the sum on the bill up to the next euro and leave the money on the table.
c. You round the sum on the bill up to the next euro and give it directly to the waiter.
d. You do not leave a tip.

Wort-Box	
gnädige Frau	my lady
der/die Enkel/in	grandson/granddaughter
koffeinfrei	decaffeinated
probieren	to taste, to try
der Schlagobers (österr.) = Schlagsahne	whipped cream

Daniel und Oma im Café Amadé

Hören und lesen Sie den folgenden Dialog und beantworten Sie die unten folgenden Fragen.

Ober: Servus, gnädige Frau. Servus, der Herr.	Servus, my lady. Servus, sir.
Oma: Servus, Herr Ober.	Servus, "Mister Waiter."
Ober: Sie haben heute jungen Besuch mitgebracht.	You have a young visitor with you today.
Oma: Ja, das ist mein Enkel Daniel aus den USA.	Yes. This is my grandson Daniel from the USA.
Ober: Aus den USA! Dann möchten Sie wohl die leckeren österreichischen Mehlspeisen probieren.	From the USA! I assume you'd like to try some of our Austrian pastries.
Daniel: Ja, natürlich die Linzer Torte.	Yes, of course, the Linzer cake.
Ober: Da muss ich Sie leider enttäuschen, junger Mann. Wir spezialisieren uns hier ganz besonders auf Topfen[6]- und Apfelstrudel.	Unfortunately, I'll have to disappoint you, young man. We specialize here in Topfen- and apple strudel.
Oma: Ja, den Topfenstrudel musst du unbedingt probieren.	Yes, you definitely have to try the Topfenstrudel.
Daniel: Topfenstrudel? Was ist denn das schon wieder?	Topfenstrudel? What on earth is that?
Oma: Das ist Quarkstrudel.	That is Quarkstrudel.
Daniel: Und was ist denn Quark? Ich kenne den Ausdruck nur aus der Physik.	And what is Quark? I only know the expression from physics.
Oma: Das ist aus Milch, so wie ganz dicke saure Milch.	It is made from milk, like very thick sour milk.
Daniel: So wie sour cream?	Like sour cream?
Oma: Ja, vielleicht. Am besten, du	Yes, perhaps. The best thing is you try it.

[6] *Topfen* is the Austrian term for a type of sour cream. It is called *Quark* in standard German.

probierst es mal. Also, Herr Ober, einen Topfenstrudel für meinen Enkel.	Well, “Mister Waiter”, one Topfenstrudel for my grandson.
Ober: Und für Sie, gnädige Frau?	And for you, my lady?
Oma: Sie wissen schon, wieder ein Stück Apfelstrudel mit Schlagobers und eine Tasse Kaffee, koffeinfrei. Bitte auch einen kleinen Teller mit etwas Schlagobers für Seppl.	As you already know, a piece of apple strudel with a cup of coffee, decaf. Please also a small plate with a bit of whipped cream for Seppl.
Ober: Ja, selbstverständlich, wie immer.	Yes, of course, like always.
Ober: Was soll's für den Herrn sein?	And what would the gentleman like?
Daniel: Ich möchte auch eine Tasse Kaffee, aber bitte mit Koffein. Na ja, und natürlich den Topfenstrudel.	I would like a cup of coffee, but please with coffein. Well, and of course, the Topfenstrudel.
Ober: Möchten Sie auch Schlagobers mit dem Strudel?	Would you also like Schlagobers with your strudel?
Daniel: Und was ist das?	And what is that?
Ober: Das ist geschlagener Rahm.	That is whipped cream.
Daniel: Rahm? Meinen Sie etwa Schlagsahne?	Cream? Do you by any chance mean whipped cream.
Ober: So nennt man das wohl auf Hochdeutsch. Hier in Österreich heißt es Rahm, und geschlagen eben Schlagobers.	I guess, this is what you call it in standard German. They call it heavy cream here in Austria or just Schlagobers.
Daniel: Vielen Dank, aber ich möchte keinen Schlagobers auf meinem Strudel.	Thank you very much, but I don't want Schlagobers on my strudel.
Ober: In Ordnung. Sie bekommen alles in wenigen Minuten.	No problem. You shall have everything within a few minutes.
Daniel: Du Oma, wo kann ich denn die Linzer Torte probieren?	Oma, where can I try the Linzer cake?
Oma: Mein Bub, keiner macht die Linzer Torte so gut wie ich. Wir werden morgen Nachmittag bei mir Kaffeetrinken und ich backe dir meine spezielle Linzer Torte. Ich habe schließlich jahrelang eine ganze Familie damit glücklich gemacht.	My boy, nobody makes the Linzer cake as well as I do. We will have coffee hour at my place tomorrow afternoon and I will bake you my special Linzer cake. It was I who kept an entire family happy for many years with this cake.
Daniel: Ja, das finde ich eine prima Idee!!	Yes, this is a splendid idea!

Fragen zum Text: Beantworten Sie nun folgende Fragen zum Text mit richtig oder falsch.

____ 1. Daniel bestellt einen Topf Milch und ein Stück Linzer Torte.
____ 2. Oma trinkt immer koffeinfreien Kaffee.
____ 3. Waldi bekommt einen Teller mit Schlagsahne.

____ 4. Daniel bestellt auch Schlagobers .
____ 5. Keiner backt so gut Linzer Torte wie Oma.

Andere Länder, andere Sitten.

Lesen Sie nun den Text, und machen Sie einen interkulturellen Vergleich.

Seating, payment, food	**Österreich**	**USA**
Im Café		
Im Restaurant		

Welche weiteren interkulturellen Unterschiede kennen Sie? Denken Sie auch an die anderen Kapitel. Diskutieren Sie Ihre Ideen in einer kleinen Gruppe.

Österreichisch ist anders

Austrian is not a dialect but a variant of standard German. Nevertheless, the Austrian language has a number of words that are different from standard German or "Hochdeutsch", e.g. for some foods. In Austrian recipes you might find the following items:

(1)1 kg Erdäpfel
(2) 25 dag Topfen
(3) 10 Semmel
(4) 1/2 kg Marillen
(5) 5 Kipferl
(6) 1/2 kg Paradeiser
(7) 1/2 kg Faschiertes
(8) 25 dag Eierschwammerl

http://www.oesterreichportal.at/s404.asp

Was bedeuten diese Wörter in Ihrer Sprache? (Use a dictionary or look at the list below.)

Was bedeuten Sie auf Hochdeutsch?

1)	1)

2)	2)
3)	3)
4)	4)
5)	5)
6)	6)
7)	7)
8)	8)

Überprüfen Sie Ihre Kenntnisse. Ordnen Sie die österreichischen Begriffe den hochdeutschen Wörtern zu.

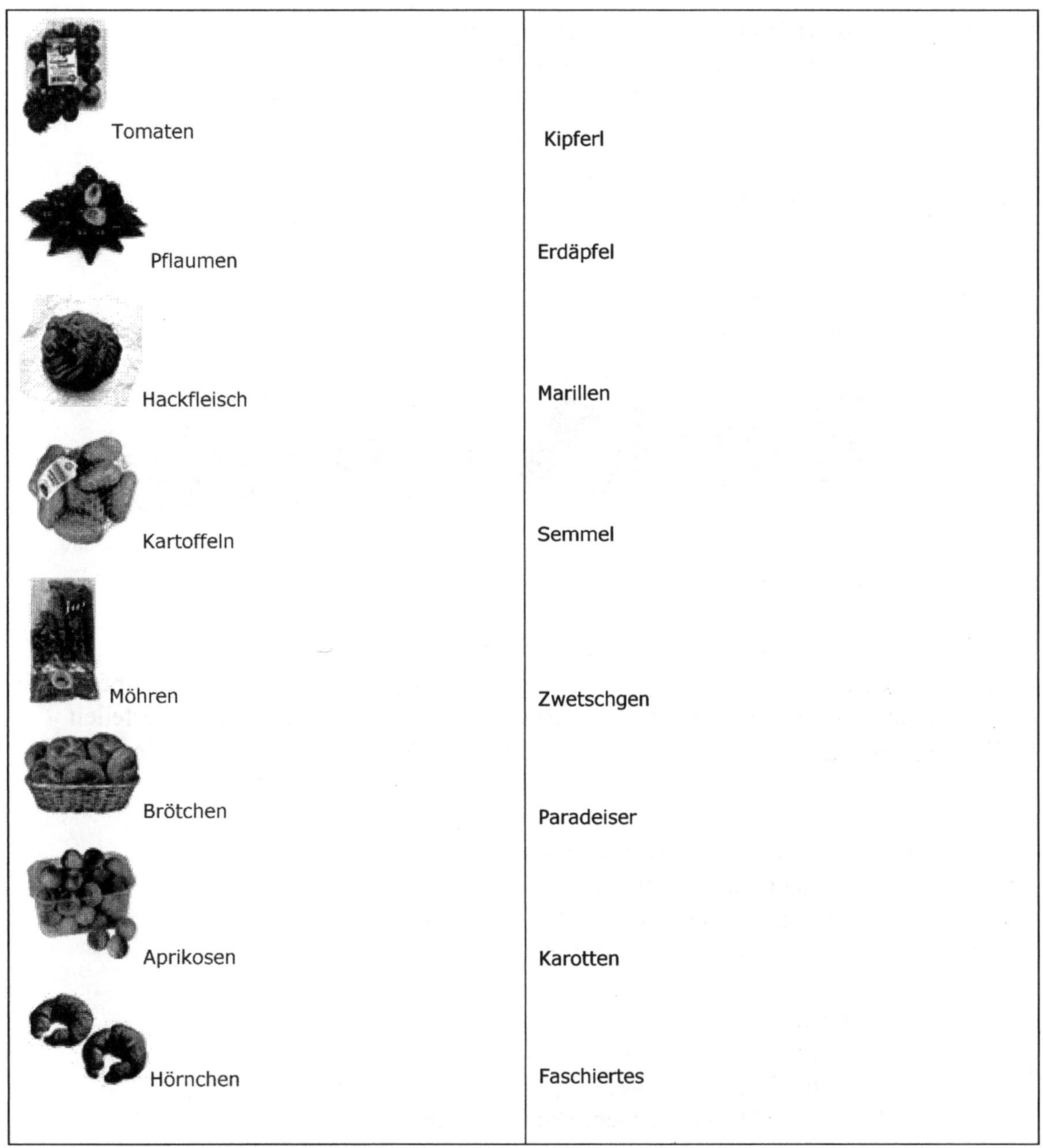

Tomaten	Kipferl
Pflaumen	Erdäpfel
Hackfleisch	Marillen
Kartoffeln	Semmel
Möhren	Zwetschgen
Brötchen	Paradeiser
Aprikosen	Karotten
Hörnchen	Faschiertes

http://www.oesterreichportal.at/s405.asp

→ For practice, see exercises 6.7-8 in the workbook.

Schlagobers

Hörverständnis 6.2 Hören Sie den Text und beantworten Sie die Fragen.
Daniel ist den ganzen Nachmittag in Linz unterwegs. Im Moment hat er Hunger und geht ins Café. Er findet einen Tisch und da kommt auch schon die Kellnerin.

1. Was möchte Daniel zuerst?
2. Was trinkt er?
3. Was isst er?
4. Isst er auch Schlagobers?
5. Was kostet alles zusammen?

In einem Café in Linz.

Rolenspiel A:
Stellen Sie sich vor, Sie und ihr(e) Freund (in) besuchen Linz und möchten in einem Café die berühmte Linzer Torte oder in einem Restaurant etwas Österreichisches bestellen. Schreiben Sie einen Dialog und spielen Sie ihn in der Klasse vor. Benutzen Sie folgende Ausdrücke:

Bedienung: Servus, was wünschen Sie bitte?
Ich empfehle Ihnen ....
Wir haben leider kein/e/en ....
Bitte schön. Auf Wiedersehen.

Gast: Ich möchte gern....
Haben Sie ....?
Nein, danke./Ja, bitte.
Ich möchte bitte zahlen./Die Rechnung bitte.

Bild einer Speisekarte eines Cafés.

Role Play B:

Stellen Sie sich vor Sie gehen mit einem Studenten aus Österreich in ein amerikanisches Café. Wie wird der Student reagieren? Schreiben Sie einen Dialog und spielen Sie diesen der Klasse vor. Denken Sie an die Kulturunterschiede!

Kultur-Aspekte

Daniel in der Altstadt

Lesen Sie bitte folgenden Text, markieren Sie dann im Stadtplan Daniels Weg und die Sehenswürdigkeiten auf seinem Weg.

Am folgenden Tag besichtigt Daniel Linz. Er fährt mit der Bim[7] zum Hauptplatz, um von dort die Altstadt zu besichtigen. Der Hauptplatz ist das Herz der Stadt mit der barocken Dreifaltigkeitssäule. Seine erste Station ist die Rathausgasse 5. Dort steht das Haus des Astronoms Johannes Kepler. Er hat dort im frühen 17. Jahrhundert gelebt, und es gab dort die erste Linzer Druckerei. Daniel ist etwas enttäuscht, da er das Haus nur von außen besichtigen kann. Er geht ein bisschen weiter zum Alten Rathaus, das aus dem Jahre 1509 stammt. Er besichtigt dort das Stadtmuseum LinzGenesis. Dabei erfährt er, dass nicht nur die Römer in Linz waren, sondern auch später Jesuiten und Kapuziner die Stadtgeschichte beeinflussten. 1608 gründeten Jesuiten ein Gymnasium.[8] *Daniels Ziel ist das Linzer Schloss. Er muss sich beeilen, weil er um 4 Uhr bei der Oma zum Kaffeetrinken sein soll. Er geht also rasch am Mozarthaus vorbei, am Waaghaus, heute Markthalle, und dem Kremsmünstererhaus, in dem angeblich Kaiser Friedrich III 1493 gestorben sein soll.* *Ein wunderbarer Blick öffnet sich auf das imposante Linzer Schloss. Daniel ist begeistert. Das Schloss ist schon sehr, sehr alt, denn es stammt aus dem Jahr 799.* *Aber die heutige Form ist nicht so alt, "nur" 400 Jahre. Daniel erfährt, dass das Schloss im Laufe seines Lebens viele verschiedene Funktionen hatte. Es war eine*	*Daniel visits Linz on the following day. He travels to the center by street car in order to look at the old part of the city. The central square is he heart of the city with its baroque Trinity Column. His first stop is Rathausgasse 5. The astronomer Johannes Kepler lived here in the early seventeenth century and there was also the first printing press.* *Daniel is a bit disappointed because he can look at the house only from the outside.* *He walks a bit further to the old city hall, which is from the year 1509.* *There he visits the city museum LinzGenesis. He learns that not only the Romans lived in Linz,* *but that also Jesuits and Capuchin monks later influenced the history of the city.* *Jesuits founded a grammar school in 1608.* *Daniel's destination is the Linz castle. He has to hurry because he has to be back for Oma's coffee hour by 4 o'clock. He quickly passes the Mozart house, the Waag house, today a market hall, and the Kremsmünsterer house in which Eemperor Frederick III presumably died in 1493.* *A marvellous view opens up onto the Linz castle. Daniel is thrilled. The castle is very, very old, because it is from the year 799. But today's structure is „only" 400 years old. Daniel finds out that the castle served a variety of functions during the course of its life.* *It was a bastion, a military hospital, a prison, and a barrack and it is a museum*

---

[7] *Bim* ist kurz für *Bimmelbahn* und bedeutet langsamer Zug. In diesem Kontext bedeutet das Wort *Straßenbahn* (*tram, street car*). (Oxford Duden, German Dictionary).

[8] Gymnasium ist keine Sporthalle, sondern eine Schule. Sie bereitet die Schüler auf die Universität vor.

Bastion, ein Lazarett, ein Gefängnis, eine Kaserne und heute ist es ein Museum. Daniel findet die Ausstellung über Numismatik oder Geldgeschichte besonders interessant. Alte römische Münzen sind Zeugen der langen Stadtgeschichte. *Die Zeit geht aber so schnell, dass Daniel sich beeilen muss. Bei Oma darf man nicht zu spät sein. Die Kaffeestunde ist ihr heilig. Außerdem hat sie ihm schließlich ihre Linzer Torte versprochen.*	*today. Daniel finds the exhibition about numismatic or the history of money particularly fascinating. Old Roman coins are testimony of Linz's old history.* *But time passes so fast that Daniel has to hurry. Oma does not allow tardiness. Her coffee hour is sacred. Besides she had promised him her Linzer cake.*

Die Dreifaltigkeitssäule

(1612 – 1626) Der Astronom und Mathematiker Johannes Kepler lebt in Linz als Lehrer an der Landschaftsschule.

PERENNE HOC MUNUMENTUM **OB PESTEM, IGNES; BELLA** **AMOTA, SOPITA,** **SUB GLORIOSO IMPERIO** **CAROLI VI. CAESARIS** **SEMPER AUGUSTI,** **POSUERUNT** **INCLYTI STATUS PROVINCIAE,** **SENATUS POPULUSQUE LINCENSIS** **M.D.C.C.XXIII**	Dieses dauerhafte Denkmal haben wegen Pest, Feuersbrünsten, Kriegen, die ferngehalten und zur Ruhe gebracht worden waren unter der glorreichen Herrschaft Kaiser Karls VI., des allzeit Erhabenen, errichtet die ruhmreichen Stände des Bundeslandes, Senat und Volk von Linz. 1723

Inschrift aus der Dreifaltigkeitssäule www.linz.at

Was gehört wozu? Ordnen Sie die Aussagen (statements) den Sehenswürdigkeiten zu.

1) LinzGenesis	a) Es stammt aus dem Jahre 1509.
2) Das Haus in der Rathausgasse 5	b) Sie steht auf dem Hauptplatz im Herzen der Stadt.
3) Das Linzer Schloss	c) Daniel lernt dort, dass nicht nur die Römer die Geschichte der Stadt beeinflusst haben.
4) Das Alte Rathaus	d) Die heutige Form ist "nur" 400 Jahre alt.
5) Das Kremsmünstererhaus	e) Der Astronom Johann Keppler hat hier gelebt.
6) Die Dreifaltigkeitssäule	f) Kaiser Friedrich III soll hier 1493 gestorben sein.

Grammatik-Spot **Dependent Clauses and Subordinating Conjunctions**

Like in English, you can combine two sentences into one with a subordinating conjunction. Here are some useful subordinating conjunctions in German.

obwohl	*although, even though*
bevor	*before*
sobald	*as soon as*
da	*because*
damit	*so that*
weil	*because*
dass	*that*
wenn	*if; when*

The conjunctions *bis, bevor, da, damit, dass, obwohl, sobald, weil, wenn* are subordinating conjunctions. They connect clauses, that are not able to stand alone, to the main sentence. These clauses are, therefore, called dependent clauses.

independent clause ***dependent clause***
Die Zeit geht aber so schnell, dass Daniel sich beeilen muss.

The word order changes in dependent clauses. The conjugated verb moves to the end of the sentence. If the verb has a separable prefix, the prefix and the verb are together at the end of the dependent clause but before the conjugated verb. A comma separates the dependent clause from the independent clause.

*Daniel ist etwas enttäuscht, **da** er das Haus nur von außen besichtigen **kann**.*
*Er muss sich beeilen, **weil** er um 4 Uhr bei der Oma zum Kaffeetrinken sein **soll**.*
*Oma sagt, **dass** er eine gute Laune (mood) mitbringen **muss**.*

→ For practice, see exercises 6.9-11 in the workbook.

Dialoganalyse

Unterstreichen Sie nun die Konjunktionen im Text "aniel in der Altstadt". Welche Sätze haben einen abhängigen (dependent) Satz? Wo steht das Verb?
Jetzt geht's los!

Verreisen[9] Sie gern?

Finden Sie die passende Antwort.

Beispiel: S1: Reist du gern in den Süden?

S2: Ja, ich reise gern in den Süden./ Nein, ich reise nicht gern in den Süden.

[9] verreisen to take a trip

1. Besichtigst du alte Schlösser?	Ich mag internationale Küche sehr gern.
2. Zeltest du gern?	Ich fahre auch gern Rad.
3. Liebst du Abenteuerreisen?	Ich bin absolut nicht fit.
4. Machst du gern eine Kreuzfahrt in der Südsee?	Ich lerne viel über die Menschen und Traditionen.
5. Verreist du gern mit dem Auto?	Ich finde alte Gebäude faszinierend.
6. Gehst du auf Reisen gern in ethnische Restaurants?	Ich bin gern über den Wolken.
7. Hast du Angst vor dem Fliegen?	Ich finde das totlangweilig.
8. Sprichst du eine Fremdsprache?	Ich finde das sehr unbequem.

Beantworten Sie die Fragen Ihres Partners/Ihrer Partnerin.

Beispiel: S1: Reist du gern in den Süden? **S2:** Ja, ich reise gern in den Süden./ Nein, ich reise nicht gern in den Süden.

S1: Warum?/Warum nicht? **S2:** Weil ....

Aus Daniels Tagebuch. Verbinden Sie die Sätze mit passenden Konjunktionen und machen Sie den Text flüssiger (smoother). Verwenden Sie so viele unterschiedliche Konjunktionen wie möglich.

Beispiel: Ich besuche Linz. Meine Oma lebt dort.

Ich besuche Linz, weil meine Oma dort lebt.

Die Stadt ist faszinierend.	Sie hat eine uralte Geschichte.
Oma kennt die Geschichte gut.	Sie lebt schon sehr lange in Linz.
Der Name Linz kommt von "lenta."	Das bedeutet "krumm, biegsam."
Die meisten Cafes und Restaurants erlauben Hunde.	Man soll vorher fragen.
Das Johannes-Kepler-Haus ist in der Rathausgasse.	Man kann es nur von außen besichtigen.
Topfen und Schlagobers sind österreichische Wörter.	Sie bedeuten Quark und Sahne.
Im Café Amadé gibt es keine Linzer Torte.	Oma backt die beste Torte in der Stadt.

Johari-Fenster: Partnerarbeit

Sie machen hier Partnerarbeit. Eine Person ist "A" und die andere Person ist "B". Oben links im Kasten schreiben A und B Sachen, die beide gut machen können. Oben rechts im Kasten schreibt A Sachen, die sie gut machen kann, und B schreibt Sachen, die sie nicht gut machen kann. Unten links im Kasten schreibt A Sachen, die sie nicht gut machen kann, und B schreibt Sachen, die sie gut machen kann. Unten rechts im Kasten schreiben A und B Sachen, die sie beide nicht gut machen können.

		B	
		Ich kann	Ich kann .....nicht.......
A	Ich kann		
	Ich kann.....nicht.....		

Wenn alle fertig sind, sagen Sie den Mitstudenten, was für Sie an Ihrem(r) Partner(in) interessant war.

Es ist interessant für mich, dass...

Exkursion vier: Die Familie

Multi-Kulti-Aktivität 6.4

Draw your family tree.

Once you have completed your drawing, answer the questions at the end of the chapter for Multi-Kulti-Aktivität 6.4.

Wort-Box	
der/die Verwandte	relative
die Verwandten (pl)	
der Onkel	uncle
die Kusine	female cousin
der Vetter/der Cousin	male cousin
übertreiben	to exaggerate
das Rezept	recipe
selbst gemacht	home-made
hinein tun	to put in
die Zutat(en)	ingredient

schwärmen	to really like, to love

Omas Linzer Torte

Lesen Sie den Text. Welche Verwandten trifft Daniel bei der Oma?

Daniel ist in der Zwischenzeit wieder bei der Oma. Viele andere Verwandte sind auch da.	*Daniel has arrived back to Oma's place. There are also many other relatives.*
Oma: Hallo, Daniel!! Da bist du ja wieder! Hier sind noch mehr Verwandte von dir.	Hello Daniel! You're back! Here are more relatives of yours.
Daniel denkt: Oh Schreck, das sind alles meine Verwandten? Ich kenne sie gar nicht!	*Daniel thinks: God forbid, all these are my relatives? I don't know them at all.*
Daniel: Hallo!	
Oma: Bub, das ist dein Onkel Alois.	Boy, this is your Uncle Alois.
Onkel Alois. Servus Daniel.	
Daniel: Servus.	
Oma: Und das hier ist deine Kusine Andrea.	And this here is your cousin Andrea.
Andrea: Hi Daniel.	
Daniel: Hallo.	
Oma: Ja, und dort ist auch noch dein Vetter Christofer.	Yes, and over there is your cousin Christofer.
Christofer: Grüß dich, Daniel. Du kannst mich auch einfach Chris nennen.	You can simply call me Chris.
Daniel: Hallo Chris.	
Oma: Wir sitzen schon am Kaffeetisch. Komm, setz dich zu uns.	We are already at the coffee table. Please come and join us.
Onkel Alois: Daniel, du musst unbedingt Omas Linzer Torte essen. Sie ist schon eine Legende in der Familie und in der Stadt.	Daniel, you really have to try Oma's Linz cake. It is already a legend in the family and the city.
Oma: Na, na, Alois. Jetzt übertreibst du aber.	Well, well, Alois. You really exaggerate.
Alois, Christofer und Andrea: Oma, deine Torte ist super!!	Oma, your cake is super!!
Daniel: Warum ist deine Linzer Torte so außergewöhnlich gut, Oma?	Why is your Linz cake so exceptionally good?
Oma: Ich backe sie wirklich noch nach dem alten Rezept von 1822 und benutze selbstgemachte Ribiselmarmelade.	I bake it according to the genuine original recipe of 1822 and use my homemade red currant jam.
Daniel denkt: Nein, bitte nicht schon wieder	*Daniel thinks: Please, not again words that I don't know!*

Wörter, die ich nicht kenne!! Daniel: 1822! Wow! Das ist echt ein altes Rezept. Und was ist denn Ribiselmarmelade? Ist es eine Frucht, die es nur in Österreich gibt? Oma: Die Frucht, mein Bub, wächst auch in anderen nördlichen Ländern. Aber ich kenne nur dieses Wort. Andrea: Daniel, das ist auf Hochdeutsch Johannesbeermarmelade und auf Englisch red current jelly. Daniel: Ok. Jetzt verstehe ich es. *Daniel isst von der Linzer Torte.* Daniel: Oma, die Torte schmeckt wirklich prima! Was tust du alles hinein, dass es so gut schmeckt? Oma: Warte einmal, ich hole das Rezeptbuch, das schon von meiner Mutter ist. Da kannst du die Zutaten lesen. Onkel Alois: Eine Zutat, Daniel, wirst du nicht im Rezept finden und die heißt Liebe. Christofer: Der deutsche Dramatiker Ernst von Wildenbruch schwärmte auch schon von der Linzer Torte. *Die Oma kommt wieder und hat etwas in der Hand.* Oma: Schau, Bub, hier ist das Rezept meiner Mutter. Ihre Linzer Torte schmeckte immer zauberhaft. Daniel: An den vielen Flecken auf dem Blatt kann ich sehen, dass es schon sehr alt ist. Oma: Ja, die Linzer Torte hat Tradition.	1822! Wow! That is really a very old recipe. And what is Ribiselmarmelade? Is it a fruit that only grows in Austria? The fruit, my boy, also grows in other northern European countries. But I only know this word. Daniel, it means Johannesbeermarmelade in standard German and red currant jelly in English. O.k. Now, I understand. *Daniel eats some Linz cake.* Oma, the cake really tastes excellent! What do you put into it that makes it so tasty? Wait a second, I'll get the recipe book which is from my mother. There you can read the ingredients. One ingredient, Daniel, you will not find in the recipe and that is called love. The German dramatist Ernst von Wildebruch already went into raptures about the Linz cake. Look, my boy, here is my mother's recipe. Her Linz cake was always fabulous. From the many stains on the piece of paper, I can tell that it is very old. Yes, the Linz cake has tradition.

Fragen, Fragen, Fragen Hier sind die Antworten. Schreiben Sie die Fragen!

1. Alois ist Daniels Onkel.
2. Wir sitzen schon am Kaffeetisch.
3. Omas Linzer Torte ist eine Legende in der Stadt.
4. Die wichtigste Zutat im Rezept ist Liebe.

5. Die Linzer Torte schmeckt zauberhaft.

Das größte Kompliment machte der deutsche Dramatiker Ernst von Wildenbruch:

Was ist Kunst, und was ist Dichtung,
Was sind aller Dichter Worte
Gegen eine Linzer Torte!

Ernst von Wildenbruch (1845-1909)

Sagen Sie es auf Englisch: Was meint der Dichter mit diesen drei Zeilen?

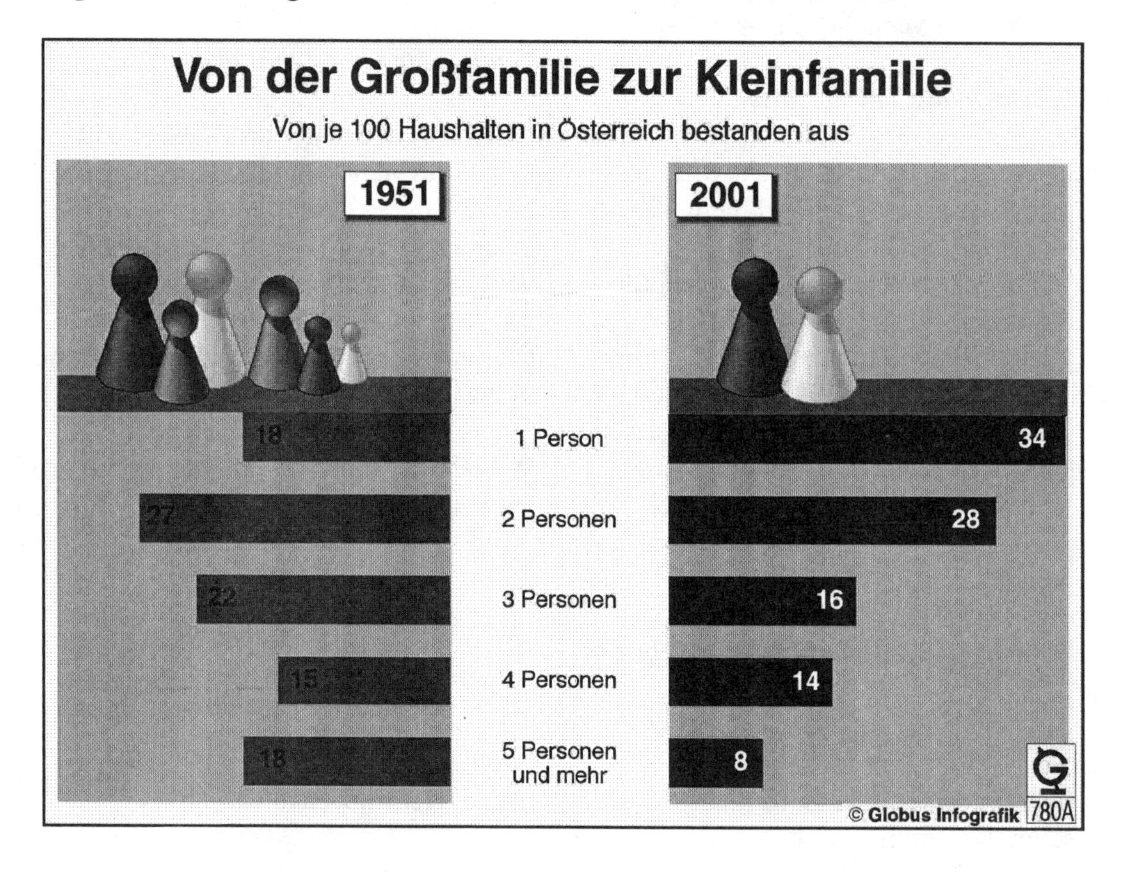

Verwandte

http://www.swr.de/diefallers/

Die Fallers. “Die Fallers“ ist eine Fernsehserie in Deutschland vom Südwestfunk. Hier sind die Familienmitglieder.[10]

Wilhelm Faller

Rita Faller (geb. Pfaff)

Franz Faller

Heinz Faller

Hermann Faller

Johanna Faller

Monique Guiton

Bernhard Faller

Karl Faller

Christina Faller

Kati Schönfeldt

Albert Guiton

Eve Schönfeldt

http://www.swr.de/diefallers/

Lesen Sie den Text und zeichnen Sie Linien zwischen die Familienmitglieder.

Generationen:

Wilhelm Faller ist der Großvater oder Opa der Familie. Rita ist die Großmutter oder Oma.

---

[10] Familienmitglieder family members

Franz, Heinz und Hermann sind die Söhne von Wilhelm und Rita Faller. Die drei sind Brüder. Heinz ist der Bruder von Franz.
Bernhard, Karl und Kati sind die Kinder von Hermann und Johanna Faller. Die drei sind Geschwister. Eva Schönfeldt ist die Tochter von Kati. Albert Guiton ist der Sohn von Monique und Bernhard. Aber Monique Guiton und Berhard Faller sind geschieden.[11] Karl Faller ist Alberts und Evas Onkel. Alberts Tante ist Kati Schönfeldt. Eva ist Alberts Kusine. Er ist ihr Vetter.

Der Fallers-Stammbaum. Bitte setzen Sie die richtigen Wörter ein.

Beispiel: Albert Guiton ist der ___*Vetter*____ von Eva Schönfeldt.

1) Wilhelm Faller ist der ____________________________ von Johanna Faller.
2) Eva Schönfeldt ist die ____________________________ von Kati Schönfeldt und die ____________________________ von Albert Guiton.
3) Franz Faller ist der __________________ von Bernhard Faller.
4) Hermann und Johanna Faller sind die ________________________ von Bernhard, Karl und Kati.
5) Bernhard, Karl und Kati sind ________________________.
6) Heinz ist der __________________ von Franz Faller.
7) Eva ist die ____________________ von Hermann und Johanna Faller.
8) Albert Guiton ist der _________________ von Monique und Bernhard.
9) Karl und Christina Faller haben keine ___________________ (pl).

Haben Sie einen Lieblingsverwandten (favorite relative) oder eine Lieblingsverwandte? Warum mögen Sie diese Person?

Ihr Stammbaum Für diese Übung nehmen Sie Ihren Stammbaum von der Multi-Kulti-Aktivität 6.4. Machen Sie fünf Stellen in Ihrem Stammbaum frei. (Erase or white out five positions in your family tree.) Geben Sie Ihren Stammbaum Ihrem(r) Partner(in). Er/sie muss jetzt an Sie Fragen stellen, um die Lücken zu füllen. Wenn Sie fertig sind, tauschen Sie die Rollen.

→ For practice, see exercise 6.12 in the workbook.

---

[11] geschieden *divorced* die Scheidung *divorce*

Witz

Eine Frau und ein Mann kriegen ein Baby und wissen nicht, wie es heißen soll. Sagt der Mann: "Benennen wir ihn doch nach meinem Großvater." Sagt die Frau: "Bist du doof, das Kind kann doch nicht OPA heißen!"

http://www.blinde-kuh.de/witze/allerlei.html

Hörverständnis 6.3 Hören Sie den Text und vervollständigen Sie den Stammbaum.

Daniel telefoniert mit Gabi in Berlin.

Onkel Tante

Kultur-Aspekte

Die Familie

As in so many cases, what a family really is depends on the society. In Asia for example, the family is the group of people one is related to. However, in most Western cultures this is limited to the immediate family. Another difference between the East and the West is: the individual is more important than the group or family. This is basically the same for Americans as well as Germans, Swiss, or Austrians. But the size of a family in Germany, Switzerland, or Austria tends to be even smaller than in the United States. Most couples have only one child if any at all. In contrast to the United States, there are many one-parent families in Germany, Switzerland, and Austria. It is also possible that a couple lives together and has children but never gets married. This is the case for at least one third of the population. The importance of one's family can still be found in the German-speaking working world, when a young person applies for a job. Many companies still expect young applicants to include the names and professions of their parents on their resumes. By knowing the parents' professions, one is able to get a "good" picture of what the applicant's background/upbringing was like.

Another difference the concept of family can have is respect. Trompenaars and Hampden-Turner refer to a study conducted with various cultures throughout the world.

Participants were asked whether they agreed with or disagreed with the following statement:

The respect a person gets is highly dependent on their family background.

The results showed a difference between the United States and the German speaking countries. 87% of Americans disagreed that status depends mainly on family background; whereas 51% of the Austrians, 72% of the Swiss, and 74% of the Germans disagreed. This is, however, no surprise because Austrians have a reputation for being very status conscious (James). Status plays a role for Germans and the Swiss but to a lesser extent. For these two later groups your education level (again a form of status) is more important than your family background. As in many cases, in the United States, the amount of money you have plays the primary role in determining your status. Even today, status is still indicated through the language one uses, for example, the difference between "Sie" and "du." But even how one addresses you can indicate your status. If you have a Ph.D. most people will expect you to use "Dr." when referring to them, especially in Austria.

James, Louis. 1994. *Xenophobe's Guide to the Austrians*. London: Ravette Books.
Trompenaars, Fons and Charles Hampden-Turner. 1997. *Riding the Waves of Culture: Understanding Cultural Diversity in Business*. London: Nicholas Brealey.

Das Rezept der Linzer Torte

Das Haus der

Original Linzer Torte

REZEPT "ORIGINAL LINZERTORTE"

15 dag Butter
25 dag Mehl (700)
15 dag Staubzucker
10 dag geröstete Haselnüsse
1 Ei
Gewürze (Vanille, Zitrone, Zimt, Nelkenpulver)
1 dag Backpulver
30 dag Ribiselmarmelade
Die Butter und den Zucker verkneten. Das gesiebte, mit Backpulver vermischte Mehl, Nüsse, Eier und Gewürze dazukneten.
Den fertigen Teig einkühlen. Nach einiger Zeit aus dem Kühlschrank geben und vierteln. Dreiviertel des Teiges auf ca. 1,5 cm ausrollen, (Tortendurchmesser ca. 22 cm) die Ribiselmarmelade aufstreichen. Den restlichen Teig zu Rollen formen und als Gitter und Rand auf die Marmelade auflegen. Mit Ei bestreichen, am Rand mit gehobelten Mandeln bestreuen.
Backzeit 40 – 45 Minuten bei ca. 190 Grad C.

Gutes Gelingen !

1 dag = 1 Dekagramm = 10 Gramm

Kultur-Aspekte

Die Geschichte der Linzer Torte

Ein Bayer, namens Johann Konrad Vogel, ist angeblich[12] der Erfinder[13] der Linzer Torte. Er ist Zuckerbäcker von Beruf. Er wandert 1822 von Weihenzell bei Ansbach nach Linz aus[14] und heiratet dort die Witwe eines Zuckerbäckers. Damit erhält er den Betrieb[15] der Frau und das Bürgerrecht[16] der Stadt. Bald beginnt er mit der Massenproduktion der Linzer Torte.
Aber das Rezept ist eigentlich schon viel älter. Das älteste schriftliche Rezept ist aus Wien und stammt aus dem Jahr 1696. Der Koch Conrad Hagger schreibt in seinem Kochbuch (1719) von dem "guten und süßen Lintzer-Taig."
Im 19. Jahrhundert, in der Biedermeierzeit, ist die Torte sehr beliebt. Das Gitterwerk[17] aus Mürbeteig[18] und die Ribiselmarmelade werden zum Wahrzeichen.[19] der Linzer Torte. Es ist dann für Johannes Konrad Vogel kein Problem, die Linzer Torte in Massen zu verkaufen.
Heute wird die Torte in alle Welt verschickt, mit oder ohne Mandeln[20], aber original aus Linz.

Wohl bekomm's!

Seien Sie kreativ!!

Schreiben Sie eine attraktive Werbeanzeige (advertisement) von maximal 4 Zeilen für den Verkauf der Linzer Torte in alle Welt. Sie können auch eine Zeichnung (drawing) dazu machen.

Benutzen Sie Ausdrücke wie:
das Wahrzeichen der Linzer Torte
sehr beliebt
original aus Linz

→ For practice, see exercise 6.13 in the workbook.

Zum Spaß

Hier ist ein online Puzzle mit einem Bild der Stadt Linz unter www.linz.at Link Tourismus.

Treffpunkt

---

[12] angeblich *presumably*
[13] der Erfinder *inventor*
[14] auswandern *to emigrate*
[15] der Betrieb *business, company*
[16] das Bürgerrecht *citizenship*
[17] das Gitterwerk *bars, lattice work*
[18] der Mürbeteig (short) *pastry*
[19] das Wahrzeichen *brandmark*
[20] die Mandel (n) (Pl.) *almond*

Seien Sie kreativ. Mit einem Partner stellen Sie sich vor, wie Daniels Geschichte weitergeht. Schreiben Sie einen kleinen Aufsatz von etwa 150 Wörtern.

Lese-Ecke

Was sollen Sie immer machen?
Was müssen Sie immer machen?

Hilfszeitwörter

von Gerhard Rademacher

Ihr sollt,
ihr müsst,
ihr dürft

euch die Füße abputzen,
nicht spucken,
nicht töten,
nicht ehebrechen,
st nicht trennen.

den Zebrastreifen benutzen,
den Schmutz abstreifen,
den Hörer nehmen,
die Auskunft anrufen.

Was oben sollen Sie machen?
Was oben müssen Sie machen?
Was oben würden Sie machen?

Schreiben Sie ein Gedicht darüber, was Sie machen möchten.

Glossar: Abschnitt 6 "Linz"

Verben	Substantive
knurren – to growl	der Dackel – dachshound
herstellen – to produce	der Bäcker (-) – baker
(etwas) vorstellen (ref) – to imagine	der Kloß (öße) – dumpling
erlauben – to permit	der Brei (e) - porridge
nachfragen (sep.) – to double check	der Kuchen (-) – cake
ausprobieren (sep.) – to test, to check	die Biegung (en) – corner, bend

enttäuschen – to disappoint
erfahren (ä) – to find out, learn
gründen – to found; establish
beeilen (ref.) – to hurry
versprechen (i) – to promise
zelten – to go camping
übertreiben – to exaggerate
erhalten – to receive, get

Adjektive
biegsam – bendable, flexible
gekrümmt – bent
uralt – very old, ancient
umständlich – complicated, tedious
ungesund – unhealthy
jahrelang – for years
imposant – impressive
heilig – sacred, holy
unbequem – uncomfortable
unbedingt – absolutely, unconditional
außergewöhnlich – exceptional
geschieden – divorced
todlangweilig – extremely boring
zauberhaft - fantastic

Ausdrücke
ganz besonders – especially
Selbstverständlich! – Of course!
im Laufe seines Lebens – in the course of his life

die Spur (en) – trace
der Dichter (-)/die –in (–innen) – poet
die Eröffnung (en) – opening, inauguration
die Bedienung (no pl) – service
die Restauration (en; Austrian) = restaurant
der Tresen (-) – counter
der Kulturunterschied (e) – cultural difference
das Lazarett (e) – military hospital
die Kaserne (n) – barracks
die Kreuzfahrt (en) – cruise
die Wolke (en) – cloud
der Kasten (ästen) – box
der Verwandte (n) – relative
die Frucht (üchte) – fruit
das Rezept (e) – recipe
die Zutat (en) - ingredient
die Linie (n) – line

Verwandte
der Großvater – grandfather
die Großmutter – grandmother
das Kind (er) – child
der Onkel (s) – uncle
die Tante (n) – aunt
der Vetter – male cousin
die Witwe (n) – widow

Adverbien
überall – everywhere
leider – unfortunately
außerdem – besides
namens – called, named

Key

Multi-Kulti-Aktivität 6.1

1. A detailed historical overview of the organization is the correct answer. German speaking people need a good historical overview in order to be able to judge who they will be working or dealing with and to make appropriate decision for the future. Information from the past is important for the present and the future.
2. A quick historical overview of the organization would be a start but not adequate for your listeners. They would feel that something is lacking in your presentation.
3. No historical overview of the organization would be a catastrophe for all parties involved. You would be considered very superficial by not providing any historical background.
4. A short historical overview of the organization and its future goals would be inadequate. In order to be able to understand how the future goals could be reached it is necessary to have adequate historical background in order to make well-founded decisions for the future.

Multi-Kulti-Aktivität 6.4

1. How many people are there in your family tree?
2. How many generations are included in your family tree?
3. Is the size of your family usual in the United States?
4. Where were your parents, grandparents and great-grandparents born?
5. In what ways are your family trees similar?
6. In what ways are they different?

These questions should serve as the basis for a class discussion on what a family is.

These two questions should be answered.

What did you learn about your idea of what a family is?
Why are there differences in ideas about what makes up a family?

Hörverständnis 6.1

Oma: Wie geht's Tante Lissi?
Daniel: Ihr geht's gut. Sie ist wirklich nett.
Oma: Ja, das stimmt. Ihre Wohnung ist auch toll, nicht wahr?
Daniel: Ja, das Haus ist fantastisch. Die Zimmer sind sehr groß.
Oma: Und ihre Küche ist sehr gut.
Daniel: Oh ja, sie kann hervorragend kochen. Ihr Wiener Schnitzel ist sehr lecker.
Oma: Und Wien ist eine schöne Metropole. Meine Lieblingsstadt.
Daniel: Die Stadt ist cool. Aber Oma, in Berlin habe ich eine Frau kennen gelernt, die ich sehr mag.
Oma: In Berlin?
Daniel: Eigentlich in Zürich. Ich habe Gabi dort kennen gelernt. Sie wohnt in Berlin.
Oma: Also willst du jetzt nach Berlin fahren.
Daniel: Ja, richtig. Ich will Gabi in Berlin besuchen.
Oma: Ist sie hübsch?
Daniel: Oh ja, und sehr intelligent!
Oma: Ach ja, die Liebe!

Hörverständnis 6.2

Kellnerin: Grüß Gott.
Daniel: Grüß Gott.
Kellnerin: Sie wünschen bitte?
Daniel: Darf ich die Karte sehen?
Kellnerin: Bitte sehr.
Daniel: Danke.
Kellnerin: Was möchten Sie trinken?
Daniel: Einen Capuccino und ein Mineralwasser.
Kellnerin: Möchten Sie etwas essen?
Daniel: Ja, ein Stück Käsetorte bitte.
Kellnerin: Mit Schlagobers?
Daniel: Nein, danke.

Eine halbe Stunde später.

Daniel: Ich möchte zahlen.
Kellnerin: Eine Käsetorte, ein Capuccino und ein Mineralwasser.
Daniel: Richtig.
Kellnerin: Das macht E 9,20.
Daniel: E 9,50.
Kellnerin: Danke schön.
Daniel: Bitte schön.

Hörverständnis 6.3

Daniel: Gabi, es ist hier in Linz sehr schön. Mein Onkel Alois ist zu Besuch gekommen.
Gabi: Er wohnt nicht in Linz?
Daniel: Nein, er wohnt mit meiner Tante Maria in Salzburg. Sie haben zwei Söhne, Peter und Paul.
Gabi: Echt?
Daniel: Ja, Paul ist verheiratet mit Claudia, und sie haben einen kleinen Jungen, Max. Max ist sehr süß.
Gabi: Ist Peter verheiratet?
Daniel: Nein, aber er und seine Freundin Monica haben eine Tochter Tina und einen Sohn Lucas. Sie sind sehr freundlich.
Gabi: Findest du die ganze Familie gut?
Daniel: Ja, meine Familie ist toll!

Aus dem Inhalt

Kultur

Hier lernen Sie etwas über:

Musik
Körperteile und Körpersprache
Kleidung

Grammatik

das Perfekt
da-Komposita

Abschnitt 7

Dresden

1. In welchem Bundesland liegt Dresden?
2. Welches Bundesland liegt südwestlich von Sachsen?
3. Welches Land liegt direkt südlich von Sachsen?

→ For practice, see exercise 7.15 in the workbook.

Exkursion eins: Die Barockstadt Dresden

Multi-Kulti-Aktivität 7.1

Listen Sie die Musikarten auf, die Sie kennen.

Gibt es Ihrer Meinung nach eine bestimmte Art Mensch, die diese Musikarten anhöret? Wie beschreiben Sie diese Menschen? Wie beeinflusst (influences) Kultur die Wahl der Musik?

An welche Musikarten denken Sie, wenn Sie an Deutschland, Österreich und die Schweiz denken? Welche Komponisten und Musikgruppen kennen Sie aus Deutschland, Österreich und der Schweiz?

Wort-Box

in Gedanken	in contemplation/thoughts
bestimmt	for sure, certainly
die Wende	the fall of the wall
Es macht nichts.	It doesn't matter.
die Aufführung (-en)	performance
die Studentenermäßigung (-en)	student discount
im Allgemeinen	in general
behaupten	to claim
der Schriftsteller/in	author

In Gedanken

Daniel sitzt ***auf einem Elbdampfer*** *und schaut die Barockstadt Dresden an.*	***on a steamer on the Elbe***
Ah, diese Stadt ist wunderschön. Sie war vor dem 2. Weltkrieg bestimmt noch schöner, denn die Engländer haben sehr viel in dieser Stadt am Ende des Krieges kaputt gemacht. Nach der Wende haben die Menschen in Dresden sich sehr angestrengt, um der Stadt ihren alten Glanz wiederzugeben. Ich will morgen unbedingt in die Semperoper.	*It was even more beautiful before the war, because the English destroyed much of the city at the end of the war. After the fall of the wall the people in Dresden really put a lot of effort into making their city shine again. I really want to go to the Semper Opera tomorrow.*

Plötzlich wird Daniel wach gerüttelt. Jemand hat ihn angestoßen. Alter Mann mit Stock: Entschuldigen Sie, bitte. Daniel: Es macht nichts. Alter Mann: Sind Sie hier zu Besuch? Daniel: Ja, ich bin gestern Abend angekommen. Alter Mann: Schön. Wie lange bleiben Sie? Daniel: Bis übermorgen. Alter Mann: Das ist nicht sehr lange. Daniel: Das stimmt. Aber ich werde übermorgen Abend in Berlin erwartet. ***Unerwartet*** *sagt der alte Mann* alter Mann: Finden Sie Opern gut? Daniel: Ja, *ein bisschen überrascht* die Semperoper ist sehr schön. Ich habe gerade darüber nachgedacht, wie schön sie ist. Alter Mann: Ja, das stimmt. Sie wurde im Jahre 1838 von Gottfried Semper erbaut.	*Suddenly Daniel is awakened from his dream. Someone bumped into him.* It doesn't matter. Are you visiting here? Yes, I arrived last night. But I'm expected tomorrow night in Berlin. ***Unexpectedly*** *a little surprised* the Semper Opera I was just thinking how beautiful it is. It was build by Gottfried Semper in 1838.

http://www.dresden-online.de/onlinecard/create.php3?gruppe=1

Daniel: Meine Oma hat mir erzählt, dass die Semperoper ein akustisches Meisterwerk ist. Alter Mann: Das ist sie. Man kann sehr gute Aufführungen von Wagner-Opern dort sehen. Daniel: Das möchte ich morgen sehr gerne. Alter Mann: Haben Sie schon eine Karte	My grandma told me that the Semper Opera is an acoustical masterpiece. Have you already reserved a ticket?

reserviert?	
Daniel: Nein, das habe ich noch nicht gemacht. Ist es so schwierig Karten zu bekommen?	No, not yet. Is it difficult to get tickets?
Alter Mann: Im Moment, ja. Die Sommerpause ist bald, und viele Menschen wollen vor der Pause in die Semperoper.	
Daniel: Gibt es eine Studentenermäßigung?	Is there a student discount?
Alter Mann: Ganz sicher. Haben Sie Ihren Studentenausweis mitgebracht?	Surely. Did you bring along your student ID?
Daniel: Ja, ich habe mir einen internationalen besorgt.	Yes, I got an international one.
Alter Mann: Ach, woher kommen Sie denn?	
Daniel: Aus Kalifornien.	
Alter Mann: Mein Bruder ist nach dem Krieg nach Kalifornien ausgewandert. Ich habe ihn dort leider nie besucht.	My brother emigrated to California after the war. Unfortunately, I have never visited him there.

http://www.dresden-online.de/

Beantworten Sie die folgenden Fragen zum Dialog.

1. Wo sitzt Daniel?
2. Worüber hat er nachgedacht?
3. Wie lange bleibt Daniel in Dresden?
4. Hat Daniel schon eine Opernkarte reserviert?
5. Was hat Daniel mitgebracht?

→ For practice, see exercise 7.1 in the workbook.

Grammatik-Spot **Perfekt**

In German, the present perfect tense (Perfekt) is used in conversation to talk about events in the past. However, verbs such as **sein**, **haben**, and the modal verbs generally use the simple past tense in conversation. In general, there is no difference in meaning between these two tenses.

Die Engländer haben sehr viel in dieser Stadt am Ende des Krieges kaputt gemacht

Ich habe gerade darüber nachgedacht, wie schön die Semperoper ist.
Haben Sie Ihren Studentenausweis mitgebracht?

The present perfect tense in German consists of two parts: the present tense of the helping verb **sein** or **haben** and a past participle. Most verbs take **haben** as their helping verb in the present perfect tense. Those verbs that take **sein** indicate motion, state of being or change of condition. Some such verbs are:

aufstehen	ist aufgestanden
aufwecken	ist aufgewacht
bleiben	ist geblieben
einschlafen	ist eingeschlafen
fahren	ist gefahren
fliegen	ist geflogen
gehen	ist gegangen
laufen	ist gelaufen
passiert	ist passiert
sein	ist gewesen
werden	ist geworden

The helping verb (**sein** or **haben**) and the past participle have a sandwich effect on a sentence.

SANDWICH

Haben	*Sie schon eine Karte*	*reserviert?*
Mein Bruder ist	*nach dem Krieg nach Kalifornien*	*ausgewandert.*

→ For practice, see exercises 7.2-3 in the workbook.

Dialoganalyse
Lesen Sie den Dialog noch einmal, und schreiben Sie alle Partizipien auf. Welche Endung hat jedes Partizip? Mit welchem Präfix beginnt jedes Partizip? Was ist die Infinitivform von jedem Verb? Welches verlangt das Verb *haben* oder *sein*?

Das Interview Interviewen Sie Ihren Partner oder Ihre Partnerin und schreiben Sie die Antworten auf.

1. Wo sind Sie geboren?
2. Wie lange haben Sie schon studiert?
3. Wo haben Sie am längsten gewohnt?
4. Welche Sportarten haben Sie in der Schule gern gehabt?
5. Welche Musik haben Sie in der Schule gut gefunden?

Nun erzählen Sie der ganzen Gruppe etwas über Ihren Partner oder Ihre Partnerin.

Daniel denkt über seine Europareise nach
Er hat alles in sein Tagebuch geschrieben, aber leider fehlen einige Wörter im Text. (Unfortunately some of words in the text are missing). Ergänzen Sie, was fehlt. Schreiben Sie die Verben im Perfekt.

fahren (3) *gefallen* *freuen* *besuchen* *sein* *finden* *lernen* *machen*

Ich ___________ schon durch die Schweiz und Österreich ______________. Alles __________ mir bisher gut _________________. Ich __________ mich sehr _____________ meine Oma zu sehen. Sie _____________ uns schon ein paar Mal in Amerika ____________, aber es war anders, sie in Linz zu sehen. Waldi kennen zu lernen _______ einer der Höhepunkte in Linz ______________. Vorher Lissi in Wien zu sehen und ihr Essen zu essen, war wunderbar. Ich _________ Wien sehr schön _______________. Aber das Beste passierte mir in Zürich, ich __________ dort meine Traumfrau kennen _____________. Wir _____________ viel zusammen ______________ und _________ dann nach München ________________. Gabi ________ leider weiter nach Berlin _____________.

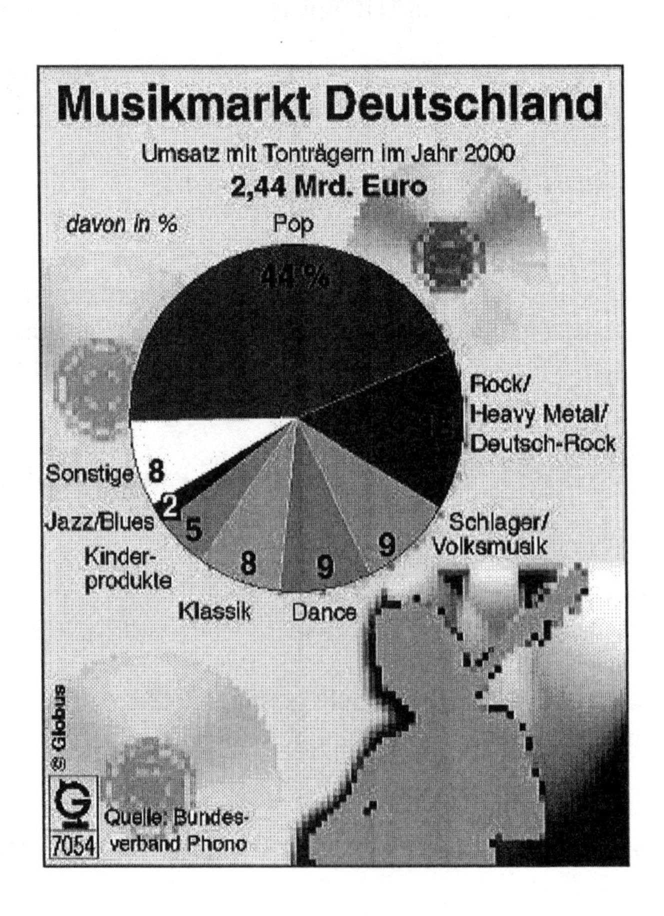

1. Was ist die beliebteste Musikart in Deutschland?
2. Was kaufen die Deutschen am wenigsten?
3. Was sind Schlager und wie viele Deutsche kaufen Schlager?

Welche Musikart?

http://www.jazzzeitung.de/

http://www.musica-sacra-online.de/

http://www.nmz.de/taktlos/

http://www.operundtanz.de/

1. Welche Musikarten finden Sie in diesen Musikzeitschriften?
2. Welche Musikart finden Sie persönlich am besten?
3. Welche Musik hören Sie nicht gern?
4. Welche Musikart hören Sie, wenn Sie müde sind?
5. Welche Musikart hören die meisten Studenten in den USA?

Bravo Hits! Cool!

http://www.bravo.de/sid02-aaa-pvC4n3jCN6/bravo/BravoFamily/Hits/index.html

Hier sind verschiedene CDs, die Sie kaufen können. Welche möchten Sie und warum?

Extrafett: BRAVO Black Hits Vol. 8!

Heiße Grooves für euch: Auf der brandneuen Doppel-Scheibe findet ihr u.a. die aktuellen Tracks von Ja Rule, ASD, Snoop Dogg, Ashanti . . .

Im Doppel-Doppelpack: BRAVO The Hits 2002

So viel Chartbreaker auf einmal gab's noch nie: Zwei Doppel-CDs mit den 80 besten Tracks des Jahres . . .

Geiler Sound: BRAVO Nu Rock!

Jetzt in den Läden: BRAVO Nu Rock - mit den besten Tracks u.a. von Linkin Park, P.O.D., The Calling . . .

Die Kultballaden: Don't Stop The 80s - Vol. 3

Die kultige Doppel-CD mit den besten Balladen von A-ha, Eurythmics, Prince . . .

Schaurig-schön: Die brandneue BRAVO Hits 39!

Die brandneue BRAVO Hits 39 ist da - mit Megahits von Eminem, Avril Lavigne, Las Ketchup . . .

Der Lehrer soll aufschreiben, wie viele welche CD kaufen möchten und mit der Klasse dann besprechen, warum diese CDs so interessant sind oder nicht.

Wer sind sie?

Wer sind diese Musiker? Sind sie in Deutschland bekannt und haben sie Erfolg?

T.A.T.U.
Sie sind provokant. Und erfolgreich. T.A.T.U. ist die erste russische Band, die es mit "All the things she said" bis in die höchsten Höhen der deutschen Charts geschafft hat. Yulia und Elena sind grundverschieden, haben aber trotzdem etwas gemeinsam: Sie wollen schockieren ...

Jeanette
Jeanette Biedermann ist gerade 21 Jahre jung, aber schon eine professionelle Pop-Diva. Der Publikumsliebling aus der Kultsoap "Gute Zeiten, schlechte Zeiten" landete mit der Singleauskopplung "Go back!" aus ihrem ersten Album ...

DJ Bobo
Gruezi miteinand.... aus einem kleinen Schweizerdorf direkt an die Spitze der Charts. Der Tänzer und Musiker DJ Bobo gehört sicherlich zu den bekanntesten Exporten der kleinen Alpenrepublik. Seit Beginn seiner Karriere Anfang der neunziger Jahre ...

http://ticket.bravo.de/cgi-bin/tinfo.dll?affiliate=bra

Wer ist es?

1. Diese Künstler wollen schockieren.
2. Dieser Künstler kommt aus einer Soap.
3. Dieser Künstler startete die Karriere mit Tanzmusik.
4. Dieser Künstler hat die Karriere in den neunziger Jahren in Russland begonnen.

Rollenspiel
Sie sind Musiker und Ihr Partner oder Ihre Partnerin ist Radioreporter/in. Ihr Interview kommt in der nächsten Sendung. Gestalten Sie zusammen dieses Interview.

Hörverständnis 7.1

Daniel sitzt in einem Café und redet mit einigen jungen Deutschen aus Dresden. Jeder spricht über seine Lieblingsmusik. Hören Sie das Gespräch an, und ordnen Sie die Musikarten der richtigen Person zu.

Person	Musikart
Peter	Jazz
Stephanie	Pop
Daniel	Country
Sven	Oper
Christine	klassische Musik

Kultur-Aspekte

Was ist Kultur für Sie?
Wie finden Sie die Kultur in Nordamerika?
Was haben diese Wörter mit Kultur zu tun?

seriös Barock groß Festspiele jung

Kultur

Zeidenitz und Barkow (1993) sind der Meinung[1], dass die deutsche Kultur im Allgemeinen seriös und „groß“ ist. Ein gutes Beispiel dafür sind Richard Wagners Opern. James (1994) meint, dass auch die Österreicher „groß“ gern haben. Er behauptet,[2] in

[1] are of the opinion
[2] to maintain

Wien gedeihen[3] das Theater und die Oper seit dem Barock und die Leute können nicht genug von Mega-Shows bekommen.

Wien war bis zum 20. Jahrhundert die Kulturhauptstadt, bis im Jahre 1920 die Salzburger Festspiele gegründet wurden.[4] In Deutschland gibt es nicht nur eine Kulturhauptstadt, sondern mehrere. Historisch gesehen war Österreich schon immer ein Land, im Gegensatz zu Deutschland, das erst im 19. Jahrhundert unter Bismarck zu einem Land und einer Nation vereint wurde[5]. Jedes Fürstentum oder jeder Kleinstaat hatte ein eigenes Theater oder eine eigene Oper. Unter den Königen von Sachsen wurde Dresden ein wichtiges Kulturzentrum. Historisch gesehen bestand[6] die Schweiz hauptsächlich aus Bauernhöfen; Städte mit Theatern und Opern spielten keine so wichtige Rolle wie in den anderen deutschsprachigen Ländern.

Zeidenitz und Barkow (1993) behaupten, dass deutsche Kultur im Allgemeinen anders als andere Kulturen ist. Sie ist relativ jung und alles begann erst im 18. Jahrhundert mit dem deutschen Schriftsteller Goethe. Die Kulturtradition in Österreich hat eine andere Entwicklung und ist mit großen Namen wie Hayden, Schubert, Mahler, Raimund, Grillparzer und Klimt verbunden.

James, Louis, 1994. *Xenophobe's Guide to the Austrians*. London: Ravette Books.
Zeidenitz, Stefan and Ben Barkow. 1997. *Die Deutschen*. Frankfurt am Main: Fischer Taschenbuch.

Beantworten Sie die Fragen.

1. Wie finden Zeidenitz und Barkow die deutsche Kultur?
2. Wie finden Sie die Österreichische Kultur?
3. Warum gibt es "eine" Kulturhauptstadt in Österreich, aber nicht in Deutschland?
4. Wann begann die deutsche Kultur? Mit wem?
5. Warum ist Kultur anders in Österreich?

Musik im Netz

Der Typ aus Dresden schlägt Daniel vor, deutsches Radio in Amerika zu hören, und er gibt Daniel eine Web-Adresse www.surfmusik.de. Dort kann Daniel verschiedene Radiosender finden.

---

[3] to flourish
[4] was established, founded
[5] was unified
[6] bestehen/bestand aus = to consist of

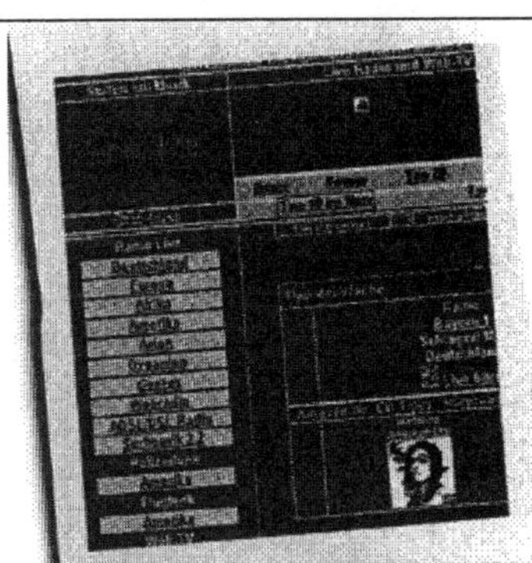 **Musik im Netz** **Radiostationen der Welt** Die Wunderwelt des Radios im Internet. Kaum zu fassen, die Menge der Anbieter. Für Durchblick sorgt surfmusik.de. Das Portal bietet eine Übersicht über mehr als 3000 Radiostationen von Europa über Afrika, Asien über Ozeanien bis nach Amerika, die live senden. Dazu gibt's eine Vielzahl von Links auf Web-TV-Anbieter, Polizeifunk, Flugfunk und vieles mehr. **www.surfmusik.de**	Beantworten Sie die folgenden Fragen. 1. Was ist "Musik im Netz"? 2. Wie viele Radiosender bietet diese Website? 3. Wo befinden sich die Radiostationen? 4. Welche anderen Links gibt es auf dieser Seite?

Exkursion zwei: Animation

Multi-Kulti-Aktivität 7.2

For this activity, you need to work with a partner. You sit in front of each other and one of you communicates to the other an experience you had in the past. However, you don't use words; you only use facial expressions – no hands or other body parts just your face. Once you have finished, your partner tells you what s/he thinks you were communicating to her/him. If your partner is right, switch roles. If not, the story teller continues, however, this time you can use your body to communicate the information; no words or facial expressions. Your partner again has the chance to tell you what s/he thinks you were talking about. If s/he doesn't know then, you can tell her/him in words. Now switch roles and complete the process again.

1. How important were facial expressions for you to understand what your partner wanted to say?
2. Other types of body language?
3. How can body language be important for our understanding of people from other cultures?
4. How do you think body language varies from culture to culture?

0:15 filmfest dresden

international festival
for animation and short films
15. to 20. april 2003

Wort-Box			
dahin	to that place	der Fuß (-üße)	foot
der Trickfilm (-e)	cartoon, animated film	der Zeh (-en)	toe
…, nicht wahr?	..., isn't it?	der Arm (-e)	arm
echt	real(ly), genuine(ly)	das Bein (-e)	leg
das Gesicht (-er)	face		
der Gesichtsausdruck (-ücke)	facial expression		
das Auge (-n)	eye		
die Wimper (-n)	eyelash		

Das Filmfest

Daniel hat gehört, dass es in Dresden ein Filmfest gibt, und am nächsten Tag ist er dahin gegangen. Er hat schon einen Trickfilm aus Frankreich gesehen und will nun am Nachmittag eine Vorstellung mit einem Film aus China besuchen. Aber bevor es anfängt, will er sich im Café stärken. Er hat bereits einen Milchkaffee und ein Stück Käsekuchen bestellt und liest das Filmfestprogramm. Ein Mann am Nebentisch spricht ihn an.	*Daniel heard that there is a film festival in Dresden and he went there the next day. He has already seen a cartoon film from France and wants to go to a showing of a film from China this afternoon. But before it begins, he wants to have something to eat. He has already ordered a café au lait and a piece of cheese cake and is reading the program of the film festival. A man at the next table talks to him.*
Mann: Es ist dieses Jahr sehr interessant, nicht wahr?	
Daniel sieht den Mann an.	
Daniel: Ja, die Zeichentrickfiguren sind herrlich.	
Mann: Die Menschen sehen echt aus, nicht?	The people look real, don't they?
Daniel: Ja, die Gesichtsausdrücke sehen wirklich echt aus und sie bewegen sich auch wie echt.	Yes, the facial expressions look really true to life and they move just like real.
Mann: Die Augen vor allem.	Especially the eyes.
Daniel. Die Gesichter sind so menschlich, dass man denken könnte, man hat richtige Menschen vor sich.	The faces are so humanlike that one could think that one has a real person in front of oneself.

Mann: Richtig, sogar die Wimpern sind so detailliert, dass man keinen Unterschied sehen kann.	Right, even the eyelashes are so detailed that one can see no difference.
Daniel: Ich finde es auch sehr interessant, wie die Füße und Zehen sich so naturgetreu bewegen können.	how the feet and toes can move so true to nature.
Mann: Es ist faszinierend, was man heute mit Computern machen kann.	
Daniel: Richtig. Bald brauchen wir keine Arme und Beine mehr. Wir haben den Computer.	
Mann: Was haben Sie schon gesehen?	
Daniel: Ich habe einen Film aus Frankreich gesehen und später werde ich den neuen Trickfilm aus China sehen. Ich habe gelesen, dass die Trickfiguren noch menschlicher sind.	I saw a film from France and later I will see the new cartoon from China. I have read that the cartoon characters are even more humanlike.
Mann: Bald wird das virtuelle Leben so gut sein, dass das normale Leben nicht mehr interessant ist.	

Was ist die richtige Reihenfolge?

_____ Daniel will den Trickfilm aus China sehen.
_____ Daniel sitzt im Café und trinkt einen Milchkaffee.
_____ Daniel erzählt von den Menschen im Trickfilm.
_____ Daniel sieht den französischen Trickfilm.
_____ Daniel findet die Körperteile menschenecht.

Grammatik-Spot **Perfekt**

Like English, German distinguishes between regular and irregular verbs in the perfect form. As in English, the regular forms are formed in the same manner.

Daniel hat gehört.
Er hat schon einen Trickfilm aus Frankreich gesehen.

Regular verbs form the past participle by combining the verb stem with the prefix **ge-** and the ending **–(e)t**. The ending **–et** is used when the stem ends in **–t**, **-d**, or a consonant cluster.

INFINITVE	PREFIX	STEM	ENDING	PAST PARTICIPLE
hören	**ge-**	hör	**-t**	gehört
wandern	**ge-**	wander	**-t**	gewandert
warten	**ge-**	wart	**-et**	gewartet
öffnen	**ge-**	öffn	**-et**	geöffnet

Irregular verbs are best learned by heart. In general, if a verb is irregular in English it is also irregular in German. These verbs form the past participle by adding a prefix **ge-** to the stem of the

verb and adding the suffix **–en**. Very often these verbs have vowel and consonant changes in the past participle.				
INFINITVE	**PREFIX**	**STEM**	**ENDING**	**PAST PARTICIPLE**
lesen	**ge-**	les	**-en**	gelesen
gehen	**ge-**	gang	**-en**	gegangen
sitzen	**ge-**	sess	**-en**	gesessen
trinken	**ge-**	trunk	**-en**	getrunken

Dialoganalyse

Sehen Sie den Dialog "In Gedanken" und den Dialog "Das Filmfest" noch einmal an und schreiben Sie fünf Verben für beide Verbtypen auf.

regelmäßig	unregelmäßig
____________________	____________________
____________________	____________________
____________________	____________________
____________________	____________________
____________________	____________________

The following verbs are some of the most common irregular verbs. A more complete list can be found in the appendix.

INFINITVE	PAST PARTICIPLE	INFINITIVE	PAST PARTICIPLE
bleiben	ist geblieben	schlafen	geschlafen
essen	gegessen	schwimmen	ist geschwommen
fahren	ist gefahren	schreiben	geschrieben
finden	gefunden	sehen	gesehen
geben	gegeben	sein	ist gewesen
helfen	geholfen	stehen	gestanden
kommen	ist gekommen	werden	ist geworden
laufen	ist gelaufen		
nehmen	genommen		

Mixed verbs:
Some verbs have both regular and irregular features in the past participle. Like regular verbs, these verbs end in**-(e)t**; like most irregular verbs, these verbs have an internal change.

bringen	gebracht
kennen	gekannt
wissen	gewusst

Verbs with inseparable prefixes:
The following prefixes are inseparable **be-**, **er-**, **ge-**, and **ver-**. A verb with such a prefix does not use **ge-** in the past participle. This type of verb may be either regular or irregular.

bestellen	bestellt
erzählen	erzählt
gefallen	gefallen
gewinnen	gewonnen
verlieren	verloren

Verbs ending in *–ieren*:
Verbs ending in **–ieren** also add no **ge-** to the past participle and they are always regular.

diskutieren	diskutiert
fotografieren	fotografiert

Verbs with separable prefixes:
Separable prefix verb form their past participles by inserting **ge-** between the separable prefix and the verb stem. This type of verb may be either regular or irregular.

anrufen	angerufen
aufstehen	ist aufgestanden
auflisten	aufgelistet
einladen	eingeladen
einschlafen	ist eingeschlafen
mitbringen	mitgebracht
mitnehmen	mitgenommen
zurückholen	zurückgeholt
zurückkommen	ist zurückgekommen

→ For practice, see exercises 7.3-7 in the workbook.

Was haben Sie als Kind gemacht?

Als Kind hat Daniel viel gemacht. Er hat gern Fußball gespielt und Kool-Aid getrunken. Am Wochenende hat er sehr gern Trickfilme gesehen und Schokolade gegessen. In der Woche hat er nicht gern die Hausaufgaben gemacht oder die Ohren gewaschen. Am liebsten hat er spät ferngesehen und lange geschlafen.

Was haben Sie als Kind gemacht?

Im Schwarzwald

Als Daniel im Schwarzwald war, hat er dort Sport gemacht. Sehen Sie die Bilder an und schreiben Sie in einem kleinen Aufsatz über Daniels Aktivitäten.

1. am Sonntag 

2. am Dienstag  

3. am Mittwoch und Donnerstag 

4. am Freitag 

5. am Wochenende 

und 

und 

1. Wie viele Menschen haben im Jahre 1999 Bücher gelesen?
2. In welchem Jahr haben mehr Menschen den Computer genutzt als ein Buch gelesen?
3. Wie viele Menschen haben im Jahre 2001 Bücher gelesen?
4. Warum lesen Menschen Bücher immer weniger?

Körperteile

Sehen Sie den Clown an und beschriften Sie seine Körperteile.

das Auge/ die Augen	der Mund/ die Münder	die Lippe/ die Lippen
das Haar/ die Haare	die Augenbraue/ die Augenbrauen	das Ohr/ die Ohren
die Wange/ die Wangen	das Kinn/ die Kinne	der Hals/ die Hälse
die Schulter/ die Schultern	der Arm/ die Arme	die Hand/ die Hände
der Ellbogen/ die Ellbogen	der Finger/ die Finger	die Brust/ die Brüste
der Bauch/ die Bäuche	der Po/ die Pos	das Bein/ die Beine
der Fuß/ die Füße	der Zeh/ die Zehen	der Rücken/
das Herz/ die Herzen		die Rücken

→ For practice, see exercise 7.8 in the workbook.

Witz

Der Sohn fragt seinen Vater: "Wie funktioniert ein Hirn?" Der Vater antwortet: "Lass mich in Ruhe, ich hab' was anderes im Kopf!"

http://www.jolinchen.de/lachmal/index.html

Womit tun Sie diese Dinge?

Beispiel: Sie schreiben einen Brief mit der Hand.

1. Sie laufen mit den __________________ (Pl.) und den _____________ (Pl.).
2. Sie küssen mit den ___________________ (Pl.).
3. Sie essen mit dem ___________________.
4. Sie tragen einen Sack auf dem _____________.
5. Sie sehen mit den ________________ (Pl.).
6. Sie hören mit den ________________ (Pl.).
7. Sie sprechen mit dem ________________.
8. Sie tragen einen Rucksack auf dem ________________.
9. Sie haben einen dicken __________________, wenn Sie viel Bier trinken.

Was bedeuten diese Gesten?

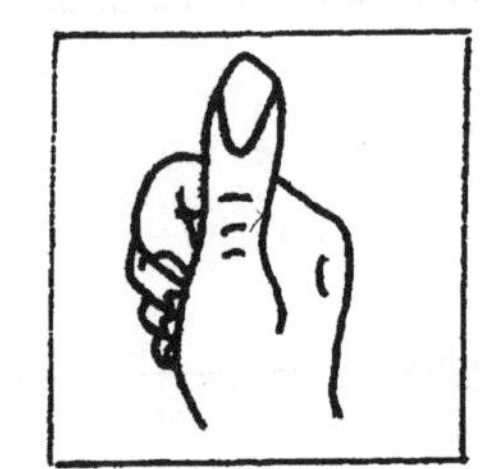 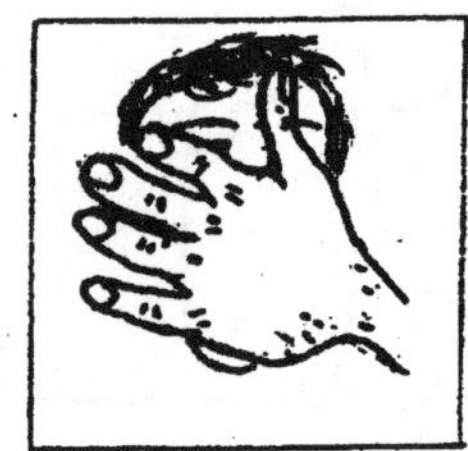 

Gibt es ähnliche Gesten in Ihrem Land?

Viren bleiben ausgesperrt

Kultur-Aspekte

Was benutzen Sie, wenn Sie kommunizieren?
Was machen Sie mit Ihrem Körper, wenn Sie sprechen?
Was haben diese Wörter mit Sprache zu tun?

Distanz   Gestik   Intonation

Körpersprache

Kommunizieren wir nur mit unserer Stimme? Nein. Albert Mehrabian stellte fest, dass 7% der Kommunikation aus Wörtern, 38% aus Stimmlage,[7] Intonation und anderen Geräuschen[8] und 55% aus nonverbalen Merkmalen[9] besteht.[10] Durch unsere Gestik und Körperhaltung[11] können wir mit anderen gut kommunizieren. Aber um diese wortlose Sprache verstehen zu können, müssen wir auch die Kultur kennen, in der die Kommunikation stattfindet[12].

So kann die Distanz zwischen zwei Personen viel über diese Personen und ihre Kultur aussagen. Die Distanz zeigt an, was für eine Beziehung die Menschen zueinander haben. Man kann die Distanz zwischen Menschen in verschiedene Zonen aufteilen[13]: 1.) intime Distanz, 2.) persönliche Distanz, 3.) gesellschaftliche Distanz und 4.) öffentliche Distanz (Dorffler, 1995).

Der Amerikaner trägt eine private „Distanzblase" von gut einem halben Meter Durchmesser[14] mit sich herum. Wenn zwei Bekannte sich über persönliche Angelegenheiten[15] unterhalten, rücken sie so nahe zusammen, dass ihre „Distanzblasen" sich zu einer einzigen verbinden. Für Deutsche kann ein ganzes Zimmer der eigenen Wohnung die Funktion einer privaten „Distanzblase" haben. (Fast, 39)

Dörffler, Johannes. 1995. *Die Kunst der Menschenkenntnis*. Rastatt, Germany: Moewig.
Fast, Julius. 1979. *Körpersprache*. Hamburg: Rowohlt Taschenbuch.

Richtig oder falsch

_____ 1. Durch unsere Körpersprache können wir gut kommunizieren.
_____ 2. Körpersprache können wir gut ohne Kultur verstehen.
_____ 3. Die Distanz spielt eine wichtige Rolle in der Körpersprache.
_____ 4. Die Distanzblase von Deutschen ist nicht größer als die von Amerikanern.
_____ 5. Die deutsche Distanzblase kann so groß wie ein Zimmer sein.

→ For practice, see exercise 7.9 in the workbook.

Animation
Diese Webseite ist Daniel in die Hände gekommen.

---

[7] voice
[8] sounds
[9] characteristics
[10] to consist of
[11] posture
[12] takes place
[13] to be divided into
[14] diameter
[15] matters

Animation

Interaktive Ausstellung

Die Heimat der bizarren Animation findet man bei jumpinjokes.com. Die Macher der Seite haben eine kleine interaktive Ausstellung ins Internet gestellt. Hier kann man alten SED-Kadern die Hosen runterlassen, Barbie-Puppen von Bussen überfahren lassen, ganze Wohnzimmer-Einrichtungen zerschlagen. Wo soll man so was sonst machen? Web-Design mit Hang zum Künstlerischen.

www.jumpingjokes.com, Systemvoraussetzung: Flash

Kann Daniel die folgenden Sachen auf dieser Website finden oder erledigen?

	JA	NEIN
1. Daniel sucht bizarre Jokes.	_____	_____
2. Daniel findet hier eine große interaktive Ausstellung.	_____	_____
3. Daniel kann eine ganze Wohnung auf dieser Webseite kaputt machen.	_____	_____
4. Daniel kann aber hier sonst nichts Brutales machen.	_____	_____
5. Diese Website ist sehr künstlerisch.	_____	_____

Exkursion drei: „Kleider machen Leute“[16]

http://www.dresden.de/index.html?node=6658

Multi-Kulti-Aktivität 7.3

1. What can clothes tell you about a person?

---

[16] The title of this chapter refers to a German novella by Gottfried Keller “Kleider machen Leute” as part of the series Die Leute von Seldwyla (1874/75).

2. Can clothes function as a sign of power? In what way?
3. Can you tell from their clothes what kind of lifestyle people have? Their profession? Their nationality?
4. Before the Berlin wall fell, many West Berliners claimed they could tell where someone was from if seen in the western part of the city. How do you think they were able to do this?

Wort-Box	
die Kleidung (-)	clothing
die Ausstellung (-en)	exhibition
auf dem Lande	in the country
das Spielzeug (-e)	toy
bei sich haben	to have with oneself
achten auf	to pay attention to
die Garderobe (-)	wardrobe, clothes

Im Museum

Daniel besucht das Museum für ***Völkerkunde*** *in Dresden. Er läuft durch die Ausstellung. Die Abteilung mit Barockkleidung ist sehr interessant für ihn, weil er die Kleidung heute im Museum findet, die er gestern Abend in der Oper gesehen hat. In einem Ausstellungsraum ist eine Aufpasserin, die sehr freundlich ist, und sie fragt, ob Daniel Fragen hat.*	***Folklore*** *In one exhibition room there is a guard who is very friendly and she asks whether Daniel has any questions.*
Aufpasserin: Wenn Sie Fragen haben, stehe ich Ihnen gerne zur Verfügung.	, I'm at your disposal.
Daniel: Danke schön. Ich habe doch eine Frage. Die Herrenkleidung hier in der Ausstellung ist so bieder, das war nicht normal für diese Zeit, oder?	
Aufpasserin: Das ist richtig. **Damals** waren die Herrensachen noch viel eleganter. Diese Sachen hier sind Beispiele von Kleidung, die Bauern getragen haben.	**At that time**
Daniel: Sehr interessant. Ich habe so etwas in einer Ausstellung noch nicht gesehen. Warum ist das hier?	
Aufpasserin: Damit haben wir uns gedacht, dass die Besucher einen besseren Einblick in das Leben der Menschen auf dem Lande bekommen können. Die meisten Besucher	By doing this, we thought that visitors can have an insight into the life of people in the country. Most visitors are happy to see such things.

freuen sich darauf, so etwas zu sehen.	
Daniel: Das kann ich mir gut vorstellen. Daran kann man besser sehen, wie die Menschen auf dem Land gelebt haben. Die Kinderkleidung ist auch sehr interessant.	I can easily imagine that. This way one can better see how rural people lived.
Aufpasserin: Damals haben die Kinder fast dieselben Sachen getragen wie die Erwachsenen.	At that time, children wore almost the same clothes as adults.
Daniel: Es fällt auch auf, dass die Kinder immer ein Spielzeug bei sich haben. Warum haben die Kinder immer ein Spielzeug bei sich?	It's also obvious that the children always have a toy with them. Why do they always have a toy?
Aufpasserin: Wenigstens haben die kleineren immer etwas dabei gehabt. Sonst waren sie kleine Erwachsene.	At least the little ones always have something with them. Otherwise they were little adults.
Daniel: Ich finde es auch interessant, wie gut die Qualität der Kleidung war. Worauf haben die Menschen am meisten geachtet?	What did the people pay the most attention to?
Aufpasserin: Die Menschen haben damals nicht sehr viel Geld gehabt. Die Kleidung war von guter Qualität, weil sie sehr lange halten musste.	Clothes were made of good quality because they had to last a very long time.
Daniel: Ich verstehe. Amerikaner kaufen heute etwas Billiges, schmeißen es morgen weg und kaufen dann etwas Neues.	Americans today buy something cheap, throw it away tomorrow and then buy something new.
Aufpasserin: Damit bleibt die Wirtschaft fit.	This way the economy stays fit.
Daniel: Daran muss man immer denken.	One always has to think of that.

Fragen

1. Wo ist Daniel in Dresden?
2. Was schaut er sich an?
3. Wie findet er die Ausstellung?
4. Wie sehen die Kinder aus?
5. Was haben die Kinder immer bei sich?

http://www.dresden.de/index.html?node=6652

Grammatik-Spot **Da-Compounds**

As in English, a personal pronoun following a preposition in German normally refers to a person or another animate object.

Daniel denkt an seine Oma.
Er denkt schon lange an sie.

However, when an object of a preposition refers to a thing or an idea that has already been mentioned in context, the object is replaced with a **da**-compound. A **da**-compound consists of the adverb **da** plus a preposition.

Ich finde die neue Regel nicht gut.
Einige Menschen sind ***dafür****.*
Andere Menschen sind ***dagegen****.*

If the preposition starts with a vowel the **da-** becomes **dar-**.

Daniel denkt an seine Arbeit.
Daniel denkt ***daran****.*

Da-/Dar- can be used with most prepositions in the accusative or dative cases. One exception is **ohne**. It always takes an accusative pronoun.

Asking questions about things or ideas with prepositions can take two forms; one with an interrogative pronoun and the other with **wo-**. If the preposition begins with a vowel you add an **r** to the compound **wor-**.

Über was *denkst du nach?*
An was *denkt sie?*
Auf was *warten Sie?*

Worauf *haben die Menschen am meisten geachtet?*
Wozu *ist es gut?*

Dialoganalyse

Lesen Sie den Text "Kleider machen Leute" noch einmal und suchen Sie alle **da**-Komposita heraus.

Welcher Körperteil ist das?

1. Ich kann mit diesem Körperteil ein Buch lesen, damit kann ich auch Menschen ansehen. Ich muss damit fernsehen und Auto fahren. Welcher Körperteil ist es?

2. Ich trinke Bier sehr gern und dieser Teil genießt[17] es auch. Wenn ich esse, verdaue[18] ich das Essen damit. Wenn ich am Strand in der Sonne liege, liege ich auch mal darauf. Welcher Teil ist das?

3. Ich laufe mit diesem Teil, wenn ich jogge. Wenn ich stehe, stehe ich darauf und wenn ich sitze, lege ich diesen Körperteil manchmal auf einen Hocker.[19] Welcher Teil ist das?

Schreiben Sie eine Beschreibung und lesen Sie diese der Klasse vor. Die Klasse muss dann sagen, welcher Körperteil gemeint ist.

Besuch im Museum

Daniel spricht mit einem Freund im Hotel und erzählt von seinem Besuch im Museum. Welches **da**-Kompositum passt in die Lücke?

darüber dazu damit (4) daraus (2) darin daran

Zum Beispiel: Daniel: Ich bin heute mit der Bahn ins Museum gefahren.
Andreas: Ja, ich bin auch ___**damit**__________ gefahren.

Daniel: Ich bin von hier aus mit meinen Sachen zum Bahnhof gelaufen. Und da habe ich Geld aus dem Automaten geholt.
Andreas: Das kenne ich. Ich habe auch Geld ____________ geholt und bin dann mit der U-Bahn gefahren.
Daniel: ______________ bin ich nicht gefahren. Ich bin mit der S-Bahn gefahren.
Andreas: Aber es ist viel schneller mit der U-Bahn.
Daniel: Ja, aber ich fahre nicht gern ______________________.
Andreas: Warum nicht?
Daniel: Wenn ich ___________ fahre, fühle ich mich nicht wohl.
Andreas: Komisch.
Daniel: Ja, ich weiß. So im Museum habe ich erst meine Sachen in ein Schließfach gepackt und dann alles angesehen.
Andreas: Ich habe meine Sachen auch _____________ gehabt, aber jemand hat alles __________ gestohlen.
Daniel: Das ist ja ärgerlich! Das habe ich noch nicht erlebt.
Andreas: Das war auch das erste Mal für mich. _________ muss ich sagen, ich habe leider vergessen, richtig abzuschließen.
Daniel: Kein Wunder. Ich habe öfter ___________ nachgedacht, was ich machen würde, wenn mir sowas passieren würde.
Andreas: Du gehst einfach ___________ zur Polizei.
Daniel: ________ habe ich auch gedacht.

---

[17] to enjoy
[18] to digest
[19] foot stool

Ying hat Fragen

Daniel und Ying aus Peking haben sich an der Bushaltestelle kennen gelernt. Ying ist erst vor kurzem in Deutschland angekommen und hat viele Fragen an Daniel. Schreiben Sie Yings Fragen auf.

Ying: ____
Daniel: Du kannst am besten mit der U-Bahn fahren.
Ying: ____
Daniel: Bezahl am besten mit Bargeld. Du kannst die Kreditkarte für nicht viele Dinge in Deutschland benutzen, weil Deutsche lieber Bargeld haben.
Ying: Nun gut! Ich habe Hunger.
Daniel: Ich auch.
Ying: ____
Daniel: Auf Pizza.
Ying: Pizza und ein Bier dazu. _____________________________________
Daniel: Auch auf ein Bier.

Wie geht der Dialog zwischen Daniel und Ying weiter. Schreiben Sie mindestens noch 3 **Wo-**Fragen.

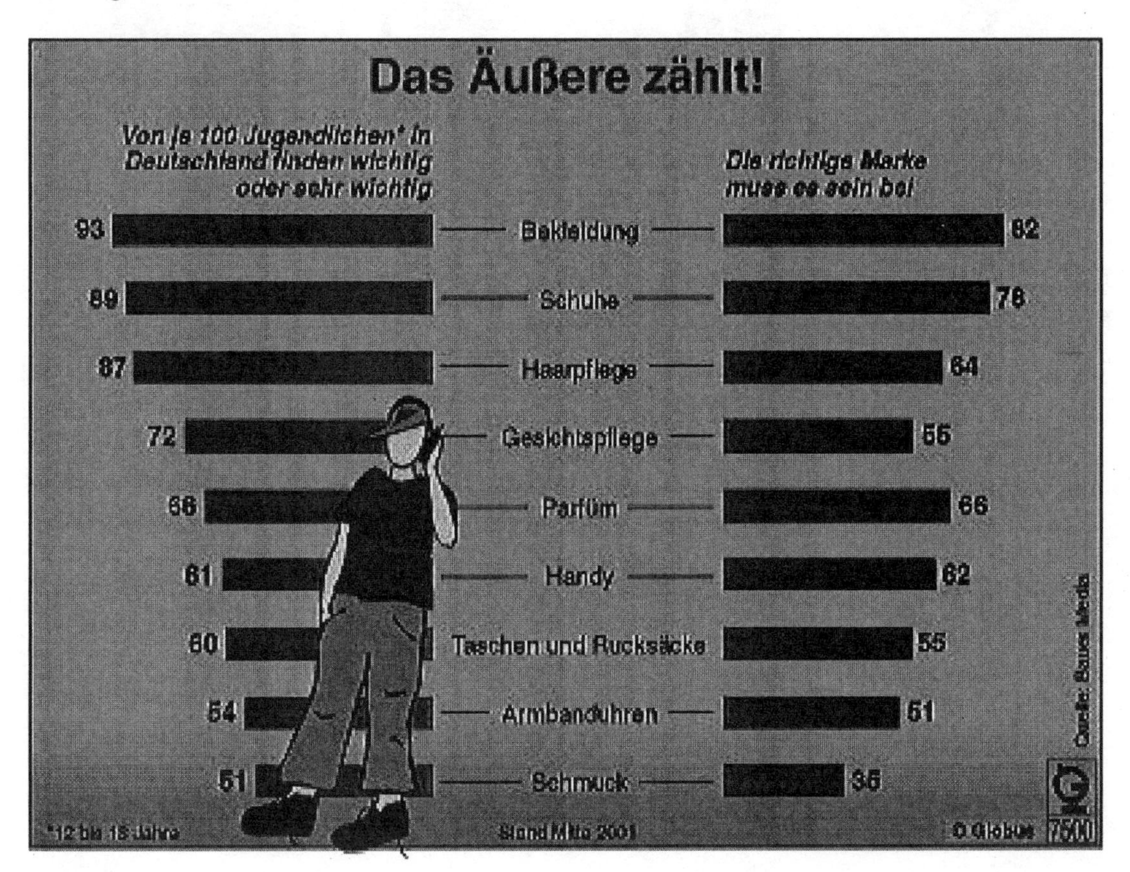

1. Was ist für junge Menschen in Deutschland am wichtigsten?
2. Was ist überhaupt nicht wichtig?
3. Die richtige Marke muss es in diesem Fall (55%) sein. Was ist gemeint?
4. Welches Kleidungsstück in der Graphik ist am wichtigsten für Sie?

Kleidung

Über welche Kleidungsstücke haben Sie im Text gelesen? Welches Wort aus dem Text passt zu welchem Bild?

Hier sind andere Kleidungsstücke, die Sie haben können. Wie heißen diese Dinge? Suchen Sie den Namen in der Liste und beschriften Sie die Bilder.

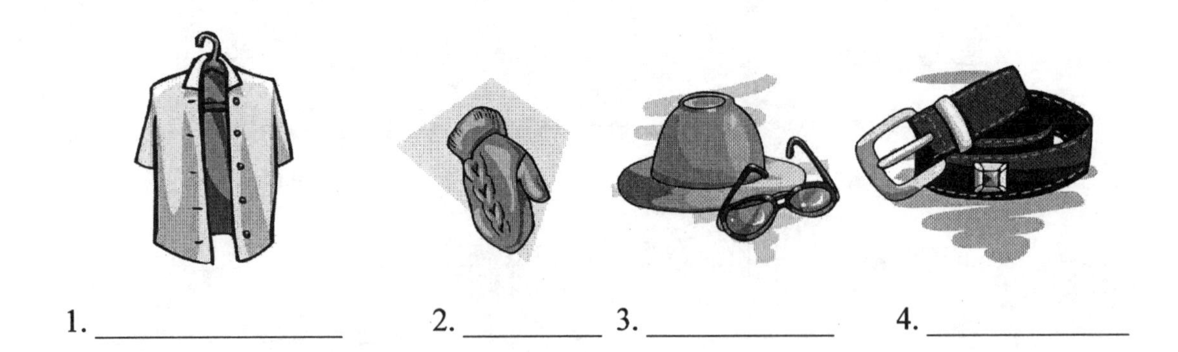

1. ________________ 2. _________ 3. ____________ 4. _____________

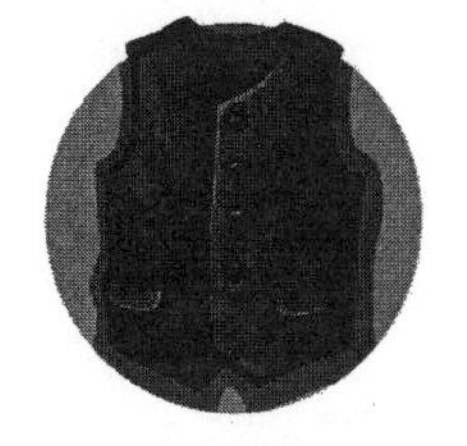 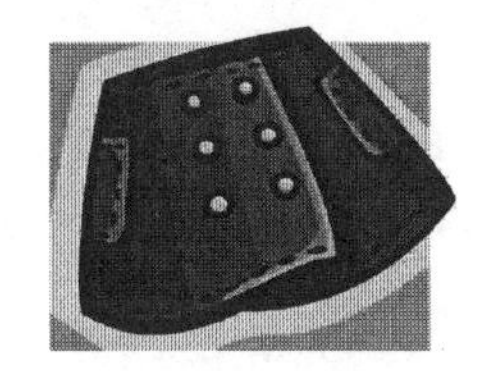  

5. __________ 6. ________ 7. __________ 8. ___________

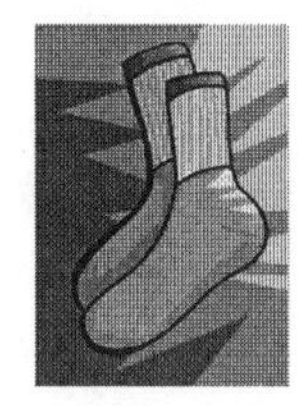   

9. _________ 10. ________ 11. ___________ 12. _________

13. ________________

der Schuh / die Schuhe	die Hose / die Hosen
die Jacke/die Jacken	das Hemd / die Hemde
der Pullover / die Pullover	der Rock / die Röcke
der Handschuh / die Handschuhe	das Kleid / die Kleider
die Weste / die Westen	die Bluse / die Blusen
der Gürtel / die Gürtel	der Hut / die Hüte
die Sonnenbrille / die Sonnenbrillen	

Was tragen Sie?

1. Was tragen Sie, wenn Sie ins Kino gehen?
2. Was tragen Sie, wenn Sie tanzen gehen?
3. Was tragen Sie nicht, wenn Sie essen gehen?
4. Was tragen Sie, wenn Sie in die Kirche gehen?
5. Was tragen Sie, wenn Sie Rad fahren?

Hörverständnis 7.2

Daniel telefoniert mit seiner Oma in Linz. Sie will alles über seine Zeit in Dresden wissen. Er erzählt ihr von seinem Besuch in der Semperoper.

Bevor Sie das Gespräch anhören, lesen Sie die untenstehende Liste. Welche Kleidungsstücke aus der Liste hat Daniel in der Oper nicht gesehen?

____ Lederhose
____ kurze Kleider
____ Hemd
____ Schlips und Kragen
____ einen schwarzen Rock
____ grüne Bluse

→ For practice, see exercise 7.10-11 in the workbook.

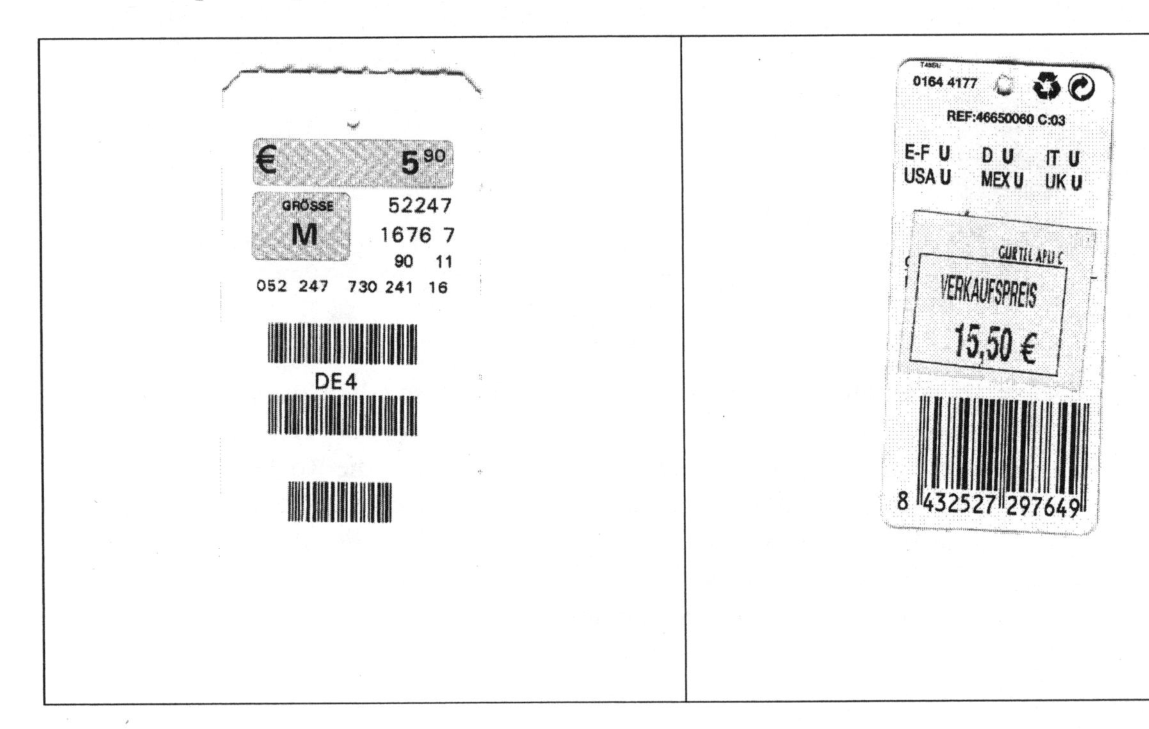

Kultur-Aspekte

Lesen Sie den ersten Satz in jedem Absatz. Was bedeutet dieser Satz und was könnte der Inhalt des Absatzes sein?
Jetzt lesen Sie den ganzen Text und beantworten Sie die Fragen.

Kleider machen Leute

Kleider machen Leute, das ist auch in Deutschland so. Obwohl die Deutschen nicht so viel Wert[20] auf modische Kleidung legen wie zum Beispiel die Franzosen, sind sie das Image des Modemuffels[21] dennoch los. Jil Sander, Karl Lagerfeld, Joop und andere Modedesigner haben dazu sicher auch beigetragen.[22]

Welche Kleidung man trägt, hängt[23] vom Job ab: Computerprogrammierer/innen oder Werber/innen etwa wollen Kreativität und Spontaneität mit Jeans und buntem T-Shirt beweisen.[24] Bei Bankern ist dagegen schon eine zweifarbige Krawatte fast revolutionär. Ach ja: Trachtenkleidung findet man heute vor allem noch bei Volksmusik-Veranstaltungen[25], die bei älteren Leuten so beliebt sind. Es gibt allerdings Unterschiede zwischen den einzelnen Bundesländern: der bayrische Landesvater zieht sich die Lederhose an, um seine Volksverbundenheit[26] zu demonstrieren, und der Norddeutsche Helmut Schmidt, ein früherer Bundeskanzler, trug immer seine hamburgische Kapitänsmütze.

Der akademische Dresscode an den Universitäten ist übrigens recht locker: Aktenköfferchen sowie Schlips und Kragen sind selbst bei Jurastudenten längst out, auch dort sind Rucksäcke und T-Shirts verbreitet. Und über blaue und grüne Haare regt[27] sich seit der Zeit der Punker längst keiner mehr auf. Das neue Status-Symbol für Studenten ist übrigens das Handy.

Adapted from http://www.campus-germany.de/german/4.71.html

Richtig oder Falsch

_______ 1. Karl Lagerfeld, Jil Sander und Joop sind Möbeldesigner.
_______ 2. Jeans und T-Shirts bedeuten Kreativität und Spontaneität bei Computerprogrammierern/innen.
_______ 3. Lederhosen und Dirndl sind eine Art Kostümierung.
_______ 4. Der Dresscode an der Universität ist sehr streng; nur Schlips und Kragen.
_______ 5. Das Handy ist das neue Status-Symbol für Studenten.

Kleidungs-Markt

Daniel hat die folgende Anzeige in einer Berliner Zeitung in einem Café in Dresden gefunden. Die Klamotten[28] sind sehr interessant, leider ist der Laden in Berlin und Daniel

[20] value
[21] someone who isn't interested in fashion or fashionable
[22] to contribute to
[23] to depend on
[24] to prove
[25] event
[26] folklore connection
[27] to complain about
[28] clothes

ist in Dresden. Er könnte warten, bis er in Berlin ist, aber er möchte einige neue Sachen haben, bevor er Gabi wieder sieht.

Helfen Sie Daniel bei der Suche nach neuen Klamotten. Er möchte nicht mehr als 200 Euro ausgeben. Was soll er kaufen, und warum. Sie wollen so viel wie möglich von den 200 Euro ausgeben aber nicht mehr als € 200. Klicken Sie beispielsweise die Website www.market.de an und suchen Sie Kleidung für Daniel.

Gegenstand	**Grund**	**Summe**
	Endsumme	

→ For practice, see exercise 7.12 in the workbook.

Treffpunkt

Dresden war schön, aber Daniels Reise geht weiter. Morgen fährt er nach Berlin. Schreiben Sie fünf bis zehn Sätze, wie Daniels Geschichte weiter geht.

____
____
____
____
____
____
____
____
____

Lese-Ecke

Was ist Ihre Lieblingsfarbe?
Was sagt diese Farbe über Sie aus?
Wann tragen Sie diese Farbe?

Farben

von Ror Wolf

rotes Hemd rote Hose rote Stutzen
rotes Hemd rote Hose weiße Stutzen
rotes Hemd schwarze Hose schwarze Stutzen
blaues Hemd blaue Hose weiße Stutzen
gelbes Hemd blaue Hose gelbe Stutzen
grünes Hemd grüne Hose grüne Stutzen
grünes Hemd weiße Hose schwarze Stutzen
schwarzes Hemd weiße Hose schwarze Stutzen
blaues Hemd weiße Hose blau-weiße Stutzen
weißes Hemd grüne Hose grün-weiße Stutzen
gelbes Hemd schwarze Hose schwarz-gelb geringelte Stutzen
rot-weißes Hemd weiße Hose weiße Stutzen
rot-weiß gestreiftes Hemd schwarze Hose schwarz-gelbe Stutzen
blau-weiß quergestreiftes Hemd weiße Hose weiße Stutzen
rotes Hemd mit weißem Brustring schwarze Hose schwarze Stutzen
weißes Hemd mit rotem Brustring rote Hose rote Stutzen
oder ganz in Weiß

1. Wer trägt diese Kleidung?
2. Wozu benutzt man solche Kleidung?

Schreiben Sie eine Szene, in der man diese Kleidung trägt.

Glossar: Abschnitt 7 "Dresden"

Verben sich anstrengen – to make an effort wach rütteln – to shake someone to wake up anstoßen (sep) – to knock or touch someone erbauen – to construct besprechen – to discuss, talk about schaffen – here: to manage gestalten – to build, create sich stärken – to refresh oneself empfinden – feel, here: empathize einbeziehen (sep) – to include auf etwas achten – to pay attention to sth. wegschmeißen (sep) – to throw away beschriften – to label stehlen (ie) – to steal, take away abschließen (sep) – to lock **Adjektive** überrascht – surprised grundverschieden – totally different echt – genuine, real bieder – conservative, conventional auffallend – noticeable nachahmend – imitating streng – strict **Adverben** trotzdem – despite of, nevertheless bisher – up to now hierzulande – liter.: in this country; here	**Substantive** der Dampfer (-) – steam boat der Barock – baroque period die Wende (n) – here: fall of the Berlin Wall der Glanz (no pl) – splendor das Meisterwerk (e) – master piece die Aufführung (en)– performance die Ermäßigung (en) – reduction der Studentenausweis (e) – student ID der Schlager (-) – (music) hit der Erfolg (e) – success die Stimme (n) – voice der Trickfilm (e) – animated film der Gesichtsausdruck (ücke) – facial expression die Wimper (n) – eye lash die Völkerkunde (no pl) – ethnology der Einblick (e) – insight *all the body parts on p.233* der/die Aufpasser/in (-/innen) – guard die Trachtenkleidung (no pl) – folk costume der Schlips (e) – tie der Kragen (-) – collar *all the clothing on p. 243* das Schließfach (ächer) – locker

Ausdrücke bestimmt – for sure u.a. = unter anderem/en – among others zur Verfügung stehen – to be available sowas = so etwas – such a thing gutes Benehmen – good manners	

Key

Hörverständnis 7.1

Daniel: Was hörst du am liebsten?

Sven: Ja, Daniel, das ist eine schwere Frage, weil ich alle Musikarten gut finde. Ich höre gern und ich höre viel Musik. Aber ich glaube, dass mein Lieblingsmusiker Louis Armstrong ist. Ich weiß, das ist sehr altmodisch, aber ich finde, er hat eine gute Stimme.

Christine: Ja, die Frage ist auch schwer für mich. Ich weiß ganz sicher, dass ich Opern nicht mag. Sie sind zu langweilig für mich. Meine Mutter mag Country. Ich kann es nicht mehr hören! Aber ich finde die Backstreet Boys super cool. Ja, ich weiß, das ist eine Teenieband, aber ich mag den Sound.

Peter: Ach, ihr wisst überhaupt nicht, was gut ist. Wenn ich Mahler höre, bin ich weg. Die Melodien sind so schön. Natürlich sind Bach und Beethoven auch gut, aber Mahler ist der Komponist für mich. Der Österreicher Nr. 1.

Stephanie: Christine, ich kann deine Mutter gut verstehen. Ich höre auch gern mal Dolly Parton. Ich sehe auch gerne ihre Videos, weil sie eine gute Show macht. Ihre Musik ist Nr. 1 bei mir.

Daniel: Ich finde, dass das alles sehr interessant ist. Ihr lebt in der Stadt mit der besten Musikszene, und niemand von euch mag Wagner. Das ist sehr komisch. Ich bin nach Dresden gekommen, weil ich seine Werke in der Semperoper hören und sehen will.

Hörverständnis 7.2

Oma, gestern war ich in der Oper. Es ist sehr schön gewesen. Ich habe viele gut gekleidete Leute gesehen. Viele Frauen haben lange Kleider getragen, und die älteren Herren haben Schlips und Kragen getragen. Einige junge Leute haben aber Jeans und manchmal T-Shirts angehabt. Eine junge Frau war sehr schön, sie hat einen schönen, schwarzen Rock und eine weiße Bluse getragen. Ein Paar war sogar mit Filzhut und Dirndl da. Die Oper war toll. Die Kostüme waren herrlich, die Farben waren fantastisch und die Damen sehr schön.

Aus dem Inhalt

Kultur

Hier lernen Sie etwas über:

die Regierung
Berlin
das Nachtleben

Grammatik

Ordinalzahlen
Dativ
Präpositionen mit Dativ

Abschnitt 8

Berlin

1. In welchem Bundesland liegt Berlin?
2. Welches Land liegt direkt östlich von Berlin?
3. Welche zentrale Bedeutung hat Berlin für die Bundesrepublik Deutschland?

→ For practice, see exercise 8.13 in the workbook.

Exkursion eins: Die Hauptstadt Berlin

Multi-Kulti Aktivität 8.1

1. Welche Arten von Regierungen kennen Sie?
2. Welche Art Regierung hat Deutschland? Österreich? Die Schweiz?
3. Welche Art Regierung haben die USA?
4. Wer führt (heads, leads) die deutsche Regierung?

Wort-Box

abnehmen (sep.)	to lift up (the phone receiver); to lose weight
wählen	to dial; to choose; to elect
klingeln	to ring
der Termin (-e)	appointment
angezogen	dressed

Das Wiedersehen

Daniel nimmt das Telefon ab und wählt. Es klingelt.	*Daniel lifts up the receiver and dials. It rings.*
Gabi: Zimmermann. Daniel: Hallo Gabi. Hier ist der Daniel. Gabi: Grüß dich, Daniel. Wo bist du? Daniel: Ich bin noch in Dresden. Aber ich komme nach Berlin. Gabi: Wann und wo kommst du an? Daniel: Morgen, am 6. Juli um 11.30 Uhr am Hauptbahnhof. Gabi: Oh, morgen schon! Prima. Ich hole dich ab. Daniel: Gut. Bis dann. Gabi: Bis dann.	
Am nächsten Tag sitzt Daniel im Zug nach Berlin und ist sehr aufgeregt. Langsam	*and he is very excited.*

fährt der Zug in den Hauptbahnhof ein. Daniel steht auf, holt seinen Rucksack, und geht zur Tür. Er sieht bereits Gabi auf dem Bahnsteig. Sie winkt ihm zu. Daniel steigt aus und umarmt Gabi.	*Slowly the train pulls into the main train station. He sees Gabi on the platform. She waves at him. Daniel gets off the train and embraces Gabi.*
Daniel: Es ist sehr schön, dich wieder zu sehen. Gabi: Finde ich auch. Komm, wir gehen in die Bahnhofshalle, es ist so voll hier auf dem Bahnsteig.	
Sie laufen zum Ausgang.	*They walk to the exit.*
Gabi: Hast du eine gute Reise gehabt? Daniel: Ja, gut. Ich bin ein bisschen müde. Gabi: Wir packen deine Sachen hinten ins Auto und machen eine kleine Orientierungstour durch Berlin. Danach bringe ich dich nach Hause. Du kannst dich ein bisschen ausruhen, in der Zwischenzeit habe ich einen Termin um 17 Uhr. Aber danach ist noch Zeit. Und am 10. Juli können wir in den Spreewald fahren.	You can relax a little, in the meantime I have an appointment at 5 pm. But after that there is still time. And on July 10th we can go to the Spreewald.
Daniel: Das klingt gut. Ach, Moment, Spreewald?	That sounds good.
Gabi: Ich erkläre dir alles später. Da ich um 17 Uhr in der Stadt bin, können wir uns am Spätnachmittag am Pariser Platz treffen.	I'll explain it all to you later. Because I'm in the center at 5 pm, we can meet in the late afternoon at Paris Square.
Daniel: Schön, wie komme ich dahin?	Great, how do I get there?
Gabi: Ich zeige dir alles mit dem Auto und erkläre dir, wie du mit der U-Bahn dahin kommst. Der Platz ist leicht zu erkennen, die Leute sind sehr schick und meistens sehr gut angezogen, da der Reichstag gleich um die Ecke ist. Wenn die Menschen nicht so gut angezogen sind, dann sind das Touristen. Sie sind normalerweise leger angezogen und nicht so hektisch wie die anderen.	I'll show you everything by car and explain to you how you can take the subway. The square is easy to find, the people there are very elegant and usually well dressed because the Reichstag is just around the corner. If the people are not so well dressed then they are tourists. They are more easy going and aren't as hectic as the others.
Daniel: Wo sollen wir uns da treffen?	Where should we meet there?
Gabi: Wir können uns am Brandenburger Tor treffen, da ist auch ein Starbucks.	We can meet at the Brandenburg Gate; there is also a Starbucks there.

Daniel: Oh, nee. Nicht Starbucks! Ich kann Starbucks immer zu Hause trinken. Lieber etwas Typisches für Berlin!	

Richtig oder falsch

______ 1. Gabi ruft Daniel an.
______ 2. Daniel fliegt nach Berlin.
______ 3. Gabi wartet auf dem Bahnsteig auf Daniel.
______ 4. Gabi und Daniel machen eine kleine Tour in Berlin.
______ 5. Gabi hat einen Termin um 15 Uhr.
______ 6. Sie treffen sich bei Starbucks.

→ For practice, scc cxercise 8.1 in the workbook.

Grammatik-Spot **Ordinal numbers**

In German ordinal numbers (first, second, third, fourth and so on) are formed by adding a suffix –**te** or –**ste** to the cardinal number. The numbers *first, third, seventh,* and *eighth* are exceptions to the rules.

eins	**erste**	neun	neun**te**
zwei	zwei**te**	zehn	zehn**te**
drei	**dritte**	elf	elf**te**
vier	vier**te**	zwölf	zwölf**te**
fünf	fünf**te**	dreizehn	dreizehn**te**
sechs	sechs**te**	....	......
sieben	**sieb(en)te**	zwanzig	zwanzig**ste**
acht	**achte**		

Ordinal numbers are normally used with a definite article.

Sonntag ist der 1. Mai.

When talking about dates of special occasions, you say:

Wann hast du Geburtstag? ***Am 17. (siebzehnten)*** *Juli.*
Neujahr ist ***am 1. (ersten)*** *Januar.*

Ordinal numbers are always written with a period.

Other forms of times take different prepositions.
Times of day and days of the week usually take ***am*** with the exception of ***in der Nacht***.

am *Morgen*
am *Abend*
am *Nachmittag*
am *Montag*
am *Donnerstag*

Months of the year and the seasons always take ***im***.

im Januar
im Juli
im Sommer
im Winter

Years either stand alone (***no preposition!!***) or include ***im Jahre*** 1996.

1987 *bin ich nach Kanada gefahren.*
Im Jahre 1987 *bin ich nach Kanada gefahren.*

→ For practice, see exercise 8.2 in the workbook.

Fragen, Fragen, Fragen

1. Wann ist Weihnachten?
2. Wann ist Silvester (New Year's Eve)?
3. Wann haben Sie Geburtstag?
4. Wann ist Ostern?
5. In welcher Jahreszeit sind die Monate März, April und Mai?
6. In welcher Jahreszeit sind die Monate Juni, Juli und August?
7. In welchem Jahr haben Sie die Schule begonnen?
8. In welchem Jahr haben Sie ihre(n) erste(n) Freund/in kennen gelernt?

Witz

Fritzchen steht am Bahnhof. Fragt Peter: "Wohin willst du denn?" Antwortet Fritzchen: "Nach Sicht." Fragt Peter: "Wo liegt denn das?" "Keine Ahnung, aber im Wetterbericht hieß es: 'Schönes Wetter in Sicht!'."

http://www.jolinchen.de/lachmal/index.html

Geschichte
Wann sind diese Ereignisse geschehen (to happen, to take place)? Benutzen Sie die Zeitangaben nur einmal.

im Jahre 1933 im Jahre 1989 im Jahre 1918 im Jahre 1990
im Jahre 1492

1. Wann ist der erste Weltkrieg zu Ende gegangen?
2. Wann ist Hitler an die Macht gekommen?
3. Wann ist die Berliner Mauer gefallen?
4. Wann war die deutsche Wiedervereinigung (German reunification)?
5. Wann hat Columbus Amerika entdeckt (discovered)?

am Wochenende in der Nacht am Sonntag am Abend am Sonnabend

6. Wann gehen Sie in die Kirche?
7. Wann gehen Sie ins Kino?
8. Wann gehen Sie in die Disco?
9. Wann schlafen Sie?
10. Wann sehen Sie fern?

Hörverständnis 8.1
Daniel und Gabi sitzen bei Gabi zu Hause und sprechen über sich. Hören Sie das Gespräch und beantworten Sie die folgenden Fragen.

1. Wann ist Daniel angekommen?
2. Wann wurde Daniel in Linz erwartet?
3. Wann hat Gabi mit dem Praktikum begonnen?
4. Wann fährt Daniel nach Hause?
5. Wann beginnt die Uni für Daniel?
6. Wann beginnt die Uni in Berlin?
7. Wann fangen die Weihnachtsferien in Berlin an?
8. Wann beginnt das Sommersemester?

Wann?

Gabi ist einige Male in die Stadt gefahren und hat einen Parkplatz gefunden. Sehen Sie die Parkscheine an. An welchem Tag und um wie viel Uhr hat Gabi geparkt und wie viel hat das Parken gekostet?

	Wann?	Wie viel Uhr?	Wie teuer?
Nr. 1			
Nr. 2			
Nr. 3			
Nr. 4			
Nr. 5			

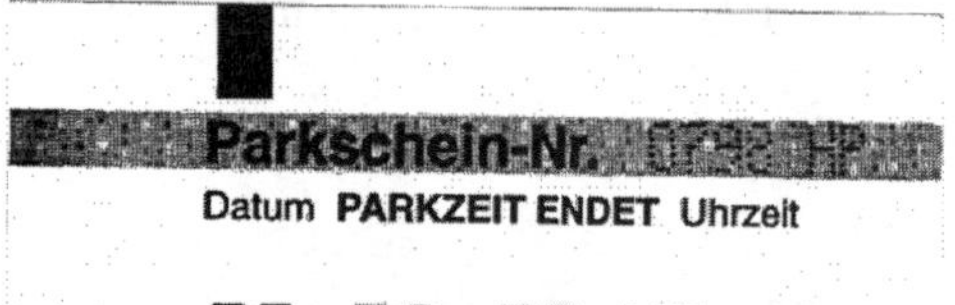

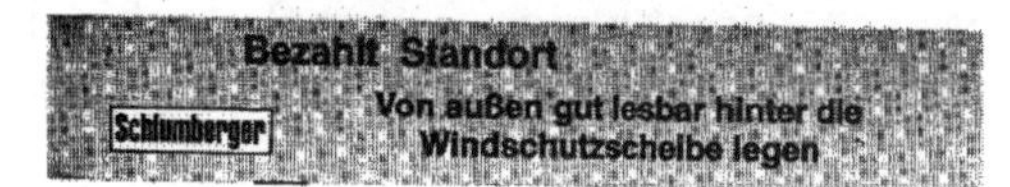

1.

Parkschein-Nr. 4891
Datum PARKZEIT ENDET Uhrzeit
15.05.03 18:50
2,00EUR 948 LIETZENBURG
Bezahlt Standort
von außen gut lesbar hinter die Windschutzscheibe legen.

2.

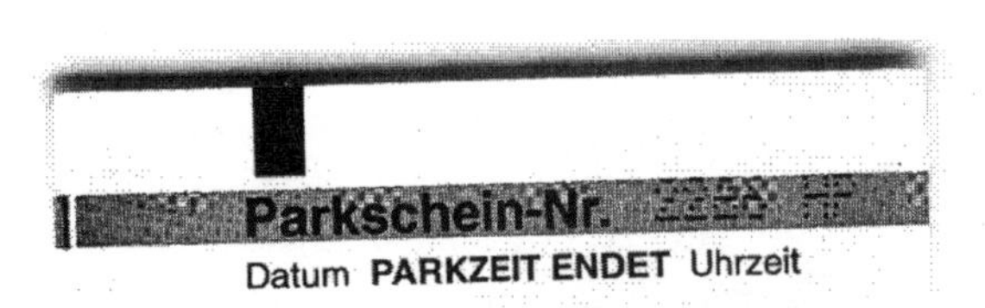

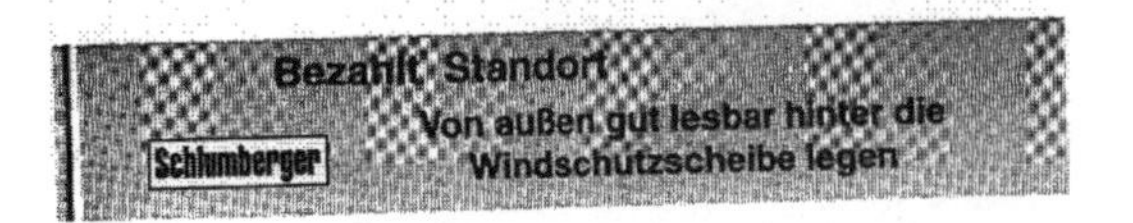

3.

BEHRENSTRASSE
PSA 15142
PARKZEIT BEZAHLT BIS
26 MAI 05652
MO 03 17:51 EUR*2.50
Parkschein **von außen gut lesbar**
hinter die Windschutzscheibe legen

BEHREN-
STRASSE
PSA 15142
BEZAHLT
EUR*2.50
BIS
26 MAI
17:51
Abriss
ParkOmat 102®

4.

PARKSCHEIN
Von außen gut Lesbar
hinter die Windschutz-
scheibe legen.

Parkzeitende 2003
28.05. 16:03
Datum Uhrzeit

Berlin-Steglitz
Feuerbachstr. 25069
Parkgebühr: 1.00 €
Ausgabe: 28.05. 15:03

Feuerbachstr. 25069
1.00 € 28.05.03 16:03
Abriß bitte
mitnehmen!

5.

Kultur-Aspekte

Wie viele Teile hat die amerikanische Regierung?
Was macht der Kongress in Amerika?
Was macht der Präsident?
Was macht der Supreme Court?

http://www.spd.de/servlet/PB/menu/1009319/index.html

Regierungsauftrag[1] vom Volk Demokratie bedeutet Herrschaft[2] des Volkes. Das Volk übt die Staatsgewalt[3] in Wahlen aus und hat auch das letzte Wort bei der Kontrolle der wichtigsten Einrichtungen[4] des Staates, der fünf Verfassungsorgane.[5] Diese sind der Bundestag und der Bundesrat mit gesetzgebenden[6] Aufgaben (Legislative), das Bundesverfassungsgericht[7] zur höchsten Rechtsprechung (Judikative) und schließlich der Bundespräsident und die Bundesregierung, die ausführende[8] Aufgaben übernehmen (Exekutive). Die Bundesregierung steuert[9] die politischen und staatlichen Geschäfte, hat jedoch auch das Initiativrecht für Gesetze.

http://www.cdu.de/

Die Bundesregierung Die Bundesregierung besteht[10] aus dem Bundeskanzler sowie den Bundesministern. Zusammen bilden sie das Kabinett.

www.fdp.de

Die Rolle des Bundeskanzlers Der Bundeskanzler hat eine hervorgehobene[11] Stellung in der Regierung. Er ist sozusagen der "Kapitän" der Regierung. Er bestimmt, wer Mitglied der Regierung werden soll, denn ihm allein steht[12] das Recht zur Kabinettsbildung zu. Er wählt die Minister aus.

http://www.csu.de/

---

[1] der Auftrag = assignment
[2] power, rule
[3] power of state
[4] institutions
[5] constitutional organs
[6] law-making
[7] federal supreme court
[8] executive
[9] to control, to lead
[10] to consist of
[11] emphasized
[12] ihm steht das Recht zu = he has the right/power

Die Rolle der Minister Die Bundesminister leiten ihren Geschäftsbereich selbständig und eigenverantwortlich[13]. Mancher Ressortminister kann sich auch durch eigene Leistung[14], geschickten Umgang[15] mit der Öffentlichkeit oder durch starken Rückhalt[16] bei parlamentarischen oder außerparlamentarischen Kräften eine starke Stellung schaffen.[17]

http://www.sozialisten.de/sozialisten/index.htm

Text adapted from http://www.bundesregierung.de/Regierung/Regierung-und-Verfassung-,887/Aufbau-und-Aufgaben.htm#02

Tragen Sie die Informationen in die Tabelle ein. Kultur-Aspekte hilft damit.

	Legislative	Judikative	Exekutive
Name			
die Aufgaben			
die Rollen			

Wie sind die Regierungen in Österreich und in der Schweiz aufgebaut? Die folgenden Webseiten helfen Ihnen mit den Informationen.

Österreich

http://www.bmaa.gv.at/presseservice/bundesregierung/bm_liste.html.de
http://www.parlinkom.gv.at/

	Legislative	Judikative	Exekutive
Name			
die Aufgaben			
die Rollen			

---

13 responsible for
14 performance
15 talented, skilled contact/dealings
16 support
17 to create

Schweiz

http://www.statistik.admin.ch/stat_ch/ber17/du1701.htm

	Legislative	Judikative	Exekutive
Name			
die Aufgaben			
die Rollen			

→ For practice, see exercise 8.2 in the workbook.

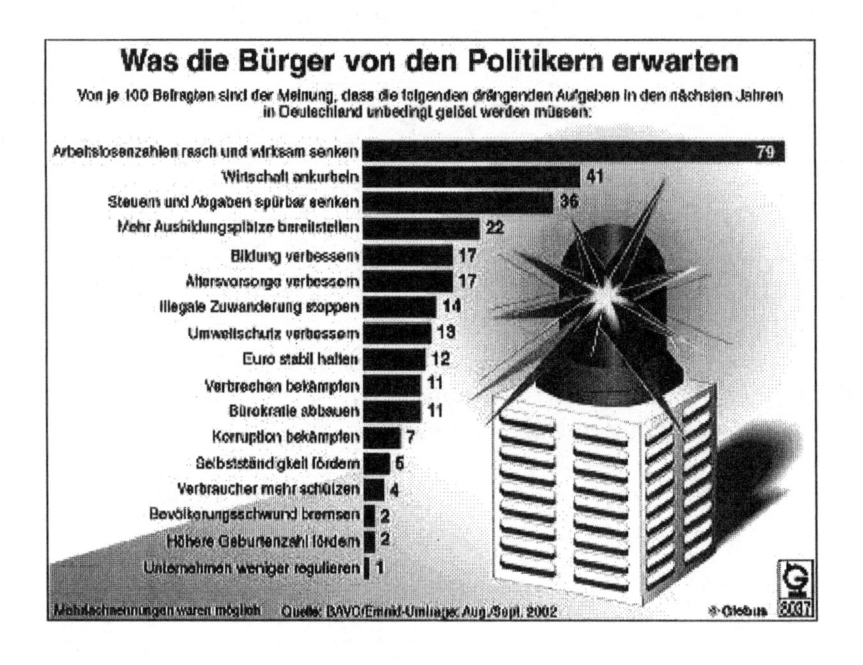

Wie heißen die Parteien in Deutschland?

Sehen Sie die Abkürzungen (abbreviations) in Kultur-Aspekte an, was bedeuten diese Abkürzungen? Welche Parteien in den USA entsprechen (correspond to) den deutschen Parteien?

Routenplanung

Gabi gibt Daniel eine Webseite www.vmz-berlin.de, damit er die Zeit ohne sie alleine planen kann. Erst liest Daniel die Webseiten-Beschreibung.

Routenplanung

Verkehrsmanagement informiert

Wie kommt man am besten durch Berlin? Und dann noch am schnellsten? Im Internet kann man sich schlau machen, welche Straßen zurzeit gesperrt sind, welche Busse nicht fahren oder welche S-Bahn-Verbindung am schnellsten zum gewünschten Ort führt. Die Verkehrsmanagementzentrale Berlin gibt aktuelle Tipps auf ihrer Seite und informiert: Routenplanung, Parken in der Stadt, Flug- und Wetterinformation. Selbst Verkehrskameras gibt es auf:

www.vmz-berlin.de

Dann will Daniel einige Routen für sich planen, weil er weiß, dass Gabi nicht immer dabei sein kann.

1. Daniel befindet sich in Adlershof im Südosten der Stadt. Er will zum Adenauerplatz. Wie kommt er am besten dahin?

2. Daniel hat einen Ausflug nach Lübars gemacht und will von dort zur Freien Universität Berlin in Dahlem fahren. Wie kommt er am besten dahin?

3. Daniel hat gerade die Hochhäuser in Marzahn angesehen und will jetzt nach Spandau. Wie kommt er am besten nach Spandau?

Exkursion zwei: **Geteilte Stadt, vereinte Stadt**

Multi-Kulti Aktivität 8.2

1. Wo waren Sie am 9.11.89?
2. Was haben Sie an diesem Tag gemacht?
3. Warum ist dieser Tag für Deutsche wichtig?
4. Wie haben Ostdeutsche diesen Tag erlebt? Wie haben die Westdeutschen diesen Tag erlebt?
5. Welche Bedeutung hat dieser Tag für die Welt?

Wort-Box	
Leute angucken (sep.)	to watch people
der Fußgänger (-)	pedestrian

alles Mögliche	everything possible
der/die Anhänger/in	fan, afficionado
da drüben	over there
zerstört	destroyed
einige Tage	for a few days

Die Hauptstadt

Gabi und Daniel sitzen im Café am Kudamm und gucken sich die Leute an.	
Gabi: Die Berliner sitzen sehr gern im Café und sehen die Fußgänger an.	
Daniel: Wirklich?	
Gabi: Ja, du kannst hier alles Mögliche sehen. Zum Beispiel, guck den jungen Mann an. Seine Haare sind verrückt und seine Kleidung ist nicht sehr elegant. Der muss links sein.	
Daniel: Wie kannst du das sagen?	
Gabi: Aus Erfahrung weiß ich, dass die Leute in der linken Szene ihre Haare verrückt haben, und dass sie sich nicht viel aus Mode machen.	From experience, I know that the people in the left scene have their hair styled funny and that they don't care for fashions.
Daniel: Und die junge Frau mit dem Pettycoat?	
Gabi: Sie ist bestimmt eine Anhängerin der Musik aus den 50er Jahren. Ihre Friseur und ihre Schuhe sind auch aus der Zeit.	She is surely a fan of the music from the 50s. Her hairdo and her shoes are also from that time.
Daniel: Und die alte Dame da drüben?	
Gabi: Sie ist eine Omi, die hier am Kudamm Kaffeeklatsch mit ihren Freundinnen macht. Sie treffen sich bestimmt irgendwo im Straßencafé und gucken auch die Leute an.	
Daniel: Und dort sehe ich eine alte Ruine.	
Gabi: Ja, die Gedächtniskirche. Sie ist auch ein Stadtsymbol. Das ist die Kaiser-Wilhelm-Gedächtniskirche. Sie wurde im 2. Weltkrieg zerstört, aber ist stehen geblieben als Denkmal an den Krieg.	
Daniel: Wollen wir dahin laufen?	
Gabi: Gut, gehen wir.	
Daniel: Hier am Platz sind auch viele lustige Leute.	

Gabi: Ja, der Platz ist wie ein Magnet für solche Menschen.	
Daniel schaut sich um.	*Daniel looks around.*
Daniel: Wo fängt hier die alte Stadtgrenze an?	
Gabi: Das war nicht hier. Gestern als wir am Pariser Platz waren, haben wir sie gesehen.	That wasn't here. Yesterday when we were at Paris Square, we saw it.
Daniel: Ja, das weiß ich noch. Gabi: Das war am Brandenburger Tor. He, Daniel, da sind zwei Freundinnen von mir. Grüß Euch, Manucla and Tina. Manuela und Tina: Ciao, Gabi. Manuela: Wer ist das, Gabi?	
Manuela sieht Daniel sehr prüfend an.	*Manuela checks out Daniel very critically.*
Gabi: Das ist mein Freund Daniel aus Amerika.	
Tina: Ach, das ist Daniel? Freut mich dich kennen zu lernen.	So that's Daniel? Happy to meet you.
Tina guckt Gabi mit einem Lächeln an.	*Tina smiles at Gabi.*
Gabi: Ja, das ist Daniel. Daniel, das sind zwei gute Freundinnen von mir. Wir studieren zusammen.	
Daniel gibt ihnen die Hand.	
Daniel: Guten Tag. Manuela und Tina: Guten Tag. Tina: Wie lange bist du schon hier? Daniel: Einige Tage. Manuela: Wohnt er bei dir, Gabi? Gabi: Natürlich! Manuela: Das haben wir uns gedacht! Daniel: Hier sind so viele Straßencafés, wollen wir uns nicht hinsetzen? Ich lade euch zum Kaffee ein. Gabi: Daniel, das musst du nicht machen. Manuela und Tina: Danke dir, Daniel. Wir machen das gerne. Gabi: Ich sage euch...	

Gabi guckt Manuela und Tina böse an.	Gabi gives Manuela and Tina a dirty look.

Beantworten Sie die folgenden Fragen.

1. Wo sitzen Gabi und Daniel?
2. Was machen sie dort?
3. Wohin gehen sie nach dem Kaffee?
4. Wen treffen sie an der Kaiser-Wilhelm-Gedächtniskirche?
5. Wozu hat Daniel alle eingeladen?

→ For practice, see exercise 8.4 in the workbook.

Grammatik-Spot **Dative Case**

In previous chapters, you have already learned that the nominative case is the case of the subject, and the accusative case is the case of the direct object and governs a number of prepositions. You can recognize these cases by the special endings of articles and possessive adjectives, and by different forms for personal pronouns.

NOMINATIVE subject		ACCUSATIVE direct object	
Die Berliner	*sehen*	*die Fußgänger*	*an.*

NOMINATIVE subject		ACCUSATIVE prepositional object
Die Berliner	*sind*	*für diese Idee.*

The dative case has several distinct functions just like the accusative case does.

- for indirect objects (indicating the person to/for whom something will be done)

- with certain verbs
- with specific prepositions

Special forms of pronouns, articles, and possessive adjective endings signal the dative case. The dative case answers the question *whom, to/for whom* in English? In German *wem.*

Wem zeigt Gabi Berlin? — *To whom* is Gabi showing Berlin?
Sie zeigt Daniel Berlin.

Wem kauft Daniel Kaffee? — *For whom* does Daniel buy coffee?
Er kauft ihn den Freundinnen. — He is buying coffee for the friends.

Personal pronouns in the dative

NOMINATIVE	DATIVE	NOMINATIVE	DATIVE
ich	mir to/for me	wir	uns to/for us
du	dir to/for you	ihr	euch to/for you
Sie	Ihnen to/for you (formal)	Sie	Ihnen to/for you
er	ihm to/for him	sie	ihnen to/for them
sie	ihr to/for her		
es	ihm to/for it		

Articles and possessive adjectives in the dative

The following chart shows you the dative endings for articles and possessive adjectives. Please, note that the endings for the masculine and neuter are the same.

MASCULINE		FEMININE		NEUTER		PLURAL	
de**m**		de**r**		de**m**		de**n**	Männern
(k)eine**m**	Mann	(k)eine**r**	Frau	(k)eine**m**	Kind	keine**n**	Frauen
meine**m**		meine**r**		meine**m**		meine**n**	Kindern
de**m**	Studenten					de**n**	Studenten

Nouns in the dative case seldom take an ending, except for weak nouns that take an ending **–n** or **–en**, also in the accusative case.

NOMATIVE	ACCUSATIVE	DATIVE
der Soldat	den Soldaten	dem Soldaten
der Student	den Studenten	dem Studenten

All plural nouns that do not already end in an **–n** or in an **–s** end in **–n** in the dative plural.

PLURAL	DATIVE PLURAL
die Männer	den Männern
die Studenten	den Studenten

but

die Autos	den Autos
die Handys	den Handys

→ For practice, see exercises 8.5-6 in the workbook.

Dialoganalyse

Sehen Sie den Dialog „Die Hauptstadt" noch einmal an und schreiben Sie alle Pronomen im Dativ auf.

Kaffeeklatsch!

Ergänzen Sie die fehlenden Personalpronomen im Dativ.

Daniel, Gabi, Manuela, und Tina sitzen am Tisch im Straßencafé. Manuela und Tina sind sehr neugierig.

Manuela: Wie geht's ___________ in Deutschland?
Daniel: __________ geht's sehr gut hier.
Manuela: Ich habe gehört, dass du deine Oma in Linz besucht hast.
Daniel: Richtig. Es geht _____________ auch gut. Sie ist sehr fit für ihr Alter.
Tina: Wir haben auch gehört, dass du in Linz einen neuen Freund hast.

Daniel versteht nicht, was sie meint.

Gabi: Sie meint Waldi.
Daniel: Ach, Waldi. _____________ geht's auch sehr gut. Wenn er etwas zum Fressen[18] hat, geht's ___________ immer gut. ___________ ist es egal, was es gibt, solange es etwas zum Fressen ist.
Manuela: Unsere Hunde sind auch so. Es ist __________ auch egal.
Tina: Daniel, es tut __________ Leid, dass du bald wieder weg fährst. Du bist gerade gekommen.
Daniel: ___________ auch, aber ich muss nach Hause. Meine Arbeit wartet.
Gabi: Es geht __________ immer schlecht, wenn ich an die Arbeit denke.
Manuela: Aber die Arbeit gefällt ___________ doch, oder?
Gabi: Eigentlich ja, aber im Moment habe ich keine Lust.
Tina: ________ geht's immer so.

Liebe Oma,

Daniel schreibt seiner Oma einen Brief aus Berlin. In dem Brief berichtet er über seine Erlebnisse in Berlin. Beim Schreiben hat Daniel einen Kaffee getrunken und leider Kaffee verkleckert, also sind Teile des Briefes nicht gut zu lesen. Helfen Sie Daniel, den Brief zu verbessern. Hier sind hilfreiche Ausdrücke.

ausgeflippt aber sehr freundlich	so schön in Ordnung	sehr neugierig
bestimmten Sozialgruppen	nicht elegant	sehr gut angezogen

[18] In German animals *fressen* and people *essen*.

absolut durcheinander	wunderschön	total verrückt
typisch	grün, gelb, lila usw. gefärbt	wundervolle
in sie verliebt		

den 15.6.

Liebe Oma,

seit dem Wochenende bin ich bei Gabi in Berlin. Diese Stadt ist ______________________! Die Leute sind manchmal ___________________________________. Wir waren am Kudamm und haben die Fußgänger betrachtet. Die Berliner sind der Meinung, dass man die ____ auf der Straße erkennen[19] kann. Beispielsweise haben wir ältere Damen gesehen, die ___________________________________ waren und die ihren Kaffee und Kuchen im Straßencafé genießen wollten. Wir haben auch junge Männer gesehen, die ______________________________ aussahen. Sie haben ihre Haare _______________________________ und die Frisur war ____________________________________. Sie waren ___________________________ gekleidet. Gabi hat mir gesagt, dass das ________________ für die linke Szene in Berlin ist.

Ich habe auch Freunde von Gabi kennen gelernt. Zwei Mitstudentinnen von Gabi, Manuela und Tina. Sie waren ____________________. Sie wollten alles über mich wissen. Gabi hat ihnen etwas über mich erzählt, aber nicht viel. Ich habe zum Teil das Gefühl gehabt, dass ich vor Gericht stand.

Ja, und Gabi! Sie ist eine ______________________ Frau. Ich habe mich sehr __________________________________. Ich glaube, dass sie genau so verliebt ist. Wenn ich mit ihr zusammen bin, ist die Welt ___________________________. Leider muss ich bald weg. Aber Gabi fährt mit nach Schwerin. Sie kann ein langes Wochenende frei nehmen, und wir werden Freunde von ihr dort besuchen.

Alles Liebe,

Dein

[19] to recognize

Klassenkamerad

Sie wollen jemand in Ihrer Klasse beschreiben. Wählen Sie eine Person in der Klasse aus und schreiben Sie eine Beschreibung dieser Person. Sie können Informationen aus dem Dialog oder aus der Übung „Liebe Oma" nehmen. Dann lesen Sie Ihre Beschreibung der Klasse vor. Die Klasse muss erraten, wer die Person ist.

Hörverständnis 8.2

Manuela und Tina sitzen im Café und sprechen über ihre Eindrücke vom Treffen mit Gabi und Daniel. Über wen reden sie? Gabi oder Daniel?

_______________ 1. Diese Person ist sehr nett.
_______________ 2. Diese Person sucht eine Arbeit in Berlin.
_______________ 3. Diese Person ist intelligent und verliebt.
_______________ 4. Diese Person hat Familie in Europa.
_______________ 5. Diese Person ist vielleicht reich.

1. Welche Stadt ist das beliebteste Reiseziel in Deutschland?
2. Wie viele Menschen sind nach Mainz gefahren?
3. Was ist die zweit-bestbesuchte Stadt in Deutschland?

Kultur-Aspekte

In welchem Jahr ist Berlin eine Stadt geworden?
Welche Probleme hat Berlin nach der Vereinigung gehabt?
Wie ist das Leben heute in Berlin?

Stadtporträt Berlin

Geteilte Stadt, vereinte Stadt

Nach dem Zweiten Weltkrieg war Berlin eine geteilte Stadt - durch den "Eisernen Vorhang"[20] in zwei Teile getrennt. Am berühmten "Checkpoint Charlie" richteten[21] Sowjets und Amerikaner ihre Waffen aufeinander, stets bereit,[22] für ihr Verständnis[23] von

[20] curtain
[21] to aim at
[22] always ready
[23] understanding

Freiheit zu kämpfen. Der Bau der "Berliner Mauer" im Jahr 1961 trennte Ideologien; er trennte aber auch Familien, Nachbarn und Freunde. "Ich bin ein Berliner!", diese berühmten Worte des US-Präsidenten John F. Kennedy demonstrierten das Mitgefühl[24] der westlichen Welt für Berlins Tragödie, aber die verhärteten[25] Fronten zwischen Ost und West im "Kalten Krieg" machten aus Berlin eine Stadt mit zwei Gesichtern.

Der Westen

Der Westen war eine Insel, die mit Subventionen und Sonderzulagen[26] überlebte[27] und sich zu einer modernen Metropole entwickelte: Herausgeputzte[28] Bezirke wie Charlottenburg oder Wilmersdorf, Touristenattraktionen wie der Kurfürstendamm oder die Gedächtniskirche, aber auch Erholungsgebiete rund um den Wannsee. In den traditionellen Arbeitervierteln wie Kreuzberg oder Neukölln entstand[29] eine lebendige alternative Szene. West-Berlin war oft das gesellschaftliche, politische und künsterlische Zentrum der deutschen Avantgarde.

Der Osten

Im Osten war Berlin die Hauptstadt der Deutschen Demokratischen Republik und Vorzeigestück[30] des "ersten sozialistischen Staates auf deutschem Boden": mit breiten Prachtstraßen[31] und architektonischen Glanzstücken wie der "Stalin-Allee" und dem Fernsehturm am Alexanderplatz. Ostberlin war aber auch die Hauptstadt für die intellektuellen und kulturellen Kräfte der DDR, die mit dem real existierenden sozialistischen System nicht zufrieden waren. Es waren diese Kräfte, die durch eine friedliche Revolution im Jahre 1989 die Teilung Deutschlands und Berlins beendeten.

Adapted from http://www.campus-germany.de/german/4.21.3.3.html

Zu welchem der drei Konzepte passen die Aussagen (Statements)?

a) geteilte Stadt, vereinte Stadt b) der Westen c) der Osten

______ 1. Die Stadt wurde in zwei Teile durch den Eisernen Vorhang geteilt.
______ 2. Die Stadt wurde Hauptstadt der Deutschen Demokratischen Republik.
______ 3. Die Berliner Mauer teilte nicht nur Stadt, sondern auch Familien, Nachbarn, und Freunde.
______ 4. Diese Insel hatte Subventionen und Sonderzulagen.
______ 5. Hier entstand eine große alternative Szene.

[24] compassion
[25] hardened
[26] special pay
[27] survived
[28] spruced up
[29] to originate
[30] show place
[31] magnificent streets

Exkursion drei: Das Nachtleben

Multi-Kulti-Aktivität 8.3

1. Welche ist Ihre Lieblingsstadt?
2. Was finden Sie an einer Stadt wichtig?
3. Was sagt Ihnen dies über Ihre Kultur?
4. Wie könnten (could) diese Kriterien in anderen Kulturen anders sein?

Wort-Box

um die Häuser ziehen	to wander around buildings
sich frisch machen	to freshen up, to clean oneself
das Armband (-änder)	bracelet
die Armbanduhr (-en)	wrist watch
reichen	to pass/hand over
die Bestellung aufnehmen	to take an order
das Eisbein	cooked pork leg
überlegen	to think about

Um die Häuser ziehen **To paint the town red**

Gabi und Daniel sind noch zu Hause. Sie machen sich frisch und wollen heute Abend ausgehen.

Gabi: Gibst Du mir mein Armband, bitte? Would you, please, give me my bracelet?

Daniel reicht ihr das Armband. *Daniel hands her the bracelet.*

Daniel: Ich habe mir gedacht, dass wir erst essen gehen könnten.
Gabi: Gute Idee. Dann können wir uns auch einen schönen Wein bestellen.
Daniel: Schön!
Gabi: Daniel, auf dem Tisch liegt meine Armbanduhr. Reichst du sie mir, bitte?

Daniel gibt sie ihr.

Daniel: Wohin fahren wir jetzt?
Gabi: Wir fahren nach Mitte. Die Nachtszene ist noch am Hackeschen Markt. Aber wir haben viel Zeit. Die meisten Diskos machen erst um Mitternacht auf. Nach dem Essen können wir wieder ins Café und uns einen Espresso bestellen.
Daniel: Alles macht erst um Mitternacht auf? Das heißt, dass wir erst morgen früh zu Hause sind.
Gabi: Kein Problem. Wir können morgen ausschlafen. Es ist Sonntag und wir haben nichts zu tun, oder?

Daniel: Eigentlich nicht. Vielleicht können wir uns ein Museum ansehen und abends ins Konzert gehen.
Gabi: Kein Problem. Überlege dir schon mal, was du morgen machen willst.

Gabi und Daniel sitzen im Restaurant und bestellen ihr Essen. Der Kellner steht am Tisch und nimmt die Bestellung auf.

Gabi: Was können Sie uns heute Abend empfehlen?
Kellner: Das Eisbein ist heute besonders lecker.

Daniel sieht Gabi an.

Daniel: Was ist Eisbein?
Gabi: Eine Berliner Spezialität vom Schwein.
Daniel: Hmm, nehme ich. Was für einen Wein empfehlen Sie mir dazu?
Kellner: Der Riesling passt sehr gut dazu.
Daniel: Den nehme ich.
Kellner: Und Sie? Was kann ich Ihnen bringen?
Gabi: Ich glaube, ich möchte Schweinemedallions mit Pommes frites.
Kellner: Und zum Trinken?
Gabi: Auch den Riesling.

Der Kellner geht weg.

Gabi: Das Essen ist hier sehr gut.
Daniel: Das glaube ich dir gern. Es sieht hier so aus, als ob das Essen mir schmecken wird.

Der Kellner bringt den Wein. Gabi nimmt das Glas und stößt mit Daniel an.

Gabi: Zum Wohl.

Sie sieht Daniel tief in die Augen.

Beantworten Sie die Fragen.

1. Was will Gabi zuerst machen?
2. Wo findet man die Nachtszene in Berlin?
3. Was will Daniel am nächsten Tag machen? Warum ist das kein Problem?
4. Was essen Daniel und Gabi?

Das Brandenburger Tor tagsüber

Das Brandenburger Tor bei Nacht

Grammatik-Spot **More Dative Case**

Just as in English, there are many German verbs that take both a direct and an indirect object. Quite often, the direct object (accusative case) will be a thing, and the indirect object (dative case) will be a person. The dative object precedes the accusative object when the accusative object is a noun.

		DATIVE indirect object	ACCUSATIVE direct object
Daniel	*reicht*	*Gabi*	*das Armband.*
Daniel	*reicht*	*ihr*	*das Armband.*

The dative object (indirect object) follows the accusative object if the direct object (accusative) is a pronoun.

		ACCUSATIVE direct object	DATIVE indirect object
Daniel	*gibt*	*sie*	*ihr.*

The following list provides some of the verbs that take both direct and indirect objects.

empfehlen (empfiehlt)	to recommend
geben (gibt)	to give
glauben	to believe
kaufen	to buy
leihen	to lend, loan
sagen	to say
schenken	to give as a gift
schicken	to send
schreiben	to write
wünschen	to wish
zeigen	to show

Verbs with only a dative object

Some German verbs always take a dative object. These particular verbs usually refer to people.

danken	Danke dir, Daniel.	Thank you, Daniel.
gefallen	Das Armband gefällt mir.	The bracelet is pleasing to me.
gehören	Waldi gehört meiner Oma.	Waldi belongs to my grandma.
helfen	Ich helfe dir.	I'll help you.
passen	Das passt mir nicht.	That does not suit me.
schmecken	Das Essen schmeckt mir gut.	The food tastes good to me.

stehen	Das Kleid steht mir.	The dress looks good on you.

There are a number of frequently used idiomatic expressions that require dative objects.

Es geht mir gut.	I'm doing fine.
Das tut mir Leid.	I'm sorry.
Das ist mir egal.	I don't care.

Dialoganalyse

Suchen Sie 5 Beispiele für den Dativ aus dem Dialog "Das Nachtleben" und 2 Beispiele für Verben im Dativ.

Souvenirs

Daniel denkt darüber nach, was für Souvenirs er kaufen soll.

Beispiel: Vati hört gern klassische Musik.
Daniel schenkt seinem Vater eine CD von den Berliner Philharmonikern.
Daniel schenkt ihm eine CD.

1. Mein Opa trägt gern Shorts.
2. Meine Schwester hat Popstars gern.
3. Meine Mutter hat Porzellan gern.
4. Meine Tante Emily sammelt[32] Teddybären.
5. Mein Cousin sammelt Briefmarken.
6. Mein Vater trinkt gern mal einen Wein.
7. Meine Eltern planen eine Reise nach Berlin.
8. Mein Onkel Max raucht gern Zigarre.

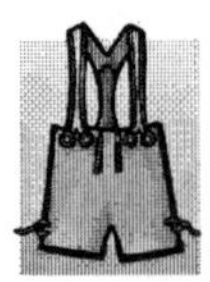
die Lederhose

das Porzellan

die CD

das Poster

der Wein

[32] to collect

der Teddybär | die Zigarre | die Briefmarke

Der große Einkauf

Daniel will Gabi ein Geschenk kaufen, aber er weiß nicht, was er kaufen will. Er geht einkaufen, aber er braucht viel Hilfe bei der Entscheidung!

Ergänzen Sie den Dialog mit passenden Verben aus der Liste und Pronomen im Dativ.

Verkäuferin: Kann ich ___________?
Daniel: Ja. Ich suche ein Geschenk für meine Freundin. Können Sie ______ etwas __________?
Verkäuferin: Hmmm. Wie würden Sie Ihre Freundin beschreiben?
Daniel: Sie ist sehr schick.
Verkäuferin: Ein Kleid vielleicht? Welche Farbe ______________?
Daniel: Ein Kleid ist nicht schlecht. Rot ______________ sehr gut.
Verkäuferin: Welche Größe?
Daniel: 38 ________ ______ gut.
Verkäuferin: So, hier ist ein rotes Kleid. Wie _____________?
Daniel: Nicht so gut. Das ist nicht Gabi! Haben Sie etwas Modernes?
Verkäuferin: Wie _______ ________ dieses Kleid?
Daniel: Das ist viel besser. So ein Kleid ______________ sehr gut! Wie teuer ist es?
Verkäuferein: 300 Euro.
Daniel: Oh, das ____________ zu teuer.
Verkäuferin: Kann ich ________ etwas anderes ________?
Daniel: Ja, können Sie _______ eine Handtasche ________?
Verkäuferin: Gern.
Daniel: Oh Mensch, es ist schon spät. Es ______ _______ Leid, aber ich muss leider gehen. Ich ______ ______ für Ihre Hilfe.

Im Laden

Sie und ein Freund gehen einkaufen. Sie sehen sich Kleidung an und die Verkäuferin möchte Ihnen helfen. Was sagen Sie? Arbeiten Sie zu dritt und schreiben Sie ein Gespräch auf.

Grammatik-Spot **Prepositions with the dative case**

There are seven German prepositions that always require the dative case. They are

aus (from, out of)	Daniel kommt aus Kalifornien. Gabi kommt gerade aus der Bäckerei. Das Kleid ist aus Seide.
bei (near, at for, or with)	Sportarktikel gibt es bei Karstadt. Daniel wohnt bei Gabi.
mit (with)	Daniel fährt mit dem Zug.
nach (to, after)	Daniel fährt nach Berlin.

	Nach dem Film fahren wir nach Hause.
seit (after, since)	Seit dem Wochenende ist Daniel in Berlin.
von (from, by)	Gabi kommt gerade von der Arbeit. Dieser Brief ist von Daniel.
zu (to, at, for)	Daniel und Gabi gehen zu Aldi. Gabi ist schon zu Hause. Zum Abendbrot gibt es Käse.

→ For practice, see exercise 8.7-11 in the workbook.

Fragen, Fragen, Fragen

1. Wo kann Daniel Sportartikel in Berlin kaufen?
2. Woher kommen Manuela und Tina?
3. Wie ist Daniel nach Berlin gefahren?
4. Wohin fahren Daniel und Gabi am Wochenende?
5. Wie lange ist Daniel schon in Berlin?
6. Daniel wartet am Brandenburger Tor auf Gabi. Woher kommt Gabi?
7. Wann essen Gabi und Daniel im Restaurant?

Gabis Geschichte

Lesen Sie die kleine Lebensgeschichte von Gabi und ergänzen Sie die fehlenden Präpositionen und Artikel. Die Präpositionen können entweder Dativ- oder Akkusativ-Präpositionen sein.

Ich habe ________ mein___ 2. Lebensjahr in Berlin-Wilmersdorf ____ mein___ Eltern gewohnt. Aber seit zwei Jahren studiere ich an der FU Berlin und habe meine eigene Wohnung. Ich gehe schon _____ 9 Uhr _____ ______ Haus. Ich komme meistens ____ Abend wieder ______ Hause. Ich telefoniere dann ______ mein____ Freunden oder ich koche ______ Freunden zusammen. Wir haben gute Rezepte _______ ______ ganzen Welt. _____ Wochenende gehe ich meistens aus. Wir essen ______ Restaurant, oder wir sitzen in eine_____ Kneipe und trinken zusammen. Oft habe ich Besuch ______ mir. __________ Beispiel habe ich einen neuen Freund ______ Amerika. Er ist gerade _____ Besuch.

Hörverständnis 8.3

Hören Sie das folgende Gespräch an. Tina erzählt von ihrem Tagesablauf. Was ist richtig?

____ 1. Die Mitstudenten kommen aus Berlin.
____ 2. Zum Frühstück gibt es frisches Brot aus der Bäckerei.

____ 3. Tina trinkt immer Kaffee aus Brasilien.
____ 4. Nach der Pizzeria geht Tina wieder an die Uni.
____ 5. Sie holt Geld aus dem Automaten.
____ 6. Sie kocht ein leckeres Gericht[33] aus Spanien.

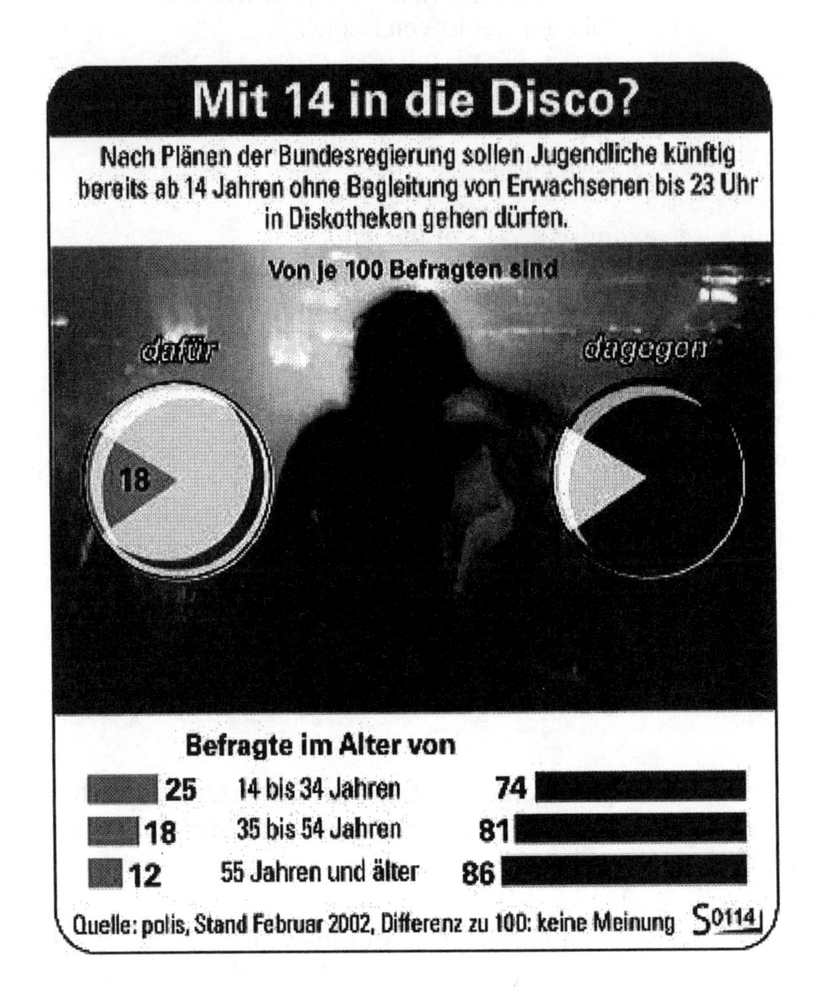

In der Disko

Gabi und Daniel sind in der Disko, und Gabi sieht viele Mitstudenten dort.

Gabi: Daniel, ich möchte dir einige Freunde von der Uni vorstellen.
Daniel: Gut.
Gabi: Komm mit.

Sie gehen zu einer Gruppe rüber.

Gabi: Abend, Henni. Henni, ich möchte dir meinen Freund Daniel vorstellen.
Henni: Guten Abend, Daniel.

---

[33] meal, dish

Sie gibt ihm die Hand.

Daniel: Guten Abend, Henni.
Henni: Daniel, dies ist mein Freund Sven.
Daniel: Grüß dich, Sven.

Sie geben sich die Hand.

Gabi: Daniel, hier ist ein sehr guter Freund, Claus, mit seinem Freund, Toni.
Daniel: Grüß euch.

Wie geht das Gespräch weiter? Gabi stellt Daniel noch 3 Freunde vor. Daniel hat Durst und möchte ein Bier, aber er findet die Luft schrecklich, weil jeder raucht, - oder es scheint ihm so. Denken Sie sich noch drei weitere Details aus.

Einkaufsbummel im KaDeWe

Wo mache ich das?

Wo können Sie die folgenden Ausdrücke verwenden? Wenn Sie die Ausdrücke nicht kennen, schlagen Sie diese im Wörterbuch nach.

auf der Straße | auf dem Lande | in den Kneipen | im Restaurant

1. bummeln ____________________
2. um die Häuser ziehen ____________________
3. eine Spazierfahrt ____________________
4. einen Ausflug ____________________
5. schlemmen ____________________
6. ins Blaue fahren ____________________
7. tief ins Glas gucken ____________________

Kultur-Aspekte

Lesen Sie den Titel. Was könnte der Inhalt des Textes sein?
Lesen Sie den ersten Satz in jedem Absatz. Was könnte der Inhalt von jedem Absatz sein?
Lesen Sie den ganzen Text und beantworten Sie die folgenden Fragen.

24 Stunden geöffnet

Keine Sperrstunde.[34] Party ohne Ende. Berlin pulsiert. Vielsprachiges Stimmengewirr[35] in den Kneipen und satte Rhythmen: Egal, wohin einen der Erlebnishunger führt, überall ist was los. Die Metropole brodelt[36]: ein Nachtleben, wie es kein zweites in Deutschland gibt, dabei täglich mindestens ein glanzvolles Kultur-Ereignis.

Und auch die einzelnen Stadtteile haben ihre eigene Dynamik. Kneipenmeilen wie die Oranienburger Straße in Berlin-Mitte oder die Simon-Dach-Straße in Friedrichshain bieten Essen und Trinken rund um die Uhr. Auch wenn es keine Sitzplätze mehr gibt: Das Bier ist kalt, und die Farben der Cocktails konkurrieren[37] mit den Haarfarben der Gäste. Auf dem Weg von einem Lokal zum nächsten trifft man eine Gruppe von Straßenmusikern, die die Geräusche der Stadt übertönen, oder Feuerschlucker, die die Nacht zum Leuchten bringen.

Die Kneipen in Berlin: Alles läuft schnell, aber nicht gerade höflich[38] ab. Das Zauberwort[39] heißt in Berlin nicht "Bitte" sondern: "Aber flott!" Das ist sie eben, die legendäre "Berliner Schnauze". Die Menschen dieser Stadt sind sehr direkt und machen kein Geheimnis aus ihrer Meinung über Gott, die Welt und den Tischnachbarn. Schlagfertig,[40] offen, aber häufig auch ein bisschen ruppig[41]: An diesen Umgangston müssen sich sensible[42] Menschen erst gewöhnen[43].

Adapted from http://www.campus-germany.de/german/4.21.3.30.1.html

1. Wann machen die Kneipen, Bars und Diskos in Berlin zu?
2. Wie ist die Szene und wie sind die Leute, die diese Szene besuchen?
3. Wie sind die Berliner?
4. Was hat die folgende Graphik mit dem Text zu tun?

→ For practice, see exercise 8.12 in the workbook.

Potsdam

Gabi und Daniel fahren nach Potsdam, um auszugehen. Daniel hat immer Lust auf klassische Musik, aber heute hat Gabi kein Interesse daran. Sie würde lieber etwas Spannendes sehen oder sich mit anderen Leuten unterhalten. Daniel mag Action-Filme, Gabi aber nicht. Was sollen sie in Potsdam tun? Unten steht das Programm für Potsdam

---

[34] curfew
[35] babble of voices
[36] to bubble, to seethe
[37] to compete
[38] polite
[39] magic word
[40] witty
[41] rough, gruff
[42] touchy, sensitive
[43] to get used to

aus dem Stadtmagazin „Tip". Sehen Sie das Programm an und geben Sie Empfehlungen, was Gabi und Daniel machen können. Begründen Sie Ihre Entscheidungen.

Potsdam/Umland

Kino

Filmmuseum Potsdam
15.00: Anna Wunder
18.00: Herr Zwilling und Frau Zuckermann
20.15: Havanna, mi amor
22.00: Gripsholm

Melodie Potsdam 1-2
18.30: Anna Wunder
20.30: Gott ist tot
22.30: Blue Moon (OmU)

Bühne

fabrik Potsdam
21.00: eMOTION.S: German lineage in contemporary dance (Betsy Fisher, Hawaii)

Hans-Otto-Theater Potsdam Theaterhaus
19.30: Woyzeck

Obelisk Potsdam
19.30: Einigkeit und Recht auf Heidi

Theaterschiff Potsdam
20.00: Ein bunter Strauß Neurosen (Kabarett meck ab, Cottbus)

Musik

ArtSPEICHER Potsdam
23.00: All for you!!! Bo.Bag – Radio Fritz (Charts, Dance Rotation)

Gutenberg 100
21.30: 5 Sterne Band (Rock, Funk & Soul)

Lindenpark Potsdam
22.00: Soundz of Jamaica: Smoking Tuna Sound Brigade

Nikolaisaal Potsdam
19.00: Foyer: Maria Lettberg Klavierabend

Quartier Potsdam
22.00: Gender Blender: Antje S.; Multikultisexworldbeatparty

Theaterschiff Potsdam
23.00: Black Music Dance Night: DJ Day Walker (R&B, Funk, DiscoHouse)

Waschhaus Potsdam
21.00: Surrogat (Punkrock)
23.00: Disco 2000 mit DJ Jupp (Alternative Hits, Pop Classics, Modern Grooves)

Was noch

fabrik Potsdam
18.00: Lecture Demonstration von Betsy Fisher Vorstellung der Methoden, die Betsy Fisher zur Rekonstruktion verschiedener Tänze nutzte

Potsdamer Kunstmarkt
10.00-17.00: Potsdamer Kunstmarkt

Umland

Bühne

Klostergalerie Zehdenick
19.30: The Old Comedie Mime (Michael Sens)

Musik

Ovi's Pub Prenzlau
21.00: Peter Ziebell (Blues, Country)

Sankt-Annen-Kirche Zepernick
21.00: Posaunenchor Zepernick Johannes Bauer (Soloposaune), zeitgenöss. Bläsermusik

Schloß Diedersdorf
20.00: Im Kuhstall: Saturday Night Fever Party

Was noch

Friedrich-Wolf-Gedenkstätte Lehnitz
14.30: „Einmal die Locken offen tragen", Gisela Morgen rezitiert Rainer Maria Rilke

Ku-Stall/Alter Gutshof Strausberg
10.00: Country-Fest

www.europagarten2003.de
17.00-22.00: Spanische Nacht

Internet

Sie sind zwei Tage zu Besuch in Berlin. Planen Sie diese Tage und schreiben Sie auf, was und wann Sie alles machen wollen. Klicken Sie www.berlin.de an.

Das Schreiben

Schreiben Sie in einem Aufsatz, warum Sie alle diese Aktivitäten aus der Internetübung machen wollen. Benutzen Sie mindestens 5 Ausdrücke aus der Übung "Wo mache ich das?" in Ihrem Aufsatz.

Treffpunkt
Daniels Zeit in Berlin geht sehr schnell zu Ende. Wie geht seine Geschichte nach Berlin weiter?

Leseecke

Wie lange wollen Sie leben?

von Ernst Jandl

der tod
des todes
dem tod
dcn tod

der tod des todes
dem tod den tod

1. Wie lange will der Erzähler im Gedicht leben?
2. Warum will er dem Tod den Tod geben?
3. Kann man das wirklich machen?

Schreiben Sie ein Gedicht mit dem Wort *Leben.*

Glossar: Abschnitt 8 "Berlin"

Verben	Substantive
wählen – here: to dial ausüben – to carry out angucken – to look at prüfen – to test, to check schneiden (irr: geschnitten) – to cut (cut) verkleckern – to spill	die Zwischenzeit (en) – meantime in der Zwischenzeit – in the meantime der/die Anhänger/in (-/innen) – fan die Stadtgrenze (n) – border of the city der Eindruck (ücke) – impression das Armband (änder) – wrist band, bracelet die Armbanduhr (en) – wrist watch

Adjektive aufgeregt – excited leger – informal verbindlich – binding, obliging dreckig – dirty neugierig – curious satt – full; here: great **Adverbien** bereits = schon – already **Ausdrücke** vor Gericht stehen – to be in court die Bestellung aufnehmen – to note down the order zu dritt – the three of …	das Eisbein (e) – cooked part of a pig's leg das Schwein (e) – pig; pork die Entscheidung (en) – decision

Key

Hörverständnis 8.1

Daniel: Du weißt schon, dass ich am 12.6. in Frankfurt angekommen bin.
Gabi: Ja, das weiß ich. Am nächsten Tag, am 13.6. bin ich nach München gereist.
Daniel: Ich bin gleich nach Freiburg gefahren und dann am 14.6. weitergefahren, weil ich am 26.6. in Linz bei meiner Oma erwartet wurde.
Gabi: Ich konnte nur einen kurzen Urlaub nehmen, weil ich am 1.7. mein Praktikum angefangen habe.
Daniel: Leider werde ich am 30.7. nach Hause fahren müssen, um ein paar Wochen zu arbeiten, bevor die Uni am 23.8. anfängt.
Gabi: Hier fängt die Uni am 15.10. an.
Daniel: So spät?
Gabi: Ja, aber wir haben erst am 23.12. Weihnachtsferien.
Daniel: Das ist spät. Die Ferien fangen bei uns schon am 18.12 an.
Gabi: Gut. Aber das Sommersemester beginnt erst am 16.4.

Hörverständnis 8.2

Manuela: Was meinst du?
Tina: Ja, ich bin nicht sicher. Er ist schon nett, aber er ist nur kurz hier. Das kann nichts werden.
Manuela: Na, sie kann zu ihm ziehen oder er kommt wieder hierher und sucht eine Arbeit.
Tina: Meinst du, dass er das machen würde?
Manuela: Na sieh mal, er ist sehr intelligent und auch noch verliebt.
Tina: Ja, aber sie ist genau so intelligent und verliebt, und sie kann sehr gut Englisch.
Manuela: Das stimmt. Aber sein Deutsch ist auch sehr gut. Für einen Amerikaner erstaunlich gut.
Tina: Das stimmt. Er hat auch Verwandte in Europa und das macht alles interessanter für ihn.
Manuela: Vielleicht ist er reich und muss nicht arbeiten.
Tina: Toll! Sie hat sich in einen reichen Ami verliebt!

Hörverständnis 8.3

Morgens komme ich müde aus dem Haus und fahre an die Uni. Mein erstes Seminar beginnt um 9 Uhr. Meine Mitstudenten kommen überall aus Berlin. Nach dem ersten Seminar gehen wir ins Café: ich muss etwas zum Frühstück haben. Normalerweise gibt es frisches Brot aus der Bäckerei und dann noch einen schönen Kaffee aus Panama. Danach geht es weiter. Das nächste Seminar beginnt um 10.30 Uhr und geht bis Mittag. Bis dahin haben wir alle wieder Hunger. Meistens gehen wir in die Pizzeria, weil das Essen in der Mensa nicht so gut ist. Nachmittags habe ich keine Seminare mehr, da habe ich Zeit für mich und ich gehe zur Bank, um Geld abzuholen. Leider kann ich Geld aus dem Automaten nicht bekommen, weil er kaputt ist. Nachdem ich Geld abgehoben habe, gehe ich einkaufen. Heute Abend habe ich Gäste und ich muss Lebensmittel und Blumen kaufen. Ich habe ein leckeres Rezept aus Italien und will es heute Abend ausprobieren. Es gibt Spaghetti! Ciao!

Aus dem Inhalt

Kultur

Hier lernen Sie etwas über:

den deutschen Führerschein
Geschäfte und Öffnungszeiten
Krankheiten und Krankenversicherung

Grammatik

Destination vs. Location
Das Verb *werden*

Abschnitt 9

Schwerin

1. Was ist die Hauptstadt von Mecklenburg-Vorpommern?
2. Welches Meer oder welche See liegt nördlich von Mecklenburg-Vorpommern?
3. Welche Großstadt liegt direkt westlich von Schwerin?

→ For practice, see exercise 9.15 in the workbook.

Landeshauptstadt Schwerin -
Die Perle im Spiegel der Seen

http://www.schwerin-tourist.de/

Exkursion eins: **Der Führerschein**

http://www.schwerin-tourist.de/

Multi-Kulti-Aktivität 9.1

1. Wie alt muss man in der EU sein, um einen Führerschein zu bekommen?
a. 16 Jahre alt.
b. 18 Jahre alt
c. 20 Jahre alt

2. Wer bringt einem in Deutschland, Österreich oder in der Schweiz das Autofahren bei?
a. Jemand älter als 21
b. Sie belegen einen Fahrkurs im Gymnasium.
c. Sie besuchen eine Fahrschule.

3. Welche zwei Sachen müssen Sie haben, um den Führerschein zu beantragen (apply)?
a. High School und einen Sehtest vom Augenarzt
b. Einen Sehtest und einen Erste-Hilfe-Kurs
c. Einen Sehtest und das schriftliche Ja von den Eltern

Wort-Box

die Geschwindigkeitsbegrenzung (-en)	speed limit
der Führerschein (-e)	driver's license
die Fahrstunde (-n)	driving lesson
beibringen (sep.)	to teach
die Ausfahrt (-en)	exit
das Pärchen (-)	young couple
so ungefähr	more or less
die Einweihungsfete (-n)	house warming party
abhauen (sep./coll.)	to leave

Die Autobahn

Gabi und Daniel sitzen im Auto und fahren nach Schwerin, um Gabis Freunde zu besuchen und auch um Tourist zu spielen.	
Daniel: Mensch, wie schnell fährst du?	
Gabi: 180.	
Daniel: Was? 180?	
Gabi: Ja. Aber 180 km/h.	
Daniel: Das ist wie viel in Meilen?	
Gabi: Das weiß ich doch nicht. Vielleicht 100 Meilen.	
Daniel: Oh Gott, ja, ich habe vergessen, dass es in Deutschland keine Geschwindigkeitsbegrenzung gibt.	Oh God yes, I forgot that there is no speed limit in Germany.
Gabi: Richtig. Du hast einen Führerschein, oder?	
Daniel: Ja, fast jeder Amerikaner ab 16 hat einen.	
Gabi: Hier kann man erst ab 18 einen bekommen.	
Daniel: Was muss man alles in Deutschland machen, um einen zu bekommen?	
Gabi: Erst muss man Fahrtheorie bei einer Fahrschule belegen. Danach kann man mit den Fahrstunden anfangen.	First one must take driving theory from a driving school. After that one can start with the driving lessons.
Daniel: Fahrstunden?	Driving lessons?
Gabi: Ja, man muss fahren lernen, oder?	
Daniel: Ja, aber meine Mutter hat mir Fahren beigebracht.	Yes, but my mother taught me how to drive.
Gabi: Das geht hier nicht so. Das wird in der Fahrschule gemacht.	That's not possible here. That's done at the driving school.
Daniel: Ist es teuer?	
Gabi: Sehr teuer. Deshalb haben viele Leute keinen Führerschein. Nachdem man die Fahrschule besucht hat, muss man die Prüfungen ablegen: Theorie und auch Fahren. Viele Prüflinge fallen durch, denn beide Tests sind ziemlich schwer.	That's why many people don't have a driver's license. After you go to driving school, you must take the test: theory and also driving. Many testees fail because both parts of the test are rather difficult.
Daniel: Oh, die Prüfung in Amerika ist nicht so schwer.	

Gabi: Entschuldigung, aber kannst du mir die Landkarte geben? Daniel: Wo liegt sie? Gabi: Im Handschuhfach.	In the glove compartment.
Daniel gibt sie ihr.	
Gabi: Danke. Wir müssen die richtige Ausfahrt nehmen, sonst kenne ich den Weg nicht. Ja, richtig, ich habe sie gefunden. Kannst du die Karte wieder ins Handschuhfach legen? Danke. Daniel: Bitte. Wen besuchen wir eigentlich in Schwerin? Gabi: Das sind Freunde von mir. Es ist ein Pärchen. Er arbeitet in der Stadtverwaltung und sie ist Kindergärtnerin. Sie leben schon 5 Jahre zusammen. Aber sie ziehen morgen um und können unsere Hilfe gut gebrauchen. Daniel: Also bin ich jetzt Möbelpacker. Gabi: So ungefähr. Leider bist du in 2 Wochen weg, wenn sie ihre Einweihungsfete geben wollen. Ich habe mir vorgestellt, dass wir ihnen mit den Möbeln helfen. Wir stellen alles in die Wohnung. Wenn die beiden dann entscheiden, wo alles stehen soll, können wir abhauen und Tourist spielen. Daniel: Ist gut. Dann kann ich auch sehen, wie junge Leute im Osten wohnen. Gabi: Im Moment liegt alles rum, aber sonst sieht es bei denen immer sehr schick aus. Sie haben tolle Bilder, die normalerweise an der Wand hängen. Oh Gott, ich muss aufpassen, sonst verpassen wir die Ausfahrt. Wir sind schon in Schwerin.	We have to take the right exit otherwise I don't know the way. Yes right, I've found it. Can you put the map back in the glove compartment? Who are we visiting in Schwerin. It's a couple. He works for the city government and she is a nursery school teacher. They've already lived together for 5 years. But tomorrow they are moving and they can use our help. Thus, I'm now a furniture mover. That's right. Unfortunately, you are gone in 2 weeks when they want to have their house warming party. I thought we could help them with the furniture. We'll put everything in the apartment. When they both are deciding where everything should be, we can leave and play tourist. At the moment everything is just lying around but otherwise it's very nice at their place. They have great pictures that hang on the walls. Oh God, I have to be careful otherwise we'll miss the exit. We're already in Schwerin.

Richtig oder falsch

______ 1. Gabi und Daniel fahren mit der Bahn.
______ 2. Man bekommt einen deutschen Führerschein mit 18 Jahren.
______ 3. Gabi und Daniel werden Gabis Freunden beim Renovieren helfen.
______ 4. Gabis Freunde ziehen um.
______ 5. Die Landkarte liegt im Handschuhfach.

http://www.schwerin-tourist.de/

Grammatik-Spot **Destination vs. Location**

Up until now you have learned that prepositions govern either the accusative or dative case. However, there is a group of prepositions that require either the accusative or the dative case depending on whether they indicate a location or a motion in the direction to a place. The following are the most common two-way prepositions.

an	at, near, on
auf	on, on top of, at
hinter	behind, in back of
in	in
neben	next to
über	above, over
unter	under, beneath, below; among
vor	in front of; before
zwischen	between

If these prepositions answer the question **wo**, they take the dative case.

Wo kauft Daniel CDs?	In der CD-Abteilung.
Wo zahlt Gabi?	An der Kasse.
Wo kauft Tina Pomme frites?	Auf dem Bahnhof.
Wo soll Manuela warten?	Vor dem Kino.

If these prepositions answer the question **wohin**, they take the accusative case.

Wohin geht Gabi?	Ans Fenster.
Wohin läuft Waldi?	Auf die Straße.
Wohin fährt Tante Lissi?	In die Alpen.
Wohin geht Herr Zimmermann?	Ins Kino.

The following contractions are standard.

an dem = am	Der Mann steht an der Mauer.
an das = ans	Gabi geht ans Fenster.
in dem = im	Daniel steht im Zimmer.

in das = ins	Daniel und Gabi gehen ins Theater.

The verbs **hängen**, **liegen**, **sitzen**, **stecken**, and **stehen** indicate where someone or something is located. These verbs together with two-way prepositions will require dative case.

hängen	to be (hanging)
liegen	to be (lying)
sitzen	to be (sitting)
stecken	to be (placed)
stehen	to be (standing)

Remember that the interrogative pronoun **wo** always asks where someone or something is located.

Wo hängen die Bilder?	*Sie haben tolle Bilder, die normalerweise an der Wand hängen.*
Wo liegt die Landkarte?	*Sie liegt im Handschuhfach.*
Wo stehen die Möbel?	*Sie können später entscheiden, wo alles am besten steht.*
Wo sitzen Gabi und Daniel?	*Gabi und Daniel sitzen im Auto.*
Wo steckt der Brief?	*Er steckt im Briefkasten.*

The verbs **hängen**, **legen**, **setzen**, **stecken**, **stellen** indicate where something or someone is being put or placed.

hängen	to hang, to put/place
legen	to lay, to put/place
setzen	to set, to put/place
stecken	to put/place
stellen	to stand, to put/place

NOTE: The participle of *hängen* depends on its use. If *hängen* indicates motion from one place to another, the participle is *gehängt*. If there is no change of location, the participle is *gehangen*.

Ich habe das Bild an die Wand gehängt.
Das Poster hat schon lange an der Wand gehangen.

→ For practice, see exercises 9.1-4 in the workbook.

Fragen, Fragen, Fragen

1. Wo gehen Sie am liebsten am Wochenende hin?
2. Was machen Sie am liebsten am Sonnabend?
3. Wo kaufen Sie normalerweise Lebensmittel ein?
4. Wo kaufen Sie am besten Briefmarken?
5. Wo kaufen Sie normalerweise Kleidung?

Parkverbot!

Gabi und Daniel sind in Schwerin angekommen, wo können sie parken?

zum Beispiel: Sie möchten ins Theater.
Sie können neben dem Theater parken.

1. Sie müssen einen Freund am Bahnhof abholen.
2. Sie wollen mit Klaus und Bärbel essen gehen.
3. Sie wollen im Café frühstücken.
4. Sie wollen in der Stadt bummeln gehen.
5. Sie möchten im Park spazieren.
6. Sie möchten in der Disko tanzen.

In der Raststätte

Welches Wort passt in welche Lücke im Text?

stehen liegen hängen sitzen stecken

Gabi und Daniel wollen einen Kaffee in der Autobahngaststätte trinken. Vor der Gaststätte ________ viele Autos; ein gutes Zeichen! Sie ________ erst an der Bar und bestellen sich einen Espresso, danach müssen sie an der Kasse _________, um zu zahlen. Am Tisch an der Wand _________ zwei Italiener. Über ihnen ___________ ein Poster vom Schwarzwald. Auf dem Tisch vor ihnen ____________ eine Packung Zigaretten und

__________ zwei Cappuccinos. Neben ihnen _________ eine alte Dame mit ihrem Hund, der unter dem Tisch ____________. Ihre Handtasche ____________ auf dem Tisch und die Autoschlüssel ______________ aus der Tasche heraus. Die Dame sieht komisch aus, weil eine Blume in ihren Haaren ______________.

Gabi und Daniel gehen zurück zum Auto, aber Gabi findet die Autoschlüssel nicht.

Benutzen Sie die folgenden Wörter in der richtigen Form.

stecken legen hängen stellen setzen

Gabi: Daniel, ich kann die Autoschlüssel nicht finden.
Daniel: Hast du sie in deine Hosentasche _________________________?
Gabi: Nein.
Daniel: Hast du sie in die Handtasche _________________________?
Gabi: Nein.
Daniel: Du warst auf der Toilette, nicht?
Gabi: Ja.
Daniel: Hast du sie aufs Waschbecken[1] ________________________________?
Gabi: Nein, sicher nicht.
Daniel: Als du auf der Toilette warst, hast du sie an die Tür _______________________________?
Gabi: Ach, komm, Daniel, so was mache ich nie.
Daniel: Gut, ich versuche nur zu helfen.
Gabi: Ja, das verstehe ich.
Daniel: Als wir Kaffee getrunken haben, hast du sie auf den Tisch ____?
Gabi: Sicher nicht.
Daniel: Mensch, wo sind sie denn? Hast du sie im Auto ____________________________ lassen?
Gabi: Oh, Daniel, hier sind sie. Ich habe sie in die Tasche meines Pullovers ____.
Daniel: Gott sei Dank!

Preise rund um das Auto

Sehen Sie die Grafik an und beantworten Sie die Fragen.

1. Wofür geben Deutsche am meisten für ihr Auto aus?
2. Wie viel mehr sind die Kosten für ein Auto insgesamt geworden?
3. Wie viel mehr wird für die Miete einer Garage ausgegeben?

[1] sink

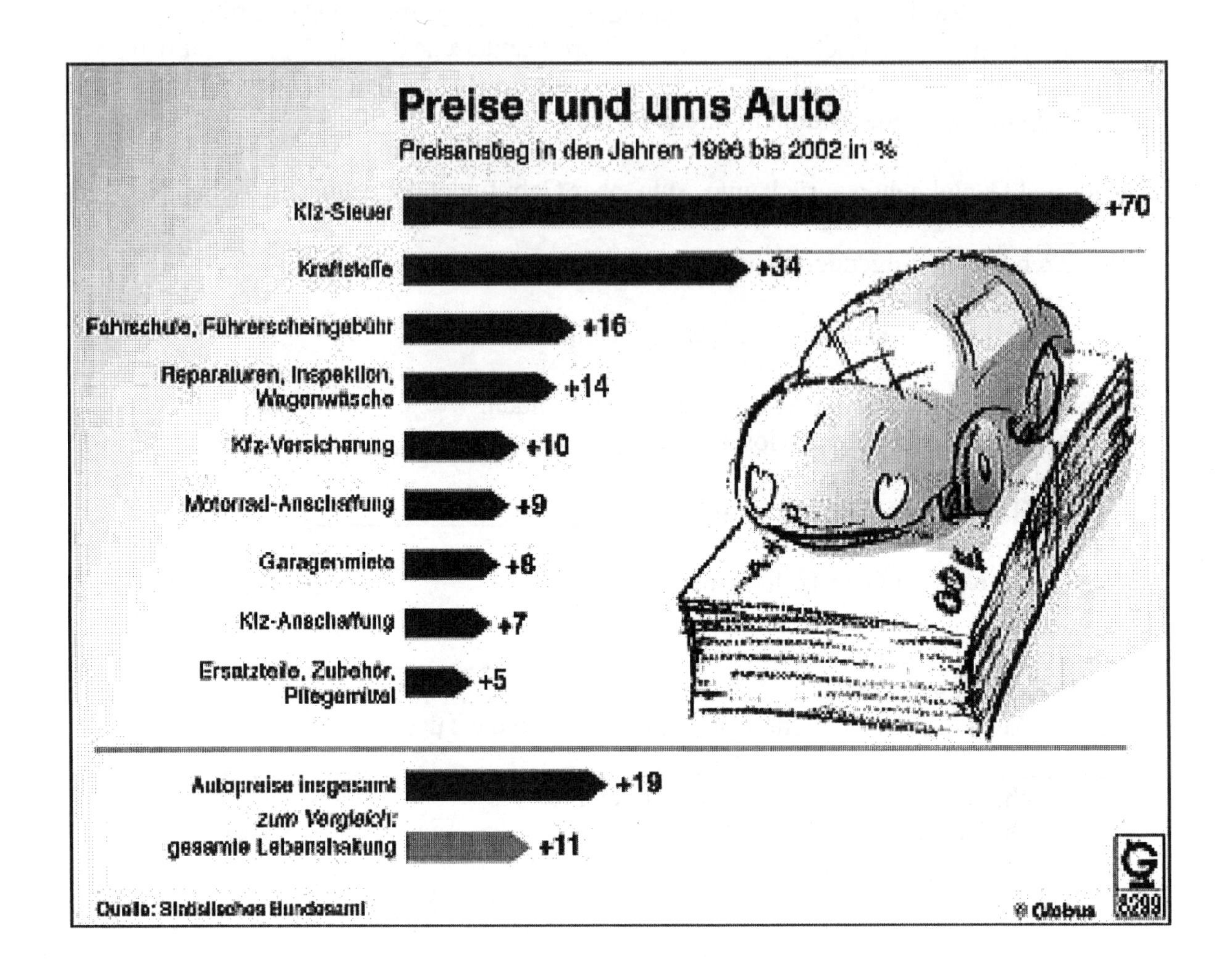

Die Checkliste

Fuehrerschein.de - Der Start ins Autoleben

Checkliste

Die sechs Gebote

Erst die Arbeit, dann das Fahrvergnügen - Folgen Sie uns Schritt für Schritt auf dem Weg zum Führerschein:

1. Der Ordung halber
2. Erste-Hilfe-Kurs
3. Sehtest

4. Amtlicher Antrag
5. Theoretische Prüfung
6. Praktische Fahrprüfung

Taken from
http://www.fuehrerschein.de/_struktur/inside.cfm?verzeichnis=2&thema=1&sub_thema=0&typ=cfm

1. Was sind die sechs Gebote?
2. Was muss man machen, bevor man sich für die Fahrprüfungen melden darf?
3. Welche Prüfungen gibt es?

Verkehrszeichen

Hier sind verschiedene Verkehrszeichen, die man in Europa findet. Was darf man oder was darf man nicht machen, wenn man diese Zeichen sieht? Benutzen Sie *dürfen* oder *müssen.*

zum Beispiel:  Hier darf man nicht stoppen.

Halteverbot

1. Gefahrenstelle

2. Kurve (rechts)

3. Fußgänger

4. Vorfahrt gewähren!

5. Vorfahrtstraße

6. Sackgasse

7. Ausfahrt Autobahn **8. Einbahnstraße**

Taken from http://www.vkwodw.de/verkehrszeichen.htm#richt

Kultur-Aspekte

1. Was haben Sie gemacht, um einen Führerschein zu bekommen?
2. Wo haben Sie Ihren Führerschein bekommen?
3. Wie viel hat der Führerschein gekostet?
4. Wie lange ist Ihr Führerschein gültig?

Lesen Sie den Text und beantworten Sie die folgenden Fragen.

Die Führerscheinprüfungen

Wie bekommen Sie Ihren Führerschein in Deutschland? Für fast alle Führerscheinklassen gibt es eine theoretische und eine praktische Prüfung. Die Fahrschulen bereiten Sie darauf vor und unterstützen sie.

Die Theoretische Prüfung

Gut gelernt ist schon fast bestanden, denn die theoretische Prüfung besteht aus[2] genau denselben Fragen, die Sie schon vom Übungsbogen kennen. Sie funktioniert nach dem »Kreuzchen-Prinzip« (Multiple Choice), d.h. man kreuzt die richtigen Antworten an oder trägt eine Zahl als richtige Antwort ein.

Die Praktische Prüfung (Fahrprüfung)

Die Fahrprüfung kann nach bestandener theoretischer Prüfung (und frühestens einen Monat vor Erreichen des Mindestalters) abgelegt[3] werden. Der Fahrlehrer entscheidet, ob der Bewerber an der Prüfung teilnehmen darf. Vor der Prüfung müssen alle vorgeschriebenen[4] Ausbildungsfahrten durchgeführt wurden.

Adapted from http://www.fahrtipps.de/fuehrerschein/pruefung.php

Der EU-Führerschein

[2] eine Prüfung besteht aus – an exam consists of; *but*: eine Prüfung bestehen – to pass an exam
[3] eine Prüfung ablegen – to take an exam
[4] prescribed

Seit 1999 gibt es hierzulande den Führerschein nach EU-Muster; Deutschland war eines der letzten Länder der Europäischen Union, das ihn eingeführt hat. Unsere alten Führerscheine (grau, rosa) bleiben zwar gültig[5].

→ For practice, see exercise 9.5 in the workbook.

Adapted from http://www.fahrtipps.de/fuehrerschein/index.php

1. Was gibt es für alle Führerscheinklassen?
2. Wer unterstützt Fahrschüler bei der Prüfung?
3. Wie funktioniert die Prüfung?
4. Wann kann die Fahrprüfung gemacht werden?
5. Was wird im Test geprüft?
6. Seit wann gibt es den EU-Führerschein?

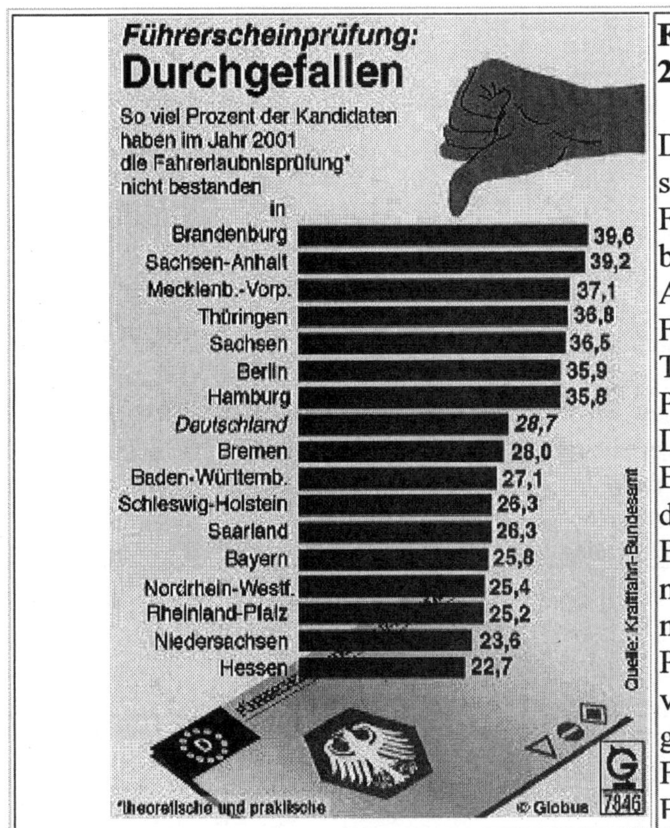

Führerscheinprüfung
28.06.2002

Die Theorie ist offenbar der schwierigere Teil der Führerscheinprüfung: Im Jahr 2001 bestanden nur gut zwei Drittel der Aspiranten ihre theoretische Führerscheinprüfung, den praktischen Teil hingegen meisterten rund 75 Prozent aller Prüflinge. Die Durchfallquote ist in den neuen Bundesländern weitaus höher als in den alten - Spitzenreiter ist das Land Brandenburg mit rund 40 Prozent nicht-bestandener Prüfungen. Die meisten der gut 3,6 Millionen Prüfungen werden für die verschiedenen Pkw-Klassen abgelegt, gefolgt von Zweirad- und Lkw-Führerscheinen sowie Fahrerlaubnissen zur

[5] valid

	Personenbeförderung.

1. In welchem Bundesland sind die meisten durchgefallen?
2. Welcher Teil der Prüfung ist der schwerste?
3. Wie viele Prüflinge haben die Fahrprüfung bestanden?
4. Wie viele Prüfungen wurden abgelegt?
5. Wofür ist ein Zweiradführerschein?

Exkursion zwei: Der Umzug

http://www.schwerin-tourist.de/

Multi-Kulti Aktivität 9.2

1. Wo kaufen Sie am liebsten ein?
2. Wann gehen Sie einkaufen?
3. Wie oft kaufen Sie Lebensmittel ein?
4. Welche Art von Einkaufsgewohnheiten haben Deutsche, Österreicher und Schweizer Ihrer Meinung nach?

Wort-Box	
schleppen	to lug, to haul
die Schlepperei (-en) (coll.)	the lugging around
keine Ursache	no problem
entlang	along
rechts/links	to/on the right/left
vorbei fahren (sep.)	to pass
geradeaus	straight ahead
ohne … auskommen (sep.)	to do without

Die Schlepperei

Daniel hat Klaus und Kristen am Abend davor kennen gelernt. Im Moment sitzen sie alle am Frühstückstisch und bereiten sich auf den Umzug vor.	*Daniel met Klaus and Kristen last night. and are getting ready for the move.*

Klaus: Wir sind dir sehr dankbar, Daniel, dass du bereit bist, einen Tag von deinem Urlaub zu opfern, um uns mit dem Umziehen zu helfen.	We're really thankful, Daniel, that you are willing to give us one of your vacation days in order to help us with moving.
Daniel: Keine Ursache. Es wird schon was.	No problem. It will be alright.
Gabi: Klaus, willst du uns zeigen, wo sich die neue Wohnung befindet?	Klaus, do you want to show us where the new apartment is?
Klaus: Ja, klar.	Sure.
Er nimmt einen Stadtplan raus und faltet ihn auf. Er zeigt auf die Karte.	*He takes out a city map and unfolds it. He points at the map.*
Klaus: Wir sind hier in der Schlossstraße, Ecke Puschkinstr. Und die neue Wohnung ist in der Taubenstr. 12.	
Daniel: Gut, aber wie kommt man am besten dahin?	
Klaus: Nachdem die Autos voll geladen sind, fahrt ihr zusammen, und Kristen und ich fahren mit dem Bus. Wo steht euer Auto?	Once the cars are loaded, you drive together and Kristen and I will take the bus. Where's your car?

die Legende

1. der Marktplatz
2. der Dom
3. die Schelfstadt
4. das Schleswig-Holstein-Haus
5. der Pfaffenteich
6. die Mecklenburgstraße
7. die Schlossstraße
8. der Alte Garten
9. das staatliche Museum, die Gemäldegalerie
10. das Schweriner Schloss
11. der barocke Schlossgarten
12. das Stadtgeschichtsmuseum
13. das technische Landesmuseum

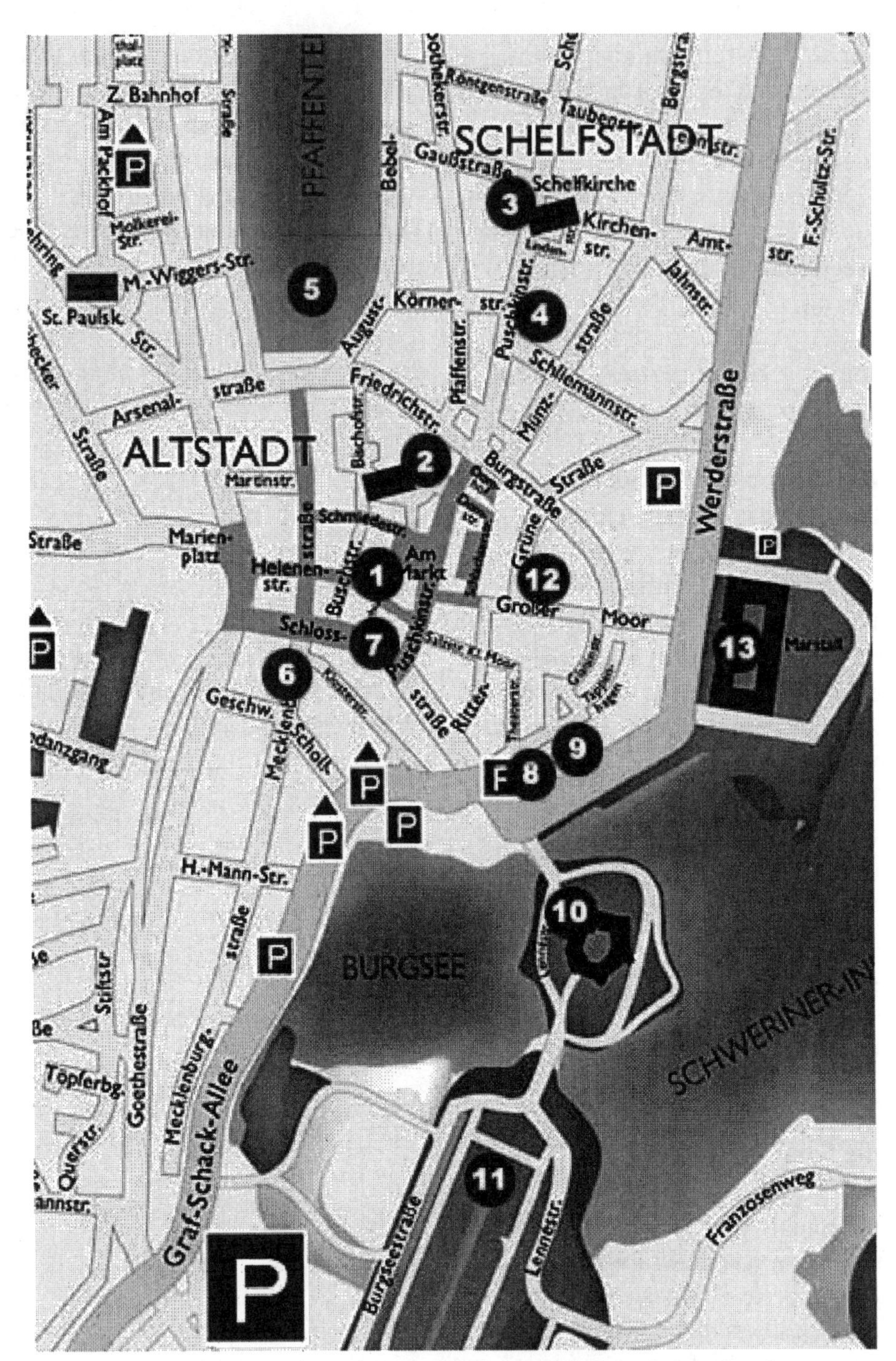

http://www.schwerin-tourist.de/ansicht/rundgang.html

Gabi: Es steht am Alten Garten.	It's next to the Alter Garten.
Klaus: Gut, von da aus fährst du die Werderstraße ein paar Kilometer entlang. Du fährst am technischen Landesmuseum vorbei. Rechts von euch ist Wasser, das ist der Schweriner See, und links von	Good, from there you drive along the Werderstraße several kilometers. You pass the technical museum. On your right is water, that's the Schweriner Lake and left of you is the old city center.

euch ist die Altstadt.	
Daniel: Alles klar. Das ist sehr leicht auf der Karte zu finden.	Everything is clear. That's easy to find on the map.
Kristen: Es ist wirklich nicht schwer, weil Schwerin ziemlich klein ist.	
Klaus: Also weiter. Ihr fahrt noch geradeaus und die Kirchenamtstrasse rauf, und die nächste Straße auf der Linken ist die Leonstrasse. Dort biegt ihr links in die Leonstrasse und fahrt geradeaus. Die Leonstrasse wird die Taubenstrasse.	O.K., let's continue. You drive straight ahead and up the Kirchenamtstreet. And the next street on the left is Leonstreet. There you turn left into Leonstreet. And go straight ahead. Leonstreet becomes Taubenstreet.
Gabi: Ich hoffe, dass ich es finden kann! Ich habe überhaupt keinen Orientierungssinn.	I don't have a sensc of direction.
Daniel: Kein Problem. Ich habe einen guten Orientierungssinn. Ich habe alles auf der Karte mitverfolgt. Wir kommen schon gut dahin.	I followed along on the map.
Klaus: Prima, dann kann's losgehen? Der Tag wird nicht jünger.	Great, then let's get started. The day isn't getting any younger.
Daniel: Das stimmt, und wir auch nicht. Gabi, Kristen und Klaus: HaHaHa!!!!	
Kristen: Nicht vergessen, dass wir später einkaufen müssen, bevor die Läden zumachen.	Don't forget that we have to go shopping later before the shops close.
Daniel: Was?	
Gabi: Ja, wir müssen sicher sein, dass wir genug zum Frühstück haben, sonst musst du ohne auskommen.	to do without.
Daniel: Warum? Haben die Supermärkte nicht 24 Stunden am Tag auf?	Aren't the supermarkets open 24 hours?
Gabi: Wir sind nicht in Amerika.	

1. Wo wohnen Klaus und Kristen?
2. Wo steht Gabis Auto?
3. Wie kommt man am besten in die Taubenstrasse vom Alten Garten aus?
4. Welcher See liegt links von der Altstadt?
5. Wer hat keinen guten Orientierungssinn?

Verfolgen Sie die Routenbesprechung von Klaus im Dialog auf dem Stadtplan. Wo liegt die Taubenstr.?

→ For practice, see exercise 9.6 in the workbook.

Witz
"Wie komme ich bitte ins Museum?" "Lassen sie sich ausstopfen!"

http://www.jolinchen.de/lachmal/index.html

Grammatik-Spot **Expressing change *werden***

The German verb *werden* indicates a changing of conditions.

Der Tag wird nicht jünger.
Das wird schon was.

In German *werden* can also be used to indicate what someone wants to be.

Was willst du werden?
Daniel will Kaufmann werden.

werden

ich werde	wir werden
du wirst	ihr werdet
Sie werden	Sie werden
er sie wird es	sie werden

Werden always takes *sein* with the participle to form the present perfect tense.

Es ist nichts geworden.
Sie ist Ärztin geworden.

Was wird es?

Daniel und Klaus reden miteinander über Gott und die Welt. Der Umzug ist schon fertig und sie trinken ein Bier zusammen.

Klaus: Ich danke dir sehr für deine Hilfe.
Daniel: Gern geschehen. Der ganze Umzug _______ gut ________________, nicht wahr?
Klaus: Ja, toll. Ich habe Angst gehabt, dass es nichts _______________.
Daniel: Gott sei Dank, das Wetter __________auch gut _________________ sonst wäre[6] das alles nichts __________.
Klaus: Ja, du weißt, wie es ist. Es kann nur etwas ________________, wenn Engel reisen, lacht die Sonne[7].
Daniel: Ach, komm, Klaus. Wir sind keine Engel.
Klaus: Vielleicht nicht, aber ohne deine Hilfe wäre es nichts _________________[8]. So Daniel, erzähl ein bisschen von dir. Was _____________ du einmal __________________?
Daniel: Gute Frage, eigentlich will ich Manager _______________. Aber ob ich es __________________, weiß ich nicht.
Klaus: Das verstehe ich. Ich habe Glück gehabt, ich ____________ doch ________________, was ich wollte (wanted), Beamter[9]! Und du und Gabi? _________________ das was?
Daniel: Ja, das weiß ich nicht, ob das was ______________________. Es wäre[10] schön.
Klaus: Sie hält sehr viel von dir, weißt du?
Daniel: Ja, das weiß ich und ich halte auch sehr viel von ihr. Aber ich weiß nicht, was aus unserem Leben zusammen ___________________________.
Klaus: Was _________________________, das __________________!
Daniel: Das ist allerdings richtig. Wir können nur das Beste hoffen!

1. Was wollen Sie werden?
2. Was wird aus Ihrem Leben?

Grammatik-Spot ***wer, wen, wem***

In English there are two interrogative pronouns for people: *who* and *whom.* In German there are three: *wer*, *wen*, and *wem*. *Wer* is for the nominative case, *wen* for the accusative case, and *wem* for the dative case.

Wer hilft mit dem Umzug.
Wen hast du auf dem Markt gesehen?
Wem leihst du dein Auto?

Daniels Reisegeschichte

---

[6] otherwise it would have been terrible
[7] In German there is the saying "Wenn Engel reisen, lacht die Sonne".
[8] It wouldn't have been possible.
[9] civil servant
[10] would be

Beantworten Sie die folgenden Fragen über Daniels Reise durch die Schweiz, Österreich und Deutschland.

1. Wen hat Daniel im Zug nach Freiburg kennen gelernt?
2. Mit wem hat Daniel im Zug nach Zürich gesprochen?
3. Wer hat das Taxi in Zürich gefahren?
4. Wen hat Daniel in Zürich kennen gelernt?
5. Mit wem ist Daniel nach München gefahren?
6. Mit wem war Daniel in Dachau?
7. Wen hat Daniel in der Jugendherberge in Innsbruck kennen gelernt?
8. Wen hat Daniel in Wien besucht?
9. Bei wem hat Daniel in Linz gewohnt?
10. Wer wohnt in Berlin?

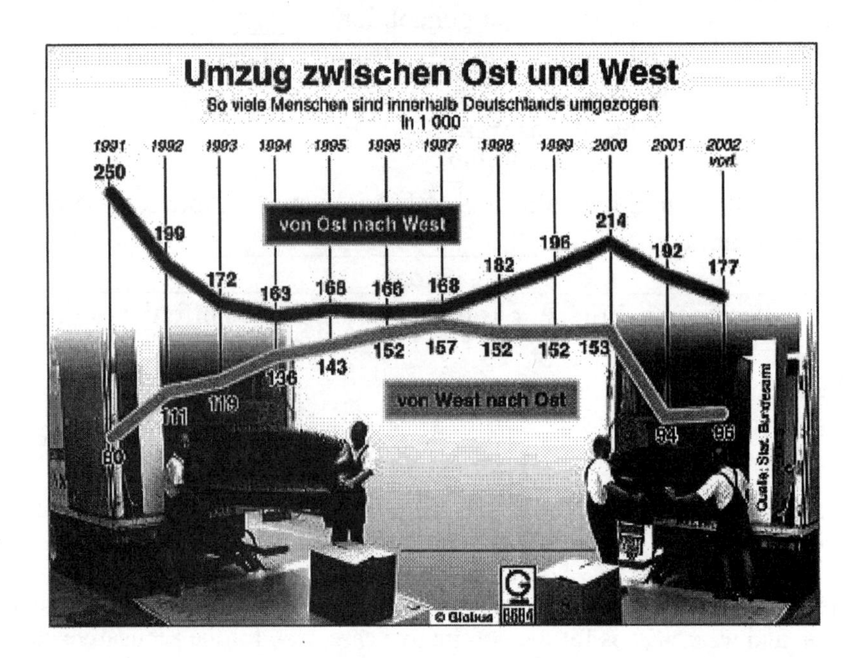

1. Wie viele Menschen sind im Jahre 2001 in Deutschland umgezogen?
2. Wie viele Menschen sind im Jahre 2002 in den Osten umgezogen?
3. Warum ziehen so wenige Leute in den Osten?

Samstag-Öffnungszeiten

Es gelten[11] neue Öffnungszeiten für Bürgercenter, Meldeangelegenheiten[12] des Bürgeramtes im Stadthaus sowie Kfz-Zulassungs[13]- und Führerscheinstelle in der Otto-

[11] to be valid
[12] registration matters
[13] car registration

Hahn-Straße. Diese Bereiche öffnen am 1. und 3. Samstag des Monats von 9 bis 12 Uhr. Die nächsten Termine sind der 3. und 17. April, 15. Mai, 5. und 19. Juni.

Taken from www.schwerin.de

1. Was ist in Schwerin anders geworden?
2. Wann ist am Samstag geöffnet?
3. Wann beginnt die neue Regelung?

Von wem gekauft?

Gabi und Kristen sind schnell zwischendurch einkaufen gegangen. Sie waren in der Schlossstraße bummeln. Kristen musste Verschiedenes zum Abendbrot kaufen und Gabi hat sich nur umgeguckt und einige gute Angebote gefunden. Hier ist eine Liste der Sachen, die sie gekauft haben.

Kristen	**Gabi**
Wurst	Shampoo
Brot	Bluse
Mineralwasser	Schuhe
Obst	Bücher
Eis	Blumen
Zeitung	Geschenk für Daniel (ein Poster von Schwerin)

Alle sind wieder zu Hause. Klaus und Daniel sind neugierig, bei wem Kristen und Gabi alles gekauft haben. Stellen Sie die Fragen von Klaus oder Daniel. Und geben Sie die Antwort von Kristen oder Gabi.

zum Beispiel: Klaus: Kristen, die Wurst sieht sehr lecker aus, bei wem hast du sie gekauft?
Kristen: Beim Fleischer in der Schlossstraße.

Daniel: Gabi, das Shampoo riecht so gut, wo hast du es gekauft?
Gabi: In der Drogerie in der Schlossstraße.

1. Klaus: ____?
   Kristen: ______________________________________.
2. Daniel: ____?
   Gabi: ______________________________________.
3.

4.

5.

6.

7.

8.

9.

10.

11.

12.

Die folgenden Wörter können nützlich sein.

Wurst – Fleischerei – Fleischer
Shampoo – Drogerie – Drogist[14]
Brot – Bäckerei – Bäcker
Bluse – Boutique – Verkäufer/in
Mineralwasser – Getränkeladen – Verkäufer/in
Schuhe – Schuhladen – Verkäufer/in
Obst – Gemüseladen – Verkäufer/in
Bücher – Buchladen – Verkäufer/in
Eis – Supermarkt – Verkäufer/in
Blumen – Blumenladen – Florist/in[15]
Zeitung – Warenhaus – Verkäufer/in
Poster – Souvenirladen – Verkäufer/in

→ For practice, see exercise 9.7 in the workbook.

Hörverständnis 9.1

Daniel telefoniert mit seiner Oma in Linz. Er erzählt ihr von seiner Zeit in Berlin und Schwerin. Wo hat er die folgenden Sachen gekauft?

1. eine Vase aus Holz ______________________________
2. eine Kleinigkeit für Waldi ___________________________
3. einen Reiseführer für die Eltern ________________________________

---

[14] This noun is weak and takes the –en in the accusative and dative cases.
[15] This noun is weak and takes the –en in the accusative and dative cases.

4. eine klassische CD ____________________________
5. eine Dose Berliner Luft ____________________________
6. Wurst ____________________________
7. Zigarren ____________________________
8. Blumen ____________________________

Sehenswürdigkeiten in Schwerin

Was ist es? Jede Sehenswürdigkeit ist auf dem Stadtplan von Schwerin zu finden und wird in der Legende aufgelistet.

1. __________________ mit dem Altstädtischen Rathaus, den Giebelhäusern und dem Löwendenkmal ist ein optimaler Ausgangspunkt für Stadtrundgänge.
2. __________________ in der Puschkinstraße wurde nach einer umfangreichen Rekonstruktion zum Kulturzentrum der Stadt Schwerin. Hier finden neben Ausstellungen auch Lesungen,Vorträge und Konzerte statt.
3. ____________________: Das großartige Kunstmuseum beherbergt eine der umfangreichsten Sammlungen niederländischer Malerei des 16. und 17. Jhs.
4. ____________________ Eine umfangreiche Sammlung zur Verkehrs- und Energietechnik erwartet technisch Begeisterte. Vielfach sind Originale und Modelle in Aktion zu bewundern.
5. ____________________ zieht sich vom Marienplatz bis zum Alten Garten. Zahlreiche repräsentative Gebäude wie das Rokokohaus gegenüber vom Café Prag, die Regierungsgebäude und die prachtvolle Staatskanzlei im klassizistischen Baustil prägen das Bild der Schlossstraße.

Taken from http://www.schwerin-tourist.de/ansicht/rundgang.html

Kultur-Aspekte

1. Kaufen Sie billig oder teuer ein, wenn Sie einkaufen gehen?
2. Was müssen Sie aufbewahren, wenn Sie später etwas zurückbringen und Ihr Geld wieder bekommen wollen?
3. Um wie viel Uhr gehen Sie am liebsten einkaufen?

Wo kaufe ich ein? - Geschäfte und Öffnungszeiten

Eine präzise Kartografie der deutschen Warenlandschaft ist nicht möglich. Preise und

Qualität von Produkten können sich stark unterscheiden. Vergleichen lohnt[16] sich. Man kann in "Kaufhäusern"[17] jedes denkbare Produkt kaufen. Allerdings sind oft die Qualität und der Service schlechter als in "Fachgeschäften". Die Preise in den Fachgeschäften sind aber meist höher.

Billig einkaufen

Billig sind so genannte "Discount-Läden", die ihre Waren aufgrund von wenig Personal und geringer Ausstattung preiswert anbieten[18] können. "Second-Hand-Geschäfte" verkaufen Gebrauchtes: sehr empfehlenswert für Haushalts- und Küchengeräte. Lebensmittel kauft man günstig in "Supermärkten". Das Mekka der Preisbewussten heißt zum Beispiel "Aldi", "Lidl" oder "Norma".

Bezahlen

Mittlerweile können Sie fast überall mit Scheckkarte[19] bezahlen - Kreditkarten werden nicht immer gerne gesehen. Wichtig bei kostspieligeren Anschaffungen[20]: Unbedingt den Kassenbon[21] aufbewahren. Denn eine Garantieleistung für das Produkt wird nur nach Vorzeigen des Kaufbelegs[22] erbracht.

Öffnungszeiten

Alle Geschäfte schließen spätestens um 20 Uhr, manche bereits um 18.30 Uhr. Sonntags sind die Geschäfte geschlossen. Für kleine Einkäufe sind aber Kioske und Tankstellen geöffnet. An den vier Samstagen vor Weihnachten hat man mehr Zeit zum Einkaufen: Der Einzelhandel schließt dann erst um 20 Uhr seine Türen.

Adapted from http://www.campus-germany.de/german/1.62.189.html

Richtig oder falsch

_______ 1. Preise und Qualität der Produkte sind ziemlich gleich.
_______ 2. Es ist besser Küchengeräte “second hand“ zu kaufen, wenn Sie ausländische(r) Student/in in Deutschland sind.
_______ 3. Läden wie Lidl verkaufen Lebensmittel billiger als anderswo.
_______ 4. Man kann überall in Deutschland mit Kreditkarte zahlen.
_______ 5. Man muss den Kassenbeleg aufbewahren, wenn man etwas Teueres kauft, falls man es zurückbringen will.
_______ 6. Die Läden schließen früh am Sonntag in Deutschland.

---

[16] to pay (not in sense of money)
[17] department stores
[18] to offer
[19] a MAC card
[20] acquisitions
[21] register receipt
[22] receipt

Exkursion drei: Krank

Multi-Kulti-Aktivität 9.3

Wählen Sie die beste Antwort.

1. Was nimmt ein Deutscher lieber, wenn er krank ist?
a. Homöopathische Medizin
b. Starke Medizin wie Penizillin
c. Irgendetwas, was man in der Apotheke kaufen kann.

2. Wenn ein Deutscher zum Arzt geht, muss er
a. die Rechnung selbst zahlen.
b. nur seinen monatlichen Krankenkassebeitrag (health insurance contribution) zahlen.
c. nichts zahlen, weil alles kostenlos ist.

3. Wenn ein Deutscher ein Rezept bekommt,
a. zahlt er nichts in der Apotheke.
b. zahlt er einen minimalen Zuschlag.
c. zahlt er alles selbst.

Wort-Box	
die Kopfschmerzen (pl.)	headache
der Hals (-älse)	throat
weh tun	to hurt
das Durcheinander (-)	mess
die Apotheke (-n)	pharmacy
die Drogerie (-n)	drug store
das Gehirn (-e)	brain
das liegt am Wetter	it's the weather
nicht auf der Höhe sein	not to be at one's best

„Touristengang?"

Es ist früh am Morgen. Gabi und Daniel sprechen über den kommenden Tag. Gabi: Guten Morgen.	

Daniel: Morgen. Aber ich bin nicht sicher, ob er gut ist. Gabi: Wieso?	
Daniel: Mir geht es nicht besonders.	I don't feel so well.
Gabi: Was hast du denn?	
Daniel: Ich habe leichte Kopfschmerzen und mein Hals tut mir auch ein bisschen weh.	I have a slight headache and my throat hurts a little.
Gabi: Der Umzug ist dir nicht gut bekommen, was?	The move wasn't good for you, right?
Daniel: Glaube ich nicht. Ich bin selten krank. Hast du Aspirin?	
Gabi: Nicht mit. Kristen hat bestimmt etwas, aber wo in diesem Durcheinander?	Not here. Kristen surely has some but where in this mess?
Daniel: Ich gehe schnell zur Apotheke und kaufe etwas.	I'll go to the pharmacy fast and buy some.
Gabi: Bring auch Zahnpasta mit. Wir haben nicht genug.	Bring some toothpaste with you. We don't have enough.
Daniel: Gut. Bis gleich.	O.K. See you shortly.
Er verlässt die Wohnung und geht die Strasse entlang, bis er zur Apotheke kommt.	*He leaves the apartment and goes along the street until he comes to a pharmacy.*
Apothekerin: Guten Morgen. Was kann ich für Sie tun?	
Daniel: Morgen. Ich habe Kopfschmerzen. Ich möchte eine Packung Aspirin kaufen.	a headache. a package of aspirin.
Apothekerin: Welche Marke?	What brand?
Daniel: Ich weiß nicht, was haben Sie? Ich bin nicht von hier. Ach, geben Sie mir die beste Marke. Apothekerin: Also eine kleine oder eine große Packung Bayer?	
Daniel: Eine kleine reicht. Danke.	A little one is enough. Thanks.
Apothekerin: 5, 90 Euro, bitte.	
Daniel reicht ihr einen 20 Euroschein.	*Daniel givse her a 20 euro bill.*
Apotherin: Danke schön. Also 14,10 Euro zurück. Daniel: Danke schön. Auf Wiedersehen. Apotherin: Auf Wiedersehen.	

Daniel steht auf der Straße, macht die Packung auf, und nimmt zwei Aspirin.	
Daniel: Bitter ohne Wasser!	
Fußgänger: Entschuldigung. Können Sie mir sagen, wo ich die Zimmervermittlung finde?	where the hotel booking office is?
Daniel: Tut mir Leid, ich bin nicht von hier. Ich weiß es nicht.	
Fußgänger: Danke.	
Daniel: Bitte.	
Daniel läuft langsam zurück. Unterwegs denkt er daran, dass er noch Zahnpasta kaufen soll. Er geht in die Drogerie. An der Kasse stehen zwei Verkäuferinnen und unterhalten sich.	*While walking along he remembers that he should buy some toothpaste. There are two salesclerks standing at the cash register and talking.*
Verkäuferin 1: Ich weiß es nicht, ich bin heute ein bisschen durcheinander.	I don't know I'm a little out of it today.
Verkäuferin 2: Was denn, du?	What, you?
Verkäuferin 1: Na ja, ich bin heute aufgestanden und mein Gehirn ist wie weg geblasen.	Well, I got up today and my brain is as if someone blew it away.
Verkäuferin 2: Ja, ich weiß, das liegt am Wetter. Ich bin heute auch nicht auf der Höhe.	Yeah, I know it's the weather. I'm also not at my best today.
Daniel denkt, ich bin also nicht alleine!	*Daniel thinks, so I'm not the only one.*

Beantworten Sie die folgenden Fragen.

1. Wie geht es Daniel heute?
2. Was ist die Ursache seiner Misere?
3. Wo kauft Daniel Aspirin?
4. Wen trifft er auf der Straße?
5. Was will der Mann?
6. Was erfährt Daniel in der Drogerie?

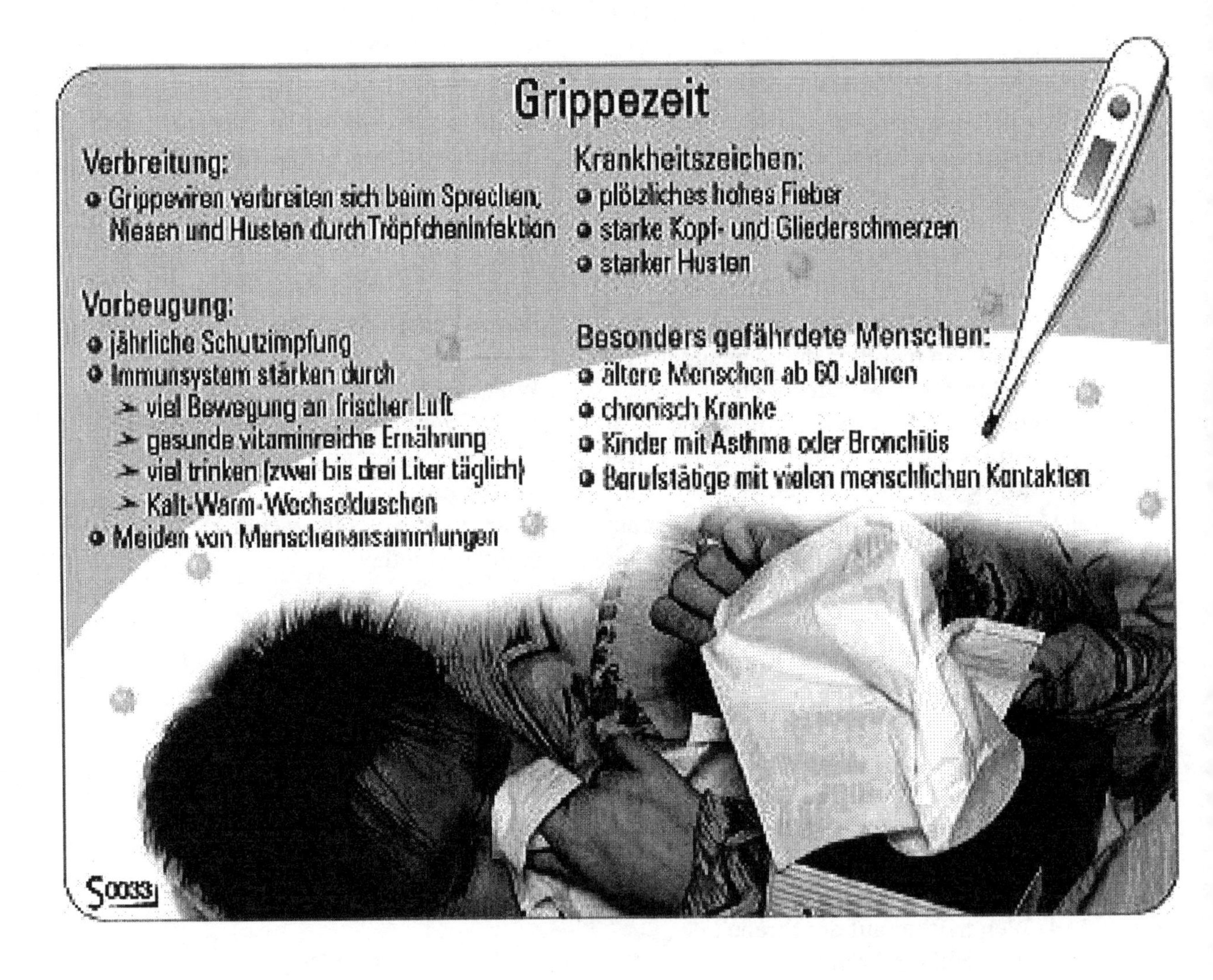

Grippezeit
Verbreitung:
Grippeviren verbreiten sich beim Sprechen, Niesen und Husten durch Tröpfcheninfektion
Vorbeugung:
jährliche Schutzimpfung
Immunsystem stärken durch
viel Bewegung an frischer Luft
gesunde vitaminreiche Ernährung
viel trinken (zwei bis drei Liter täglich)
Kalt-Warm-Wechselduschen
Meiden von Menschenansammlungen
Krankheitszeichen:
plötzliches hohes Fieber
starke Kopf- und Gliederschmerzen
starker Husten
Besonders gefährdete Menschen:
ältere Menschen ab 60 Jahren
chronisch Kranke
Kinder mit Asthma oder Bronchitis
Berufstätige mit vielen menschlichen Kontakten

1. Was machen Sie, wenn Sie hohes Fieber haben?
2. Was machen Sie, wenn Sie Gliederschmerzen haben?
3. Wie können Menschen sich vor Krankheiten schützen, wenn sie Kontakt mit anderen Menschen haben?
4. Wie verbreiten[23] sich Grippeviren?

[23] to spread

5. Wie kann man das Immunsystem stärken?

Die folgenden Ausdrücke sind für die nächsten Fragen behilflich.

Ich gehe zum Arzt.
Heilpraktiker.
Zahnarzt.
Chirurgen.
Therapeuten.
zur Apotheke.
ins Krankenhaus.

6. Was können Sie machen, wenn Ihnen übel[24] ist?
7. Was können Sie machen, wenn Sie sich nicht wohl fühlen?
8. Was machen Sie, wenn Sie Schmerzen haben?
9. Was machen Sie, wenn Sie Zahnschmerzen haben?
10. Was machen Sie, wenn Sie Rückenschmerzen haben?
11. Was machen Sie, wenn Sie Bauchschmerzen haben?
12. Was machen Sie, wenn Sie Halsschmerzen haben?

Stellen Sie fest, was Ihre Mitstudenten machen, wenn sie Zahnschmerzen haben, wenn sie Kopfschmerzen haben, Bauchschmerzen, wenn ihnen übel oder schwindlig[25] wird.

Die besten Krankenkassen

Die besten gesetzlichen Krankenkassen (ab 5 Berichte) sortiert nach Gesamteindruck

Platz		Produkt	Berichte	A	B	C	D	Gesamteindruck
1.	BIG	BIG - Die Direktkrankenkasse	5	5,0	4,2	4,8	4,2	★★★★★ 4,20
2.	BKK	BKK Mobil Oil	25	3,6	3,8	4,2	4,0	★★★★★ 4,04

[24] nauseous
[25] dizzy

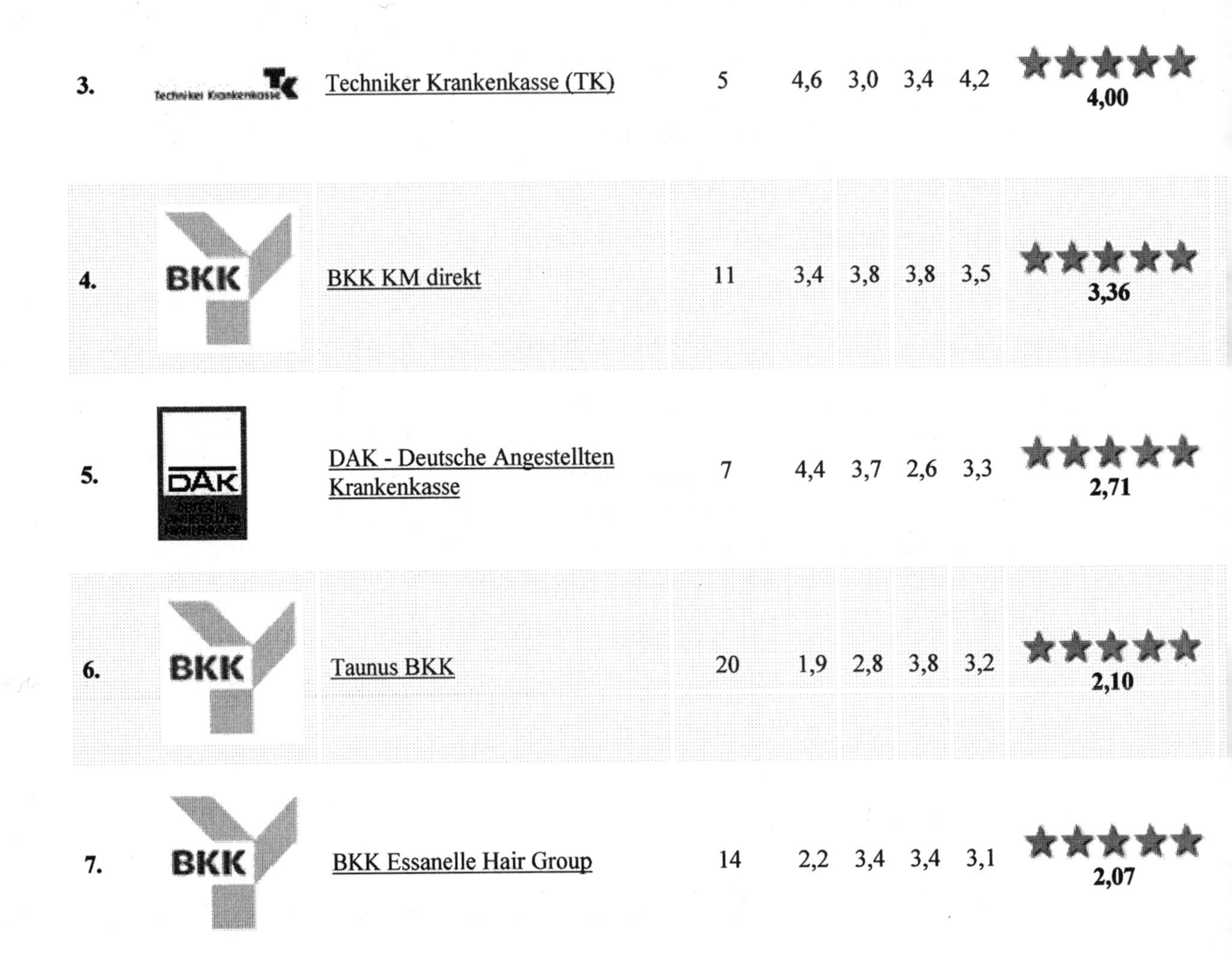

3.	Techniker Krankenkasse (TK)	5	4,6	3,0	3,4	4,2	★★★★★ 4,00
4.	BKK KM direkt	11	3,4	3,8	3,8	3,5	★★★★★ 3,36
5.	DAK - Deutsche Angestellten Krankenkasse	7	4,4	3,7	2,6	3,3	★★★★★ 2,71
6.	Taunus BKK	20	1,9	2,8	3,8	3,2	★★★★★ 2,10
7.	BKK Essanelle Hair Group	14	2,2	3,4	3,4	3,1	★★★★★ 2,07

Table taken from
http://www.ciao.com/hitliste/Die_besten_gesetzlichen_Krankenkassen.html

1. Was ist die beste Note? Und die schlechteste?
2. Welche Krankenkasse hat eine Note von 4,00?
3. Welche Note hat die DAK?
4. Wie viele Berichte gibt es für die Betriebskrankenkasse (BKK) Mobil Oil?
5. Welche Krankenkasse steht auf Platz drei der Rangliste (rating list)?

→ For practice, see exercise 9.8-9 in the workbook.

Kultur-Aspekte

1. Wie sind Sie krankenversichert?
2. Müssen Studierende in Nordamerika versichert sein?
3. Wie haben Sie Ihren Hausarzt gefunden?
4. Wie würden Sie einen neuen Hausarzt suchen?

Krankenversicherung

Wer in Deutschland krank wird, braucht sich um die Behandlung[26] keine großen Sorgen zu machen: Studierende, egal ob In- oder Ausländer, werden bei einer gesetzlichen Krankenkasse versichert. Das kostet weniger als 50 Euro im Monat und hat viele Vorteile[27]: Krankenkassen-Mitglieder werden beim Arzt oder im Krankenhaus behandelt. Für Medikamente in der Apotheke muss jeder einen bestimmten Anteil bezahlen. Die Behandlung im Krankenhaus ist auch nicht mehr ganz kostenlos[28].

Adapted from http://www.campus-germany.de/german/1.62.8.1.html

Ärztliche Versorgung

Auch in Deutschland wird man krank. Zum Glück gibt es viele Ärzte hier: die spezialisierten "Fachärzte" und "Allgemeinmediziner". Welcher Arzt der richtige ist, können Ihnen Freunde und Bekannte sagen. Denn beim Arzt ist es wie beim Automechaniker. Den besten zu finden braucht Zeit. Das Branchentelefonbuch "Gelbe Seiten " gibt Auskunft über Ärzte aller Fachbereiche. Wenn es geht, sollten Sie vor dem Artztbesuch einen Termin vereinbaren. Bei fast allen "Allgemeinmedizinern" können Sie sich auch ohne Termin behandeln lassen, aber Sie müssen dann mit langen Wartezeiten rechnen.

Adapted from http://www.campus-germany.de/german/1.62.8.2.html

1. Muss man sich Sorgen machen, wenn man in Deutschland krank wird?
2. Wie viel kostet die Krankenkasse für Studenten in Deutschland?
3. Kann man in Deutschland ohne Krankenkasse studieren?
4. Wer kann Ihnen sagen, welcher Arzt eventuell gut ist?
5. Wo kann man Auskunft über Ärzte aller Fachbereiche bekommen?

→ For practice, see exercises 10.10-11 in the workbook.

Die Zimmervermittlung

Auf der Straße ist Daniel einem Mann begegnet,[29] der eine Zimmervermittlung gesucht hat. Am Bahnhof hat er sie gefunden. Er steht gerade dort und will ein Zimmer bekommen.

Mann: Guten Tag.

---

[26] treatment
[27] advantages
[28] for free
[29] to meet, *begegnen* is the chance type of meeting not planned or scheduled. *Begegnen* always takes *sein* in the perfect.

Vermittlerin: Guten Tag
Mann: Ich suche ein Zimmer.
Vermittlerin: Einzel- oder Doppelzimmer?
Mann: Einzel mit Bad.
Vermittlerin: Mit Dusche oder Badewanne?
Mann: Dusche.
Vermittlerin: Preiskategorie?
Mann: Mittel.
Vermittlerin: So ungefähr 70 Euro pro Nacht?
Mann: Ja, das geht. Ist das mit Frühstück?
Vermittlerin: Mit Frühstücksbüfett.
Mann: Sehr gut. Kann ich mit Kreditkarte zahlen?
Vermittlerin: Das Hotel hat lieber Bargeld, wenn es geht.
Mann: Dann muss ich erst zum Geldautomaten.
Vermittlerin: Bitte, füllen Sie dieses Formular aus, und ich rufe das Hotel an, um zu sagen, dass Sie gleich kommen.
Mann: Sehr gut.
Vermittlerin: Ach ja, wie viele Nächte wollen Sie bleiben?
Mann: Vier.
Vermittlerin: Also, 10 Euro Vermittlungsgebühr, bitte.
Mann: 10 Euro?

Sie sind in Schwerin und Sie suchen ein Zimmer. Sie stehen an der Rezeption im Hotel "Schweriner Schloss" Was sagen Sie? Sie arbeiten zu zweit. Sie sind der Gast und Ihr(e) Partne/in ist Empfangschef/-dame.

nützliche Ausdrücke

Ich habe ein Zimmer reserviert.
Ich möchte ein Doppelzimmer/Einzelzimmer mit Badezimmer/Dusche.
Ist Frühstück inklusive?
Gibt es ein Frühstücksbüfett?
Haben Sie einen Parkplatz?
Gibt es Fernsehen und Internetanschluss in jedem Zimmer?

→ For practice, see exercises 9.12-14 in the workbook.

Lese-Ecke

Was machen Sie am Sonntag?
Was machen Sie am Sonntag, wenn Sie verreist sind?

Kleinstadtsonntag

von Wolf Biermann

Gehn wir mal hin?
Ja, wir gehn mal hin.
Ist hier was los?
Nein, es ist nichts los.
Herr Ober, ein Bier!
Leer ist es hier.
Der Sommer ist kalt.
Man wird auch alt.
Bei Rose gabs Kalb.
Jetzt isses schon halb.
Jetzt gehn wir mal hin.
Ja, wir gehn mal hin.
Ist er schon drin?
Er ist schon drin.
Gehn wir mal rein?
Na gehn wir mal rein.
Siehst du heut fern?
Ja, ich sehe heut fern.
Spielen sie was?
Ja, sie spielen was.
Hast du noch Geld?
Ja, ich habe noch Geld.
Trinken wir ein'?
Ja, einen klein'.
Gehn wir mal hin?
Ja, gehn wir mal hin.
Siehst du heute fern?

Ja ich sehe heut fern.

1. Wohin gehen wir?
2. Wie ist der Tagesablauf an diesem Sonntag?
3. Was trinken die Leute?
4. Was spielen sie?
5. Sind die Menschen Frauen oder Männer?
6. Warum ist Fernsehen so wichtig?
7. Wohin gehen wir?

Schreiben Sie einen Dialog zwischen diesen Personen, in dem die Personen erklären, wohin sie gehen und warum.

Was sagt uns dieses Gedicht über die deutsche Kultur?

Glossar: Abschnitt 9 „Schwerin“

Verben

etw. belegen – hier: to enroll in a subject
durchfallen (sep) – to fail
abhauen (sep) – (colloqu.) to leave
hängen – to hang
renovieren – to renovate
vorbereiten (sep) – to prepare
unterstützen – to support
bestehen aus – to consist of
ankreuzen (sep) – to mark with a cross
durchführen (sep) – to carry out
opfern – to sacrifice
sich befinden – to be located
mitverfolgen (sep) – to follow along
ausstopfen (sep) – to stuff, here: to do taxidermy
aufbewahren (sep) – to keep
viel von jdm. halten – to think much of sb.
borgen – to borrow
leihen – to lend
sich umgucken (sep) – to look around
beherbergen – to house
reichen – here: to be enough
bereit halten – to have ready
bummeln – to walk leisurely

Adjektive

gültig – valid
vorgeschrieben – required
verbs of two-way prepositions on p.312
geladen – loaded
umfangreich – extensive
zahlreich - numerous

Adverbien

hierzulande – here (in this country)
ratsam – advisable
rechtzeitig – timely, in time
weitaus – by far
geradeaus – straight ahead
allerdings – though, mind you

Substantive

der Führerschein (e) – driver's license
die Geschwindigkeitsbegrenzung (en) – speed limit
die Fahrschule (n) – driving school
der Prüfling (e) – test candidate
das Handschuhfach (ächer) – glove compartment
das Pärchen (-) – couple (doesn't have to be married)
der Möbelpacker (-) – removal person
die Einweihungsfete (n) – house warming party
die Hürde (n) – hurdle
die Wertigkeit (en) – value, valency
die Voraussetzung (en) – requirement, prerequisite
das Mindestalter (-) – minimum age
der/die Bewerber/in (-/innen) – applicant
die Fähigkeit (en) – ability
die Anwendung (en) – application, using
der LKW (Lastkraftwagen) (s) – truck
der PKW (Personenkraftwagen) (s) – car
die Fahrweise (n) – the kind of driving
die Umschreibung (en) – hier: changing of the document
die Erweiterung (en) – extension
der Ersatz (no pl) – replacement
der Spitzenreiter (-) – number one
die Autobahngaststätte (n) – restaurant at a rest stop
das Gebot (e) – law, rule, commandment
das Verkehrszeichen (-) – traffic sign
traffic signs on p.316f.
der Umzug (üge) – move
der Orientierungssinn (no pl) – sense of direction
die Öffnungszeit (en) – shopping hour
die Ausstattung (en) – provisions
der/die Preisbewusste (n) – price conscious person
die Haushaltskasse (n) – household budget

wegen – because of
bereits = schon – already

Prepositions *on p. 311*

Ausdrücke
alles liegt herum – everything is scattered about
bei denen – hier at their place
mit Rat und Tat – in word and deed
soweit sein – when time has come
eine Prüfung ablegen – to take an exam
erst die Arbeit, dann das (Fahr-)Vergnügen – business before pleasure (of driving)
sich für die Prüfung anmelden – register for an exam
keine Ursache – no problem
eine Leistung erbringen – to warrant success
über Gott und die Welt reden – to talk about everything
wie weg geblasen – like blown away
nicht auf der Höhe – not at one's best
sich Sorgen machen – to worry
in der Regel – normally, usually
im Falle des Falles – if it comes to it

das Angebot (e) – (spezial) offer
die Drogerie (n) – drug store
die Kleinigkeit (en) – something small
der Ausgangspunkt (e) – point of departure
das Durcheinander (no pl) – chaos
die Marke (-) – brand
die Krankenversicherung (en) – health insurance
die Behandlung (en) – treatment
der Nachweis (no pl) – proof
das Antragsformular (e) – application form
der/die Pflichtversicherte (n) – compulsorily insured person
der Beitrag (äge) – contribution
die ärztliche Versorgung (no pl) – medical care
der Fachbereich (e) – area of specialty
das Fieber (no pl) – fever
der Gliederschmerz (en) – body pain
der/die Heilpraktiker/in (-/innen) – holistic medical practicioner
der/die Chirurg/in (en/innen) – surgeon
der Bericht (e) – report
die Zimmervermittlung (en) – accommo – dation service
die Vermittlungsgebühr (en) - commission

Multi-Kulti-Aktivität 9.2

Until recently, shopping was somewhat cumbersome because of the hours shops could stay open. Today, shops are permitted to stay open Monday through Saturday until 8 pm. However, many smaller shops stay open only until 6 during the week and close early on Saturday. Almost no shops are open on Sunday. Shops at a train station or shops that deal in tourist items are permitted to be open on Sunday. German speaking people tend to go shopping for food every day. They normally only buy what they need for that day. By doing so they believe they will always have fresh food. Until recently, most people would go shopping in little specialty shops. However, today malls and their chain stores have more appeal.

Hörverständnis 9.1

Daniel: Hallo, Oma.
Oma: Ach Daniel. Es ist schön deine Stimme zu hören!
Daniel: Oma, ich habe nicht viel Zeit. Gabi wartet auf mich. Ich habe etwas für dich gekauft. Im Souvenirladen habe ich dir eine schöne Vase aus Holz gekauft, dort habe ich auch eine Kleinigkeit für Waldi gefunden. Im Buchladen habe ich einen Reiseführer für meine Eltern gekauft und im Warenhaus eine klassischc CD für mcine Schwester.
Oma: Daniel, du hast schon viel gekauft.
Daniel: Oh, das ist nicht alles. In Berlin am Kiosk habe ich eine Dose Berliner Luft für mich gekauft.
Oma: Wie bitte?
Daniel: Ja, Berliner Luft. Es ist ein Witz.
Oma: Oh mei, Bub.
Daniel: Ich will Wurst beim Fleischer hier kaufen, weil sie sehr gut schmeckt, aber wegen Einfuhrverbot von frischen Lebensmitteln darf ich sie nach Amerika nicht mitnehmen. Im Supermarkt habe ich eine gute Flasche Wein gekauft und die nehme ich mit.
Oma: Und für Onkel Fritz?
Daniel: Ja, das weiß ich nicht so genau. Vielleicht kann ich Zigarren am Bahnhof finden. Und natürlich habe ich sehr schöne Blumen beim Floristen für Gabi gekauft.
Oma: Ich hoffe, dass es rote Rosen waren!
Daniel: Ja, die teuersten!

Aus dem Inhalt

Kultur

Hier lernen Sie etwas über:

die Landschaft
den Hundertwasser-Bahnhof in Uelzen
den Heidepark Soltau
die Kur in Deutschland

Grammatik
Komparativ und Superlativ
Wortstellung

Abschnitt 10

Die Lüneburger Heide

1. Wo liegt Niedersachsen?
2. Welche Stadt ist die Hauptstadt von Niedersachsen?
3. Wo liegt die Lüneburger Heide? (Internet)

→ For practice, see exercise 10.10 in the workbook.

http://www.lueneburger-heide.de/

Exkursion eins: Die Lüneburger Heide

Multi-Kulti-Aktivität 10.1

Eine E-Karte von Gabi

From: Gabi

To: Daniel

Date: Mittwoch, 13. August 12:48

Hi Daniel,

Text:

Wie geht's und wo bist du? Wenn du nach Hamburg fährst, musst du unbedingt Angela in Lüneburg besuchen. Sie freut sich ganz riesig! Lüneburg ist eine sehr schöne alte Stadt. Und die Lüneburger Heide ist im August wunderbar, wenn die Heide blüht.
Tschüs,
Gabi

Multi-Kulti-Aktivität 10.1

1. Welcher Typ Mensch geht gern zur Love Parade?
2. Gibt es irgendein Event, das international ist?
3. Welche Events sind interessanter für bestimmte Gruppen als für andere?
4. Hat dies etwas mit der Kultur zu tun?
5. Wie kann die Kultur über einen bestimmen, was man mag oder nicht mag?

Wort-Box			
die Landschaft (-en)	landscape, countryside	die Reihe (-n)	row
betrachten	to look at, to watch	das Mädel (-s) coll.	girl, chick
flach	flat	die Pflanze (-n)	plant
besiedelt	populated	blühen	to bloom
das Feld (-er)	fields		
der Wald (-älder)	wood, forest		
die Wiese (-n)	meadow		
das Pferd (-e)	horse		
die Kuh (-ühe)	cow		
der Bauernhof (-öfe)	farm		

Hören Sie den Text und machen Sie dann eine Zeichnung der Landschaft, die Daniel vom Zug aus sieht.

Die Landschaft

Daniel sitzt im InterRegio-Zug von Hannover nach Hamburg über Lüneburg. Er sitzt am Fenster und betrachtet die Landschaft.	*in the regional train from Hanover to Hamburg via Lüneburg. and looks at the landscape.*
Daniel wundert sich und redet laut vor sich hin:	*Daniel is wondering and talking to himself:*
Es ist hier alles so wahnsinnig flach. Die Autobahnbrücke ist ja hier schon ein Berg. Mmm, es ist überhaupt nicht so dicht besiedelt wie in Süddeutschland – Felder, Wälder, Wiesen mit Pferden und Kühen... Wow! Was ist das? Ein Sandfeld mit langen Reihen.	*Everything is so incredibly flat here. The freeway overpass is here just like a mountain. Mmm, it is not at all as densely populated as in southern Germany – fields, forests, meadows with horses and cows ... Wow! What's that? A sand field with long rows?*
Netter älterer Herr: Junger Mann, Sie sehen gerade Spargelfelder. Hier wird weißer Spargel angebaut und er wird von Mai bis Juni wie Gold gehandelt. Die Leute	Young man, you are looking at asparagus fields right now. White asparagus is grown here and from May to June it is sold like gold. People are willing to pay a fair

bezahlen viel Geld für dieses Gemüse.	amount of money for this kind of vegetable.
Daniel: Und warum gibt es hier so viele Pferde auf den Wiesen? Die Leute haben doch alle ein Auto, nicht wahr?	And why are there so many horses in the meadows?
Älterer Herr: Das ist ein modernes Hobby. Besonders die jungen Mädels reiten gern. Das ist besser, als wenn sie den Jungs nachlaufen.	Young teenage girls especially like horseback riding. I guess, that's better than running after the boys.
Daniel: Wer weiß, vielleicht machen sie beides.	
Der Herr lächelt.	
Daniel: Schauen Sie, diese Bauernhöfe sind sehr groß.	Look, these farms are very large.
Älterer Herr: Ja, hier sind die Höfe groß. Es gibt noch viel Platz und ein niedersächsisches Bauernhaus ist traditionell groß gebaut. Früher hatte man auch alle Tiere mit im Haus; Bioheizung kann man sagen. Deshalb so ein großes Gebäude.	Yes, the farms are big here. There is still a fair amount of space and a Lower Saxony farm house is traditionally built quite spacious. In the past all animals were kept in the house as well, organic heating, one could say. This is why the houses are so big.
Daniel: Wie weit ist es bis Lüneburg?	
Älterer Herr: Wir sind gerade durch Celle gefahren – übrigens eine sehr schöne alte Stadt – und dann noch durch Uelzen. Passen Sie dort auf, der Zug fährt in Uelzen durch den Hundertwasser-Bahnhof. Nach Uelzen kommt dann Lüneburg.	We just passed through Celle – by the way, a beautiful old city – and then through Uelzen. Pay attention,
Daniel: Hier – mitten auf dem Land ein Hundertwasser-Bahnhof? Unglaublich!! Meine Tante wohnt nämlich im Hundertwasserhaus in Wien.	Here – right in the country a Hundertwasser train station? Incredible!!
Älterer Herr: Wenn Sie Zeit haben, sollten Sie unbedingt nach Uelzen fahren. Junger Mann, sehen Sie diese rosarote Fläche mit den einzelnen Wacholderbäumen?	If you have time, you should really go to Uelzen. Young man, do you see those pink fields with the single juniper trees?
Daniel: Ja, was ist diese rosa Pflanze?	Yes, what is this pink plant?
Älterer Herr: Das ist die Heide oder botanisch „Erica", die jetzt blüht. Sie ist typisch für diese Gegend, deshalb der Name Lüneburger Heide.	That is the heather or, botanically, "Erica" that is now blooming. It is typical for this area, therefore the name Lüneburg Heath.

Was sieht Daniel?

Zeichnen Sie nun ein Bild von der Landschaft, die Daniel vom Zugfenster aus sieht. Schreiben Sie auch die Vokabeln dazu.

Beispiel:

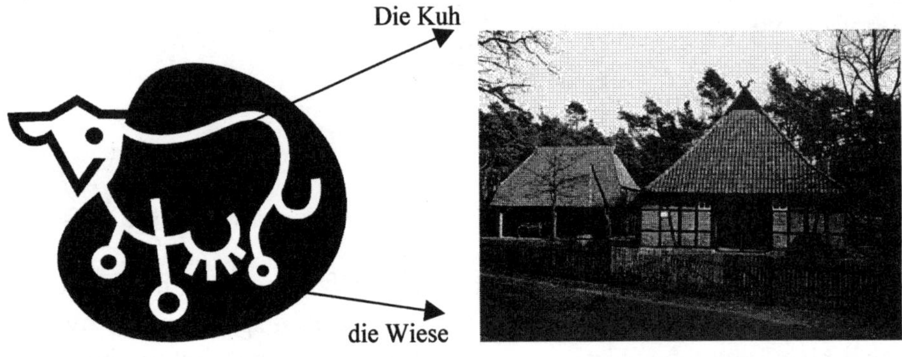

das niedersächsische Bauernhaus

Meine Zeichnung:

Traumlandschaften:

Schauen Sie die Bilder an. Beschreiben Sie dann Ihr eigene Traumlandschaft, ca. 5 Sätze.

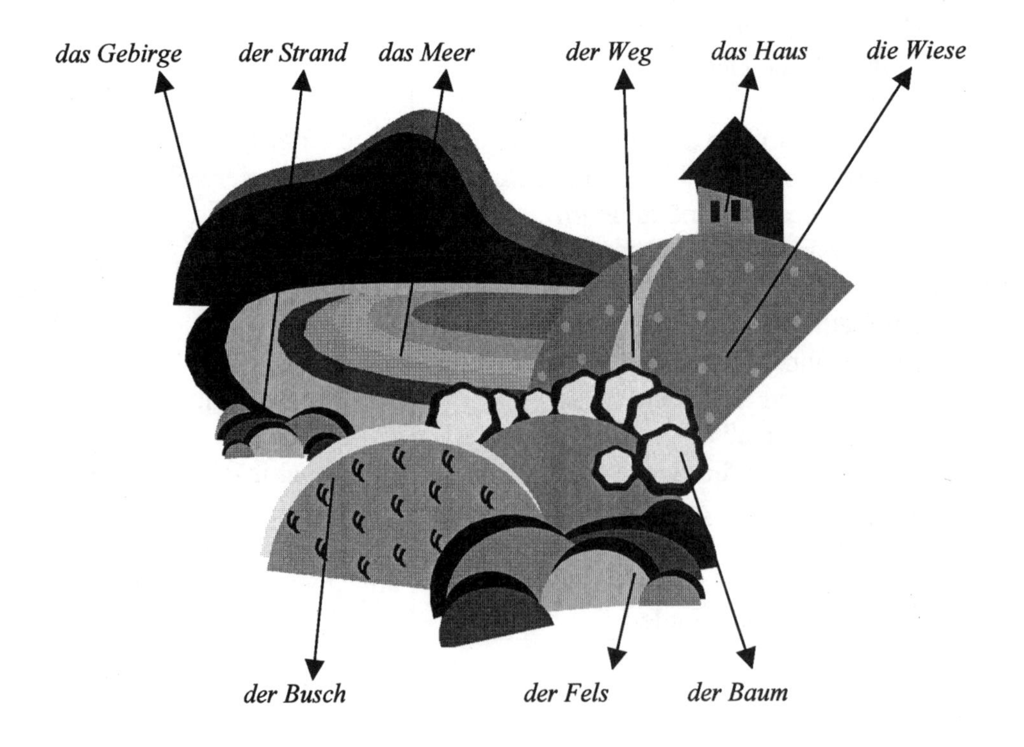

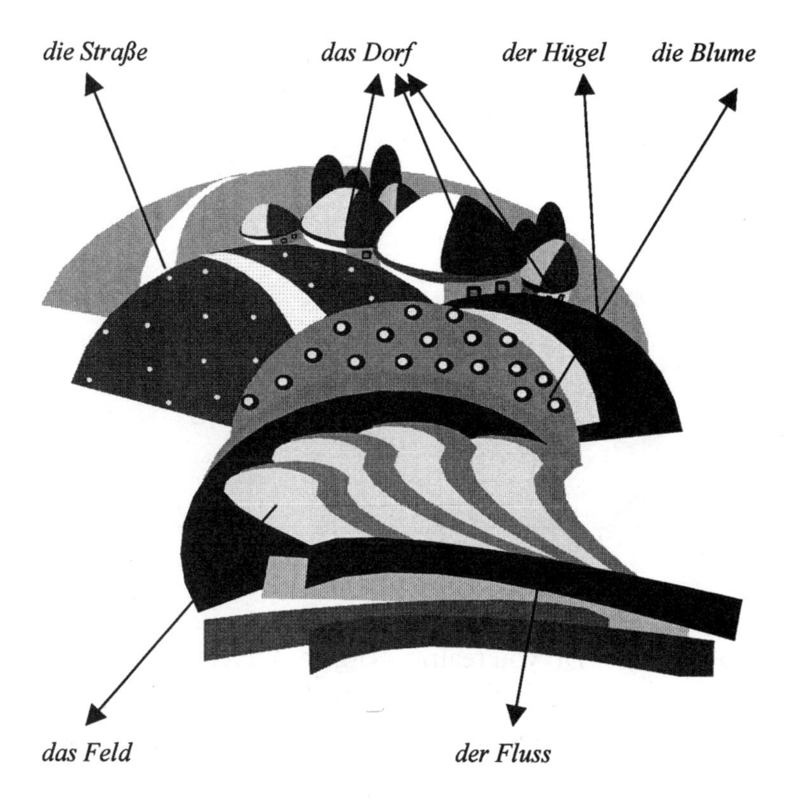

→ For practice, see exercise 10.1 in the workbook.

Meine Traumlandschaft ...

http://www.salzstadtrundgang.de/

Wort-Box

der Giebel (-)	gable
bislang	up to now
die Ritterburg (-en)	lit.: castle of a knight
die Einkommensquelle (-n)	source of income
das Hochzeitspaar (-e)	newly wed couple
das Standesamt (-ämter)	justice of the peace
die Fußgängerzone (-n)	pedestrian zone
Ach du meine Güte!	Goodness me!

In Lüneburg

Daniel und Angela gehen durch die Innenstadt von Lüneburg.	*center*
Daniel: Sag mal, Angela. Lüneburg sieht so ganz anders aus als die anderen deutschen Städte, die ich bislang besucht habe. Die Giebel der Häuser hier sind so eckig.	Do you realize, Angela. Lüneburg looks so much different from all the other German cities, which I have visited so far. The gable ends of the houses here are angular.
Angela: Man nennt sie Stufengiebel. Man hat sie in der Renaissance gebaut und sie sind eigentlich symbolische Reste der Zinnen von Ritterburgen aus dem Mittelalter.[1]	They are called step gables. They were built in the Renaissance and they are actually symbolic remains of the pinnacles of medieval castles.
Daniel: Woher hat diese kleine Stadt so wunderbare Häuser?	Why are there such wonderful buildings in such a small town?
Angela: Diese Stadt ist schon über 1000 Jahre alt und sie war eine wichtige Stadt, weil es hier Salz gab. Und Salz war als Konservierungsmittel sehr wichtig.	And salt was very important as a preservative.
Daniel: Also sind die Leute von Salz reich geworden.	In other words, people became rich from salt.
Angela: Ja einige Patrizier. Das Salz ist lange eine bedeutende Einkommensquelle der Stadt gewesen. Bis 1980 hat man Salz gewonnen.	Yes, some of the patricians. Salt has been an important source of income for the city for a long time. They mined salt until 1980.
Daniel: Schau, Angela, da kommt gerade ein Hochzeitspaar aus dem Haus.	Look, Angela, a newly wed couple is leaving that building.
Angela: Ja, das ist das Heinrich-Heine-Haus. Der Dichter und Satiriker schrieb dort den größten Teil des „Buch der Lieder." Heute sind dort das Standesamt	The poet and satirist wrote most of his „Book of Songs" there. Today, you'll find the justice of the peace and the office for

[1] Information von: http://www.pfeilfinder.de/deutsch/epochen-info/gotik/gotik.html

und das Literaturbüro.	literature.
Daniel: Was mir außer den Häusern hier gefällt, ist die große Fußgängerzone in Lüneburg. Wir können ganz gemütlich gehen, reden und schauen. Keine Autos.	What I like here besides the houses is the pedestrian zone in Lüneburg. We can walk, talk and look around quite comfortably.
Angela: Ja, das finden die modernen Lüneburger auch sehr schön.	
Daniel: Ich möchte, dass die Innenstädte in den USA so ruhig und bequem sind wie in Deutschland.	
Daniel und Angela gehen am Verkehrsbüro vorbei. Daniel hält plötzlich an.	*Daniel and Angela walk passed the tourist information office. Daniel suddenly stops.*
Daniel: Angela, schau mal, "Heidepark Soltau"! Das Plakat sieht sehr interessant aus. Gibt es hier auch ein Disneyworld?	
Angela: Ach du meine Güte!! Du findest das interessant? Na ja, es ist der größte Vergnügungspark in Niedersachsen. Er ist in Soltau, nicht weit von hier. Viele Eltern fahren mit ihren Kindern zum Heidepark. Es ist nicht teurer als Disneyworld.	Goodness me!! Well, it is the biggest amusement park in Lower Saxony.
Daniel: Können wir morgen dahin fahren?	
Angela: O.K., aber nur weil du ein Ami bist.	

Beantworten Sie nun folgende Fragen:

1. Warum sind die Häuser in Lüneburg mit einem Stufengiebel gebaut?
2. Woher kam Lüneburgs Reichtum?
3. Welcher bekannte deutsche Satiriker lebte und schrieb in Lüneburg?
4. Was gefällt Daniel am modernen Lüneburg?
5. Was entdeckt Daniel beim Verkehrsbüro?
6. Warum sagt Angela: "Ach du meine Güte!"?
7. Was meint Angela, wenn sie sagt: "O.K., aber nur weil du ein Ami bist"?

→ For practice, see exercise 10.2 in the workbook.

Das Heinrich-Heine-Haus am Marktplatz

http://www.luene-info.de/index2.html?http://www.luene-info.de/webcam/pons/stintmarkt.html

Wahrhaftig

Wenn der Frühling kommt mit dem Sonnenschein,
Dann knospen[2] und blühen[3] die Blümlein auf;
Wenn der Mond beginnt seinen Strahlenlauf,
Dann schwimmen die Sternlein hinterdrein;
Wenn der Sänger zwei süße Äuglein sieht,
Dann quellen[4] ihm Lieder aus tiefem Gemüt; --
Doch Lieder und Sterne und Blümelein,
Und Äuglein und Mondglanz und Sonnenschein,
Wie sehr das Zeug[5] auch gefällt,
So macht's doch noch lang keine Welt.

Heinrich Heine "Buch der Lieder"
http://www.uni-mainz.de/~pommeren/Gedichte/BdL/Rom-20.html

1. Womit kommt der Frühling?
2. Wann schwimmen die Sternlein?
3. Wann quellen dem Sänger Lieder?
4. Was macht keine Welt?

Kultur-Aspekte

Die Öko-Bauern (15.10.2001)

Ziel: 20 Prozent. Der ökologische Landbau ist in der EU weiter auf dem Vormarsch.[6]

---

[2] to bud
[3] aufblühen = to bloom, to blossom
[4] to well up
[5] stuff
[6] auf dem Vormarsch sein – to be advancing

EU-weit werden über 3,7 Millionen Hektar von mehr als 130 000 Betrieben ökologisch bewirtschaftet. Das sind rund drei Prozent der landwirtschaftlichen Nutzfläche[7] und etwa zwei Prozent aller Betriebe. Das steht in einer Studie der Stiftung Ökologie und Landbau. Österreichs Bauern nehmen den Spitzenplatz in der EU ein; dort werden fast neun Prozent der Landwirtschaftsfläche nach den Kriterien des Ökolandbaus bewirtschaftet. Die größte Ökofläche insgesamt hat Italien mit über einer Million Hektar. Das sind sieben Prozent der Landwirtschaftsfläche Italiens. Deutschland kommt mit einer Ökofläche von 546 000 Hektar auf einen Anteil von 3,2 Prozent. Diese Zahl soll sich aber in den nächsten Jahren deutlich erhöhen; das Bundesverbraucherministerium strebt einen Anteil von 20 Prozent Öko-Landbau im Jahr 2010 an[8]. (Globus Statistische Angaben: Stiftung Ökologie und Landbau, BMVEL. © 2001 Globus Infografik GmbH)

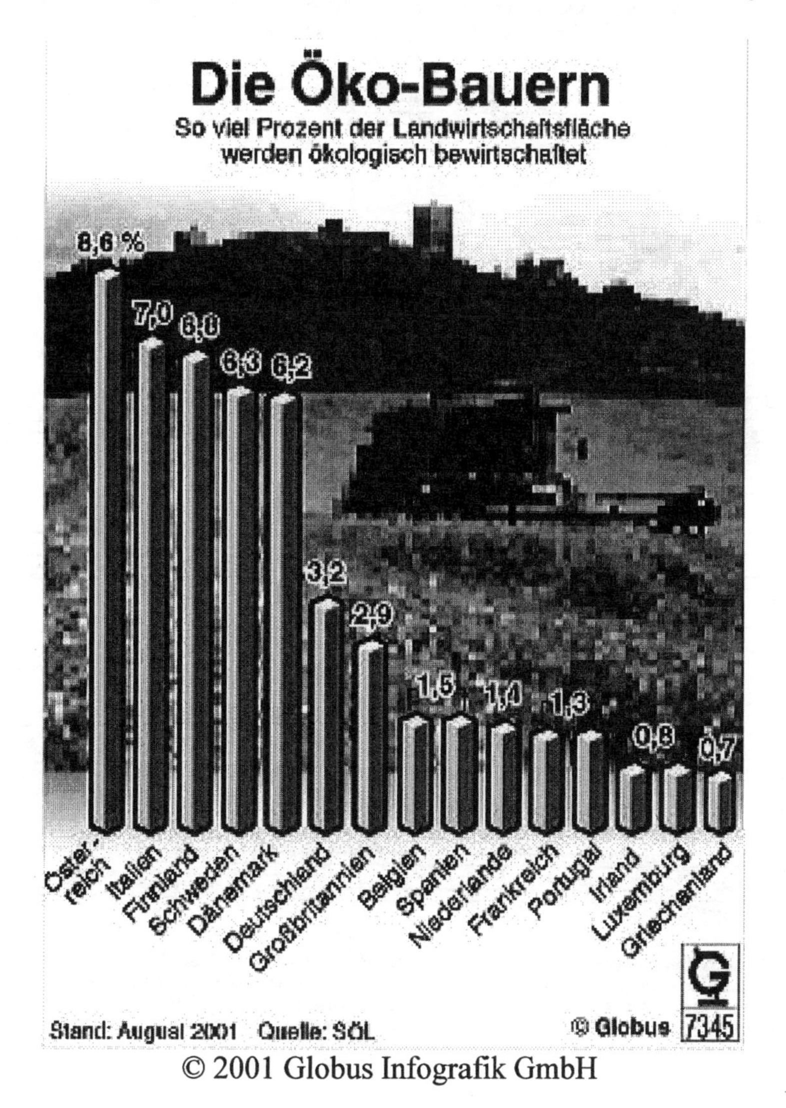

© 2001 Globus Infografik GmbH

1. Die meisten Öko-Bauern sind in diesem Land. ______________________________

[7] die Nutzfläche – productive land
[8] anstreben – to strive for

2. Hier gibt es mehr als 130.000 Öko-Betriebe. ______________________________

3. Es werden hier fast neun Prozent der Fläche nach den Kriterien des Ökolandbaus bewirtschaftet. ______________________________________

4. In diesem Land gibt es etwa 546.000 Hektar Ökofläche. ____________________

5. Diese Organisation will einen Anteil von 20 Prozent Öko-Landbau im Jahre 2010.

____

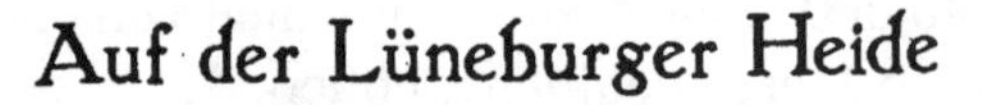

2. Brüder, laßt die Gläser klingen,
denn der Muskatellerwein
wird vom langen Stehen sauer,
ausgetrunken muß er sein.
Valleri . . .

3. Und die Bracken und die bellen,
und die Büchse und die knallt,
rote Hirsche woll'n wir jagen
in dem grünen, grünen Wald.
Valleri . . .

4. Ei du Hübsche, ei du Feine,
ei du Bild wie Milch und Blut,
unsre Herzen woll'n wir tauschen,
denn du glaubst nicht, wie das tut
Valleri . . .

Exkursion zwei: Die Fahrt durch die Heide

Multi-Kulti-Aktivität 10.2

Was finden Sie in diesen Situationen besser?

eine Exkursion aufs Land	Auto oder Fahrrad	Warum?
eine Exkursion in die Stadt	Auto oder S-Bahn	Warum?
eine Exkurison in die Nachbarstadt	Auto oder Bus/Bahn	Warum?
eine Exkursion in ein Nachbarland	Auto oder Bahn	Warum?

Was finden Deutsche, Schweizer und Österreicher in diesen Situationen besser? Warum?

Hundertwasser-Bahnhof Uelzen

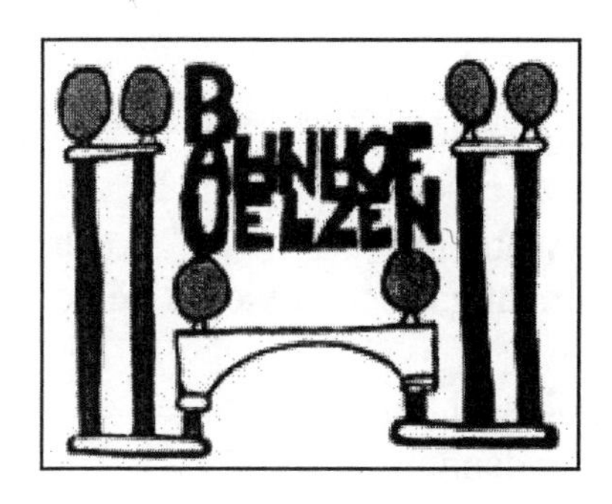

http://www.uelzen.de/

Wort-Box

der Rummel	carnival, fair
der Imbiss (-e)	snack
der Delphin (-e)	dolphin
der Papagei (-en)	parrot
mir gut tun	to be good for me
Was hältst du davon?	What do you think of it?
verfolgen	to pursue
originell	unique, unusual (!! false friend!!)

Der Vergnügungspark und der Hundertwasser-Bahnhof

Daniel und Angela stehen vor dem Vergnügungspark Heidepark und überlegen sich, was sie hier machen wollen.	*are thinking about*
Angela: Na, hier sind wir. Was willst du hier machen? Daniel: Was gibt es?	
Angela: Naja, es ist etwa wie ein Rummel mit verschiedenen Aufführungen. Es gibt z.B. verschiedene Tiershows mit Delphinen, Papageien usw.	Well, it is something like a carnival with various shows. There are, for example, various animal shows with dolphins, parrots etc.
Daniel: Hmm. Rummel? Ich gehe immer gern zu den Schießbuden.	Hmm. Carnival? I always like to go the the shooting booths.
Angela denkt" typisch Mann!"	
Daniel: Wir könnten zuerst etwas essen. Ich habe Hunger. Eine Currywurst mit Pommes würden mir im Moment ganz gut tun.	A curry sausage with French fries would be good for me at the moment.
Angela: Gut. Drüben ist ein Imbiss. Und die Delphin-Show können wir danach mal ansehen. Was hältst du davon?	snack bar What do you think?
Daniel isst ein Stück von seiner Currywurst und meint	
Daniel: Ja, sicher. Gute Idee.	
Einige Stunden später	*Several hours later.*
Daniel: Das hat mir Spaß gemacht. Angela: Na ja, es ging. Es war nicht unbedingt meine Vorstellung von Kultur, aber...	It wasn't really my idea of culture, but......
Sie fahren über Uelzen nach Lüneburg	

[9] © Bahnhof 2000 Uelzen e.V. - Impressum - 01.07.2001
[10] © Bahnhof 2000 Uelzen e.V. - Impressum - 11.03.2001

zurück, denn Daniel möchte unbedingt den Hundertwasser-Bahnhof sehen.	
Daniel: Warum gibt es in Uelzen einen Hundertwasser-Bahnhof?	
Angela: Die Stadt verfolgte mit diesem Projekt mehrere Ziele. Man wollte den Bahnhof als interessantestes Gebäude der Stadt gestalten. Der Uelzener Bahnhof sollte so Beispiel und Motivation für andere Städte sein, dass sie ihre Bahnhöfe attraktiv machen. Denn es sollen mehr Menschen mit der Bahn fahren und weniger Leute mit dem Auto. Natürlich soll der Bahnhof auch Touristen anziehen.	The city pursued several objectives with this project. They wanted to establish the station as the most interesting building of the town. In this manner, the Uelzen station was meant to be an example and motivation for other cities to also make their stations more attractive.
Daniel: Wann ist der Hunderwasser-Bahnhof fertig geworden?	
Angela: Gerade zur Expo 2000, also im Jahre 2000. Die Uelzener wussten, dass es dann viele Touristen gibt.[9] Aber der Bahnhof stammt schon aus dem Jahr 1888.[10]	Exactly for the opening of Expo 2000 in the year 2000. The citizens of Uelzen new that there would be many tourists. But the station itself was already built in 1888.
Daniel: Ich finde diesen Bahnhof toll und sehr originell.	
Angela: Oft sind alte Bahnhöfe hässlich, kahl und kalt. Aber dieser renovierte ist farbenfroh, warm und interessant.	

http://www.uelzen.de/

Beantworten Sie die folgenden Fragen.

1. Was machen Daniel und Angela auf dieser Exkursion?
2. Was isst Daniel und wo im Heidepark isst er?
3. Was lernt Daniel über den Hundertwasser-Bahnhof?

http://www.heidepark.de/

Kultur-Aspekte

Beantworten Sie die folgenden Fragen.

1. Wie viele Menschen in Deutschland fahren mit dem Auto zur Arbeit?
2. Wie viele Menschen in Deutschland gehen zu Fuß zur Arbeit?

Sehen Sie die Grafik an. Sind Ihre Antworten richtig?

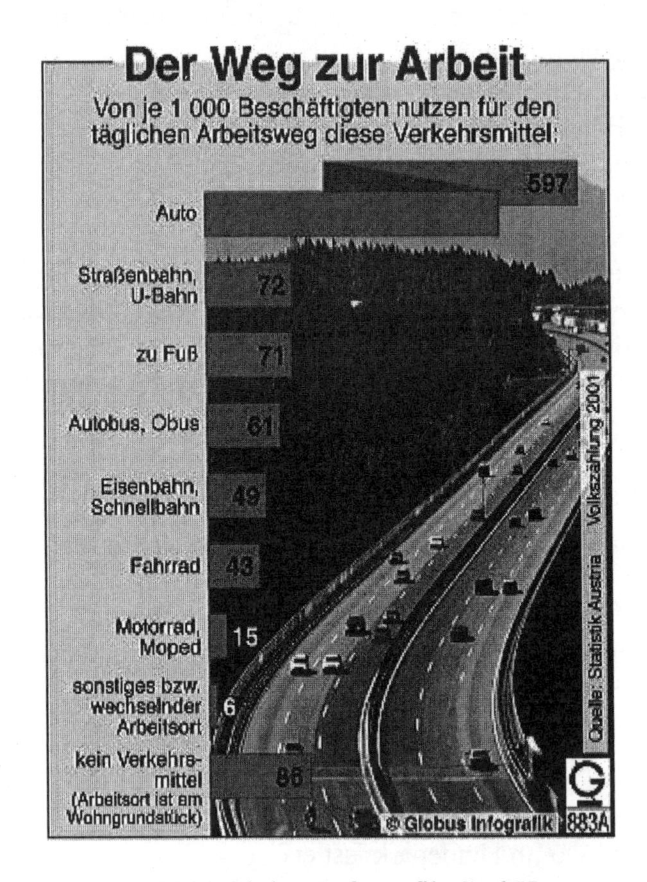

© 2001 Globus Infografik GmbH

Der Weg zur Arbeit
26.03.2004

Das Auto ist das Verkehrsmittel Nummer eins auf dem Weg zur Arbeit. 597 von je 1 000 Beschäftigten kommen mit dem Pkw zu ihrem Arbeitsplatz. Auf öffentliche Verkehrsmittel setzen nur 18 Prozent der Berufstätigen: Sie fahren mit der Straßenbahn, dem Obus oder der Eisenbahn. Keine Gedanken über die Wahl des Verkehrsmittels müssen sich rund neun Prozent der Befragten machen: Sie wohnen direkt an ihrem Arbeitsort. (© 2001 Globus Infografik GmbH)

1. Warum müssen neun Prozent der Befragten sich keine Gedanken machen?

Hörverständnis 10.1

Angela und Daniel sind im Heidepark Soltau. Die beiden gehen zur Delphin-Show, zur Papageien-Show und zur Alligatoren-Show. Hören Sie nun folgende Dialoge der Trainer und beantworten Sie anschließend die Fragen mit *richtig* oder *falsch*. Aber bevor Sie alles hören, lesen Sie die folgenden Aussagen durch.

Das Delphinarium

http://www.heidepark.de/

Richtig oder falsch

_______ 1. Der Heidepark hat vier Delphine.
_______ 2. Die Delphine haben schon die Zuschauer im Jahr der Eröffnung begeistert.
_______ 3. Der Gelbbrustpapagei rechnet viel schneller als ein Computer.
_______ 4. Der Papagei gibt die richtige Antwort auf die mathematische Frage "3+7= ?".
_______ 5. Es gibt drei erwachsene Alligatoren im Heidepark.
_______ 6. Der Trainer meint, Mücken sind aggressiver als Alligatoren.
_______ 7. Er trainiert Alligatoren schon seit Eröffnung des Parks 1978.

Eintrittspreise

Eintrittspreise

Eintrittspreise

1-Tageskarte Erwachsene	Euro 23,00
1-Tageskarte Kinder (3–11 Jahre)/ Senioren (ab 60 Jahre)	Euro 19,00
2-Tageskarte Erwachsene	Euro 35,00
2-Tageskarte Kinder (3–11 Jahre)/ Senioren (ab 60 Jahre)	Euro 29,00
Jahreskarte* Erwachsene	Euro 54,00
Jahreskarte* Kinder (3–11 Jahre)/ Senioren (ab 60 Jahre)	Euro 44,00
Lifetime Pass	Euro 555,00

2-Tageskarte ist nur an zwei aufeinander folgenden Tagen gültig und nicht übertragbar.

* Schwerbehinderte bekommen auf Tages- und Jahreskarten Euro 4,00 Ermäßigung.

* Jahreskarte gültig für 1 Jahr ab dem ersten Besuch, ausgenommen 17.05.-02.06.2002 und 25.07.-16.09.2002, mit Ausnahme eines Tages innerhalb dieser Zeit.

Preise für Gruppen, Schulen und Kindergärten auf Anfrage.

1. Daniel und Angela müssen eine Karte für den Heidepark kaufen. Was kosten die Tageskarten?

2. Sie lesen die Preisliste und sehen, dass es eine Karte für Kinder und Senioren gibt. Angela findet das interessant, weil ihre Oma vielleicht den Park besuchen möchte. Was kostet ein Tag für ihre Oma?

3. Angelas Schwester hat zwei Kinder und möchte zwei Tage den Heidepark besuchen. Was müsste sie für sich, ihren Mann und ihre Kinder zahlen?

Grammatik-Spot **Comparative and Superlative of Adjectives and Adverbs**

So far you have been using adjectives and adverbs in their *positive* or basic form.
You can make comparisons in three different ways:

positive

comparative
superlative

If you want to say that two or more persons or items are in some way alike or equal, you use **so ... wie.**

*Ich möchte, dass die Innenstädte in den USA **so** ruhig und bequem sind **wie** in Deutschland.*

You can also express inequality by adding ***nicht.***

*Heute ist er **nicht** so schnell wie der Computer.*

Comparative

You can also make comparisons of two unequal things or persons by adding **–er** to adjectives or adverbs.
All adjectives or adverbs in German end in **–er** in the comparative, in contrast to some English adjectives that use *more*: *more intelligent, more consequent.*

*Dieser Vogel ist noch viel **schneller.***

When you name both parts of the comparison use **"als"** (than).

*Daisy ist kleiner **als** Fritz ...*

↯**Note:** Adjectives with the ending **–el** and **–er** drop the **e** in the comparative.

dunkel – dunk**ler**
teuer – teu**rer**

*Es ist nicht **teurer** als Disneyworld.*

Some adjectives and adverbs take an Umlaut when the stem vowel is **a, o,** or **u.**

alt	**ä**lter	jung	j**ü**nger
kalt	k**ä**lter	kurz	k**ü**rzer
lang	l**ä**nger	stark	st**ä**rker
groß	gr**ö**ßer	warm	w**ä**rmer

Just like in English, German has irregular comparative forms of adjective and adverb as well.

gut	**besser**	viel	**mehr**
gern	**lieber**	hoch	**höher**

*Kommen Sie morgen wieder, er macht es dann **besser.***

Adjectives that precede a noun take the adjective ending after **–er.**

*Ja, ich kenne keinen spannend**eren** Beruf als Alligatortrainer.*

Die Delphine

Vergleichen Sie die vier Delphine: Melbourne, Daisy, Fritz und Joker.

	Melbourne	Daisy	Fritz	Joker
Alter	33	31	45	12
Größe	2,70 m	2,50 m	3,40 m	-
Gewicht	170 kg	180 kg	250 kg	-

Beispiele: Daisy/Melbourne/lang — Daisy ist fast so lang wie Melbourne.
Joker/Daisy/leicht — Joker ist leichter als Daisy.

1. Fritz/Melbourne/alt
2. Joker/Daisy, Melbourne und Fritz/jung
3. Fritz/Daisy/schwer
4. Melbourne/Daisy und Fritz/kurz
5. Daisy/Melbourne/leicht
6. Daisy/Melbourne/schwer/aber/Fritz/leicht

Rollenspiel

Stellen Sie sich vor, Sie sind auf einer Yacht und wollen um die Welt segeln. Gehen Sie in der Klasse herum und finden Sie noch zwei weitere Personen für Ihre Mannschaft (crew). Fragen Sie einander und ....

a) notieren Sie Größe, Gewicht und besondere Fähigkeiten (skills),
b) vergleichen Sie dann die Daten und verteilen Sie die Aufgaben, z.B.

A = Steuermann
B = Schiffskoch
C = Kapitän.

Teilen Sie der Klasse mit, wer was macht und warum?

Grammatik-Spot **Superlative**

a) The superlative of adjectives is formed by adding **–(e)st-** to the positive adjective form.

schnell schnell**st-**
schön schön**st-**
schwer schwer**st-**

To facilitate pronunciation, adjective endings with **–d, -t, -ss, -ß**, or **–z** include an **–e** before the **–st**:

intelligent intelligent**est-**
nett nett**est-**

exception: groß gr**ößt-**

The stem vowel in most common single-syllable adjectives takes an Umlaut, as in the comparative form:

hoch h**ö**ch**st-**
warm w**ä**rm**st-**
kalt k**ä**lt**est-**

Superlative adjectives preceding a noun take the usual adjective endings.

*„Melbourne", „Daisy", „Fritz" und „Joker" leben in einem der größ**ten** Delphinarien Europas.*

*Sie sind die faszinierend**sten** Tiere, die ich kenne.*

b) When using the superlative of adjectives **am_____ – (e)sten** is added:

*Fritz ist **am** läng**sten**.*

c) Predicative adjectives can take either endings: **– (st)-, am______ – (e)sten.**

*Fritz ist der läng**ste**.*
*Fritz ist **am** läng**sten**.*

→ For practice, see exercises 10.3-4 in the workbook.

Wenn ich kein Geld habe.

Setzen Sie das Adjektiv in den passenden Superlativ um und schreiben Sie es in die Lücke.

Beispiel: Wenn ich kein Geld habe, trinke ich den (billig) _billigsten Saft.

Wenn ich kein Geld habe, kaufe ich das (billig) __________e Essen und bestelle die (klein) _____________en Portionen. Zum Frühstück trinke ich den (schlecht) _____________en Kaffee und esse den (trocken) ____________en Toast. Ich trage meine (alt) ___________e Hose und meinen (schlabbrig) ____________en Pullover. Mein Auto ist im (klapprig) ____________en Zustand und fährt am (langsam) ______________en. Im Schaufenster sehe ich die (schön) _____________en und (teuer) _____________en Kleider. Aber ich kann sie nicht kaufen. Wenn ich kein Geld habe, bin ich am (deprimiert) _______________en.

Ein bisschen Geographie

Setzen Sie die passenden Superlativformen ein.

1. Das Death Valley ist das (heiß) ________________ Tal in den USA.
2. Der Mount Everest ist der (hoch) ________________ Berg der Welt.
3. Die Antarktis ist die (groß) __________________ Eisregion auf der Erde.
4. Liechtenstein ist das (klein) ____________________ deutschsprachige Land.
5. Der Baikalsee in Sibirien ist der (tief) ________________ See der Welt.
6. Der Amazonas ist der (lang) _______________ Fluss der Welt.
7. China ist das Land mit den (viel) ________________ Menschen auf der Erde.

C. Gruppenaktivität: Talente

Fragen Sie andere Mitstudent/innen nach ihren Talenten und Eigenschaften. Bilden Sie die Superlative mit einem Wort aus jeder Liste.

Beispiel: ____ (Name) kann am besten tanzen.

Basketball spielen	gefühlvoll
kochen	gut
singen	schnell
musizieren	elegant
malen	lang
tanzen	schlecht
schwimmen	langsam
laufen	ruhig
Rad fahren	laut
reden	schön
schlafen	kreativ

→ For practice, see exercise 10.5 in the workbook.

http://www.heidepark.de/

Internet

Gehen Sie auf die Webseite www.bahnhof2000-uelzen.de

Unterhalb der Fotos finden Sie einen Link zu „Kommunikativ: Digitale Postkarten mit sehr vielen Motiven." Klicken Sie, wählen Sie ein Motiv und gehen Sie dann zu "Texteingabe."
Schreiben Sie nun eine E-Karte an Gabi. Erzählen Sie ihr vom Hundertwasser-Bahnhof in Uelzen (Architektur, warum, wie er ist).

Fotos: (C) 2000 - 2002 Ingenieurbüro Breidenbach & Eggers - www.ibe21.de

Interkulturelle Aktivität

Zum Diskutieren

Sie haben von Daniel und Angela gelernt, dass die Menschen in Deutschland Auto fahren, aber auch auf das Auto verzichten (refrain from). Die Menschen genießen das Einkaufen in Fußgängerzonen und fahren auch gern mit dem Zug. Können Sie sich das Verhalten auch für die USA vorstellen? Warum, warum nicht? Diskutieren Sie Ihre Argumente in einer Gruppe.

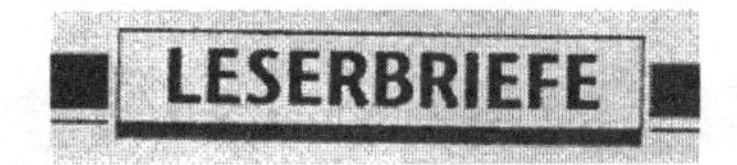

Schreiben Sie einen kurzen Leserbrief an Ihre lokale Zeitung. Wählen Sie eins der zwei Themen.

Krankheitsprävention   behindert zu sein

Wir müssen alle Kräfte der Gesellschaft mobilisieren, um unsere Kinder zu schützen. Aber wen interessiert Prävention, wer will Finanzen dafür einsetzen? Echte Prävention heißt, dass Erwachsene den Kindern ein Vorbild sind. Wo ein Miteinander im Familienalltag nicht mehr gelingt, müssen Fachkräfte dies leisten. Dieser Aufwand ist notwendig und immer noch günstiger als spätere Therapien oder Krankenhausaufenthalte. Freudenstadt HANS-MARTIN HAIST	Ich arbeite als Krankenschwester im Unfallkrankenhaus Boberg, und es ist immer wieder schlimm, mit anzusehen, wie Menschen, die es gerade geschafft haben, sich in ihrem neuen Leben als „behinderter Mensch" zurechtzufinden, dann einen Rückschlag bekommen, weil Kassen und Behörden nicht die einfachsten Hilfsmittel bezahlen, die das Leben etwas erträglicher machen. **Franziska Krey per E-Mail**

1) Sie propagieren eine Fußgängerzone für Ihren Ort.
2) Sie wollen bessere öffentliche Verkehrsmittel (public transportation) für Ihre Stadt.
3) Sie wollen Amerikaner überzeugen, dass sie mehr natürliche Heilmittel benutzen sollen.

Exkursion drei: In Bad Bevensen

http://www.bad-bevensen-info.de/gesch-bb.htm

Multi-Kulti-Aktivität 10.3

Streichen Sie die Antwort, die Ihrer Meinung nach die meisten Deutschen, Österreicher und Schweizer wählen würden.

1. Sie haben viel Sport getrieben und die Muskeln tun Ihnen weh. Was würden Sie machen?
a. Ein bisschen Ben Gay drauf schmieren.
b. Eine Massage nehmen.

c. Einige Aspirin einnehmen und zu Bett gehen.

2. Sie haben eine Kopferkältung. Was würden Sie machen?
a. Über einem Dampfbad inhalieren.
b. Einige Aspirin einnehmen und sich ausruhen.
c. Einige Tage von der Arbeit frei nehmen und sich ausruhen.

3. Sie haben schon monatelang Stress bei der Arbeit. Was machen Sie, um sich zu entspannen?
a. Golf spielen.
b. Für einige Wochen zur Kur fahren.
c. Eine Woche lang Urlaub machen.

Wort-Box

die Kur (-en)	cure, spa
der Kurort (-e)	spa
der Rückweg (-e)	way back
anstrengend	tiring, exhausting
eine Untersuchung (-en)	physical check-up
der Vortrag (-äge)	presentation
einen Vortrag halten	to give a presentation
der/die heimliche Liebhaber/in	secret lover
sich wohl fühlen	to feel happy/well

Die Kur

Auf dem Rückweg vom Heidepark Soltau nach Lüneburg fahren Angela und Daniel bei Angelas Eltern in Bad Bevensen vorbei. Angelas Eltern, Herr und Frau Diepholz, besitzen eine Pension für Kurgäste. Bad Bevensen ist ein Kurort. Jedes Jahr kommen viele Menschen, um hier eine Kur in den Heilwässern des Ortes zu machen. Beim Abendessen sprechen Daniel und Angela mit Angelas Eltern über das Leben der Kurgäste in Bad Bevensen.	*On the way back to Lüneburg from Heidepark Soltau Angela and Daniel stop at Angela's parents' in Bad Bevensen. Angela's parents, Mr. and Mrs. Diepholz, own a litte hotel for spa guests. Bad Bevensen is a spa resort town. Many people come every year in order to have a "cure" in the healing waters of the town. At dinner Daniel and Angela are talking to Angela's parents about the life of spa guests in Bad Bevensen.*
Daniel: Wenn Kurgäste ca. vier Wochen hier sind, was machen sie den ganzen Tag?	What do spa guests do here when they stay for about four weeks?
Frau Diepholz: Eine Kur kann sehr anstrengend sein. Der Tag beginnt oft schon um 8:00 Uhr, z.B. im Thermalbad mit bestimmten therapeutischen Bädern. Manche Personen beginnen den Tag in	A cure can be quite exhausting. The day often begins already at 8 a.m., for example, in the thermal pool with specific therapeutic baths. Some people begin the day with physiotherapy in the

der physiotherapeutischen Abteilung mit Krankengymnastik, andere bekommen Fango-Packungen. Einige Patienten haben früh in der Klinik eine ärztliche Untersuchung.	physchiotherapeutic ward, other receive hot mud packs. Some patients have a physical check up in the clinic quite early.
Herr Diepholz: Die Patienten werden auch für die Zeit nach der Kur vorbereitet. Es werden viele Vorträge gehalten.	The patients also are prepared for the time after the cure. They can listen to many presentations.
Angela: Schau mal Daniel. Hier ist ein Kurprogramm. Zum Beispiel können die Kurgäste am Mittwoch in der Diabetes-Klinik einen Vortrag über Komplikationen bei Diabetes lernen und wie man diese Probleme vermeiden kann.	Look here, Daniel. Here is a spa program. For example, spa guests can listen to a presentation on complications with diabetes and how to avoid these on Wednesday at the Diabetes Clinic.
Daniel: Bei so viel Gerede über Krankheit kann man ja richtig krank werden.	Talking about all these ailments can really make you ill.
Frau Diepholz lächelt.	
Frau Diepholz: Daniel, nein, das ist kein Problem. Es werden viele andere Dinge angeboten.	Other things are offered as well.
Angela: Hier, Daniel, im Programm siehst du, dass Leute schon um kurz nach 10 Uhr im Kurhaus ein Konzert hören können. Am Nachmittag können sie an einer geführten Wanderung durch „Wald und Flur“ teilnehmen oder um 14.30 Uhr im Bastelstudio etwas basteln.	In the afternoon they can participate in a guided hike across „Woods and Fields“or they can do some craft work at the craft center at 2.30 p.m.
Frau Diepholz: Ja, und für die romantischen Kurgäste gibt es nachmittags im Kurhaus Tanztee. Da trifft man z.B. seinen Kurschatten.	Well, they offer a teatime dance at the kurhaus in the afternoon for romantic spa guests. There you can meet your spa romance.
Daniel: Kurschatten? Was ist das?	Spa romance? What is that?
Angela kichert.	*Angela giggles.*
Angela: Weißt du Daniel, so nennt man die heimlichen Liebhaber, die eine Frau oder ein Mann bei der Kur hat.	You know this is how they call the secret lover that a man or woman might have at the health resort.
Daniel: Wie meinst du das?	
Herr Diepholz: Es ist so, die Leute sind viele Wochen allein. Aber sie treffen andere nette Leute. Manchmal beginnt so eine Romanze. Schon manche Ehe hat in einem Kurort begonnen.	It's like this. People are by themselves for several weeks. But they meet other nice people. Sometimes this is the way a romance starts. This was how some marriages have begun.

Angela: Lies mal Thomas Manns “Tristan“ oder “Der Zauberberg“, dann weißt du, wie das ist.	Read Thomas Mann’s “Tristan” or “The Magic Mountain” then you’ll know what we are talking about.
Daniel: Ich bin froh, dass ich keine Kur brauche. Ich finde das ein bisschen langweilig.	I’m glad that I don’t need a cure.
Herr Diepholz: Gesunde Menschen wie du brauchen ja auch keine Kur. Wir haben hier in Bad Bevensen keine Langeweile. Meine Frau und ich haben viel Arbeit, denn unsere Pensionsgäste sollen sich bei uns wohl fühlen.	Healthy people like you don’t need a cure. because we want our customers to feel happy in our guest house.

Fragen zum Text:

1. Warum kann eine Kur anstrengend sein?
2. Was machen Kurgäste in der Freizeit?
3. Ein Kurschatten – was ist das?
4. Warum haben Herr und Frau Diepholz in Bad Bevensen keine Langeweile?

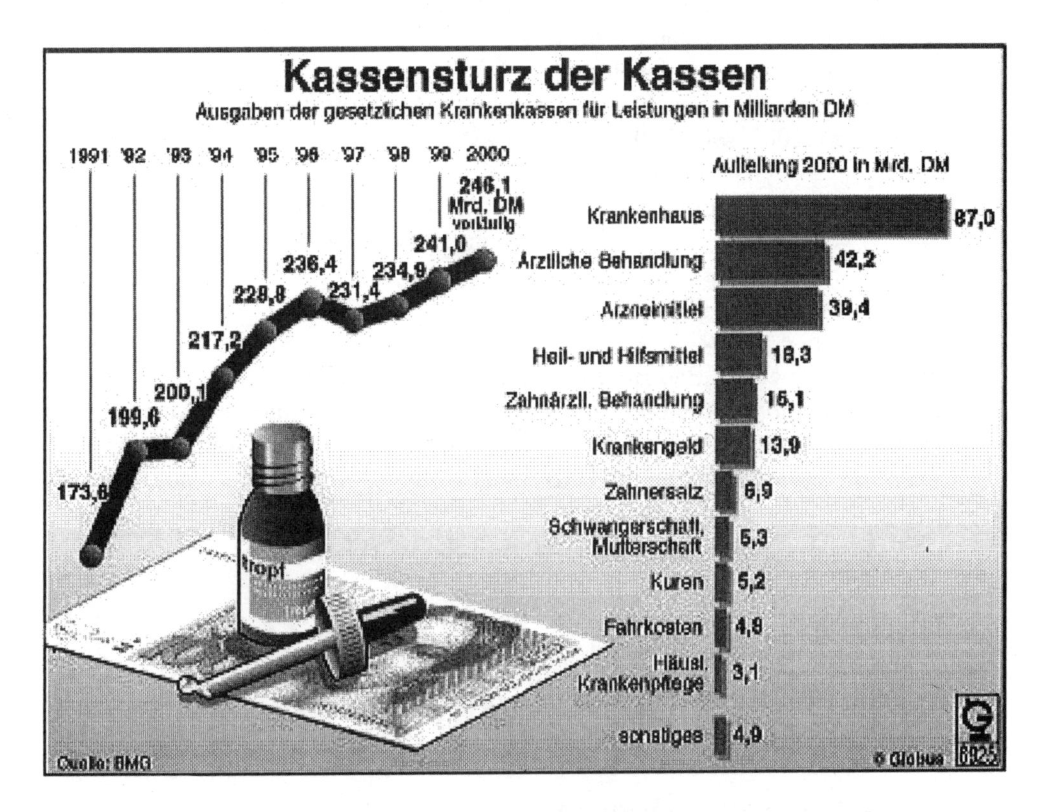

1. Wie viel haben die Krankenkassen für Kuren im Jahre 2000 ausgegeben?
2. Wofür haben die Krankenkassen das meiste Geld ausgegeben?
3. Wie viel Geld haben die Krankenkassen für Medikamente im Jahre 2000 ausgegeben?

Grammatik-Spot **Sentence Order (time – place)**

You have already learned the word order in statements especially with regard to the position of the conjugated verb (second position). In German there is also a specific order in sentences when you have adverbs of time and place.
In contrast to English, German sentences have adverbs of **time before** adverbs of **place**.

time before place (Zeit vor Ort)

Einige Patienten haben ***früh in der Klinik*** *eine ärztliche Untersuchung.*

früh = adverb of time
in der Klinik = adverb of place

Examples of adverbs of time

Uhrzeiten: 10.00 Uhr, 14.30 Uhr, 21.15 Uhr
Tageszeiten: morgens, mittags, abends, nachts
heute Morgen, morgen früh, am Nachmittag, um Mitternacht
Wochentage: am Sonntag, sonntags; am Freitag, freitags; Montag, montags
Monate: im Oktober, im Januar, im Juli
Jahreszeiten: im Sommer, im Herbst
Feiertage: Ostern, Weihnachten, Allerheiligen, Aschermittwoch
Jahreszahlen: 2003, seit 1980, im Jahre 1964

ϟ**Note:** In contrast to English, there is **no** „*in*" in front of the year!!
Ich bin **1984** geboren.

Examples of adverbs of place

Ortsnamen: Lüneburg, Bad Bevensen, Berlin, Zürich, Wien
Namen von Regionen: die Lüneburger Heide, der Schwarzwald, die Alpen
Ländernamen: die USA, die Schweiz, Österreich, Deutschland, Kanada
Namen von Institutionen: an der Universität Köln, im Krankenhaus, auf der Bank, am Bahnhof

→ For practice, see exercise 10.6 in the workbook.

Dialoganalyse

Lesen Sie jetzt den Text noch einmal und unterstreichen Sie weitere Beispiele von Sätzen mit Adverbien der Zeit und des Ortes.

Veranstaltungskalender

Info

Mittwoch, 12.02.2003

	Kurzentrum, Wandelgang	»Künstlerische Impressionen« Bilderausstellung des »Bevenser Kunstkreis e.V.« und der Malschule Lenke, bis zum 09. März 2003 weitere Informationen im Kurjournal
10:15 Uhr -	Kurhaus, Saal 3 + 4	Morgenkonzert
10:30 Uhr -	Diabetes-Klinik, Am Klaubusch 21	»Akute Komplikationen beim Diabetes und wie ich sie vermeide«. med. Vortrag
14:00 Uhr -	Treffpunkt vor dem Kurhaus	Geführte Wanderung durch Wald und Flur mit Bruno Noetzel weitere Informationen im Kurjournal
14:30 Uhr -	Bastelstudio Ehlers, Brückenstraße	»Kreatives Basteln«, heute: »Windlichter mit Frost-Effekt gestalten«, Anmeldungen erwünscht beim Bastelstudio Ehlers (Telefon 05821-2288) oder im Informationsbüro des Kurzentrums (Telefon 05821-570) weitere Informationen im Kurjournal
15:30 Uhr -	Kurhaus, Saal 1 + 2	Tanztee
16:00 Uhr -	Diabetes-Klinik, Am Klaubusch 21	»Grundlagen der Ernährung«, Ernährungsvortrag
19:30 Uhr -	Kurhaus, Saal 1	... Von Santa Fé nach Dawson City - »ROCKY MOUNTAINS«. Eine Foto-Traumreise durch Nordamerika in einer Panorama-Dia-Multivision von Katrin und Henno Drecoll. weitere Informationen im Kurjournal

http://www.bad-bevensen.de/Kur_Urlaub/Pages/Veranst.htm

Was, wo und wann?

Schreiben Sie, was, wann und wo stattfindet.

Beispiel: ein Konzert/im Kurhaus/10.15 Uhr Ein Konzert findet um 10.15 Uhr im Kurhaus statt.

1. 19.30 Uhr/Von Santa Fé nach Dawson City/Kurhaus
2. Bastelstudio Ehlers/Kreatives Basteln/14.30 Uhr
3. Künstlerische Impressionen/Kurzentrum/12.2.03
4. 15.30 Uhr/Kurhaus/Tanztee
5. Diabetes-Klinik/Grundlagen der Ernährung/16.00 Uhr
6. 14.00 Uhr/Treffpunkt vor dem Kurhaus/ Wanderung mit Bruno Noetzel

→ For practice, see exercises 10.7-8 in the workbook.

Kultur-Aspekte

Die Kultur der Kuren ist sehr alt. Schon die Römer kannten die Heilwirkung[11] von mineralreichem Wasser und Dampfbädern, daher auch der Name „Bath" der ehemaligen[12] Römerstadt im Südwesten Englands. Eine Kur zu machen war besonders im 19. Jahrhundert populär, so dass in bestimmten Orten Europas eine blühende[13] Kur-Industrie entstand. Die Menschen verbrachten den ganzen Sommer in Badeorten, um Tuberkulose zu kurieren oder ihren Metabolismus zu stärken. Diese beliebten Orte wurden somit als Kurorte oder Badeorte bekannt.

Bevor eine Gemeinde offiziell diese Bezeichnung[14] "Bad"tragen durfte, musste sie genaue Bedingungen[15] in Bezug auf die Luftreinheit[16] und das mineralhaltige Wasser erfüllen. Nur dann konnte eine Gemeinde das Wort "Bad" vor ihren Namen setzen, von daher "Bad Bevensen."

Meistens ist es der Hausarzt,[17] der eine Kur verschreibt[18]. Die Dauer einer Kur ist von der Art und Schwierigkeit der Krankheit abhängig. Es können vier Wochen oder mehr sein. Diese Art der Heilung ist in den USA nicht populär geworden, obwohl Indianer schon lange von den Heilkräften mineralhaltiger Quellen wussten. Dagegen mögen die Amerikaner lieber eine sofortige Heilung durch schnell wirksame Medikamente, anstatt mehr Zeit für eine längere Heilwirkung zu investieren: Zeit ist Geld. Eine Kur ist eine teure und zeitaufwendige[19] Investition in die Gesundheit. Dieser Aspekt ist auch ein Problem für das deutsche Gesundheitswesen[20]. Deshalb unterstützen Krankenversicherungen Kuren nicht mehr so wie früher und Patienten müssen einen groβen Teil aus eigener Tasche bezahlen. Dennoch bleiben Kuren eine beliebte natürliche Heilmethode.

http://www.bad-bevensen.de/

1. Seit wann gibt es Kurorte?
2. Welche Bedingungen muss ein Ort erfüllen um „Bad" vor den Ortsnamen setzen zu dürfen?
3. Wer verschreibt eine Kur?
4. Warum ist die Kur-Kultur in den USA nie populär geworden?
5. Warum sind Kuren ein Problem für das deutsche Gesundheitswesen?

---

[11] healing effects
[12] former
[13] flourishing
[14] name, label
[15] conditions
[16] purity of air
[17] PCP
[18] prescribes
[19] time consuming
[20] health system

Ein Wochenende in Lüneburg

Sie verbringen einen Freitag und Samstag in Lüneburg. Sie sind eine Gruppe und wollen entscheiden, was Sie an diesem Wochenende machen wollen. Notieren Sie, was Sie machen wollen, wo und wann die Veranstaltungen stattfinden und warum. Berichten Sie dann der Klasse.

Aktuelle Veranstaltungen		
Datum	Veranstaltung	Ort
Freitag, 07.03.2003	21 Uhr Tanz und Schwof - Tanzpartie im Palmengarten	Seminaris, Palmengarten
Freitag, 07.03.2003	16.30 Uhr Kolloquium "Der alte Kran am Stintmarkt - Physikalische Überlegungen zur Funktionsweise". Diavortrag von Stud. Dir. Silvester Dammann.	Naturmuseum, Salzstraße 26
Freitag, 07.03.2003	22 Uhr Rock'n Roll Highschool. alternative, Rock, Grunge, Ska. Von 23 Uhr an Eintritt3 €	Vamos, Kulturhalle
Freitag, 07.03.2003	20 Uhr Premiere "Das Abschiedsessen"	theater im e.novum, Munstermannskamp 1
Freitag, 07.03.2003	Premiere "Die drei Schwestern" von Anton Tschechow	Theater Lüneburg
Freitag, 07.03.2003	20 Uhr Premiere "Das Abschiedsessen" Ensemble des theater im e.novum. Karten 7 - 10 Euro unter Tel. 740 444	theater im e.novum, Munstermannskamp
Freitag, 07.03.2003	19.30 Uhr Ausstellungseröffnung Werner Koch	Kulturforum Gut Wienebüttel
Samstag, 08.03.2003	10 Uhr Flohmarkt	Vamos, Kulturhalle
Samstag, 08.03.2003	20 Uhr Theatervorführung der Laienspielgruppe "De Plattsnackers" aus Westergellersen	Westergellersen, Mehrzweckhalle
Samstag, 08.03.2003	22 Uhr "30up" - Schönste Party-Kultur. Eintritt 4/5 Euro	Vamos, Kulturhalle
Samstag, 08.03.2003	21 Uhr Tanz und Schwof - Tanzpartie im Palmengarten	Seminaris, Palmengarten
Samstag, 08.03.2003	18 Uhr Musik und Dichtung	St. Johannis
Samstag, 08.03.2003	19 Uhr Konzert und Party zum Internationalen Frauentag mit Havana Open	Kulturforum Gut Wienebüttel

http://www.lueneburg.de/

→ For practice, see exercise 10.9 in the workbook.

Lese-Ecke

Wie ist die Welt? (5 Adjektive nennen)

von Volker Erhardt

Links ist linker als rechts
Oben ist höher als unten
Vorn ist weiter vorn als hinten
Groß ist größer als klein
Lang ist länger als kurz
Schnell ist schneller als langsam
Stark ist stärker als schwach
Schön ist schöner als häßlich
Sicher ist sicherer als unsicher
Klug ist klüger als dumm
Ehrlich ist ehrlicher als unehrlich
Reich ist reicher als arm
Gut ist besser als schlecht
Rechts ist etwas weniger links als links
Unten ist nicht so hoch wie oben
Hinten ist fast so weit vorn wie vorn
Klein ist nicht ganz so groß wie groß
Kurz ist weniger lang als lang
Langsam ist nicht so schnell wie schnell
Schwach ist fast so stark wie stark
Häßlich ist weniger schön als schön
Unsicher ist nicht so sicher wie sicher
Dumm ist fast so klug wie klug
Unehrlich ist weniger ehrlich als ehrlich
Arm ist nicht so reich wie reich
Schlecht ist fast so gut wie gut

1. Was ist groß/klein?
2. Was ist schön/häßlich?
3. Was ist reich/arm?
4. Was ist intelligent/dumm?
5. Wie relativ sind diese Wörter?
6. Wie wissen Sie, wie groß groß ist?
7. Oder wie schön schön ist?

Schreiben Sie 5 weitere Zeilen (lines) zum Gedicht.

Glossar: Abschnitt 10 "Lüneburger Heide"

	Substantive
Verben stechen – to bite, to sting basteln – to make things with one's hands anziehen – to attract **Adjektive** wahnsinnig – crazy besiedelt – settled, populated eckig – angular reich – rich begeistert – thrilled, enthusiastic erwachsen – grown up schlabbrig – sloppy klapprig – rattly gefühlvoll – passionate anstrengend – tiring kahl – bare, empty, barren **Adverbien** unbedingt – by any means; really **Ausdrücke** der/die heimliche Liebhaber/in – secret lover sich wohl fühlen – to feel comfortable	**Substantive** die Autobahnbrücke (n) – freeway overpass die Wiese (n) – field, meadow das Pferd (e) – horse die Kuh (ühe) – cow die Reihe (n) – row *all the words relating to landscapes on p.347f.* der Giebel (-) – gable end die Ritterburg (en) – knight's castle das Salz (e) – salt das Konservierungsmittel (-) – preservative die Einkommensquelle (n) – source of income das Hochzeitspaar (e) – freshly-wed couple das Standesamt (ämter) – marriage licence bureau das Verkehrsbüro (s) – tourist information der Papagei (en) – parrot die Mücke (n) – mosquito der Steuermann (änner) – helmsman die Pension (en) – guest house der Kurgast (äste) – patient at a health resort der Kurort (e) – health resort, spa die Kur (en) – (health) cure das Heilwasser (ässer) – medicinal water die Abteilung (en) – department, ward die Krankengymnastik (no pl) – physiotherapy die Untersuchung (en) – examination, check-up die Veranstaltung (en) – event

Key

Multi-Kulti-Aktivität 10.3

1. The best answer is b. get a massage.
2. The best answer is a. inhale vapor from selected herbs.
3. The best answer is b. go to a spa for several weeks. This answer is changing with time because the health insurance companies are paying less and less of the bill. Consequently, people are going less to spas because they have to pay for it themselves.

Hörverständnis 10.1

Die Delphin-Show:

Ladies and Gentlemen, meine Damen und Herrn! Wussten Sie, dass die ersten Delphine schon 1979, also ein Jahr nach Eröffnung des Heideparks, die Leute begeistert haben?
Delphine gehören zu den intelligentesten Meerestieren der Welt. Unsere vier Delphine „Melbourne", „Daisy", „Fritz" und „Joker" leben in einem der größten Delphinarien Europas. Sie schwimmen in 2 Millionen Liter künstlichem Meereswasser. Wir unterscheiden sie an der Größe. Daisy ist kürzer als Fritz, Melbourne und unser Baby Joker. Fritz ist am längsten.

Die Papageien_Show:

Meine Damen und Herrn, willkommen in der besten Papageien Show hier im Heidepark Soltau. Dieser Gelbbrust-Papagei ist ein mathematisches Genie. Sie glauben, ein Computer rechnet schnell. Dieser Vogel ist noch viel schneller. Also wie viel sind 3+7? *Der Papagei sitzt still und tut nichts.* Was ist los? Hast du heute schlechte Laune? (*10, sagt der Papagei*). Es tut mir leid, Ladies and Gentlemen, heute ist er nicht so schnell wie der Computer. Jeder hat mal einen schlechten Tag. Kommen Sie morgen wieder, er macht es dann besser.

Die Alligatoren-Show:

Herzlich willkommen zur Alligatoren Show! Sie glauben, Alligatoren sind die aggressivsten Tiere hier im Heidepark? Absolut nicht, die Mücken, die Sie gerade stechen, sind viel aggressiver. (*Lachen)* Wir haben hier zwei erwachsene Alligatoren und ein Jungtier. Seit 1985 trainiere ich Alligatoren. Sie sind die faszinierendsten Tiere, die ich kenne. Ja, ich kenne keinen spannenderen Beruf als Alligatorentrainer.

Aus dem Inhalt

Kultur

Hier lernen Sie etwas über:

die Ehe
die Wohnungssuche
Transportmittel

Grammatik

Adjektivendungen
Imperfekt
Plusquamperfekt

Abschnitt 11

Hamburg und Bremen

1. Wo liegen Hamburg und Bremen?
2. Welches Bundesland liegt nördlich von Hamburg?
3. Welches Land ist ein Nachbarland von Niedersachsen? (Finden Sie eine Karte von Europa)

→ For practice, see exercise 11.13 in the workbook.

http://www.hamburg.de/index/1,2709,JGdlbz0zJA__,00.html

Exkursion 1: In Hamburg

Multi-Kulti-Aktivität 11.1

1. Was ist ein Stereotyp?
2. Was ist der Unterschied zwischen Stereotyp und Generalisierung?
3. Benutzen Sie die Tabelle unten und listen Sie einige stereotypische Ausdrücke für Minoritäten wie Schwule, Türken, Juden usw auf. In der Mitte können Sie angeben, ob Sie diese Ausdrücke richtig sind oder nicht. Daneben schreiben Sie Ihre Gründe.

Stereotypen	Ihrer Meinung nach ist dies richtig? Warum oder warum nicht?	Was meinen Deutsche, Österreicher und Schweizer?
1.		
2.		
3.		
4.		
5.		

4. Klicken Sie jetzt einen Chat-room auf Deutsch an und erfahren Sie, was Deutsche darüber denken. Sammeln Sie Informationen für drei Minoritäten ein. Eine mögliche Webseite ist http://forum.focus.de/H/HF/HFB/hfb.htm?board=treffpunkt.

Activity taken from *Cultural Awareness*, Barry Tomalin and Susan Stempleski, Oxford: Oxford University Press, 1993, pp. 132-133.

Wort-Box

die Jacke (-n)	jacket
ablegen (sep.)	take off (a jacket)
aufhängen (sep.)	hang up
aufklappbar	folding (couch)
daneben	next to (it)
unsicher	insecure
verheiratet	married
klein aber fein	small but beautiful

es gefällt uns	we like it

Bei Uwe und Mehmet

Hören und Lesen Sie folgenden Dialog zwischen Daniel, Uwe und Mehmet.

Bevor Daniel nach Hamburg gefahren ist, hat Angela ihm die Adresse von ihren Freunden Uwe und Mehmet gegeben. Uwe hat Daniel vom Bahnhof abgeholt und sie gehen gerade in die Wohnung. Uwe: Komm herein, Daniel. Mehmet: Hallo Daniel! Ich bin Mehmet. Herzlich willkommen! Daniel: Guten Tag, Mehmet. Mehmet: Wie war die Fahrt von Lüneburg nach Hamburg? Daniel: Oh, kein Problem. Wir hatten keine Verspätung, der Zug war auf die Minute pünktlich.	
Uwe: Leg ab. Du kannst deine Jacke hier an der Garderobe aufhängen. Ich zeig dir auch gleich, wo du übernachten kannst. Daniel: Danke.	Take off your coat. You can hang your coat on the wardrobe. I show you right away where you can sleep.
Mehmet: Hier in unserem schmalen Wohnzimmer haben wir eine aufklappbare Couch. Leider haben wir kein Gästezimmer. Daniel: Oh, das ist für mich kein Problem. Uwe: Hier, gleich um die Ecke ist das kleine Bad mit WC. Und daneben ist unser Schlafzimmer. *Daniel wundert sich: "Unser Schlafzimmer"?*	This is our narrow living room with a folding couch. Unfortunately, we don't have a guest room.
Uwe und Mehmet bemerken, dass Daniel etwas unsicher ist. Uwe: Hat Angela dir nicht erzählt, dass wir seit einem Jahr verheiratet sind? Daniel: Nein, das hat sie nicht. Seit wann seid ihr zusammen? Uwe: Seit drei Jahren. Mehmet: Schau, Daniel. Da drüben ist	*Uwe and Mehmet notice that Daniel is a bit insecure.*

unsere kleine Küche mit Essecke. Uwe: Wie du siehst, ist diese schöne Wohnung sehr klein, aber fein. Obwohl es uns hier in Hamburg Blankenese gefällt, suchen Mehmet und ich zur Zeit eine größere Wohnung. Daniel: Ihr habt es hier aber sehr gemütlich. Mehmet: Ja, aber als Webdesigner arbeite ich viel zu Hause und brauche mein eigenes Arbeitszimmer.	As you see, our apartment is very small. Although we like it here in Hamburg Blankenese, Mehmet and I are currently looking for a bigger apartment.

Verständnisfragen:

1. Wer sind Uwe und Mehmet?
2. In welchem Zimmer übernachtet Daniel?
3. Warum wollen Uwe und Mehmet eine größere Wohnung?
4. Was ist Mehmet von Beruf?

→ For practice, see exercises 11.1-2 in the workbook.

Kultur-Aspekte

Die Heirat

Möchten Sie heiraten? Warum?
Was machen Leute in den USA, wenn sie nicht verheiratet sind und Kinder haben?
Wer darf in den USA nicht heiraten?

Die Ehe in den deutschsprachigen Ländern ist immer weniger wichtig. Viele Leute leben einfach zusammen, auch wenn sie Kinder haben, und heiraten gar nicht oder später. Doch für gleichgeschlechtliche[1] Partner bedeutet die Möglichkeit der Heirat eine Errungenschaft[2]. Seit 2001 ist es für gleichgeschlechtliche Paare möglich zu heiraten; somit erhalten sie, wenn nicht alle, so doch die meisten Rechte wie heterosexuelle Paare.

Versprechen fürs Leben

Bis in die 70-er Jahre war es in Deutschland undenkbar, zusammen zu leben oder Kinder zu haben, ohne verheiratet zu sein. Wenn so etwas vorkam, waren die Paare richtige Außenseiter. Und schon aus diesem Grund war es ganz normal zu heiraten, um eine Familie zu gründen. Hochzeit oder Heirat ist nicht nur ein schönes Fest, mit dem das Paar allen zeigt, dass es zusammen bleiben will, sondern auch ein richtiger Vertrag, den zwei Menschen miteinander schließen.

---

[1] same sex
[2] accomplishment

Adapted from http://www.wdr5.de/lilipuz/programm/herzfunk/detail.phtml?tag=03-01-13_heiraten

In Deutschland wird offiziell beim Standesamt geheiratet. Wenn man möchte, darf man in einer Kirche heiraten, aber man muss nicht. Vor dem Standesamt stehen die Hochzeitsgäste und werfen Reis, wenn das Brautpaar das Standesamt verlässt. Dies soll dem Paar Glück bringen.

Der Polterabend

Ein oder zwei Tage nach dem Polterabend wird es ernst, da wird nämlich geheiratet und das Junggesellenleben ist zu Ende: Grund genug, am Polterabend richtig zu feiern.

Alle Gäste müssen Porzellan zur Feier mitbringen (auf keinen Fall Glas! Glas bringt Unglück!) und vor dem Brautpaar kaputt schlagen. (Das Klobecken ist besonders geeignet.) Das soll den künftigen Eheleuten Glück bringen. Durch das gemeinsame Zusammenfegen der Scherben[3] zeigt das Brautpaar, dass es auch in Zukunft gut zusammenarbeiten wird.

Adapted from http://www.weddix.de/ratgeber/vorher/23964.shtml

Beantworten Sie die folgenden Fragen.

1. Wie wichtig ist die Ehe in Deutschland?
2. Seit wann dürfen Homosexuelle in Deutschland heiraten?
3. Wo muss man in Deutschland heiraten?
4. Was ist der Polterabend?
5. Was machen die Gäste beim Polterabend?

→ For practice, see exercises 11.3 in the workbook.

Die deutsche Familie

Beantworten Sie die Fragen, bevor Sie den Text lesen.

1. Wie viele neue Ehen in Deutschland gab es im Jahr 2000? In den USA? In Kanada?
2. Worauf haben die Deutschen weniger Lust? Wie sehen die Nordamerikaner die Ehe?
3. Was ist seit 1997 in Deutschland rückläufig? Wie groß ist eine normale Familie in Nordamerika?

Familie
24.05.2002

---

[3] pieces

Die Deutschen haben immer weniger Lust auf die klassische Familie. Die Zahl der Eheschließungen jedenfalls sank im vergangenen Jahr um 6,8 Prozent auf rund 389 000. Seit über zehn Jahren geht die Zahl der Eheschließungen zurück. Die Geburtenzahl ist seit 1997 ebenfalls rückläufig. Frauen sind zudem bei der Geburt ihrer Kinder heutzutage deutlich älter, als das früher der Fall war.

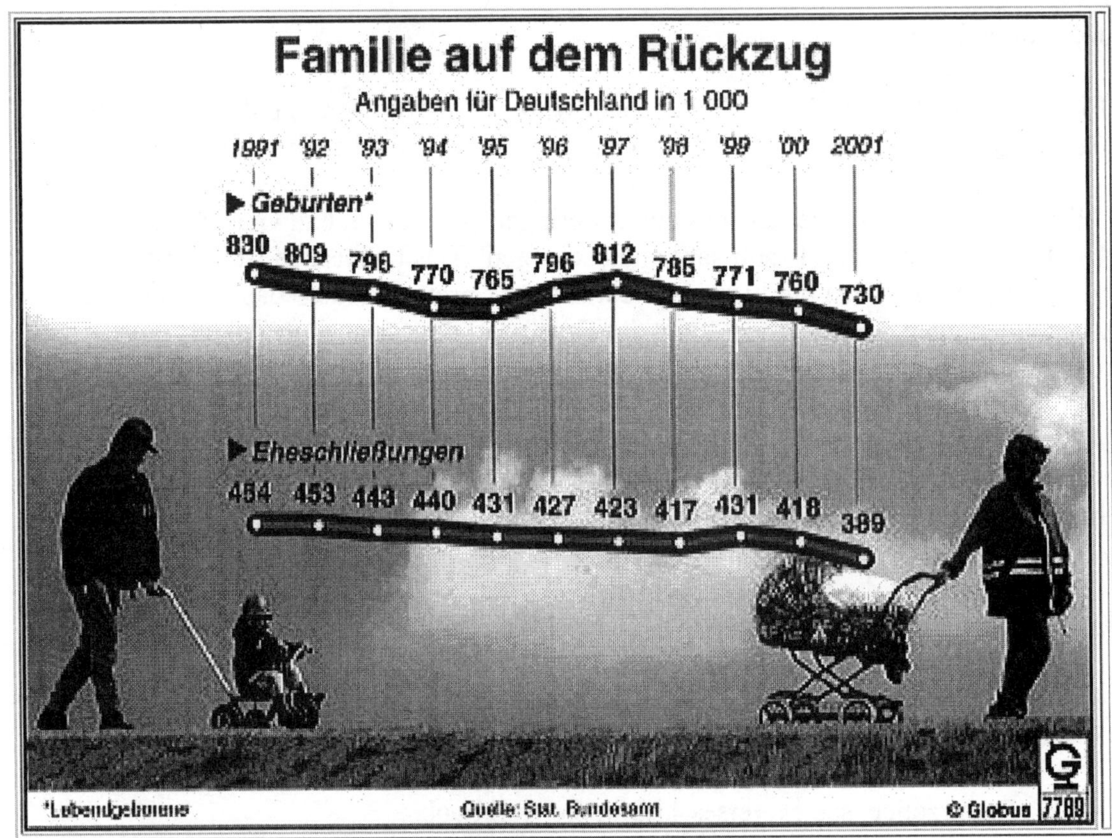

© 2001 Globus Infografik GmbH

WIE WÜRDEN SIE DAS FINDEN,

wenn Sie als heterosexuelle Frau aus einer Gaststätte rausgeschmissen[4] werden, weil Sie Ihrem Freund einen dicken Kuss gegeben haben?

wenn Sie als heterosexueller Mann angepöbelt[5] werden, weil Sie mit der lieben Ehefrau Hand in Hand durch die ruhige Fußgängerzone gehen? Und der Blick der vielen Menschen auf Sie fällt.

---

[4] to throw out
[5] to pester

wenn Sie an Ihrem Arbeitsplatz oder im Mietshaus nur so lange toleriert werden, wie Sie Ihre Neigung[6] zum anderen Geschlecht vertuschen[7]?

wenn Sie Ihre langjährige Lebenspartnerin heiraten wollen, und Ihnen gesagt wird: Es besteht "kein Interesse der Gemeinschaft daran, diese Beziehungsform unter den besonderen Schutz des Rechts zu stellen"?

Der Ehering

Der Ring ist ein Symbol: Ein Ring ist eine runde Sache, er hat kein Anfang und kein Ende und ist deshalb ein gutes Sinnbild für die Liebe, die ja auch niemals enden soll.

http://www.wdr5.de/lilipuz/programm/herzfunk/detail.phtml?tag=02-01-14_Eheringe

Wie finden Sie diese Aussage[8]? Ist es normal in Ihrer Kultur, einen Ehering zu tragen? Oder gibt es ein anderes Symbol der Liebe in Ihrer Kultur?

Grammatik Spot **Adjective Endings**

There are two types of adjectives: *predicative* & *attributive.*

Predicative adjectives describe the subject of the sentence and are usually positioned after the subject. They often follow after verbs such as **sein**, **werden**, or **bleiben**. Predicative adjectives have only one form.

Predicative adjectives:

*... der Zug war auf die Minute **pünktlich**.*
*Wie du siehst, ist diese schöne Wohnung sehr **klein** aber **fein**.*

An adjective that directly precedes a noun it modifies is called an *attributive* adjective.
As it is in close connection with a noun, it takes a special ending in relation to the gender, case, and number of the noun it modifies.

Attributive adjectives:

*Hier in unserem Wohnzimmer haben wir eine aufklappbar**e** Couch.* (f, acc., sg.)
*Da drüben ist unsere klein**e** Küche mit Essecke.* (f, nom., sg)

---

[6] inclination
[7] to hide
[8] statement

Adjective endings can be weak or strong. Attributive adjectives preceded by a der-word take a weak ending. Those preceded by an ein-word take a strong ending, because the ein-word does not indicate the gender, number or case distinctly, therefore the adjective ending takes up this role. Adjectives that are not preceded by either a der-word or an ein-word take a strong ending.

Adjective endings preceded by a der-word:

Nominative and accusative endings of adjectives preceded by der-words

Nominative	**masculine** der besonder**e** Schutz **-e**	**feminine** die schön**e** Wohnung **-e**	**neuter** das hell**e** Bad **-e**	**plural** die viel**en** Homos **-en**
Accusative	**m** den besonder**en** Schutz **-en**	**f** die ruhig**e** Fußgängerzone **-e**	**n** das fehlend**e** Gästezimmer **-n**	**pl** die nett**en** Freunde **-en**

*Hier, gleich um die Ecke ist das klein**e** Bad mit WC.* (n, nom., sg.)
*Wie du siehst, ist diese schön**e** Wohnung sehr klein.* (f, nom., sg.)
*..., diese Beziehungsform unter den besonder**en** Schutz des Rechts zu stellen?* (m, acc., sg.)

Adjective endings preceded by an ein-word:

Nominative and accusative endings of adjectives preceded by an ein-word

Nominative	**masculine** ein homosexuell**er** Partner **-er**	**feminine** eine degenerativ**e** Krankheit **-e**	**neuter** ein hell**es** Bad **-es**	**plural** Ihre homosexuell**en** Beziehungen **-en**
Accusative	**m** einen homosexuell**en** Partner **-en**	**f** eine degenerativ**e** Krankheit **-e**	**n** ein hell**es** Bad **-es**	**pl** Ihre homosexuell**en** Beziehungen **-en**

*Da drüben ist unsere klein**e** Küche mit Essecke.* (f, nom., sg.)
*Ja, aber als Webdesigner arbeite ich viel zu Hause und brauche mein eigen**es** Arbeitszimmer.* (n, acc., sg.)

Strong adjective endings *(unpreceded)*

Unpreceded adjectives take strong endings to indicate gender, case, and number.

Nominative: *Wenn Sie als heterosexuell**er** Mann angepöbelt werden, ...* (m, nom., sg.)
*Wenn Sie als heterosexuell**e** Frau aus einer Gaststätte rausgeschmissen werden, ...* (f, nom., sg.)

Adjectives that end in **–el** or **–er** (sensibel, dunkel) lose the **–e** when an ending is added.

Ein sensib**ler** Mensch; eine teu**re** Wohnung

All adjectives have the same ending when more than one adjective precedes a noun.

*Eine schön**e**, klein**e**, gemütlich**e** Wohnung*

→ For practice, see exercises 11.4-5 in the workbook.

Welche Partnerschaft wünschen Sie?

Stern sucht
Schnuppe

www.neckermann.de

Sie sprechen mit einem Freund/einer Freundin über die ideale Partnerschaft.

Der Partner: liebevoll, charmant sportlich, aktiv

A: Ich will einen liebevollen, charmanten Partner.
B. Ich möchte lieber einen schönen, aktiven Partner.

1) die Partnerin: hübsch, attraktiv süß, lustig

2) der Freund: sexy, stark intelligent, träumerisch

3) die Freundin: schlank, sportlich gemütlich, sozial

4) der Partner: elegant, mondän praktisch, selbstständig

5) die Partnerin: künstlerisch, ruhig optimistisch, engagiert

6) der Freund: abenteuerlich, cool warmherzig, sensibel

Meine ideale Wohnung

Beschreiben Sie mit Hilfe der Adjektive Ihre ideale Wohnung.

hell, groß, ruhig, bunt, sauber, gut isoliert, zentral gelegen, billig, klein, gemütlich, schön

Ich möchte ein/e…

Zimmer, Küche, Bad, Keller, Flur

Grammatik-Spot ***Genitive and dative endings of adjectives preceded by der-words***

Genitive	**m** des nett**en** Freundes **- en**	**f** der lieb**en** Ehefrau **- en**	**n** des schmal**en** Wohnzimmers **- en**	**pl** der viel**en** neugierig**en** Menschen **- en**
Dative	**masculine** dem nett**en** Freund **- en**	**feminine** der lieb**en** Ehefrau **-en**	**neuter** (in) dem schmal**en** Wohnzimmer **- en**	**plural** den viel**en** neugierig**en** Menschen **- en**

Dative: …, wenn Sie als heterosexueller Mann angepöbelt werden, weil Sie mit der lieb*en* Ehefrau Hand in Hand durch die ruhige Fußgängerzone gehen?
Genitive: … und der Blick der viel*en* Menschen auf Sie fällt.

→ For practice, see exercise 11.6 in the workbook.

Beziehungskisten. Ergänzen Sie mit dem Genitiv.

Die erste Freundin des dreijährig____ Daniels war in seiner Kindergartengruppe. Das Lieblingsspiel dieser unschuldig____, romantisch__ Liebe war Hochzeit feiern. Aber der ältere Bruder dieses nett___ Mädchens mochte Daniel nicht. Der hässliche Trick des bös__ Bruders war, kurz vor dem Höhepunkt[9] der süß__ Hochzeitsszene schrecklich zu

[9] high point, climax

brüllen[10]. Heute findet Daniel die Erinnerung an die Beziehung mit diesem kleinen Mädchens sehr lustig.

Daniel bewundert Mehmet und Uwes Wohnzimmer. Setzen Sie die Dativendungen ein.

Die Vorhänge passen gut zu diesem schwarz___ Sofa und jenem ledern___ Sessel. Die Lampe passt gut zu dem hölzern____ Schreibtisch und das Bild an der schmal___ Wand passt gut zu dem blau___ Teppich und der modern___ Stehlampe. Das Wohnzimmer ist echt gemütlich!

Grammatik-Spot ***Genitive and dative endings of adjectives preceded by ein-words***

Genitive	**masculine** eines nett**en** Freundes **- en**	**feminine** einer lieb**en** Ehefrau **- en**	**neuter** eines schmal**en** Wohnzimmers **- en**	**plural** vieler neugierig**en** Menschen **- en**
Dative	**m** einem nett**en** Freund **- en**	**f** einer lieb**en** Frau **- en**	**n** einem schmal**en** Wohnzimmer **- en**	**pl** vielen neugierig**en** Menschen **- en**

Uwe weiß, die Freundschaft eines nett*en* Freundes ist viel wert. Er weiß auch, dass man einem nett*en* Freund gern eine Freude macht.

Analyse. Schauen Sie sich nun die Tabellen an. Wie viele –en-Endungen gibt es? Wie viele –e-Endungen? Wie viele andere Endungen? Vergessen Sie nicht die Endungen von "unpreceded" Adjektiven!

-en: _______________ andere: ___________

-e : _______________

Was haben Sie festgestellt? Die Endung *–en* ist die meist benutzte Endung. (Consequently, remember the –en ending is for all cases and genders except mas/nom, fem/nom, neuter/nom, fem/acc, and neuter/acc. Therefore, you really only need to learn the exceptions and remember that the –en ending is for all the other cases.)

[10] to scream

http://www.hamburg.de/index/1,2709,JGdlbz0zJA__,00.html

Was Daniel über Hamburg wissen will. Setzen Sie die richtigen Adjektivendungen aller Fälle, entweder der- oder ein-words, ein.

Daniel: Uwe sag mal, wo gibt es die best__ Souvenirläden in Hamburg?
Uwe: Den ganz__ Touristennepp[11] findest du in der Innenstadt und entlang der schön__ Alster.
Daniel: Wo kann ich Hamburg__ T-Shirts kaufen, die nicht so teuer sind?
Uwe: Versuch es mal im berühmt-berüchtigt__ Stadtteil St. Pauli.
Daniel: Kann man sonntags eine groß__ Hafenrundfahrt machen?
Uwe: Ja, aber sonntags wollen immer viel__ Menschen eine Bootsfahrt machen.
Daniel: Kann ich mit meinem international__ Studentenausweis billiger ins Hamburg__ Kunstmuseum kommen?
Uwe: Weil du noch unter 26 bist, ist das kein Problem.
Daniel: Lohnt es sich den hoh__ Fernsehturm zu besteigen?
Uwe: Ja, bei sonnig__ Wetter ist der weit__ Blick auf das flach__ Umland dieser historisch__ Stadt ganz toll.
Daniel: Hamburg bietet wirklich viel Interessantes.

Auf Wohnungssuche

Für Minderheiten ist die Wohnungssuche manchmal schwer. Dennoch versuchen Uwe und Mehmet eine Wohnung mit zwei Zimmern in der Nähe der Hamburger Universität zu finden. Ausländer müssen daran denken, dass man die Zimmer in einer Wohnung zählt, nicht die Zahl der Schlafzimmer, wenn man eine Wohung sucht. Sie wollen nicht mehr als 600 Euro ausgeben. Sie suchen im Internet.

Lesen Sie folgende Tabelle. Welche Wohnungsangebote sind für die beiden Männer interessant?

Ihr Suchprofil: Immobilienart: Wohnung Miete; Bundesland: Hamburg;

Seiten: 1 2 >   nach: Standard   Sortieren

Erklärung: N neues Angebot   ! Angebot wurde aktualisiert.

[11] rip-off, racket

Zimmer Stadt/Kreis	Wohnfläche Stadtteil/Ort	Kaltmiete Straße	Foto
renovierte 2 Zimmer EG-Wohnung in Eppendorf EBK			
2,00 Hamburg	55,00 m² Eppendorf	620,00 EUR	
Möblierte 2 Zi.-Wohnung Eppendorf EBK			
2,00 Hamburg	40,00 m² Eppendorf	380,00 EUR Lokstedter Weg	
Exklusive 2 Zimmer-Wohnung in HH-Eppendorf EBK			
2,00 Hamburg	55,00 m² Eppendorf	620,00 EUR	
3 Zimmer Wohnung / Hamburg Eppendorf EBK			
3,00 Hamburg	63,00 m² Eppendorf	515,00 EUR Winzeldorfer Weg	
4-Zi.-Mietwohnung			
4,00 Hamburg	102,00 m² Eppendorf	1.082,00 EUR	
Hoheluft West 2 Zi. Wrangelstr. 119 - 123 EBK			
2,00 Hamburg	63,00 m² Hoheluft-West	628,70 EUR	
Hoheluft West 1 Zi. Wrangelstr. 119 - 123 EBK			
1,00 Hamburg	41,00 m² Hoheluft-West	411,00 EUR	
Hoheluft West 2 Zi. Wrangelstr. 119 - 123 EBK Balkon			
2,00 Hamburg	60,00 m² Hoheluft-West	492,41 EUR	

http://www5.immobilienscout24.de/de/finden/wohnen/wohnung_miete/result.jsp?jrunsessionid=1544001046018624296

Abkürzungen bei Wohnunganzeigen:

Whg.	Wohnung
Zi.	Zimmer
2-Zi.Whg.	2 Zimmer Wohnung (= 2 Zimmer [inkl. Schlafzimmer] Küche und Bad)
KM	Kaltmiete
WM	Warmmiete
NK	Nebenkosten
m²/qm	Quadratmeter (1 m² = 10.76 f²)
EG	Erdgeschoss
DG	Dachgeschoss
Kaut./Kt.	Kaution
möbl.	möbliert
ruh.	Ruhig

EBK	Einbauküche
Blk.	Balkon
Chiffre	spezieller Code
WG	Wohngemeinschaft

Hörverständnis 11.1

Hören Sie nun folgendes Gespräch zwischen Uwe und Mehmet.

Hören Sie den Text noch einmal und füllen Sie folgende Tabelle aus.

	Stadtteil	Eigenschaften	Mietpreis
Wohnung A			
Wohnung B			

Kultur-Aspekte

Wo wohnen Sie?
Wie haben Sie Ihre Wohnung oder Ihr Zimmer gefunden?
Was zahlen Sie?

1. ________________

"Wer sucht, der findet auch." Ein wahrer Satz. Nur sagt er leider nicht, "wann" man findet. Wohnungssuche ist nicht selten zeit- und nervenraubend.[12] Was man auch tut, wichtig ist, dass man es rechtzeitig[13] tut. Am besten informiert man sich schon vor der Reise, um im Idealfall eine preiswerte Wohnung zu bekommen. Wohnen ist teuer in Deutschland. Nicht selten fließt die Hälfte eines deutschen Gehaltes[14] in die Miete. Wer sich nicht auf sein Glück verlassen will, sollte mehrere Möglichkeiten der

[12] time and nerve consuming
[13] early enough
[14] salary

Wohnungssuche berücksichtigen.[15]

2. _______________

Wohnungsangebote gibt es in lokalen Zeitungen, meist in der Mittwochs- und Wochenendausgabe. Man kann auch eine eigene Anzeige[16] aufgeben. Annoncezeitungen haben sich auf Anzeigen spezialisiert. Aber auch an der Universität ist es möglich, eine Wohnung zu finden. Die "schwarzen Bretter" ächzen[17] geradezu unter der Last von Wohnungsangeboten in Zettelform. Für diejenige Person, die allein nach Deutschland kommt, sind die so genannten WG's (Wohngemeinschaften) eine gute Möglichkeit Menschen kennen zu lernen.

3. _______________

In vielen Universitätsstädten gibt es Mitwohnzentralen, die über eine Provision zeitlich befristet Wohnungen vermitteln. Auch Universitätsgasthäuser stellen Wohnungen zur Verfügung. Wer über ein Maklerbüro eine Wohnung sucht, muss eines bedenken: Zwei Monatsmieten Provision sind üblich. Das ist viel Geld und lohnt sich besonders bei einem kurzen Aufenthalt nicht. Wenn es aber doch ein Immobilien-Makler sein muss, sollte er Mitglied im Ring Deutscher Makler (RDM) sein.

4. _______________

Die Zimmer sind zwar oft recht klein, dafür aber auch so ziemlich das Billigste, was man bekommen kann. Mittlerweile gibt es in manchen Wohnheimen Räume und Angebote für Paare. Das Studentenwerk informiert über Adressen und Aufnahmeverfahren[18] der Wohnheime.

Taken from http://www.campus-germany.de/german/1.62.137.2.html

Hier finden Sie Titel für jeden Absatz im Text. Welcher Titel passt zu welchem Absatz?

Zeitungen und schwarze Bretter[19]
Wohnungssuche
Mitwohnzentralen, Universitätsgasthäuser, Makler[20]
Der Mietvertrag[21]
Studentenwohnheime

---

[15] consider, take into account
[16] advertisement
[17] groan
[18] admission procedure(s)
[19] bulletin boards
[20] real estate agent
[21] lease

Wohnungssuche

Suche zum 1.10.03 helle 1-Zi-Whg. in Hamburg, Nähe Uni, 250-350 Euro WM

Sie kommen nach Deutschland als Austauschstudent und suchen eine Wohnung.

Schreiben Sie nun eine Anzeige für eine Wohnungssuche in einer Stadt Ihrer Wahl.

Witz

Vater und Sohn sind in der Küche und spülen Geschirr. Mutter und Tochter sind im Wohnzimmer. Plötzlich hören sie ein lautes klirren aus der Küche. Tochter: "Das war Papa." Mutter: "Woher willst du das wissen?" Tochter: "Ganz einfach. Weil niemand schimpft!"[22]

http://www.blinde-kuh.de/witze/allerlei.html

Grammatik-Spot **Past Tense of "sein"**

Like in English, the past tense of „sein" is irregular, but similar to its English counterpart.

ich	wa**r**	wir	war**en**	Sie	war**en**
du	war**st**	ihr	war**t**		
er, sie, es	wa**r**	sie	war**en**		

Wie **war** die Fahrt von Lübeck nach Hamburg?
… der Zug **war** auf die Minute pünktlich.

→ For practice, see exercise 11.7 in the workbook.

Minidialoge

Uwe und Mehmet wollen wissen, was Daniel auf seiner Reise schon gesehen hat. Sie fragen ihn, wo er war und was er gesehen hat.
Vervollständigen Sie die folgenden Minidialoge. Setzen Sie das Simple Past von „sein" ein.

www.lüneburg.de

[22] to scold, get angry, yell

Beispiel: du letzte Woche in Lüneburg
schön Ja, es….. sehr interessant.

Uwe: Wo warst du letzte Woche? **Daniel**: Ich war in Lüneburg.
Uwe. War es schön? **Daniel**: Ja, es war sehr interessant.

1. du und Angela in Lüneburg? in einer Kneipe
   viele Leute dort Ja, es … sehr viele Leute dort.

2. ihr an der Uni in Lüneburg? Ja, aber wir…...da nur kurz.
   ihr in der Mensa? Ja, das Essen … sehr lecker!

3. schon in Berlin? Nein, …. noch nicht in Berlin.
   schon in München? Ja, ...
   du allein? Jein,… mit einer Bekannten.

4. in der Schweiz? — in Zürich.
   es schön? — Ja, es … sehr schön.

5. deine Eltern in Deutschland? — Nein, … in Österreich.
   sie bei Verwandten? — Ja, … bei meiner Oma!

Wo warst du am Wochenende?

Finden Sie heraus, wo Ihre Mitstudent/innen am Wochenende waren (Tage, Uhrzeiten).

1. Wo warst du am Samstag? Am Samstag war ich …
2. Wo warst du am Samstag um 8 Uhr morgens? Um 8 Uhr morgens war ich …
3. Wo warst du am Sonntagabend? Am Sonntagabend war ich …

bei meinen Eltern bei meinem Freund/meiner Freundin in meinem Zimmer im Kino in der Kneipe im Restaurant auf einer Party in der Bibliothek im Bett

Finden Sie jetzt heraus, wo die meisten Studenten am Samstag, am Samstag um 8 Uhr und am Sonntag waren. Gibt es vielleicht einen Grund, warum bestimmte Sachen beliebter waren als andere?

Exkursion 2: **Eine Fahrt auf der Alster**

Multi-Kulti-Aktivität 11.2

A European tourist is in the US and he would like to go to the post office and send off a letter. The post office is about 2 miles away. The European asks an American how far it is to the post office. What does the American answer?

a.) just around the corner
b.) only five minutes from here
c.) 45 minutes from here
d.) about two miles

How will the European understand the answers a.) and b.)? Why?
Why would an American say "just around the corner" or "only 5 minutes from here"?
What would a European say to the American in this situation?

http://www.hamburg-tourism.de/sightseeing/rundgaenge.html

Wort-Box

die Gelegenheit (-en)	opportunity	zusammenhängend	joined
der Überblick (-e)	overview	das Gebiet (-e)	area
künstlich	artificial	der Handel	trade
der See (-n)	lake	das Ostblockland (-änder)	east block country
das Schiff (-e)	boat, ship	geteert	tarred
das Boot (-e)	boat	wirken	to seem like
der Dampfer (-)	steamer		
ankern	to anchor		
der Hafen (-äfen)	harbor		
der Speicher (-)	storage		
der Filmdrehort (-e)	film production site		

Auf der Alster

Es ist ein warmer Abend, Uwe und Daniel machen eine Fahrt auf der Alster. Uwe erklärt Daniel die Stadt Hamburg und noch viel mehr.

Uwe: Eine Fahrt auf der Alster ist eine gute Gelegenheit einen Überblick über die Stadt zu bekommen.
Daniel: Es ist heute auch ein so schöner Tag.
Uwe: Die Alster ist ein künstlicher See, die tiefste Stelle ist nur 2,50 m tief.
Daniel: Also nichts für tiefe Schiffe.
Uwe: Nur flache Boote wie Segelboote oder Touristendampfer können auf der Alster fahren. Die großen Tanker ankern draußen am Freihafen.
Daniel: Schau mal, was ist das?
Uwe: Das ist die illuminierte Speicherstadt.
Daniel: Das sieht toll aus! Dieses Farbenspiel auf dem Wasser. Klasse!
Kapitän: Meine Damen und Herren. Jetzt fahren wir in die historische Speicherstadt. Früher hatten Kaufleute Lagerhäuser für ihre Waren, wenn sie vom Schiff ausgeladen wurden. Hier können sie immer noch Gewürze riechen.
Daniel: Was hatte man hier in den Speicherhäusern?
Uwe: Viele Dinge hat man aus Russland gebracht, z.B. Felle oder Bernstein von der Ostsee, Textilien und vieles mehr. Heute findet man immer noch Gewürze, Teppiche und Textilien in den Lagerhäusern.
Kapitän: Diese Speicherstadt ist der größte zusammenhängende Lagerhauskomplex der Welt. Hamburg hat den größten Hafen Deutschlands und den zweitgrößten Europas.
Daniel: Aha, deswegen diese Speicherstadt.
Uwe: Ja, aber heute gibt es auch Museen und Filmdrehorte in der Speicherstadt.

Etwas später...

Uwe: Das Gebiet, das du da drüben siehst, ist die berühmt-berüchtigte Reeperbahn im Stadtteil St. Pauli.
Daniel: Ja, ich habe das schon gehört. Das ist das Rotlicht-Viertel, nicht wahr?
Uwe: Ja, und hast du auch von dem Frauenhandel gehört?
Daniel: Was für ein Frauenhandel?
Uwe: Viele Prostituierte werden illegal aus den Ostblockländern nach Westeuropa gebracht. Ich möchte nicht wissen, wie viele illegal auf der Reeperbahn arbeiten.
Daniel: Warum kommen die Frauen?
Uwe: Viele wissen gar nicht, dass sie in der Prostitution landen werden. Man verspricht ihnen eine Stelle als Au-Pair oder als Hausmädchen. Aber das sind Lügen.
Daniel: War die Reeperbahn schon immer ein roter Distrikt?
Uwe: Nein, im 17. Jahrhundert war dies ein Ort, wo die so genannten Reepschläger geteerte Schiffstaue machten, die Reeps. Erst im 19. Jahrhundert wurde es für die Seefahrer ein Vergnügungsviertel.
Daniel: Gehst du manchmal auf die Reeperbahn?
Uwe: Tagsüber wirkt sie wie ein normales Stadtviertel und abends werden auch interessante kulturelle Veranstaltungen angeboten, also nicht nur Nachtklubs und Tanzbars. Wir gehen aber lieber ins St. Georg Viertel, da trifft sich die Gay

Szene.

Beantworten Sie die folgenden Fragen

1. Was ist die Alster?
2. Wo bleiben die großen Tanker?
3. Was war die Speicherstadt?
4. Was ist die Reeperbahn heute?
5. Wie wirkt die Reeperbahn tagsüber?

Auto, das wichtigste Transportmittel
902S glo - 04.04.2003

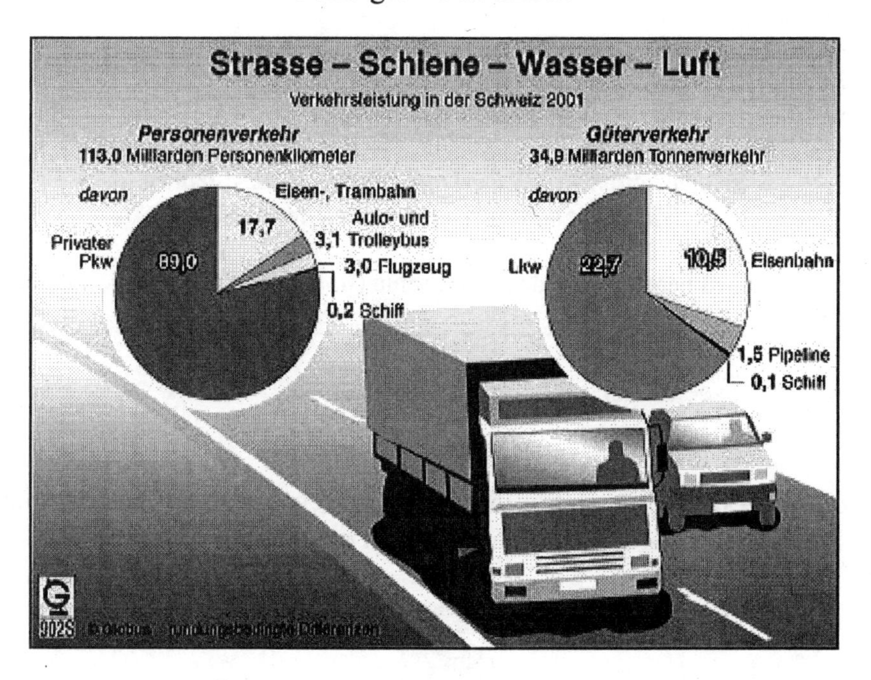

Auto, das wichtigste Transportmittel
04.04.2003

Das Auto ist das wichtigste Transportmittel in der Schweiz. Insgesamt legten die Schweizer im Jahr 2001 rund 89 Milliarden Personenkilometer (Zahl der beförderten Personen multipliziert mit den gefahrenen Kilometern) mit dem Pkw zurück; das waren fast vier Fünftel der gesamten Leistung im Personenverkehr. Wesentlich geringer ist das Gewicht des Autos beim Güterverkehr. Hier bewältigten die Lastkraftwagen nur knapp zwei Drittel der gesamten Transportleistung von 34,9 Milliarden Tonnenkilometern.

Schreiben Sie die Fragen zu den Antworten aus dem Text.

1. Das Auto ist das wichtigste Transportmittel in der Schweiz.
2. Insgesamt legten die Schweizer im Jahr 2001 rund 89 Milliarden Personenkilometer mit dem Pkw zurück.
3. Das Gewicht des Autos beim Güterverkehr ist wesentlich geringer.
4. Im Personenverkehr fahren über 17% der Schweizer mit der Eisenbahn.
5. Unter 4% der Schweizer fliegen.

Grammatik-Spot **Simple Past of „haben"**

You have already learned the simple past tense of „sein." The simple past of „haben" is also irregular. It is formed by taking the third person singular, present tense (**hat**) and adding another **t + ending.**

ich	hat**te**	wir	hat**ten**	Sie	hat**ten**
du	hat**test**	ihr	hat**tet**		
er, sie, es	hat**te**	sie	hat**ten**		

*Früher **hatten** Kaufleute Lagerhäuser für ihre Waren, ...*
*Was **hatte** man hier in den Speicherhäusern?*

↯ **Note:** The 1st and 3rd person singular are the same (**hatte**), and so are the first and third person plural (**hatten**).

→ For practice, see exercise 11.8 in the workbook.

Als ich ein Kind war, ... Fragen Sie Ihre Mitstudenten/innen, was Sie und Ihre Familie hatten, als Sie ein Kind waren. Tauschen Sie auch die Rollen.

Frage: Was hattest du/dein Bruder/deine Schwester ..., als du ein Kind warst?
Was hatten deine Eltern/Geschwister ..., als du ein Kind warst?

Antwort: Als ich ein Kind war, hatte ich/mein Bruder/ ...
..., hatten meine Eltern/meine Geschwister/ meine Großeltern ...

mögliche Gegenstände für die Antworten

1) eine Spielzeugeisenbahn (toy train)
2) einen Teddybär
3) einen Chevrolet
4) einen Baseball

5) wenig Geld
6) viele Tiere
7) Angst vor Gewitter
8) einmal im Jahr Urlaub
9) einen Spielzeugcomputer
10) ein sehr altes Auto
11) viele Freunde
12) die Masern
13) einen Unfall
14) eine(n) nette(n) Lehrerin/Lehrer
15) eine Puppe
16) ....

Listen Sie alle Antworten an der Tafel auf. Was ist Nr. 1 unter den Antworten? Was ist das letzte auf der Liste? Welche Gründe sehen Sie für die beliebtesten Antworten und welche Gründe für die unbeliebtesten?

Ausreden. Benutzen Sie in den Fragen die "Simple Past Tense"- Form von *sein* und in den Antworten das "Simple Past" von *haben.*

- du nicht in der Vorlesung?	ich/schreckliche Kopfschmerzen

Frage: Warum warst du gestern nicht in der Vorlesung?
Antwort: Ich hatte schreckliche Kopfschmerzen.

1. du gestern Abend so spät nach Hause gekommen?	ich/ den Bus verpasst.
2. ihr für die Prüfung nicht pünktlich?	wir/ nicht die Telefonnummer
3. Sie nicht beim Betriebsausflug?	ich/ eine Reifenpanne[23]
4. du am Samstag nicht auf Martinas Party?	ich/ kein Auto
5. Klaus und Dieter in so schlechter Laune?	sie/ kein Geld mehr
6. ihr am Freitagabend so betrunken[24]?	wir/ nur einen kleinen Schwips
7. Sie nicht bei der Besprechung[25] des Betriebsplans[26]?	ich/ Terminkonflikt

→ For practice, see exercise 11.9 in the workbook.

---

[23] flat tire
[24] drunk
[25] meeting
[26] company plan

Quellen: http://www.hamburg-tourism.de/hamburg_info/gay/index.html
http://www.hamburg-tourism.de/hamburg_info/ueberblick/index.html
http://www.hamburg-tourism.de/hamburg_info/ueberblick/wasser.html

Transportmittel

Auf der Alster fahren Motorboote, Segelboote und Touristenschiffe. Sie sind Transportmittel zu Wasser.

Transportmittel zu Wasser: das Motorboot, das Segelschiff, der Luxusdampfer, der Öltanker, das Frachtschiff, der Fischkutter, die Yacht, das U-Boot, das Kanu, der Kajak, das Floß

Transportmittel zu Luft: das Flugzeug, die Maschine, das Sportflugzeug, das Segelflugzeug, der Zeppelin, der Ballon

Transportmittel zu Land: die Füße, die Rollschuhe, das Pferd, das Fahrrad, der Bus, der Zug, die Straßenbahn, die U-Bahn, das Auto, das Motorrad

Pendler

Beantworten Sie die Fragen zur Grafik.

1. Wer geht am meisten zu Fuß?
2. Wer fährt öfter Auto: die Genfer oder die Basler?
3. Wer fährt am meisten Auto?
4. Wer geht am wenigsten zu Fuß?
5. Wer fährt seltener ein zweirädiges Verkehrsmittel: die Berner oder die Genfer?

Die Verwendung von Transportmitteln oder Verkehrsmitteln in fünf Schweizer Städten

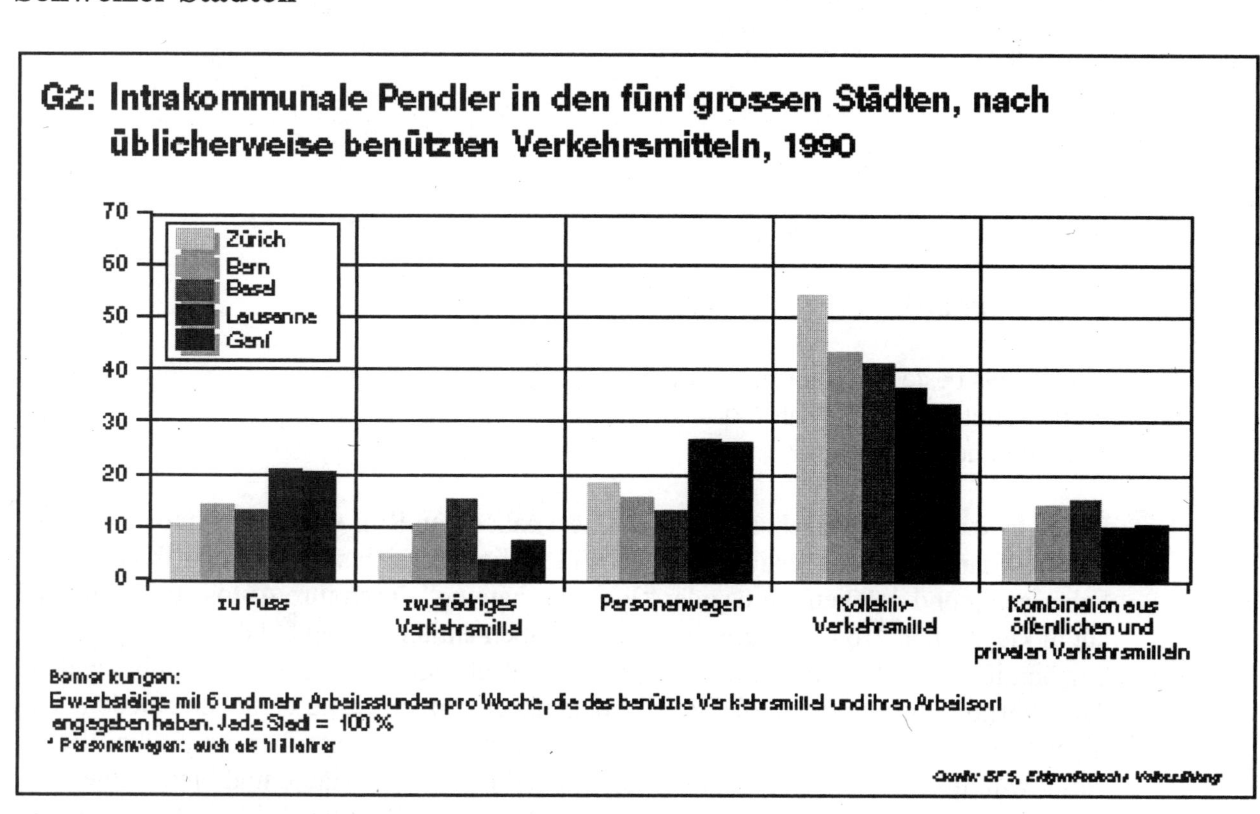

http://www.statistik.admin.ch/news/archiv96/dp96001.htm

Statistik Schweiz

News

6. Februar 1996, Pressemitteilung Nr. 1/1996

Und Sie?

Und Sie, welches Verkehrsmittel benutzen Sie am meisten? Machen Sie eine Umfrage in der Klasse. Vergleichen Sie das Ergebnis mit der Statistik aus der Schweiz. Welche Unterschiede sehen Sie?

Vergleiche

Sehen Sie die Grafik "Auto das wichtigste Transportmittel" und die Grafik oben an und vergleichen Sie die Informationen.

Beispiel: Im Jahre 2001 sind die Schweizer mehr mit dem Auto gefahren als im Jahre 1990.

Kultur-Aspekte

Transportmittel

Was ist das beste Transportmittel für Sie?
Wann benutzen Sie das Fahrrad?
Wie oft gehen Sie zu Fuß?

Deutsche (sowie Österreicher und Schweizer) haben den Ruf, von ihren Autos besessen[27] zu sein. Ständig pflegen sie ihre Autos, sie identifizieren sich sehr stark mit ihren Fahrzeugen und drücken Status oder "Weltanschauung" durch ihre Autos aus. Man wird kaum klappernde[28] rostige Karosserien die Straßen entlang rattern[29] hören, was gewöhnlicher Anblick in den USA ist. Aber Deutsche sind auch offen gegenüber anderen Transportmitteln. Durch ein dichtes Eisenbahnnetz können Leute viele verschiedene Orte innerhalb Deutschlands und Europas erreichen. Schnellzüge mit einer durchschnittlichen Geschwindigkeit[30] von ca. 250 km/h verbinden die größeren Städte und bieten eine Alternative zum Fliegen. Die Deutsche Bahn AG, bietet Pendlern[31] besondere Angebote,

[27] obsessed
[28] rattling
[29] to rattle along
[30] speed
[31] commuters

so dass sie die Autos außerhalb der Stadtgrenzen lassen und mit der Bahn zur Arbeit fahren. Diese Züge fahren meistens stündlich und die Fahrten sind preisgünstig. In den Städten können die Menschen Zeitverluste[32] durch Verkehrsstaus[33] vermeiden[34], indem sie mit der U-Bahn oder Straßenbahn fahren. Die meisten Städte haben auch ein gut ausgebautes Netz von Fahrradwegen. Viele Leute benutzen dieses und radeln überall hin, oft durch Parks oder entlang eines Flusses, ohne im Autoverkehr zu fahren. Die Niederlande sind das Vorbild für fahrradfreundliches Fahren in Europa.

In der Freizeit fahren einige Deutsche gern auf schnellen Motorrädern entlang kurvenreicher Bergstraßen oder auf den Strecken der Autobahnen, wo es keine Geschwindigkeitsbegrenzung gibt. Spazierengehen, wandern und Rad wandern sind entspanntere Versionen Bewegung zur erleben. Im Gegensatz zu vielen anderen Kulturen, einschließlich der nordamerikanischen, gehen die Menschen aus den deutschsprachigen Kulturen gern spazieren, besonders am Sonntagnachmittag. Das ist oft ein gemeinschaftliches Unternehmen, denn Freunde oder Familienmitglieder gehen zusammen durch Felder und Wälder. Danach genießen sie die traditionelle Kaffeestunde bei Kaffee und Kuchen.

Die Füße werden auch als ein Transportmittel betrachtet.[35] Viele Stadtzentren haben eine Fußgängerzone. Autos müssen an der Peripherie geparkt werden und man geht zu Fuß ins Einkaufszentrum. Man kann in Fußgängerzonen ganz entspannt einkaufen. Cafés, die leckere Speisen anbieten, schöne Blumenanlagen und Straßenkünstler locken neugierige Menschenmengen in die Fußgängerzone. Im Allgemeinen macht es Deutschen (Österreichern, Schweizern) nicht so viel aus eine oder zwei Meilen zu gehen, im Gegensatz zu vielen Amerikanern, die diese Art der zweckbezogenen[36] Fortbewegung ungewöhnlich finden. Spazierengehen kann in den USA auch gefährlich sein, weil es nicht überall in den Wohngegenden Fußwege gibt. Deutsche in den USA haben manchmal Misstrauen erregt, weil sie in den USA einfach so zum Spaß eine Straße entlang gingen.

Bilton, Paul. 1999. *The Xenophobe's Guide to the Swiss.* London: Oval Books, 25-26.
James, Louis. 1994. *The Xenophobe's Guide to the Austrians.* London: Ravette Books, 30-31.
Zeidenitz, Stefan and Ben Barkow. 1993. *The Xenophobe's Guide to the Germans.* London: Oval Books, 28-29.

Beantworten Sie folgende Fragen.

1. Warum sind Deutsche gegenüber Transportmitteln offen?
2. Welche Alternative zum Auto gibt es in Europa/Deutschland?
3. Welche Transportmittel benutzen Deutsche, Österreicher und Schweizer in der Freizeit? Warum?

---

[32] loss of time
[33] traffic jams
[34] to avoid
[35] to view, to consider
[36] task-oriented

Telefonate

Daniel will von Mehmet und Uwe aus einige Telefonate führen. Er findet die Telefontarife und will ausrechnen[37], wie viel jedes Telefonat kostet, damit er Mehmet und Uwe Geld für die Anrufe geben kann.

TELEFONTARIFE

UHRZEIT	PREIS/min	VORWAHL	ANBIETER
Ortsgespräche			
0–24 Uhr	0,99 Cent	01013	Tele 2
	1,00 Cent	01051	01051
Ferngespräche innerhalb Deutschlands			
0–8 Uhr	1,69 Cent	01040	Ventelo
	1,70 Cent	01070	Arcor
8–19 Uhr	1,70 Cent	01070	Arcor
	1,80 Cent	0190047	Surprise Te
19–21 Uhr	1,70 Cent	01077	Callax
	1,70 Cent	01070	Arcor
21–24 Uhr	1,69 Cent	01040	Ventelo
	1,70 Cent	01070	Arcor
Inlandsgespräche vom Festnetz zum Handy			
0–9 Uhr	14,40 Cent	0190076	Telestunt
	14,50 Cent	01015	01015
9–18 Uhr	14,50 Cent	01015	01015
	14,90 Cent	01077	Callax
18–24 Uhr	14,40 Cent	0190076	Telestunt
	14,50 Cent	01015	01015
Auslandsgespräche Festnetz			
Polen	4,40 Cent	0190029	Telebillig
	4,60 Cent	0190079	Smart79
Türkei	12,70 Cent	0190029	Telebillig
	13,00 Cent	01015	01015
USA	2,00 Cent	01015	01015
	3,00 Cent	0190031	Teledump
Spanien	2,00 Cent	01015	01015
	2,90 Cent	0190035	Telediscount

1. Daniel hat Gabi in Berlin angerufen und 10 Minuten gesprochen. Wie viel kostet das Gespräch?

2. Danach hat er mit seiner Oma in Spanien telefoniert (sie ist dort im Urlaub) und hat 5 Minuten gesprochen. Wie viel kostet das Gespräch?

3. Zum Schluss hat Daniel seine Mutter in Kalifornien angerufen und mit ihr 3 Minuten gesprochen. Wie viel kostet dieses Gespräch?

[37] to calculate

Exkursion 3 : Bremen

1. Was wissen Sie schon über Bremen?
2. Wo liegt Bremen?
3. Ist Bremen eine Stadt oder ein Bundesland?

Wort-Box

zufällig	by accident
das Vorlesungsverzeichnis (-se)	course schedule
zur Zeit	at the moment
sich beibringen	to teach oneself
von Übersee	from overseas
die Marke (-n)	brand
bekannt für	known for
vorbeigehen (sep.)	to pass by
irgendwo	somewhere

In der Stadt der Stadtmusikanten

Daniel ist wieder in der Wohnung von Uwe und Mehmet. Zufällig findet er ein altes Vorlesungsverzeichnis im Wohnzimmer.

Daniel: Hallo, wer von euch beiden hat in Bremen studiert?
Mehmet: Ich habe dort studiert.
Daniel: Was denn?
Mehmet: Geschichte mit Gender Studies als Nebenfach.
Daniel: Und warum machst du jetzt nichts damit?
Mehmet: Das ist nicht so einfach. Ich wollte nicht unterrichten. Dieses Wissen ist zur Zeit nicht gefragt. Von irgendetwas musste ich leben. Deshalb habe ich mir Webdesign beigebracht. Damit konnte ich in Bremen und heute in Hamburg ein bisschen Geld verdienen.
Daniel: Wie ist Bremen?
Mehmet: Das ist eine nette Stadt. Nicht so groß wie Hamburg, aber auch ganz

attraktiv.

Daniel: Ich kenne eigentlich nur die Bremer Stadtmusikanten.

Mehmet: Ja, das musste kommen. Das ist meistens auch schon alles, was Ausländer über Bremen wissen. Und die Tiere sind nie in Bremen angekommen. Aber Bremen bietet viel mehr. Natürlich eine ziemlich moderne Uni, und dann gibt es in Bremen auch sehr gutes Bier.

Daniel: Aber Bremer Bier kenne ich gar nicht.

Mehmet: Ja, weil die meisten Amis immer nur an Bayerisches Bier denken. Aber hier im Norden gibt es auch gute Biere. Bremen ist auch bekannt für Kaffee.

Daniel: Wieso Kaffee?

Mehmet: Bremen hat auch einen großen Hafen. Kaffee von Übersee wird hier angeliefert und geröstet. Bremer Kaffee ist eine bekannte Marke, eine Mischung aus Kaffees verschiedener Herkunft.

Daniel: Ja, überall gibt es die kleinen Stehcafés. Gibt es dort Bremer Kaffee? Früher mochte ich keinen deutschen Kaffee. Er war mir zu stark. Aber heute mag ich ihn gern.

Mehmet: Ja ich trinke auch gern Kaffee. Und nicht vergessen – die Bremer Schokolade. Die Firma Hachez produziert seit 1890 leckere Schokolade.

Daniel: Ich habe eine Schwäche für Schokolade.

Mehmet: Ja, in Bremen konnte ich nie am Süßwarengeschäft vorbeigehen, ohne mir eine Schokolade zu kaufen.

Daniel: Hör auf! Mir läuft das Wasser im Mund zusammen.

Mehmet: Soll ich uns gleich mal eine Tasse Bremer Kaffee machen? Irgendwo habe ich, glaube ich, auch noch eine Tafel Hachez Schokolade.

Daniel: Ja, das ist eine tolle Idee!! Bremen in Hamburg!

Daniel und Mehmet sind beim Kaffeetrinken.

Daniel: Sag mal, Mehmet, woher kommst du eigentlich?

Mehmet: Ich komme aus dem Harz, aus einem kleinen Ort bei Goslar.

Daniel: Wie ist der Harz? Ich weiß gar nichts darüber.

Mehmet: Er ist schön. Bevor ich nach Bremen ging, hatte ich 17 Jahre lang in diesem Ort gewohnt. Meine Mutter war dort auch aufgewachsen. Mein Vater war als junger Mann in den 60er Jahren in den Ort gekommen. Er besitzt einen Döner-Imbiss. Ein großer Teil meiner Verwandtschaft lebt heute noch dort. Aber meine Freunde sind jetzt in Hamburg und Bremen.

1. Was hat Mehmet in Bremen gemacht?
2. Nennen Sie drei besondere Produkte, die in Bremen hergestellt werden.
3. Was kennt Daniel von Bremen?
4. Wo ist Mehmet geboren?
5. Was besitzt sein Vater?

Kultur-Aspekte

Was lesen Sie gerne?
Haben Sie als Kind Märchen[38] gelesen?
Welche Figuren gibt es normalerweise in Märchen?

Die Bremer Stadtmusikanten

http://www.fln.vcu.edu/grimm/

Es war einmal ein Müller, der hatte einen Esel, welcher nach langen Jahren seine Kräfte[39] verlor. Da dachte der Herr daran, ihn wegzugeben. Aber der Esel merkte, dass sein Herr etwas Böses im Sinn hatte, lief fort und machte sich auf den Weg nach Bremen. Dort, so meinte er, könnte er ja Stadtmusikant werden.

Als er schon eine Weile gegangen war, fand er einen Jagdhund[40] am Wege liegen, der jämmerlich heulte[41]. "Warum heulst du denn so?" fragte der Esel.

"Ach", sagte der Hund, "weil ich alt bin und auch nicht mehr auf die Jagd kann, wollte mich mein Herr totschießen.

"Weißt du, was", sprach der Esel, "ich gehe nach Bremen und werde dort Stadtmusikant. Komm mit mir."

Der Hund war einverstanden, und sie gingen zusammen weiter. Es dauerte nicht lange, da sahen sie eine Katze am Wege sitzen, die machte ein Gesicht wie drei Tage Regenwetter. "Was ist denn mit dir los, alter Bartputzer?"[42] fragte der Esel.

---

[38] fairy tales
[39] die Kraft (sg) - strength
[40] hunting dog
[41] howled pitifully
[42] literally: beard cleaner

"Wer kann da lustig sein, wenn's einem an den Kragen geht",[43] antwortete die Katze. "Weil ich nun alt bin, meine Zähne stumpf werden und ich lieber hinter dem Ofen sitze und spinne, als nach Mäusen herumjage, hat mich meine Frau ersäufen[44] wollen."

"Geh mit uns nach Bremen, da kannst du Stadtmusikant werden."

Die Katze hielt das für gut und ging mit. Als die drei so miteinander gingen, kamen sie an einem Hof vorbei. Da saß der Haushahn auf dem Tor und schrie aus Leibeskräften.[45] "Du schreist einem durch Mark und Bein",[46] sprach der Esel, "was hast du vor?"

"Die Hausfrau hat der Köchin befohlen, mir heute Abend den Kopf abzuschlagen. Morgen, am Sonntag, haben sie Gäste, da wollen sie mich in der Suppe essen. Nun schrei ich aus vollem Hals, solang ich noch kann."

"Ei was" sagte der Esel, "zieh lieber mit uns fort, wir gehen nach Bremen, etwas Besseres als den Tod findest du überall. Dem Hahn gefiel der Vorschlag, und sie gingen alle vier zusammen fort.

Sie konnten aber die Stadt Bremen an einem Tag nicht erreichen und kamen abends in einen Wald, wo sie übernachten wollten. Der Hahn flog zum Schlafen bis in den Wipfel,[47] wo es am sichersten für ihn war.

Ehe[48] er einschlief, sah er sich noch einmal nach allen vier Windrichtungen um. Da bemerkte er einen Lichtschein. Er sagte seinen Gefährten, "In der Nähe sehe ich ein Haus, darin sehe ich ein Licht." Der Esel antwortete: "So wollen wir uns aufmachen und hingehen, denn hier ist die Herberge[49] schlecht."
Also machten sie sich auf den Weg wo das Licht war. Sie kamen vor ein hell erleuchtetes Räuberhaus. Der Esel, als der größte, näherte sich dem Fenster und schaute hinein.

"Was siehst du, Grauschimmel?"[50] fragte der Hahn.

"Was ich sehe?" antwortete der Esel. "Einen gedeckten Tisch mit schönem Essen und Trinken, und Räuber sitzen rundherum und lassen sich's gut gehen!"

"Das wäre etwas für uns", sprach der Hahn.

Der Esel stellte sich mit den Vorderfüßen auf das Fenster, der Hund sprang auf des Esels Rücken, die Katze kletterte auf den Hund, und zuletzt flog der Hahn hinauf und setzte sich der Katze auf den Kopf. Als das geschehen war, fingen sie auf ein Zeichen an, ihre Musik zu machen: der Esel schrie, der Hund bellte, die Katze miaute, und der Hahn krähte. Darauf stürzten sie durch das Fenster in die Stube[51] hinein, dass die Scheiben klirrten.[52]

Die Räuber fuhren bei dem entsetzlichen Geschrei[53] in die Höhe. Sie meinten, ein Gespenst[54] käme herein, und flohen[55] in größter Furcht in den Wald hinaus.

---

[43] idiom.: an den Kragen gehen – to be in for it now
[44] to drown
[45] shouted with all his might
[46] right through me
[47] top of a tree
[48] before
[49] lodging
[50] gray horse
[51] room
[52] shattered
[53] horrific screams
[54] ghost
[55] fled

Nun setzten sie die vier Gesellen an den Tisch, und jeder aß von den Speisen, die ihm am besten schmeckten.

Als sie fertig waren, löschten sie das Licht aus, und jeder suchte sich eine Schlafstätte.

Als Mitternacht vorbei war und die Räuber von weitem sahen, dass kein Licht mehr im Haus brannte und alles ruhig schien, schickte der Hauptmann einen Räuber zurück, um nachzusehen, ob noch jemand im Hause wäre.

Der Räuber fand alles still. Er ging in die Küche und wollte ein Licht anzünden. Aber die Katze wollte das nicht, sprang ihm ins Gesicht und kratzte[56] ihn aus Leibeskräften.[57] Da erschrak er gewaltig[58] und wollte zur Hintertür hinauslaufen. Aber der Hund, der da lag, sprang auf und biss ihn ins Bein. Als der Räuber über den Hof am Misthaufen[59] vorbei rannte, gab ihm der Esel noch einen tüchtigen Schlag mit dem Hinterfuß. Der Hahn rief vom Dache herunter: "Kikeriki!"

Da lief der Räuber, so schnell er konnte, zu seinem Hauptmann zurück und sprach: "Ach, in dem Haus sitzt eine gräuliche Hexe,[60] die hat mich angehaucht[61] und mir mit ihren langen Fingern das Gesicht zerkratzt. An der Tür steht ein Mann mit einem Messer, der hat mich ins Bein gestochen. Auf dem Hof liegt ein schwarzes Ungetüm,[62] das hat mit einem Holzprügel[63] auf mich losgeschlagen. Und oben auf dem Dache, da sitzt der Richter,[64] der rief: 'Bringt mir den Schelm[65] her!' Da machte ich, dass ich fort kam."

Von nun an getrauten[66] sich die Räuber nicht mehr in das Haus. Den vier Bremer Stadtmusikanten aber gefiel es darin so gut, dass sie nicht wieder hinaus wollten.

(an adaptation of http://www.bremen.de/besuch/stadtmusikanten.html)

1) Als Daniel ein kleiner Junge war, hat er die Geschichte von den Bremer Stadtmusikanten gehört. Heute hat er die richtige Reihenfolge (order) vergessen. Helfen Sie ihm. Nummerieren Sie die Sätze entsprechend dem Verlauf der Handlung.

____________ Der Räuber fand alles still.
____________ Der Hund war einverstanden und sie gingen gemeinsam weiter.
____________ Es war einmal ein Müller, …
____________ Die Katze hielt das für gut und ging mit.
____________ Sie kamen vor ein hell erleuchtetes Räuberhaus.
____________ Dem Hahn gefiel der Vorschlag, und sie gingen alle vier zusammen fort.
____________ Von nun an getrauten sich die Räuber nicht mehr in das Haus.
____________ Als er schon eine Weile gegangen war, fand er einen Jagdhund am Wege liegen, …
____________ Da lief der Räuber, so schnell er konnte, zu seinem Hauptmann zurück,

---

[56] scratched
[57] with all one's might
[58] mightily
[59] dung pile
[60] a dreadful witch
[61] blew at me
[62] monster
[63] wooden club
[64] judge
[65] rogue
[66] sich (ge)trauen - dare

____________ Aber der Esel bemerkte, dass sein Herr etwas Böses im Sinn hatte, …

2) Erzählen Sie nun die Geschichte mit Hilfe dieser Sätze in Ihren eigenen Worten.

Grammatik Spot **The Simple Past Tense of Regular Verbs**

Although the present perfect tense is more frequently used than the simple past tense in German, the past tense is often used in written German, like in fairy tales, and the past tense of modal verbs is common in spoken German as well.

The **–t** + ending added to the stem of the weak verb distinguishes this type of verb from other tenses.

*der Esel merk**te** … und mach**te** sich auf den Weg nach Bremen.*

ich mach**te**	wir mach**ten**
du mach**test**	ihr mach**tet**
er, sie es mach**te**	sie/Sie mach**ten**

↯ **Note:** The 1st and the 3rd person singular are identitical and so are the 1st and the 3rd person plural.

*"Was siehst du, Grauschimmel?" frag**te** der Hahn.*
*"Was ich sehe?" antworte**te** der Esel.*

Fragen zur Geschichte
Beantworten Sie folgende Fragen über die Tiere in *Die Bremer Stadtmusikanten* im "Simple Past Tense".

1) Wo lebte der Esel?
2) Wohin reiste der Esel?
3) Warum heulte der Hund?
4) Warum miaute die Katze?
5) Warum krähte der Hahn?
6) Was machten die Tiere, um die Räuber zu erschrecken?
7) Was machte die Katze mit dem Räuber, als er das Haus untersuchte?
8) Wo wohnten die Tiere für den Rest ihres Lebens?

Berühmte Personen aus der Geschichte:

1) Roland

http://www.bremen.de/info/history/Roland/weristroland.html

Roland war ein Neffe Karls des Großen und kämpfte gegen die Sarazenen[67] im Süden Frankreichs. In Frankreich und Deutschland dichtete[68] man Lieder über diese Sagengestalt (legendary person). Er symbolisierte für viele Menschen die Freiheit. Deshalb stellten die Bremer ein Roland-Denkmal in Ihrer Stadt auf. Sie war zuerst eine hölzerne[69] Figur, die später verbrannte.[70] 1404 stellte man eine Figur aus Stein vor dem Rathaus auf. Heute steht sie dort immer noch, aber mit einem neuen Kopf. Der Kopf von 1404 ist jetzt im Bremer Focke Museum.

Unterstreichen Sie nun die Verben im Simple Past Tense. Wie viele gibt es? Wie viele sind im Singular, wie viele im Plural?

2) Suchen Sie eine andere berühmte Figur aus der Geschichte. Sie können dazu das Internet benutzen.
Beantworten Sie dazu folgende Fragen (if applicable).

1) Wann lebte die Person
2) Woher stammte sie?
3) Wo und was studierte sie?
4) Was machte die Person beruflich? Er/Sie war …
5) Wo lebte sie als erwachsene Person?
6) Was machte sie berühmt?

Grammatik Spot **The Simple Past Tense of Irregular Verbs**

These verbs are so "strong" that they change the stem. They do **not** have a *–te* as an ending. You simply have to memorize these forms (see table in appendix). If a verb is irregular in English you can be sure that it is also irregular in German, e.g., *essen-ass, eat-ate; trinken-trank, drink-drank.*

Als die drei so miteinander *ging***en**, …

Simple past of "gehen" – stem: **ging**

---

[67] Saracenes
[68] to compose
[69] wooden
[70] to burn, to destroy by fire

This stem takes the following endings:

ich	ging	wir	ging**en**
du	ging**st**	ihr	ging**t**
er, sie, es	ging	sie/Sie	ging**en**

Note: 1st and 3rd person singular do not have an ending. 1st and 3rd person plural and formal "you" end with **-en.**

Es dauerte nicht lange, da ***sahen*** *sie eine Katze am Wege sitzen, ...* (sehen)
Die Räuber ***fuhren*** *bei dem entsetzlichen Geschrei in die Höhe.* (fahren)

There are also mixed forms: Verbs with stem changes, but with endings of regular verbs.

ich denke — simple past: ich *dach***te**
du denkst — du *dach***test**

Da ***dachte*** *der Herr daran, ihn wegzugeben.*

→ For practice, see exercise 11.10 in the workbook.

Daniel auf dem Hamburger Fischmarkt

Retell the story in the simple past tense.

Um 6 Uhr am Morgen steht Daniel in Hamburg auf dem Fischmarkt. Die Sonne geht gerade auf. Es ist noch kühl. Viele müde Personen kommen. Sie kommen von den Partys auf der Reeperbahn oder von weit her (Lübeck, Hannover, Bremen). Ein Anbieter schreit: "Aale, frische Aale!" "Iigit[71]", denkt Daniel, "Aal am frühen morgen. Nicht für mich." Er will lieber Kaffee. Er geht weiter und folgt seiner Nase. Er riecht frische Brötchen. Um die Ecke findet er einen Stand mit Backwaren und er kann dort auch Kaffee bekommen. Super! Mit neuer Energie schlendert er über den Markt. Es gibt nicht nur Fisch, sondern auch Pflanzen, Obst, Gemüse und Kleidung. Es ist ein buntes Treiben[72].

stehen	stand
gehen	ging
kommen	kam
schreien	schrie
denken	dachte
wollen	wollte
riechen	roch
finden	fand
können	konnte
geben (gibt)	gab

[71] yuk
[72] hustle and bustle

Grammatik Spot **Modal Verbs in the Simple Past Tense**

The simple past tense of modal verbs follows the pattern of mixed verbs.

können – konnte

ich	konn**te**	wir	konnt**en**
du	konnt**est**	ihr	konnt**et**
er, sie, es	konn**te**	sie/Sie	konnt**en**

dürfen	ich **durfte**
mögen	ich **mochte**
müssen	ich **musste**
sollen	ich **sollte**
wollen	ich **wollte**

*... **wollte** mich mein Herr totschießen.*
*Da lief der Räuber, so schnell er **konnte**, ...*

→ For practice, see exercise 11.11 in the workbook.

Ein Märchen

a) Entwerfen Sie nun in einer Gruppe ein kurzes Märchen. Benutzen Sie dazu die Verben im Simple Past Tense in diesem Kapitel. Machen Sie Notizen.
b) Erzählen Sie dann ihr Märchen in der Klasse.
c) Schreiben Sie das Märchen auf, ca. 10 Sätze.

Es war einmal ...

http://www.maerchenkristall.de/start/index_1.htm

Grammatik Spot **als, wenn, wann**

All three words mean "when" in English.

als – when (conjunction)
Als er schon eine Weile gegangen war, …

wenn – whenever, if (conjunction)
"Wer kann da lustig sein, *wenn*'s einem an den Kragen geht",
Früher hatten Kaufleute Lagerhäuser für ihre Waren, *wenn* sie vom Schiff ausgeladen wurden.

wann – when (question word or conjunction)
Seit *wann* seid ihr zusammen?

Dialog: Erinnerungen
Bitte setzen Sie *als, wenn, wann* an den passenden Stellen ein.

A: ____________ ich ein Teenager war, mochte ich Mick Jagger gern. __________ ich Geld hatte, bin ich in seine Konzerte gegangen.

B: _____________ hast du ihn im Konzert gesehen?

A: Das war, _____________ ich in der 11. Klasse war. _______________ Mick Jagger auf der Bühne war, war die Hölle los. Die Leute waren verrückt nach ihm.

B: Und heute? _____________ du ihn heute hörst, wirst du auch verrückt?

A: _____________ soll ich heute Musik hören? Ich habe nie Zeit.

B: Das ist sehr traurig. Immer, _________ ich müde bin, höre ich Hip-Hop-Musik. Dann bin ich wieder fit.

Eine Email an Tante Lissi,

Daniel ist in einem Internet Café bei der Uni Hamburg. Er schreibt ein paar Zeilen an seine Tante Lissi in Wien.
Setzen Sie bitte *als, wenn*, oder *wann* entsprechend ein.

Liebe Tante Lissi,

___________________ ich vor ein paar Tagen in Lüneburg war, bin ich mit Angela nach Uelzen gefahren. Du wirst es nicht glauben, was ich dort gesehen habe!! Den Bahnhof, den Hundertwasser entworfen hat!! ________________ ein Mann im Zug mir nicht davon

erzählt hätte (would have), hätte ich nie davon gewusst. ____________ Hundertwasser den Bahnhof entworfen hat, willst du wissen? Ich weiß nicht mehr ganz genau ______________, aber der Bahnhof wurde eröffnet (was opened), _____________ auch die Expo 2000 in Hannover eröffnet wurde. _____________ du mal in Deutschland bist, musst du auf jeden Fall nach Uelzen fahren.
Jetzt bin ich bei Angelas Freunden in Hamburg. ______________ wir eine Bootsfahrt auf der Alster gemacht haben, habe ich viel über Hamburg gelernt. Die Stadt gefällt mir sehr, aber sie ist ganz anders als Wien.

Liebe Grüße

Dein Daniel

Grammatik Spot	**Past Perfect (das Pusquamperfekt)**

You are already familiar with the forms of the present perfect (a form of "haben" or "ein" + past participle – ich habe gelacht).
In the past perfect, the present tense the forms of "haben" or "sein" are simply replaced by the conjugated past tense form of "haben" and "sein" – **hatte, war**
The Past Perfect is used for events in the past that precede other events in the past.

Bevor ich nach Bremen ging, **hatte** ich 17 Jahre lang in diesem Ort **gewohnt**.
Meine Mutter **war** dort auch **aufgewachsen**.

Schneller sein

Bei Uwe muss immer alles schnell gehen und Mehmet lässt sich lieber Zeit.

Beschreiben Sie nun, was Uwe schon gemachte hatte. Achten Sie darauf: Das Verb im Nebensatz (Mehmet) steht im Imperfekt, das Verb im Hauptsatz (Uwe) im Plusquamperfekt.

Beispiel: Als Mehmet gerade frühstückte, war Uwe schon zur Uni gefahren.

Mehmet	***Uwe***
1. aufstehen	frühstücken
2. die Zähne putzen	das Geschirr waschen
3. die Zeitung lesen	den Einkaufszettel schreiben
4. das Haus verlassen	eine Stunde arbeiten
5. ins Bett gehen	vier Stunden schlafen
6. Kaffee trinken	von der Bibliothek kommen

Mein Leben vor der Uni

Schreiben Sie nun einen kleinen Aufsatz über ihr Leben vor dem Studium. Bevor ich zur Uni kam, hatte ich/war ich …

→ For practice, see exercise 11.12 in the workbook.

Lese-Ecke

Wie fühlen Sie sich, wenn Sie etwas Falsches gemacht haben?
Was tun Sie danach?

starke und schwache verben

von Rudolf Otto Wiemer

ich trete
ich trat
ich habe getreten

ich schäme mich
ich schämte mich
ich habe mich geschämt

ich weiß gründe
ich wußte gründe
ich habe gründe gewußt

ich bereue[73]
ich bereute
ich habe bereut

ich falle auf die füße
ich fiel auf die füße
ich bin auf die füße gefallen

ich lerne dazu
ich lernte dazu
ich habe dazu gelernt

ich komme hoch
ich kam hoch
ich bin hoch gekommen

ich ändere mich
ich änderte mich
ich habe mich geändert

ich pfeif drauf[74]
ich pfiff drauf
ich habe drauf gepfiffen

---

[73] to regret
[74] to not give a damn about sthg.

ich sage jawoll
ich sagte jawoll
ich habe jawoll gesagt

ich trete
ich trat
ich werde treten

Welche “Seite“ vom Gedicht ist Reaktion gleich nach dem Problem und welche “Seite“ eine spätere?

Gabi und Daniel führen ein Gespräch. Daniel hat Gabi vor dem Gespräch sehr geärgert. Nun versöhnen[75] Sie sich, was sagen beide in diesem Gespräch?

Glossar: Abschnitt 11 “Hamburg und Bremen”

Verben	**Substantive**
ablegen (sep) – to take off (clothes)	die Neigung (en) – liking
übernachten – to stay overnight, to sleep	der Muffel (-) – grouch, grouser
sich beschweren – to complain	der Höhepunkt (-) – climax
rausschmeißen – to throw out	das Umland (no pl) – surrounding countryside
anpöbeln – to molest	die Kalt-/Warmmiete – rent without/with heating
brüllen – to yell, to roar	die Nebenkosten (pl) – costs for utilities
ankern – to anchor	das Erdgeschoss (e) – ground floor
ausladen (sep, äd) – to unload	das Dachgeschoss (-) – top floor
sich etw. beibringen – to teach oneself sth.	die Kaution (en) – security deposit
	die Einbauküche (n) – fitted kitchen
Adjektive	die Wohngemeinschaft (en) (WG) – people sharing an apartment or a house
schmal – narrow	der Überblick (e) – overview
aufklappbar – folding	die Stelle (n) – position
flach – flat	der Freihafen (äfen) – free port
zusammenhängend – connected	der Speicher (-) – storehouse
berüchtigt – infamous, notorious	das Lagerhaus (äuser) – warehouse
geteert – tarred	das Gewürz (e) – spice
	das Fell (e) – fur
Adverbien	der Bernstein (e) – amber
zur Zeit – at the moment, right now	der Teppich (e) – carpet
zufällig – accidentally	der Filmdrehort (e) – film shooting site
Ausdrücke	
einen Schwips haben – to be tipsy	

[75] to make up

	das Gebiet (e) – area, region der Frauenhandel (no pl) – trafficking in women die Lüge (n) – lie das Schiffstau (e) – ship rope das Vergnügungsviertel (-) – amusement district der Fischkutter (-) – fishing boat/cutter das Floß (öße) – raft das Segelflugzeug (e) – glider die Rollschuhe – inline skaters die Masern (-) – measles die Puppe (n) – doll der Betriebsausflug (üge) – company outing die Besprechung (en) – discussion das Vorlesungsverzeichnis (se) – course catalog das Süßwarengeschäft (e) – candy store

Key

Multi-Kulti-Aktivität 11.1

A stereotype does not account for individuality, and often emphasizes negative judgement of people or things. A generalization such as *There are many poor people in the United States* is non-judgemental and permits individuality.

Day Two: The following day have each student present one of their stereotypes and the interviewee's reaction.

For a class discussion:

1. Which stereotypes were most often mentioned?
2. Where do these ideas perhaps originate?
3. What have you learned from this activity?

Hörverständnis 11.1

Mehmet: Schau mal Uwe, hier ist eine Zwei-Zimmer-Wohnung in Hamburg Eppendorf, 60 m^2 mit Einbauküche und Balkon. Kaltmiete 550 Euro.
Uwe: Ja, aber wenn wir noch die Nebenkosten zahlen, dann ist die monatliche Miete über 600 Euro. Das ist zu teuer. Außerdem ist mir das zu weit. Aber schau mal hier, Reinhard. Diese Wohnung sieht interessant aus.
Sie liegt in Hoheluft West. Sie hat auch zwei Zimmer, ist aber ein bisschen kleiner 55 m^2. Sie liegt im Dachgeschoss, ist ruhig und kostet 590 Euro, und das ist Warmmiete.
Mehmet: Hoheluft West. Ja, das ist nicht weit von der Uni und du wolltest doch in der Nähe wohnen. Du kannst mit dem Rad zur Uni fahren.
Uwe: Ruf doch gleich mal an.
Mehmet: Die Anzeige ist unter Chiffre. Wir müssen dann die Chiffrennummer in die Webseite eingeben.
Uwe: Machen wir das. Hoffentlich ist die Wohnung noch nicht vermietet.

Aus dem Inhalt

Kultur

Hier lernen Sie etwas über:

Arbeit in Deutschland
Frauen bei der Arbeit
Feiertage

Grammatik

Präpositionen in/auf zu/nach
Konjunktiv von Modalverben, sein und haben
Reflexivverben

Abschnitt 12

Das Ruhrgebiet

1. In welchem Bundesland liegt Düsseldorf?
2. Welcher große Fluss fließt durch Düsseldorf und Köln?
3. Welches Bundesland liegt südlich von Düsseldorf?

→ For practice, see exercise 12.12 in the workbook.

Exkursion eins: In Essen

Multi-Kulti Aktivität 12.1

Imagine you have had several job interviews and two companies are very interested in your qualifications. One company is located in a highly industrialized area and offers more money and job security. The other company is located nearer your family and in an area that is nicer to live but pays less and the job is only temporary. What would you do? What do you think a German-speaking person might do in the same situation?

a) Take the better paying job.
b) Accept the position nearer to home hoping that something better will come up.
c) Keep looking for other job opportunities because none of the two appeal to you.
d) Germany, a country of over 80 million people, has over 4 million unemployed. What would you recommend an unemployed German to do and how do you think s/he would respond?

1. Which areas in the US are highly industrialized areas?
2. Have they always been like this? What has changed?
3. What kinds of social effects has industrialization had on globalization?
4. How do you envision industry will develop in the 21st century?

Wort-Box

der/die Ingenieur/in	engineer
verkehrt	wrong
die Richtung (-en)	direction
die Kreuzung (-en)	intersection
sich verlaufen	to take the wrong way
rechts/links abbiegen	to take a right/left turn
entlang	along
die Zeche (-n)	coal mine

Dialog: Wo ist die Semperstraße?

Daniel ist in Essen angekommen. Essen ist eine Stadt im Zentrum des Ruhrgebiets, dem größten Industriegebiet Deutschlands. Sein Großonkel hat bis 1933 in Essen gelebt und als Ingenieur für die Firma Krupp gearbeitet. Daniels Oma in Linz hat ihm die Adresse des Hauses gegeben, in dem der Onkel lebte. Daniel sucht jetzt das Haus. Es ist in der Semperstraße, im Südostviertel der Stadt.

Daniel: Entschuldigung, ich suche die Semperstraße.
Teenager: Tut mir Leid, die kenne ich nicht.
Daniel: Entschuldigung, können Sie mir sagen, wo die Semperstraße ist?
Junger Mann: Oh je, du bist in die verkehrte Richtung gelaufen.[1]
Daniel: Wo bin ich denn? Bin ich nicht im Südostviertel?
Junger Mann: Nein, du bist im Südviertel. Du musst mehr Richtung Osten gehen.
Daniel: Und wie komme ich dahin?
Junger Mann: Du bist jetzt an der Kreuzung Klarastraße/Brigittastraße. Schau, es ist hier auf der Karte.

Der junge Mann zeigt auf die Stelle in Daniels Stadtplan.

Daniel: Mensch, da habe ich mich total verlaufen!!
junger Mann: Das kann man wohl sagen! Pass auf! Geh die Brigittastraße entlang, Richtung Norden. Dann rechts in die Witteringstraße abbiegen. Bis zur nächsten Straße gehen. Das ist die Von-Schmoller Straße. In die biegst du links ab. Du gehst diese Straße geradeaus bis du an der dritten Ampel auf die Hohenzollernstraße kommst. Rechts abbiegen und die Hohenzollernstraße entlanggehen.
Daniel: Wie weit ist das?
Junger Mann: Die Hohenzollernstraße ist ziemlich lang. Sie geht nämlich in die Kronprinzenstraße über. Also bis zur Kreuzung/Kronprinzenstraße/Rohrallee sind es ca. 3 km.
Daniel: Kann ich auch mit dem Bus fahren?
Junger Mann: Ja, aber ich kenne mich mit öffentlichen Verkehrsmitteln nicht so gut aus. Ich fahre immer mit dem Rad.
Daniel: Wie geht es weiter?
Junger Mann: Schau hier ist die Semperstraße.

Er zeigt mit dem Finger auf die Karte.

Daniel: Oh, hier ist die Straße! Also muss ich die zweite Straße rechts abbiegen.
junger Mann: Genau! Wichtig ist also, dass du auf die Hohenzollernstraße kommst,

[1] Note that young people in Germany tend not to use the formal "Sie" form among each other. This young man thus addresses Daniel with the informal "du" because he recognizes a peer in him. Daniel on the other hand, is not quite sure about these conventions and uses "Sie" at first, until he realizes that "du" is appropriate.

dann ist es nicht mehr so kompliziert.
Daniel: Vielen Dank!
junger Mann: Viel Glück!

... und er radelt davon.

Richtig oder falsch

_____ 1. Daniel sucht die Semperstraße, weil der Bruder seiner Oma da gelebt hat.
_____ 2. Daniel hat sich im Südostviertel verlaufen.
_____ 3. Er ist jetzt an der Ecke Klarastraße/Brigittastraße.
_____ 4. Daniel hat sich nur ein bisschen verlaufen.
_____ 5. An der dritten Ampel kommt er auf die Hohenzollernstraße.
_____ 6. Der junge Mann sagt Daniel wie er mit dem Bus zur Semperstraße kommt.
_____ 7. Der junge Mann fährt auch immer mit dem Bus.
_____ 8. Wichtig ist, dass Daniel die Hohenzollernstraße findet.

→ For practice, see exercise 12.1 in the workbook.

Zukunft der Arbeit
7813 glo - 07.06.2002

Zukunft der Arbeit
07.06.2002

Noch produziert fast jeder vierte Arbeitsplatz in Deutschland Güter - Maschinen, Konsumgüter, Anlagen, Autos und so fort. Doch die Zukunft der Arbeit liegt nicht in der Industrie. Nach einer Studie des Instituts für Arbeitsmarkt- und Berufsforschung (IAB) wird der Anteil der Industriearbeitsplätze auf 18,4 Prozent im Jahr 2015 sinken. Neue Arbeitsplätze werden im Dienstleistungsbereich entstehen. Vor allem Dienstleistungen für Unternehmen wachsen: Der Anteil soll von 11,5 auf 17,6 Prozent steigen. Darin sind nicht zuletzt die Firmen enthalten, deren Dienste vorher von den Industrieunternehmen selbst erbracht wurden und heute unter dem Stichwort Outsourcing vermehrt zugekauft werden.

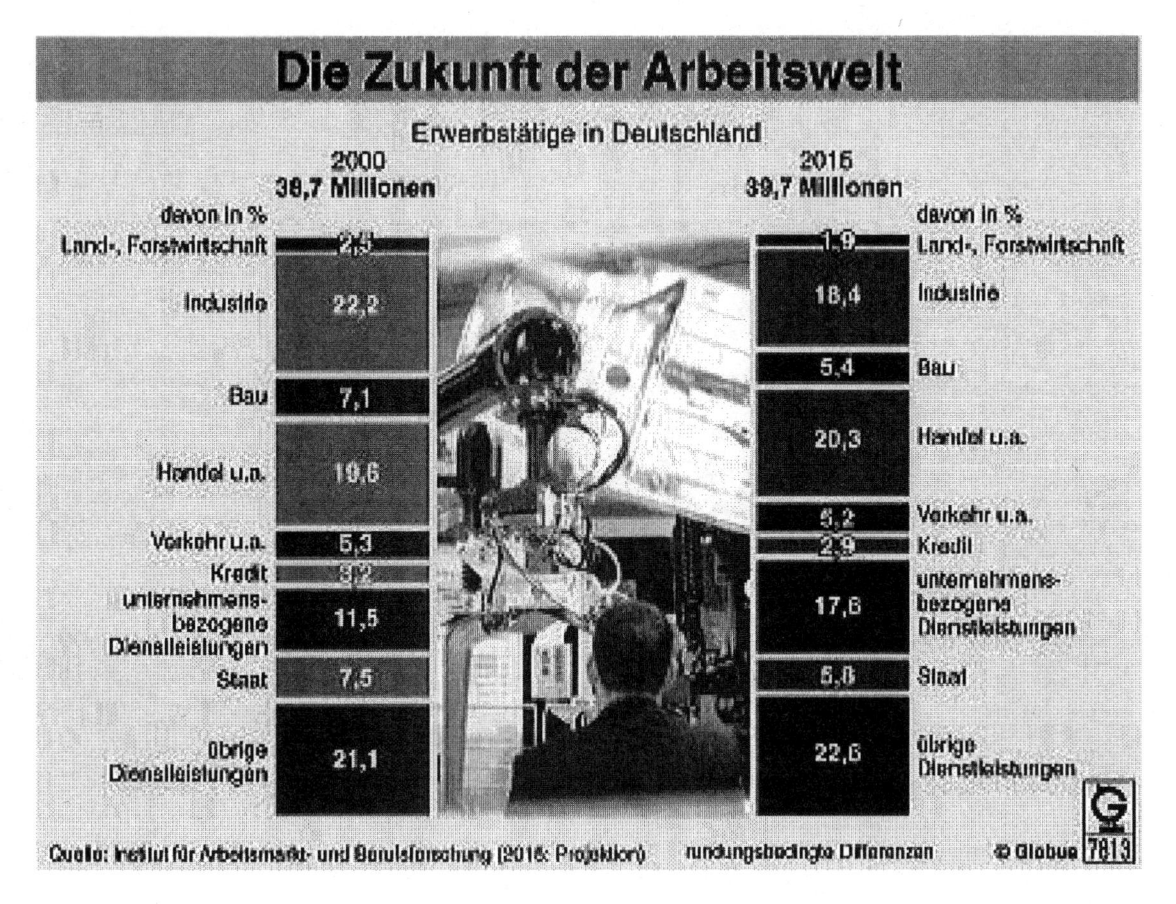

1. Was produziert man am meisten in Deutschland?
2. Wie sieht die Zukunft für die Industrie aus?
3. Wird der Anteil der Industriearbeitsplätze steigen oder sinken?
4. Welche Art von Arbeitsplätzen wird es am meisten in der Zukunft geben?
5. Was wird der Anteil sein?

Hörverständnis 12.1
Hören Sie folgende Dialoge von verschiedenen Touristen, die nach dem Weg fragen. Zeichnen Sie den Weg auf dem Stadtplan ein.

Stadtplan zum Dialog 1:

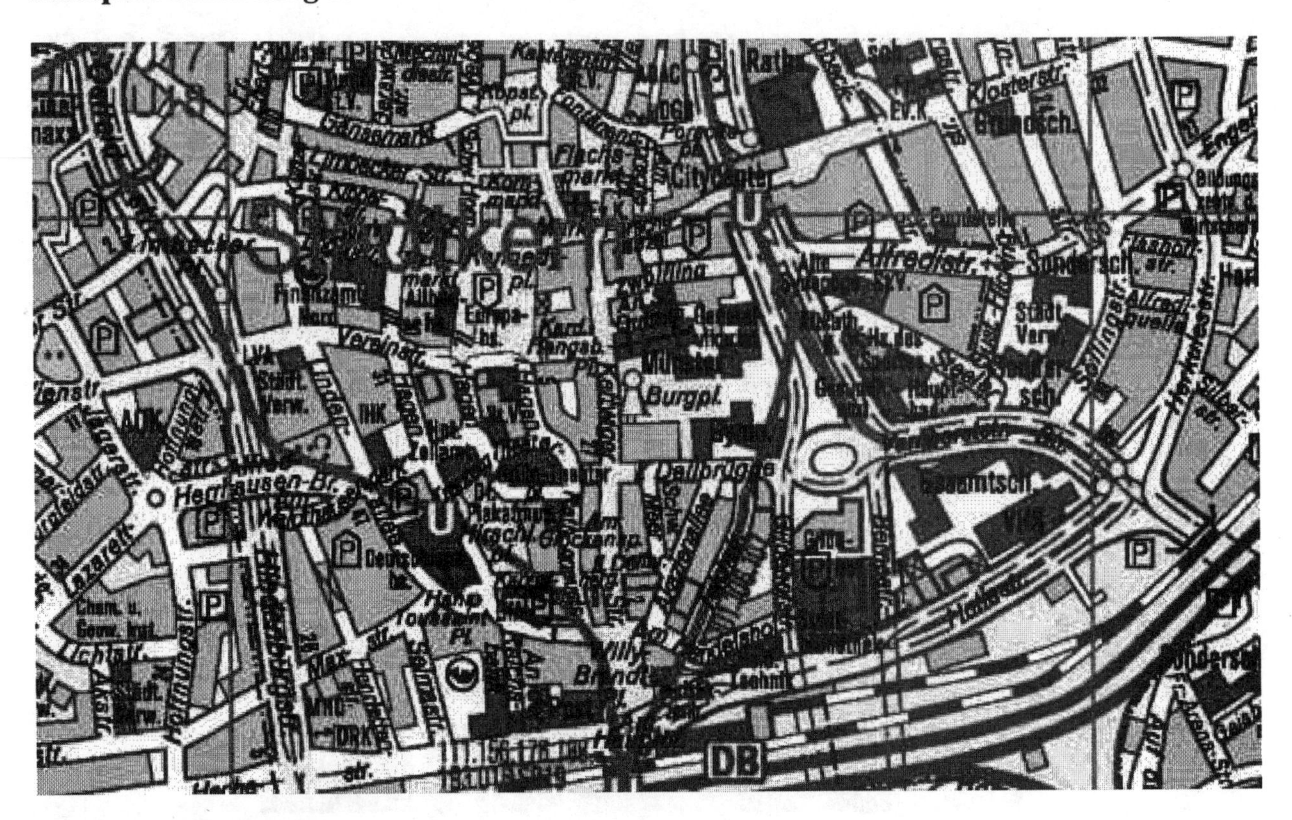

Stadtplan zum Dialog 2:

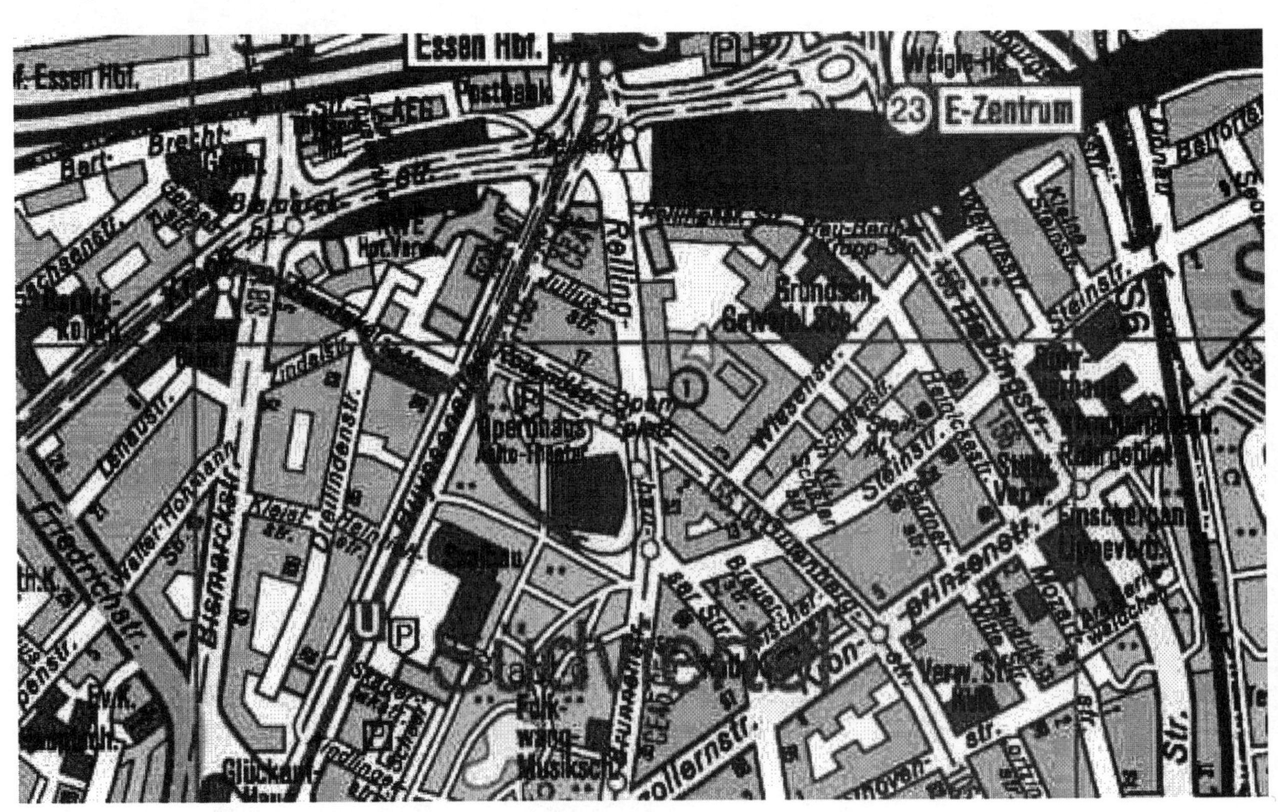

Stadtplan zum Dialog 3:

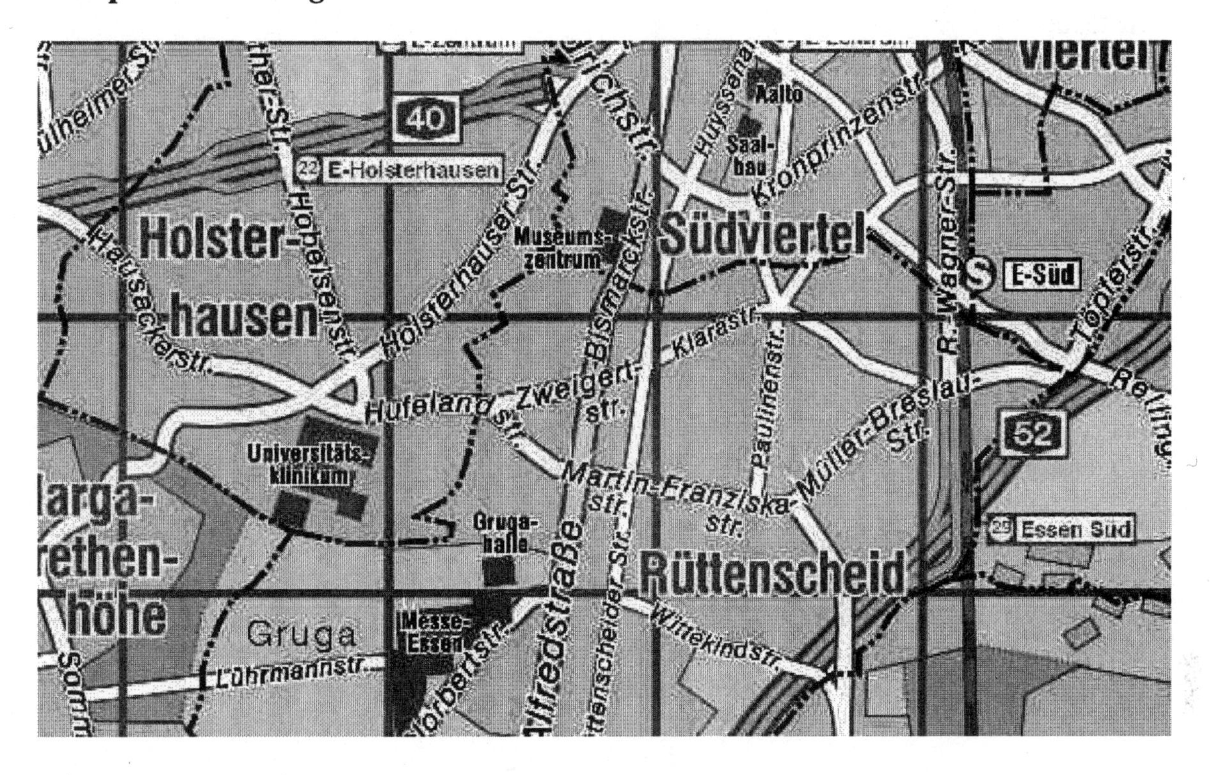

→ For practice, see exercise 12.2 in the workbook.

www.essen.de

Die "Babymesse"
Veranstaltungszeitraum: Freitag, 16. Mai 2003 bis Sonntag, 18. Mai 2003
Zeit: 10:00-18:00 Uhr
Die Baby-Messe 2003 zum 2. Mal im Ruhrgebiet

Internet

Gehen Sie auf folgende Webseite http://www.essen.de/gauszessen/
und
a) suchen Sie die Stelle, wo Daniel den jungen Mann gefragt hat und finden Sie dann die Semperstraße.
b) Suchen Sie die Ecke Kronprinzenstraße/Rohrallee. Beschreiben Sie nun den Weg von der Kreuzung bis zur Semperstraße in Partnerarbeit. Tauschen Sie Ihre Rollen.
c) Daniel will dann wieder zum Hauptbahnhof. Daniel fragt nach dem Weg und die andere Person beschreibt den Weg von der Semperstraße aus. Schreiben Sie diesen Dialog. Üben Sie in der Klasse den Dialog mit einer anderen Person.

Redewendungen

Entschuldigen Sie, wo ist ...?/ ..., wie komme ich zur ... Straße?

Antworten:

Gehen Sie geradeaus./Geh geradeaus. (geradeaus gehen).

Gehen Sie die ....-straße entlang./Geh ... (entlang gehen).

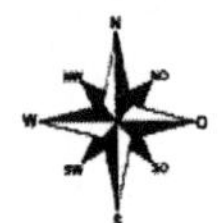

Richtung Norden/Süden/Osten/Westen.

Biegen Sie rechts ab./Bieg rechts ab. (abbiegen)

Biegen Sie links ab./Bieg links ab.
... und gehen Sie in die ....Straße.

Gehen Sie bis zur ... Ampel.

Von meinem Klassenzimmer zur Mensa

Ein/e Austauschstudent/in aus Deutschland ist neu auf Ihrem Campus. Beschreiben Sie nun diesem/r Studenten/in mit einem Campusplan den Weg von ihrem Klassenzimmer bis zur Mensa/ zum Immatrikulationsamt/zu Ihrem Studentenwohnheim/zur Student Union.

S1 : Entschuldige, wo finde ich …
S2: Von hier gehst du …

Auf die Bank und zur Post
Daniel muss auch noch auf die Bank. Er will Geld aus dem Geldautomaten abheben und er muss zur Post, weil er eine Postkarte an Gabi schicken möchte. Schauen Sie auf den Stadtplan. Gleich neben dem Hauptbahnhof gibt es eine Bank und die Post ist nördlich vom Hauptbahnhof. Daniel ist am Opernplatz. Geben Sie ihm Anweisungen.

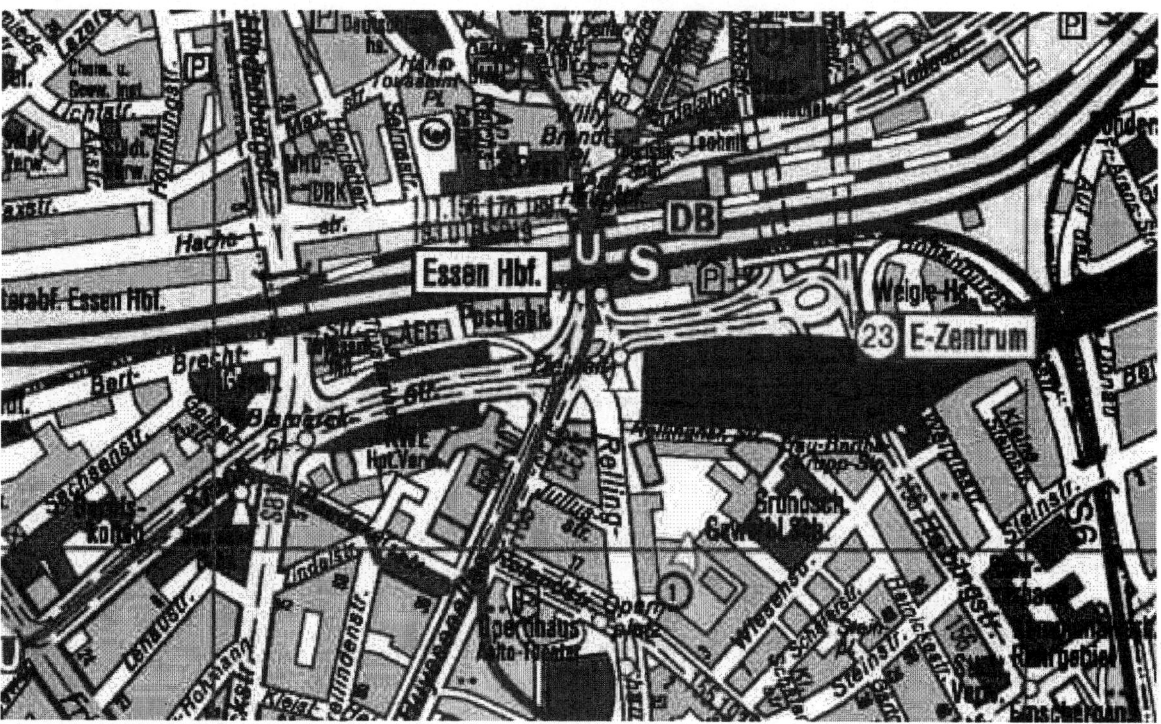

http://www.essen.de/gauszessen/

Der Autofahrer hat endlich einen Parkplatz gefunden. Zufrieden löst er sein Park-Ticket und meint: "So, das hätten wir! Jetzt müssen wir nur noch checken, in welcher Stadt wir sind." (von Patrick).
www.blinde-kuh.de

www.essen.de

Grammatik Spot **Direction: in/auf - zu/nach**

To indicate a place where you are going, you either use **in** or **auf** + *accusative* or **nach** or **zu** + *dative*.

*Daniel geht **auf** die Bank.*
*Er geht **zur** (zu + der) Post.*
*Er geht gern **ins** (in + das) Kino.*
*Daniel möchte gern **nach** Berlin reisen.*

ϟ Note
a) You use **in** when you intend to enter a building or enclosed area.

Daniel geht **ins** Museum.
Er geht **in** den Hauptbahnhof.

Use **in** also with countries that have a definite article: die Schweiz, die Türkei, die USA.

Daniel ist am Anfang seiner Reise **in** die Schweiz gefahren.
Zum Herbstsemester fliegt er **in** die USA zurück.

b) You use **auf** + accusative with public buildings as the destination (post office, bank, police station, school building).

Daniel braucht Briefmarken. Er geht **auf** die Post.
Er braucht Geld. Er geht **auf** die Bank.

c) You use **nach** + dative when you speak of a city or country that is unpreceded by an article.
Daniel reist **nach** Deutschland.
Von Essen reist er **nach** Frankfurt.
Von Frankfurt fliegt er wieder **nach** Hause.

d) Use **zu** + dative when the destination refers to a specific place, open place (sports field), building or a person.

Daniel will **zum** Hauptbahnhof gehen. (zu + dem = zum)
Er geht **zum** Haus seines Großonkels in der Semperstraße. (zu + das = zum)
But: Daniel ist in Utah **zu** Hause.

Note:

Daniel ist in Utah **zu** Hause. Aber er ist jetzt nicht **zu** Hause.

Er fliegt bald wieder **nach** Hause. →

→ For practice, see exercise 12.3 in the workbook.

Ein Gespräch

Der junge Mann bemerkt Daniels Akzent und ist neugierig. Setzen Sie die passende Präposition (*in, auf, zu, nach*) ein.

Junger Mann: Entschuldige, du hast einen leichten Akzent. In welchem Land lebst du?
Daniel: Ich lebe ____ den USA.
Junger Mann: Und was bringt dich _____ Essen?
Daniel: Bevor mein Großonkel ___ die USA ausgewandert ist, hat er ____ Essen gewohnt. Zuerst hat er ____ der Zeche[2] gearbeitet. Später war er Ingenieur bei Krupp. Ich will jetzt das Haus besuchen, ___ dem er gewohnt hat.
Junger Mann: Wirst du auch Essen besichtigen?
Daniel: Ja natürlich.
Junger Mann: Du solltest _____ (...+ der) Zeche Zollverein gehen. Das ist ein altes Bergwerk und ist heute ein Museum und Ort für kulturelle Veranstaltungen.
Daniel: Danke für den Tipp. Auf Wiedersehen.
Junger Mann: Tschüs und viel Spaß in Essen!

---

[2] die Zeche – mine; auf der Zeche arbeiten – work in a mine

Die Cyber-Stadt

Stellen Sie sich vor, Sie besuchen eine Stadt im 22. Jahrhundert.

a) Entwerfen Sie einen groben Stadtplan mit Plätzen und Gebäuden des 22. Jahrhunderts.
b) Vergleichen Sie ihren Plan mit einem Partner, einer Partnerin.
c) Entwickeln und spielen Sie einen Dialog: Ein Tourist möchte die Stadt besichtigen. Empfehlen Sie Orte und beschreiben Sie der Person, wie man dahin kommt.

Kultur-Aspekte

http://www.zollverein.de/

Wo findet man die meisten Industriebezirke in den USA?
Wo gewinnt man die meiste Braunkohle in den USA?
Wie fördert man Braunkohle?

Die Zeche Zollverein

Geschichte

Von der Mitte des 19. Jahrhunderts bis zum Ende des 20. Jahrhunderts prägte die Montanindustrie im Ruhrgebiet die Zeit der Groß- und Schwerindustrie. Ein besonderes Zeugnis[3] dieser Epoche ist die Zechen- und Kokereianlage[4] Zollverein. Die Anlage Zollverein ist heute wohl das bedeutendste Baudenkmal[5] der großtechnischen Kohlewirtschaft, und das stilisierte Bild des Doppelbockfördergerüstes[6] ist längst über die Grenzen der Region und auch Deutschlands hinaus bekannt und zum Markenzeichen

---

[3] testimony
[4] mining and coking plant
[5] architectural monument
[6] double-strength mining truss/scaffolding

des Ruhrgebiets geworden. Wegen seiner vorbildlichen[7] Erhaltungs- und Entwicklungsstrategie[8] nahm das „world heritage committee" im Dezember 2001 den Zollverein in die Welterbe-Liste[9] der UNESCO auf. Damit steht der Zollverein unter dem Schutz der Internationalen Konvention für das Kultur- und Naturerbe der Menschheit.

Die im Sommer 2001 gegründete Entwicklungs-Gesellschaft Zollverein mbH (EGZ) sowie die Stiftung[10] Zollverein und die Stiftung Industriedenkmalpflege[11] und Geschichtskultur kümmern sich um den Erhalt und die Nutzung der stillgelegten[12] Anlagen. Gemeinsam sichern sie die Zukunft der industriellen Kulturlandschaft Zollverein.

adapted from http://www.zollverein.de/

Beantworten Sie die folgenden Fragen.

1. Was ist ein großer Teil der europäischen Industrie?
2. Was ist die Zeche Zollverein?
3. Wann ist die Zeche Zollverein ein Welterbe geworden?
4. Wer kümmert sich um die Anlagen?

Exkursion 2: Jugendträume

Multi-Kulti-Aktivität 12.2

What did you want to be when you were a child?
What aspirations do you have today?
What do you think children in other countries dream of when they are small?
What do you believe influences what we want to be when we are a child? List all possibilities on the board.
Why do you believe are our choices not free from influences?
What role does your culture play in your decision making?

Vorschau: Was glauben Sie, was passiert, als Daniel das Haus in der Semperstraße findet?

Wort-Box

die Baumwollkleidung	cotton clothes
ratlos	puzzled, clueless

[7] model
[8] strategy for preservation and development
[9] world heritage list
[10] foundation
[11] preservation of industrial monuments
[12] disused, shut down

die Geduld	patience
der Störenfried (-e)	trouble maker
der/die Held/in (-en/innen)	hero/heroine
die Krankenschwester (-n)	female nurse
tragen	to carry
der Fleck (-en)	spot, stain

In der Semperstraße

Daniel findet das Haus seines Großonkels in der Semperstraße. Er steht davor – was nun? In dem Moment tritt eine Frau in weiter Baumwollkleidung aus dem Haus und sieht Daniels ratlosen Blick.

Frau: Suchen Sie was?
Daniel: Ja, eh, eigentlich nein.
Frau: Kann ich Ihnen behilflich sein?
Daniel: Es ist so, mein Großonkel hatte in diesem Haus eine Wohnung, bevor er 1933 in die USA ausgewandert ist.
Frau: Wissen Sie, in welcher Wohnung er lebte?
Daniel: Meine Oma sagte in der Wohnung Nr. 14.
Frau: Nr. 14! Das ist unglaublich! Das ist meine Wohnung! Ich will gerade in mein Geschäft fahren. Aber ich habe fünf Minuten. Sie können sich die Wohnung gern mal anschauen. Natürlich sieht sie heute ganz anders aus.
Daniel: Das wäre wirklich sehr nett. Danke.
Frau: Also kommen Sie. Die Wohnung ist in der 3. Etage. Wie heißen Sie denn?
Daniel: Ich heiße Daniel Walker.
Frau: Hallo Daniel. Ich heiße Stefanie Bauer. Was hat Ihr Onkel hier in Essen gemacht?
Daniel: Er war Ingenieur bei Krupp. Und was machen Sie von Beruf, wenn ich fragen darf?
Stefanie Bauer: Ich habe ein Antiquitätengeschäft und handle mit Antiquitäten aus aller Welt.
Daniel: Das ist interessant. Wie sind Sie auf diesen Beruf gekommen?
Stefanie Bauer: Es ist ein Familienbetrieb. Mein Vater reiste viel herum und ich wollte auch immer die weite Welt sehen. Leider ist mein Vater an Malaria gestorben und meine Mutter hat dann das Geschäft übernommen. Durch meine Mutter habe ich gelernt, dass man auch als Frau selbstständig[13] und erfolgreich sein kann. Ohne die beiden als Vorbild wäre ich heute nicht Geschäftsfrau.
Daniel: Was wären Sie denn?
Stefanie Bauer: Wenn ich das sagen könnte. Vielleicht Lehrerin. Nein, ich hätte nicht die Geduld dazu und müsste mich immer mit kleinen Störenfrieden herumärgern.

[13] independent

Daniel: Als Kind wollte ich immer Feuerwehrmann werden, dann könnte ich ein Held sein.

Stefanie Bauer: Ja, als ich klein war, wollte ich Krankenschwester werden. Ich hätte mich in einen Arzt verliebt und ihn geheiratet. Zum Glück hat mir meine Mutter schnell solche Träume ausgetrieben.[14] Sie sagte mir immer, besser,du wirst selbst Arzt, als dass du einen heiratest.
Vielleicht wäre ich Ärztin geworden, wenn mein Vater nicht gestorben wäre, und ich nicht früh im Betrieb hätte mithelfen müssen.

Daniel: Ihre Wohnung ist sehr schön. Wie wohl die Wohnung 1933 aussah, als mein Onkel auswanderte? Die Tapeten und die Möbel wären sicherlich anders.

Stefanie Bauer: Ja, und die Leute würden wohl draußen auf dem Treppengang die Toilette benutzen. Es gab damals für jede Etage eine Toilette. Vermutlich müssten sie auch schwere Eimer mit Kohle die Treppen hoch tragen. Es gab damals noch keine Zentralheizung mit Öl oder Gas.

Daniel: Kein Wunder, dass mein Onkel ausgewandert ist.

Stefanie Bauer: Die Gründe sind sicherlich andere gewesen. Du weißt, dass Krupp und die Nazi-Zeit einen Fleck in der Geschichte des Ruhrgebiets hinterlassen haben. Aber leider habe ich jetzt keine Zeit mehr. Ich muss schnell ins Geschäft. Es war nett, Sie kennen gelernt zu haben.

Daniel: Danke, dass Sie mir Ihre Wohnung oder die Wohnung meines Onkels gezeigt haben. Das war sehr nett. Auf Wiedersehen.

Stefanie Bauer: Auf Wiedersehen und einen angenehmen Aufenthalt[15] in Essen.

Fragen zum Dialog:

1. Wo hat Daniels Großonkel gewohnt, bevor er in die USA emigrierte?
2. Wie hat er gewohnt (sehr komfortabel oder einfach)?
3. Wer wohnt heute in der Wohnung?
4. Was macht die Person von Beruf?
5. Warum hat sie diesen Beruf?
6. Welche Berufe hätte sie auch gern gewählt?
7. Von welchem Beruf träumte Daniel als Kind? Warum?

---

[14] austreiben – here: to cure sb. of sth.

[15] stay, visit

Statistisches Bundesamt

Frauenanteile in verschiedenen Stadien der akademischen Laufbahn			
Gegenstand der Nachweisung	Frauenanteil in Prozent		
	1999	2000	2001
Studienanfänger	49,3	49,2	49,4
Studierende [1]	45,3	46,1	46,7
Absolventen	43,5	44,8	46,0
Promotionen	33,4	34,3	35,3
Habilitationen [2]	17,7	18,4	17,2
Hochschulpersonal insgesamt [3]	50,5	50,8	51,2
Hauptberufliches wissenschaftliches und künstlerisches Personal [3]	24,8	25,6	27,0
Wissenschaftliche und künstlerische Mitarbeiter [3]	29,5	30,4	31,9
Professoren [3]	9,8	10,5	11,2
C4 -Professoren [3]	6,3	7,1	7,7
Bevölkerung insgesamt [4]	51,2	51,2	51,2

[1] Wintersemester.
[2] Kalenderjahr.
[3] 01. Dezember.
[4] 31. Dezember des Vorjahres.

Aktualisiert am 08. Januar 2003

http://www.destatis.de/basis/d/biwiku/hochtab8.htm

1. Wie viele Frauen beginnen mit dem Studium (in Prozent)?
2. Wie hoch ist der Anteil der Frauen am Hochschulpersonal?
3. Wie groß ist der Prozentteil der Frauen, die Professorinnen sind?
4. Überlegen Sie, was für Gründe es für die Diskrepanz zwischen der Anzahl der studierenden und der lehrenden Frauen geben könnte.

Finden Sie nun statistische Angaben für die USA und vergleichen Sie die mit dieser Tabelle, welche Unterschiede finden Sie?

Am 6.9.1870 wählen Frauen zum ersten Mail in der Geschichte *[16]

Seit 1871 sind in der Lade School of Fine Arts Frauen zugelassen

Öffentliche Diskussion zum Thema Gleichberechtigung in den 50ern

"Stern"-Cover zum § 218 aus den 70er Jahren

http://home.t-online.de/home/d.g.p.meinhard/frauen/chronik.html

Frauen im Arbeitsleben

1) Make a list of types of employment in which women traditionally dominate.

[16] Die Wahl fand im Bundesstaat Wyoming statt.

2) In your opinion, what are the reasons why some professions tend to be occupied primarily by men and others by women?

3) In both countries, the US and Germany, women tend to get lower income for the same kind of work a man does, e.g. a woman in the US makes $ 0.76 out of every dollar a man makes.[17] How come? Is this justified?

4) Do you think that equality of opportunities has been achieved today? Why/Why not? What else should be done?

Verdienstunterschied
8259 glo - 24.01.2003

Frauen verdienen als Angestellte deutlich weniger als Männer - auch wenn sie die gleiche Arbeit leisten. Selbst bei einer anspruchsvollen Tätigkeit mit Weisungsbefugnis liegt das monatliche Bruttoeinkommen weiblicher Angestellter im Durchschnitt um 18 Prozent unter dem männlicher Kollegen in der gleichen Position. In anspruchsvollen Berufen verdienen Männer im Durchschnitt 4 323 Euro im Monat, Frauen aber nur 3 543 Euro; auf der einfachsten Qualifikationsstufe beträgt der Männerlohn 1 891 Euro, der für Frauen 1 707 Euro. Zu berücksichtigen ist allerdings, dass Frauen weniger Überstunden machen als Männer. Ein weiterer Grund für den Verdienstunterschied könnte laut Statistischem Bundesamt sein, dass Frauen ihre Karriere häufiger unterbrechen (beispielsweise für Erziehungsurlaub) und daher kürzere Betriebszugehörigkeiten haben als ihre männlichen Kollegen.

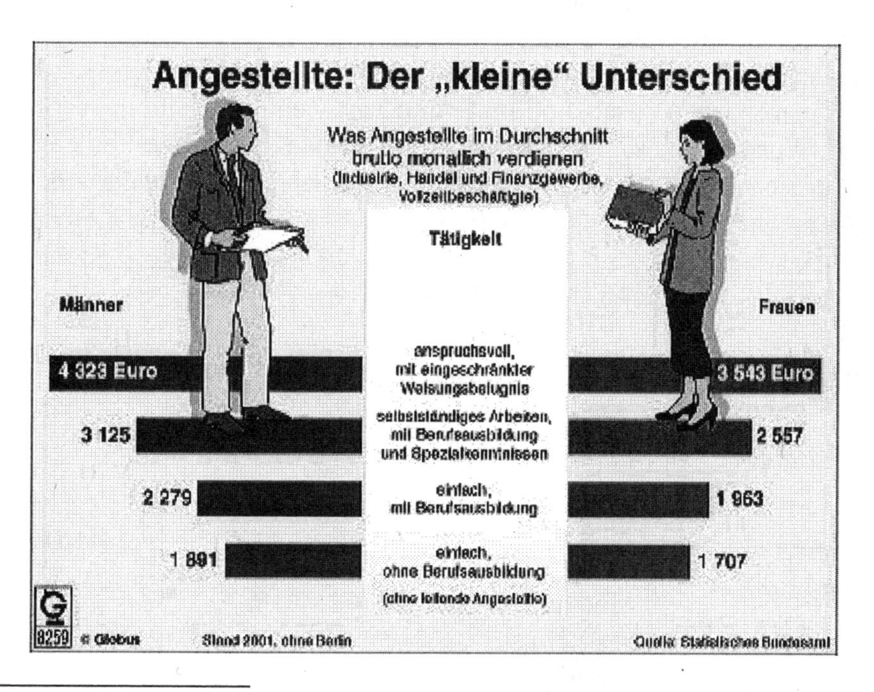

[17] „The Benefits of College," Editorial, *Boston Sunday Globe*, April 13, 2003, E 10.

Richtig oder falsch

_____ 1. Männliche und weibliche Angestellte verdienen gleich viel in Deutschland.
_____ 2. Männer, die eine anspruchsvolle Stelle haben, verdienen 4 332 Euro im Monat.
_____ 3. Auch auf der einfachsten Qualifikationsstufe verdienen Frauen und Männer gleich viel.
_____ 4. Frauen machen weniger Überstunden als Männer.
_____ 5. Frauen unterbrechen ihre Karriere öfter als Männer.

Kultur-Aspekte

http://www.campus-germany.de/english/1.120.323.html

Wie sage ich es ihr? – Geschlechterverhältnisse

Mann - Frau: Das wohl komplizierteste Verhältnis der Menschheitsgeschichte. Sozial und gesellschaftlich sind die Geschlechter in Deutschland gleichberechtigt. Frauen und Männer machen bei Freundschaften den ersten Schritt. Frauen kleiden sich in Deutschland ganz nach Wunsch, und im Sommer ist weniger Kleidung natürlich angenehmer. Wundern Sie sich also nicht. Frau ist emanzipiert. Ebenfalls im Restaurant zahlt jeder für sich selbst. Aber Man(n) kann gerne auch Frau einladen - oder eben umgekehrt.

adapted from http://www.campus-germany.de/english/1.120.323.html

Wie ist es also? Setzen Sie die drei Begriffe ein.

Frauen *Männer* *Männer und Frauen*

______________________ sind gleichberechtigt.

______________________ sind emanzipiert.

______________________ kann man auf traditionelle Art einladen.

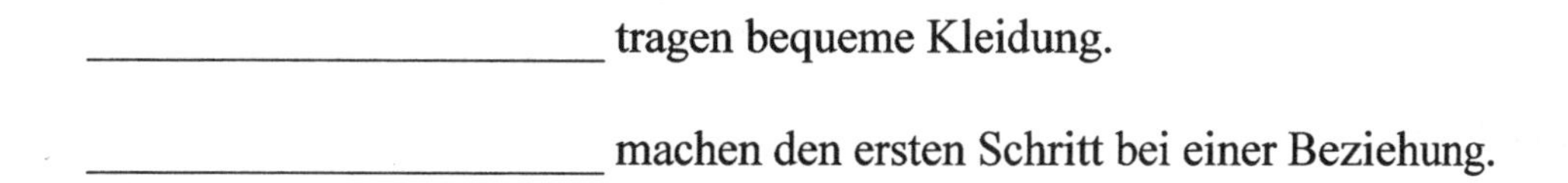

_______________________ tragen bequeme Kleidung.

_______________________ machen den ersten Schritt bei einer Beziehung.

Glaube an große Liebe

Glaube an große Liebe

Hamburg – **Auch in der Liebe sind die Deutschen Romantiker. 72 % sind sich sicher: Es gibt die „ganz große Liebe". Nach einer Umfrage der „Woman" unter 1003 Deutschen zwischen 19 und 59 glaubt außerdem fast jeder zweite (45 %) an die „Liebe auf den ersten Blick".**

Und meist trifft sie Amors Pfeil mehrfach mitten ins Herz: 54 % der Deutschen haben schon zwei bis drei mal im Leben wirklich geliebt. 13 % der Männer und 6 % der Frauen haben sogar bis zu fünf „große Lieben" erlebt.

Wenn Kinder da sind, spielen diese meist die erste Geige. 69 % lieben ihre Sprösslinge mehr als die oder den Geliebten.

Taken from *BZ* 4.6.03, Nr. 128/23, S. 46

1. Wie viele Deutsche glauben, dass es die große Liebe gibt?
2. Gibt es so etwas wie "Liebe auf den ersten Blick"? Wie viele meinen das?
3. Was haben 54% der Deutschen erlebt?
4. Wer spielt die erste Geige?

Grammatik Spot Present Subjunctive (Konjunktiv) of Modal Verbs

The present subjunctive is used to express hypotheses, contrary-to-fact statements, assumptions, and wishes.

The subjunctive of modals is often used to express wishes in a polite manner.

Entschuldigen Sie, ***könnten*** *Sie mir sagen, wo die Semperstraßen ist?*

To form the present subjunctive of modals is not difficult. They are almost identical to the simple past, but they take umlauts when the infinitive has umlauts. In the case of *sein* and *haben* you take the simple past form and add umlauts.

Infinitive	Simple Past	Present Subjunctive
sein	ich war	ich wäre
haben	ich hatte	ich hätte
dürfen	ich durfte	ich dürfte
können	ich konnte	ich könnte
mögen	ich mochte	ich möchte
müssen	ich musste	ich müsste

sollen	ich sollte	ich sollte
wollen	ich wollte	ich wollte
werden	ich wurde	ich würde

Present Subjunctive Endings

ich	**-e**	wir	**- en**
du	**-est**	ihr	**- et**
er/sie/es	**-e**	sie/Sie	**- en**

*Ich **hätte** mich in einen Arzt verliebt und ihn geheiratet.*
*Vielleicht **wäre** ich Ärztin geworden ...*

Note: Quite often Germans use the subjunctive of würde + infinitive to express a wish or hypothesis.

*Ja, und die Leute **würden** draußen auf dem Treppengang die Toilette **benutzen**.*

→ For practice, see exercises 12.4-5 in the workbook.

Auf einer Party

Bitten Sie jemanden, etwas zu tun.

Beispiel: **S1:** Ich gehe jetzt nach Hause. (bleiben)
S2: Könntest du bitte noch bleiben?

1. Ich spiele Gitarre. (ein Lied singen?).
2. Ich trinke Wasser. (Bier trinken, mögen?)
3. Ich ruhe mich aus. (ein bisschen tanzen?)
4. Ich rufe Martin an. (auch Susanne anrufen?)
5. Ich fahre jetzt. (noch ein bisschen bleiben?)

Daniel hat einen schlechten Tag, er denkt ...

Setzen Sie die passenden Konjunktivformen ein.

Wenn ich heute früher aufgestanden ___________, __________ ich den Zug nicht verpasst. Ich ____________ schon jetzt in Frankfurt sein und ____________ noch ein paar Tage, bevor ich zurückfliege. Ich _________ mich nicht so beeilen und _____________ in Ruhe meine Sachen für die Rückreise organisieren. Ich __________ Geschenke für meine Familie und Freunde kaufen und _________ am Abend ins Kino gegangen. Was für ein Tag!!

Eine Einladung
Benutzen Sie die Konjunktivformen von *können, haben, werden, sollen, müssen,* um eine Einladung per e-Karte zu formulieren.

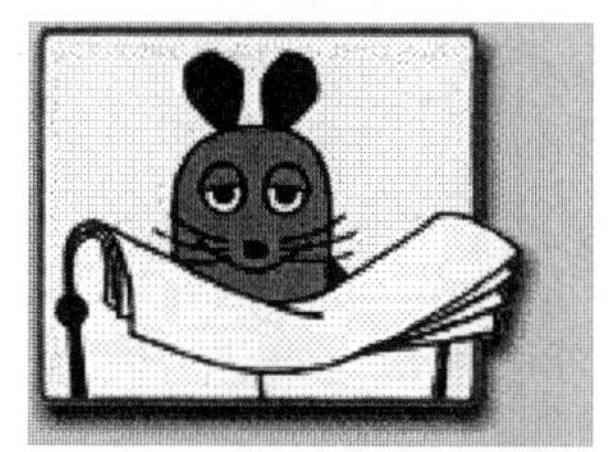

http://www.wdrmaus.de/wirsinddiemaus/mauskarten/?lang=de

Gehen Sie auf folgende Webseite und suchen Sie eine „MausKarte."
http://www.wdrmaus.de

Schreiben Sie nun eine Einladung an die Klasse für eine Klassenparty. Verwenden Sie folgende Teile:

- Lust, am Freitag Abend um 19.30 Uhr zu meiner Party zu kommen
- etwas zum Essen mitbringen
- etwas zum Trinken kaufen
- gute Musik-CDs mitbringen
- auf dem Parkplatz vor dem Supermarkt parken/kein Platz vor meiner Wohnung
- gute Laune haben

Sehnsucht[18]

[18] longing

— GRÜSSE + GLÜCKWÜNSCHE —

Liebe Petra,
alles Glück der Erde zu Deinem Ehrentag wünsche ich Dir. Du bist für mich der Mittelpunkt in meinem Leben geworden.
Ich liebe Dich!
Möchtest Du mich heiraten?
Dein Schatz Sascha

Hurra, Hurra
die liebste Mami
der Welt wird heute 50 Jahr!
Wir wünschen Dir alles, alles Liebe und Gute für Deinen weiteren Lebensweg.
Wir haben Dich ganz, ganz toll **lieb.**
Tina, Ela und Mario

50 Jahr
und schaut nur schau
dieser athletischer Körperbau.
Kein Adapter
für den Waschbrettbauch ist nö- tig, und das sieht man auch. Mach weiter so, das steht Dir gut, wir haben Dich lieb und ziehen den Hut. Jung geblieben das ist wohl wahr, starte gut ins neue Jahr.
Alles liebe zum Geburtstag
wünschen
Deine Fans.

Es klingt wie eine Sage
mein Schatzi
Gundula
wird heute **50 Jahre.**
Es gratulieren
Dein Dich liebender Ehemann H.-J.,
Jennifer, Jörg
und Enkelkinder Christian u. Klein-Sarah

Taken from *BZ*, 21.5.03, Nr. 117/21, S.6

Daniel hat die lokale Zeitung gelesen und er hat die Anzeigen gefunden. Danach hat er Sehnsucht nach Gabi gehabt und hat sich entschlossen, so eine Anzeige für sie zu schreiben. Schreiben Sie eine Grußanzeige an Gabi für Daniel.

Exkursion 3: "Ausländer"

Multi-Kulti-Aktivität 12.3

1. Machen Sie in der Klasse eine Umfrage:
2. Wer hat nicht die US-amerikanische Staatsangehörigkeit?
   Aus welchen Ländern kommen die Personen?
   Haben Sie Freunde oder Bekannte aus dem Ausland? Woher?
3. Sind Sie schon einmal im Ausland gewesen? Wo? Wie hat es Ihnen gefallen?
4. Diskutieren Sie: Was glauben Sie, wie Ausländer die USA sehen?
5. Diskutieren Sie: Sehen Sie Ausländer als ein Problem an? Warum/Warum nicht?

5. Gehen Sie nun ins Internet. Lesen Sie, was Leser an die Wochenzeitung *Die Zeit* zu diesem Thema geschrieben haben.

"Nice to Meet You" - und andere Missverständnisse
http://www.zeit.de/2002/42/Leben/200242_intro_amisdeutsc.html

Was Amerikanern an Deutschen auffällt
http://www.zeit.de/2002/42/Leben/200242_amisdeutschetop50.html

Was Deutschen an Amerikanern auffällt
http://www.zeit.de/2002/42/Leben/200242_deutscheamistop50.html

6) Diskutieren Sie mit der Klasse: Was könnte wahr sein und was weniger wahr?

http://www.szeneessen.de/

Wort-Box

schüchtern	shy
der Mut	courage
Kommt mal rüber.	Come over here.
is'n	ist ein (coll.)
die Mischung (-en)	mix
zart	tender(ly)

Im Pupasch

Daniel ist am Abend in die Kneipe "Pupasch" gegangen. Es gibt dort viele junge Leute und die Stimmung ist gut. Weil er allein ist, ist er ein bisschen schüchtern. Er kauft sich ein Bier, um etwas Mut zu bekommen. Er trägt ein T-Shirt mit dem Logo seiner Universität in den USA.

Junge Frau: Hallo, bist du Student an der Columbia Universität?
Daniel (*etwas schüchtern*): Ja.
Junge Frau (*zu ihren Freunden)*: He, kommt mal rüber. Hier is'n Ami. Der ist ganz allein.
Junge Frau (*zu Daniel)*: Wie heißt du denn?
Daniel: Ich heiße Daniel. Daniel Walker.
Junge Frau: Ich bin Sabine. Ja, und das ist Tavit, er ist aus Armenien. Hier ist Görkem, sie ist aus der Türkei, und das ist mein Freund Erik, er ist aus Schweden. Wir sind eine bunte Mischung und studieren alle an der Uni in Essen. Und nun noch ein Ami - das passt.
Daniel: Wie lange seid ihr schon in Essen?
Sabine: Ich stamme aus dem Ruhrpott[19] und studiere seit drei Jahren hier.
Tavit: Ich bin erst seit einem Jahr hier.
Daniel: Gefällt es dir hier?
Tavit: Ja, eigentlich schon, aber manchmal ist alles doch sehr anders.

---

[19] colloquial for „Ruhrgebiet"

Daniel: Und wie gefällt es dir Görkem?
Görkem: Ich bin eigentlich schon ziemlich lange in Deutschland. Meine Eltern kamen aus der Türkei nach Deutschland, als ich zehn Jahre alt war. Ich fühle mich hier ganz zu Hause. Im nächsten Semester bin ich an der Uni fertig.
Sabine: Ja, und Erik und ich kennen uns seit einem halben Jahr.
Erik: Ich bin aber schon seit zwei Jahren in Essen. Ich habe hier nette Freunde, aber ich möchte doch wieder nach Schweden zurückgehen – (*Sabine zart anschauend*) hoffentlich mit Sabine.

Beantworten Sie bitte die folgenden Fragen:

1. Wie heißt die Kneipe, in der Daniel ist?
2. Warum trinkt Daniel ein Bier?
3. Wen trifft er in der Kneipe?
4. Woher sind Sabines Freunde?
5. Was machen sie alle in Essen?
6. Warum fühlt sich Görkem in Deutschland wie zu Hause?
7. Was will Erik nach dem Studium machen?

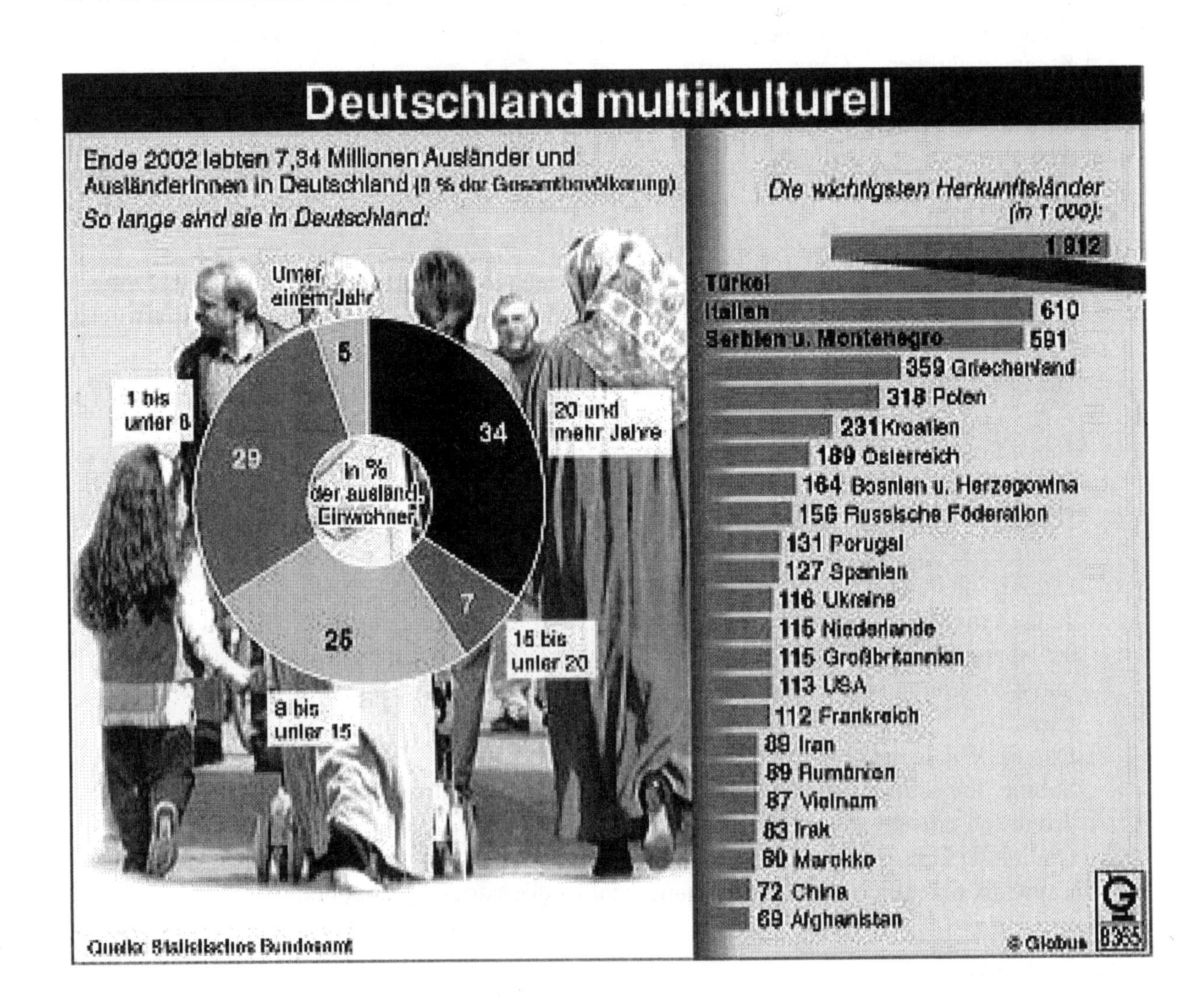

Ein Engländer, ein Franzose und ein Deutscher streiten sich, wer die schwierigste Aussprache hat. Der Engländer: "Wir Schreiben Birmingham und sagen Börminghäm."
Der Franzose: "Wir schreiben Bordeaux und sagen Bordo."
Meint der Deutsche: "Das ist doch gar nix! Wir schreiben 'Wie bitte' und sagen 'Hää'!"
http://www.blinde-kuh.de/witze/allerlei.html

STUDIE

Ehelich

Mehr als drei Viertel aller türkischen Mädchen wollen heiraten (77 Prozent) – dagegen nur 69 Prozent der Italienerinnen und 45 Prozent der Deutschen. Viele ihrer möglichen zukünftigen türkischen Ehemänner sehen das ähnlich: Für 68 Prozent muss irgendwann der Trauschein her – aber 56 Prozent können sich gut vorstellen, vorher in einer offenen Beziehung zu leben.

Shell-Jugendstudie 2000

STUDIE

Gemischt

Eine Ehe mit einem ausländischen Partner können sich 22 Prozent der türkischen Jugendlichen überhaupt nicht vorstellen. Ihre deutschen Altersgenossen können das noch weniger (28 Prozent), während junge Leute italienischer Herkunft mit einem solchen Gedanken kaum Probleme haben (3 Prozent). „Die Liebe zählt und sonst nichts", sagen 79 Prozent der Italiener, 55 Prozent der Deutschen und 53 Prozent der Türken.

Shell-Jugendstudie 2000

Kultur-Aspekte

http://www.isoplan.de/aid/index.htm

Wir essen beim »Italiener«, kaufen beim »Türken«, fahren japanische Autos, trinken Tee aus Indien und reisen in die ganze Welt. Diese Offenheit schlägt[20] aber häufig in Reserviertheit und Verkrampfung[21] um, wenn wir ausländischen Mitbürgern in Deutschland begegnen. Es gibt Kontaktprobleme, manchmal sogar Berührungsängste.[22] Sie haben zugenommen, seit in den 80er und 90er Jahren die Arbeit knapp[23] geworden ist. Die Vorbehalte[24] gegenüber den ausländischen Mitbürgern wachsen. Ihre Integration droht zu scheitern.[25]

Vor 100 Jahren sind es zunächst die sog. »Ruhrpolen«, die in Deutschland arbeiten. Rund eine halbe Million schuftet[26] im Bergbau.

Als die Nazis an die Macht kommen, holen sie so viele Ausländer ins Land wie nie zuvor und nie danach – fast acht Millionen bis zum Ende des Krieges. Italiener erbauen Wolfsburg und die Volkswagenwerke, und nach Kriegsbeginn rekrutiert das Deutsche Reich Arbeitskräfte aus den besetzten Gebieten wie Polen und Frankreich. Millionen russische Kriegsgefangene müssen Zwangsarbeit[27] verrichten – ihre durchschnittliche Überlebensdauer beträgt drei Monate.

15 Jahre nach Kriegsende, als in Westdeutschland die Wirtschaft boomt, reichen die eigenen Arbeitskräfte nicht mehr aus: Seit 1961 gehen die Zahlen der ausländischen Arbeiter, zunächst hauptsächlich Italiener und Portugiesen, in die Millionen. Sie übernehmen schmutzige, harte und schlecht bezahlte Arbeiten.

In der DDR sind es vor allem Vietnamesen, die im Zuge[28] »angewandter Entwicklungshilfe« für kurze Zeit dort arbeiten und 20 Jahre später als »Vertragsarbeiter« kommen.

In der Bundesrepublik leben die meisten Ausländer anfangs in Sammelunterkünften.[29] Die, die länger bleiben, ziehen aber bald in eigene Wohnungen und holen ihre Familien nach. Die Anpassungsprobleme, die dabei entstehen, werden in der Folge »Abgrenzungen – Ausländer in Deutschland« von Betroffenen und von Experten wie Günter Wallraff, dem Autor des Buches »Ganz unten«, zur Sprache gebracht.

Text von der Webseite http://www.swr.de/100deutschejahre/folgen/08/presstext.html

---

[20] umschlagen (s.v.) – flip over, change
[21] tension
[22] fear of contact, haptephobia
[23] scarce
[24] reservations
[25] fail
[26] slog away, slave
[27] forced labor
[28] in the course of
[29] camps

Zeidenitz und Barkow behaupten, dass Gastarbeiter anfangs nicht beabsichtigen[30], in Deutschland zu bleiben, auch wenn sie das schließlich doch tun. James ist der Meinung, dass die Situation in Österreich ähnlich ist. Die meisten Gastarbeiter in Österreich sind aus dem Balkan und nicht aus der Türkei wie in Deutschland. Sogar in der Schweiz (Bilton) spielen die Gastarbeiter eine wichtige wirtschaftliche Rolle. Die soziale und wirtschaftliche Lage der Gastarbeiter ist ähnlich in allen drei Ländern.

Bilton, Paul. 2000. *The Xenophobe's Guide to the Swiss*. London: Oval Books.
James, Louis. 1994. *The Xenophobe's Guide to the Austrians.* London: Ravette Books.
Zeidenitz, Stefan and Ben Barkow. 1993. *The Xenophobe's Guide to the Germans.* London: Ravette Publishing

Ausländer in Deutschland – historischer Verlauf
Tragen Sie die wichtigsten Aspekte in die Tabelle ein.

Anfang des 20. Jahrhunderts	Nazi-Zeit	15 Jahre nach dem Krieg	Heute? Was meinen Sie?

Exkursion vier: Köln

Multi-Kulti-Aktivität 13.4

Welche Feste feiern Sie?
Woher kommt die Tradition dieser Feste?
Erstellen Sie eine Rangliste de folgenden Feiertage. Nr. eins ist der beste Feiertag für Sie und Nr. fünf der am wenigsten gemochte.

Weihnachten   Ostern   Silvester   Thanksgiving   der 4. Juli

Vergleichen Sie Ihre Liste mit denen anderer Studenten/innen. Gibt es Unterschiede? Warum oder warum nicht?
Welcher von diesen Feiertagen ist vielleicht am beliebtesten in Deutschland, Österreich und der Schweiz?

[30] to intend

http://www.koeln.de/cgibin/extern.cgi?url=http://www.foeoess.de

http://www.koeln.de/karneval/galerien/rosenmontag2003_1/index2.html

http://www.koeln.de/karneval/karneval_body.html

Wort-Box

verrückt	crazy	sich aufregen	to get upset
toll	crazy		
sauwohl	very comfortable (coll.)		
hier ist der Teufel los	all hell has been let loose		
die Stimmung (-en)	atmosphere, mood		
umkreisen	to circle around		
das Genie (-s)	genius		

Kölner Karneval

Sabine: Heute Abend ist hier alles ganz schön verrückt. Ich fühle mich hier sauwohl!
Görkem: Quatsch! Das hier ist noch gar nichts. Wenn Karneval ist, ist hier echt der Teufel los.
Sabine: Ja, das stimmt. Und wenn du nach Köln zum Karneval gehst, dann gibt es eine tolle Stimmung. Im letzten März waren Erik und ich da. Wir haben uns das Spektakel angesehen.
Erik: Ja, es war für mich das erste Mal. Für einen Menschen aus dem "kühlen" Norden war das ein ganz schöner Kulturschock. Ich fühlte mich etwas überwältigt.[31]
Tavit: Ja, ich war auch schon mal da. Die Menschen benehmen sich auf den Straßen wie verrückt. Man sollte an dem Tag keine Krawatte tragen.
Daniel: Warum nicht?
Tavit: Die Frauen umkreisen dich und dann schneiden sie dir die Krawatte ab.

[31] overwhelmed

Daniel: In meinem Deutschunterricht an der Hochschule, als ich in der 10. Klasse war, habe ich nichts davon gehört.
Sabine: 10. Klasse? Hochschule? Bist du ein Genie? Wie kannst du in der 10. Klasse schon an einer Hochschule sein?
Daniel: Wieso? Ich war an einer high school.
Sabine: Sag doch das gleich. "Hochschule" bedeutet nämlich auf Deutsch "Universität." Wir alle wissen von unserem Englischunterricht, was eine high school ist, und das ist keine Hochschule.
Daniel: Oh, Entschuldigung. Das wusste ich nicht.
Sabine (*etwas arrogant*): Tja, man lernt immer dazu. Aber reg dich nicht darüber auf, dass ich es dir gesagt habe. (*etwas milder*) Ich wollte dich nicht verletzen.
Daniel: Erzählt mir doch ein bisschen mehr vom Karneval. Was machen die Leute außer auf der Straße tanzen und Bonbons unter die Zuschauer werfen?

Karnevals-Special

http://www.koeln.de/karneval/karneval_einfuehrung.html.

Beantworten Sie die folgenden Fragen.

1. Was ist ein Spektakel für Erik und Sabine?
2. Was hat Erik auf seinem ersten Karneval erlebt?
3. Wer schneidet die Krawatte ab?
4. Was ist eine Hochschule?
5. Was machen die Leute beim Karneval?

→ For practice, see exercise 12.6 in the workbook.

Feiertage in der EU
8014 glo - 20.09.2002

Feiertage in der EU
20.09.2002

Den Arbeitnehmern bescheren sie zusätzliche Freizeit und manch langes Wochenende, in die Rechnung der Arbeitgeber gehen sie als bezahlte Nichtarbeitszeit ein - alle Feiertage, die im Kalenderjahr auf einen Arbeitstag fallen. Im Durchschnitt neun Arbeitstage gehen auf diese Weise in Deutschland verloren; so ist es im EU-Amtsblatt nachzulesen. Damit belegt die Bundesrepublik im europäischen Vergleich einen der unteren Ränge. Nur in den Niederlanden gibt es noch weniger zu feiern. Feiertags-Europameister sind die Belgier; sie können sich zusätzlich zu ihrem Urlaub 16 freie Tage gönnen.

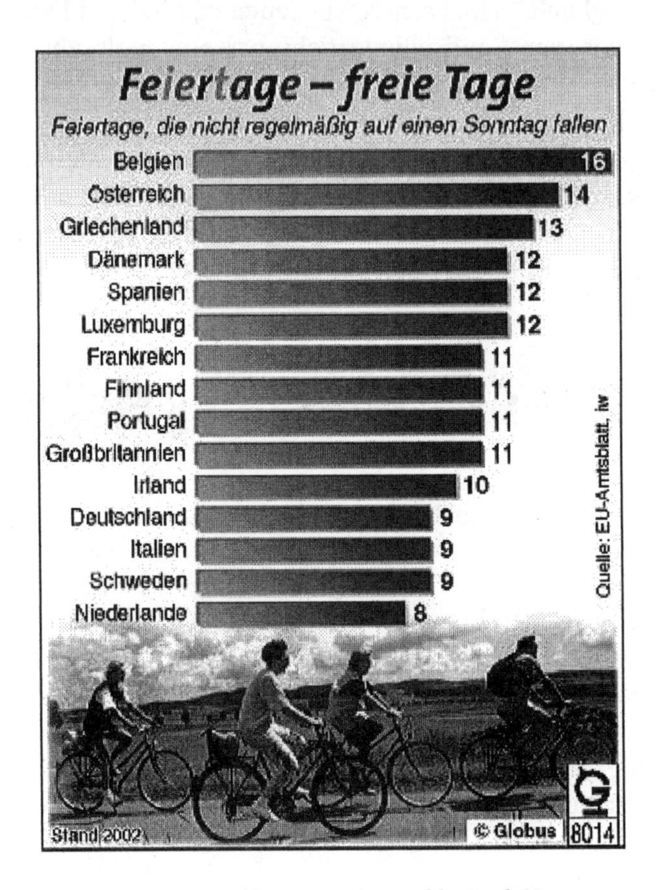

© 2001 Globus Infografik GmbH

Formulieren Sie die passende Frage zur Antwort.

1. Belgien hat die meisten Feiertage.
2. Deutschland hat 9 Feiertage im Jahr.
3. In den Niederlanden gibt es wenig zu feiern.
4. Die Informationen stammen aus dem EU-Amtsblatt.

Hörverständnis 12.2

Hören Sie folgenden Text von einem Touristenführer, der über den Karneval in Köln spricht. Erst lesen Sie die Vokabelliste durch.

Vokabeln zum Hörtext

die Durststrecke	lean period
der Jecke	clown; here: spectator
schunkeln	to rock to and fro to music
der (Um-)Zug	procession
anstrengend	tiring
das Veilchen	violet
die Strohpuppe	straw doll
büßen	to atone for
die Wehklage	lament
ausklingen lassen	to end
der Kater	hangover; can also be: tomcat

http://www.koeln.de/karneval/galerien/rosenmontag2003_2/index.html

Richtig oder falsch?

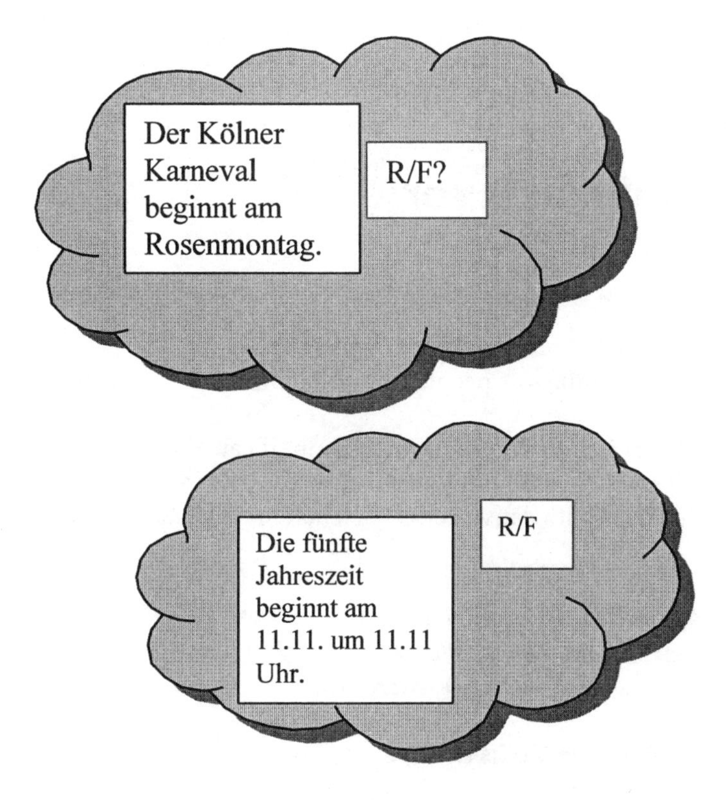

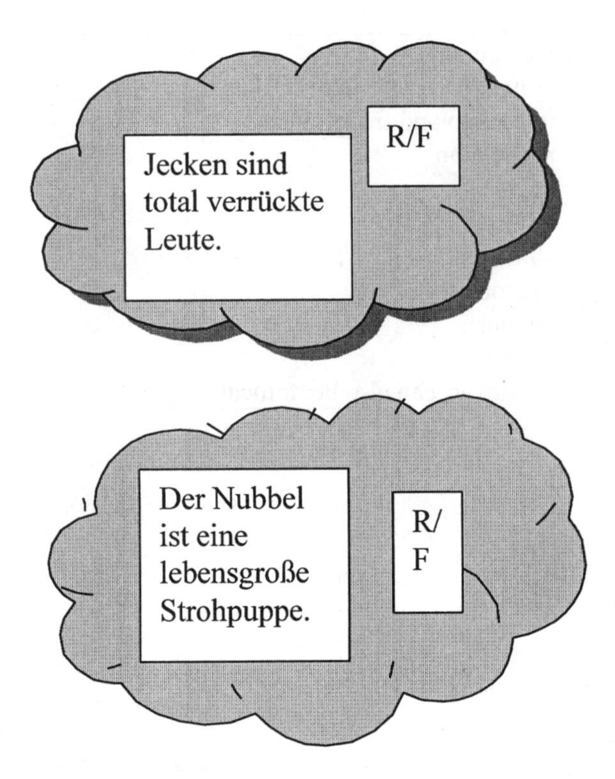

R/F
Jecken sind total verrückte Leute.
Der Nubbel ist eine lebensgroße Strohpuppe.
R/ F

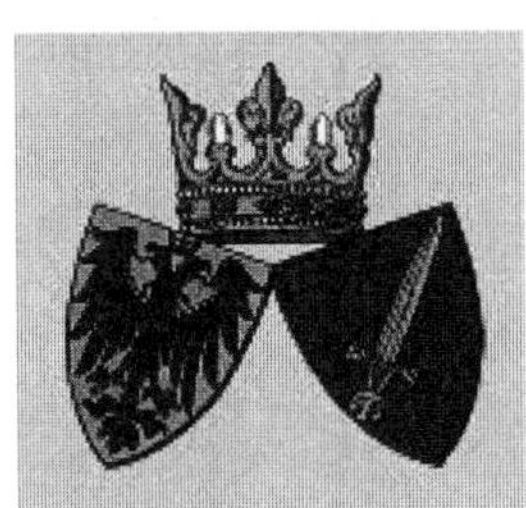

Essen stellt sich vor

Grammatik-Spot **Reflexive Verbs**

Usually the subject and the object are different things or people. But sometimes they are identical. This is when you use a *reflexive verb*.
The pronoun that reflects back on the subject is called a reflexive pronoun. It can either be in the accusative or in the dative case. The dative case is used if the sentence already has an accusative object. Dative reflexive pronouns are also used with dative verbs (sich helfen – Danke, ich helfe mir selbst.)

*Ich **fühle mich** hier sauwohl.* (Acc.)
*Die Menschen **benehmen sich** auf den Straßen wie verrückt.* (Acc.)
*Wir **haben uns** das Spektakel **angesehen**.* (Dat.)

Reflexive Verbs (Acc.)	Reflexive Verbs (Dat.)
sich ärgern	
sich aufregen	sich (etwas) ansehen
sich an-/aus-/umziehen	sich (etwas) leisten
sich benehmen	sich (etwas) kaufen

sich fühlen
sich schminken
sich rasieren
sich waschen
sich vorstellen

ϟ **Note**: If you add „selber" or „selbst" you stress the meaning of the reflexive sentence.

Sie spricht immer von sich *selbst*.

Reflexivpronomen

Nominative	Accusative	Dative
ich	mich	mir
du	dich	dir
er, sie, es	sich	sich
wir	uns	uns
ihr	euch	euch
sie/Sie	sich	sich

ϟ**Note**: Only **ich** and **du** have different pronouns in the accusative and dative.

→ For practice, see exercises 12.7-9 in the workbook.

Vor der Abreise ... Ergänzen Sie das Gespräch zwischen Daniel und seiner Mutter mit den passenden Reflexivpronomen (Akkusativ oder Dativ).

1. Hast du ______ auch den Reisepass eingesteckt?
   Ja, ich habe _______ den Pass in das Handgepäck gesteckt.
2. Hast du _______ einen Adapter für den Rasierapparat gekauft?
   Oh je, den muss ich __________ schnell noch kaufen?
3. Hast du ________ von Opa und Oma verabschiedet?
   Ja, gestern habe ich _______ von ihnen verabschiedet.
4. Hast du _______ die Abflugzeiten angesehen?
   Ja, ich habe sie ______ vor einer Minute noch einmal angesehen.
5. Benimm ______ gut, wenn du bei Oma und Lissi in Österreich bist!

Ja, natürlich. Und reg' ______ nicht auf, wenn ich nicht jeden Tag anrufe.

Nach dem Aufstehen: Daniel steht meistens um 7 Uhr auf. Er streckt sich, rollt sich aus dem Bett, und er erinnert sich an Gabi. Langsam geht er ins Bad, er duscht sich, trocknet sich ab, kämmt sich das Haar und zieht sich an. Er bereitet sich das Frühstück und hört sich die Nachrichten an. Nach dem Frühstück putzt er sich die Zähne, zieht sich die Jacke an, verlässt das Zimmer und sieht sich die Stadt an.	

Und Sie? Was machen Sie nach dem Aufstehen?

a) Machen Sie ein paar Notizen.
b) Erzählen Sie ihre Tätigkeiten am Morgen einer anderen Person in der Klasse.
c) Diskutieren Sie: Was machen Sie anders, was ist gleich?

Vorbereitungen zum Karneval: Sabine und Erik wollen zum Karneval. Bilden Sie Fragen oder Sätze.

Beispiel: Was zieht sich Sabine an? Sie zieht sich ein Clownkostüm an.

sich schminken; sich umziehen; sich fühlen; sich kämmen; sich freuen … auf

http://www.koeln.de/karneval/galerien/rosenmontag2003_1/

Was ist die Strecke des Festumzugs am Rosenmontag?

Beschreiben Sie die Strecke anhand des Stadtplans. Arbeiten Sie mit einem Partner/einer Partnerin zusammen.

Projekt

Schreiben Sie einen Aufsatz (ca. 1 Seite) zu einem der Themen in diesem Kapitel (Das Ruhrgebiet, Essen, Gleichberechtigung, Ausländer, Karneval). Das kann z.B. ein historischer Hintergrund sein oder sich auch auf die USA beziehen. Benutzen Sie das Internet oder Ihre Bibliothek. (Beware not to plagiarize; rather, use your own words!!)

Kultur-Aspekte

Welche Traditionen feiern Sie zu Hause?
Welcher Feiertag ist Ihr Lieblingsfeiertag?
Was machen Sie an diesem Tag?

Karneval/Fasching

Traditionen und Bräuche[32] in den deutschsprachigen Ländern haben oft etwas mit dem Christentum zu tun. Die bekanntesten Festtage sind Weihnachten und die Fastenzeit[33] vor Ostern. Die Tage der Fastenzeit haben ihre Wurzeln[34] in Zeremonien der alten Germanen, die den Frühling willkommen heißen. In diesen Tagen sind Prinzen, Prinzessinnen und Narren die Hauptfiguren. Traditionsgemäß war die Prinzessin sogar ein Mann (Zeidenitz und Barkow). Der Karneval in Köln ist ein gutes Beispiel dieser Festtage. In der Karnevalszeit wird die Ordnung vergessen, und die Arbeitswelt im Rheinland wird auf den Kopf gestellt. Aber am Aschermittwoch ist dann alles vorbei, und das Ernste in der deutschen Mentalität hat wieder die Oberhand. In Bayern und Österreich wird der Karneval Fasching genannt und etwas anders gefeiert als in Köln.

In der Schweiz wird die Fastenzeit Fastnacht genannt. Sie wird hier auch ähnlich wie in Süddeutschland und Österreich gefeiert. Die Fastnachtsteilnehmer stehen um 5 Uhr morgens oder früher auf und sorgen dafür, dass niemand anderes schlafen kann. Während dieser Zeit gibt es auch die Sächsilüüte[35] (Bilton). In Zürich haben die Arbeitnehmer am Montag gleich nach dem Mittag frei. Hier macht man einen Umzug durch die Stadt und dann sammelt man sich, um zuzusehen, wie ein Schneemann aus Papier verbrannt wird. Dies wird gemacht, um den Frühlingsbeginn zu feiern (Bilton).

http://www.vereinsmeier.at/2700/boef-Fasching/

Beantworten Sie die folgenden Fragen.

1. Was ist der Karneval?
2. Wie wird der Karneval gefeiert?
3. Wie heißt Karneval in Bayern und Österreich? Und in der Schweiz?

---

[32] customs
[33] Lent
[34] roots
[35] six o'clock ringing

4. Was ist die Sächsilüüte? Wie wird sie gefeiert?

→ For practice, see exercises 12.10-11 in the workbook.

Leseecke

Lesen Sie Strophe 1. Welche von den Wörtern könnten wirklich Wörter auf Deutsch sein?
Lesen Sie Strophe 2. Welche von den Wörtern könnten wirklich Wörter auf Deutsch sein?
Lesen Sie Strophe 3. Welche von den Wörtern könnten wirklich Wörter auf Deutsch sein?
Lesen Sie Strophe 4. Welche von den Wörtern könnten wirklich Wörter auf Deutsch sein?

begriffe

von Hermann Jandl

steinweich
käsehart
sauschön
bildblöd

käseweich
sauhart
bildschön
steinblöd

sauweich
bildhart
steinschön
käseblöd

bildweich
steinhart
käseschön
saublöd

Schreiben Sie einen kleinen Aufsatz mit fünf von den echten Wörtern.

Glossar: Abschnitt 12 "Das Ruhrgebiet"

Verben	Substantive

sich verlaufen – to lose one's way
abbiegen – to turn
bemerken – to notice
handeln mit – deal with
sich herumärgern – to trouble oneself
überwältigen – overwhelm
sich benehmen – to behave
umkreisen – to circle around
verletzen – to hurt
sich strecken – to stretch oneself
sich beziehen auf – to refer to, to deal with

Adjektive
selbständig – independent
zart – tender

Adverbien
also – therefore
sauwohl – very comfortable

Ausdrücke
die verkehrte Richtung – wrong direction
geradeaus gehen – to walk straight ahead
... entlang gehen – to walk along ...
viel herumreisen (sep) – to travel a lot
Träume austreiben – to cure sb. of his/her dreams
eine bunte Mischung – a colorful mix
nix = colloq. for "nichts" – nothing
hier ist der Teufel los – it is crazy here

das Ruhrgebiet – industrial area in the northwest of Germany
die Kreuzung (en) – intersection
die Ampel (n) – traffic light
das Immatrikulationsamt (ämter)– student registration office
die Montanindustrie (n) – mining industry
der Familienbetrieb (e) – family business
das Vorbild (er) – model
der Störenfried (e) – trouble maker
die Krankenschwester (n) – female nurse
der Treppenaufgang (änge) – staircase
der Eimer (-) – bucket
die Kohle (n) – coal
der Flecken (-) – stain, spot
der Anteil (e) – amount
die Anzahl (n.pl) – number
die Aussprache (n.pl) – pronunciation
der Karneval (s) – carnaval
der Kulturschock (s) – culture shock
der Bonbon (s) – candy
der Zuschauer (-) – spectator
die Strecke (n) – route

Key

Hörverständnis 12.1

Dialog 1
Touristin: Entschuldigen Sie, ich suche den Burgplatz. Wie komme ich vom Bahnhof dahin?
Passantin: Gehen Sie Richtung Norden über den Willy-Brandt-Platz. Geradeaus die Kettwiger Straße entlang, ca. 200 m. Rechts von Ihnen liegt dann der Burgplatz, da wo das Münster steht.
Touristin: Herzlichen Dank. Auf Wiedersehen.

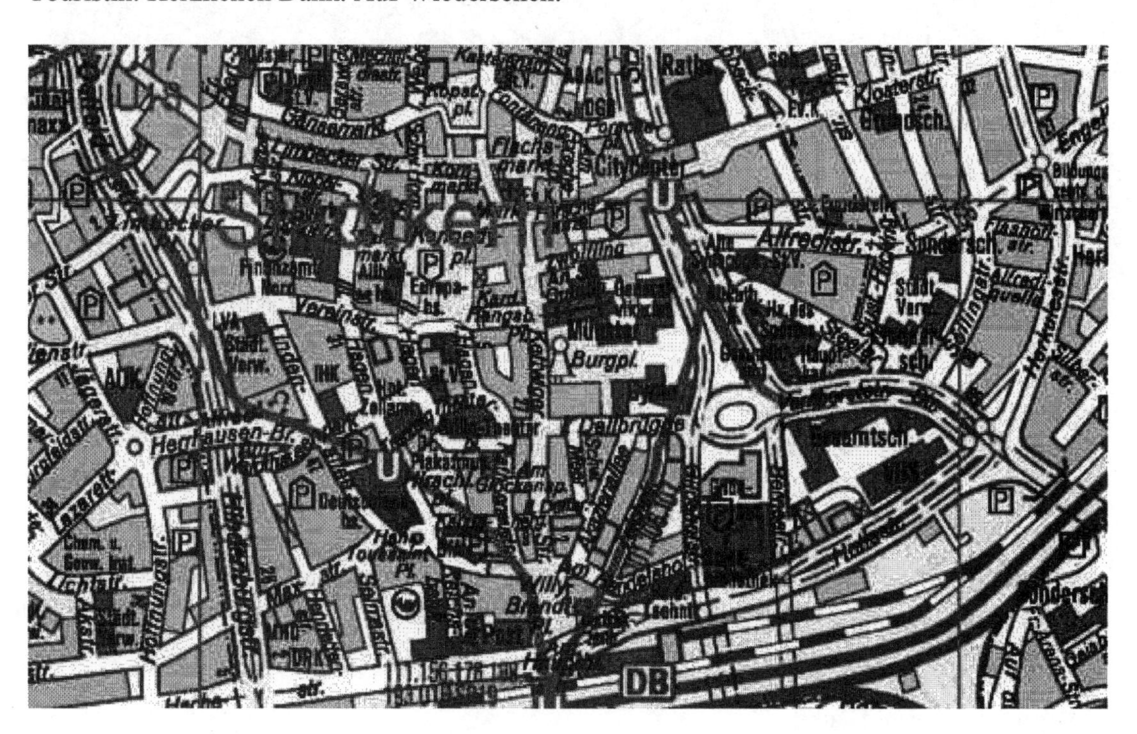

Dialog 2
Tourist: Guten Tag. Ich möchte zum Opernplatz gehen. Können Sie mir sagen, wo der ist?
Passant: Ja, der ist nicht weit vom Hauptbahnhof. Gehen Sie jetzt Richtung Süden die Huyssenallee entlang. Das Opernhaus ist an der Kreuzung Huyssenallee/Rolandstraße.
Sie können auch die Rellinghauser Straße nach Süden nehmen. Gehen Sie geradeaus, dann kommen Sie auf den Opernplatz, biegen Sie links in die Rolandstraße ab, dann kommen Sie zum Opernhaus.
Tourist: Vielen Dank. Wiedersehen.

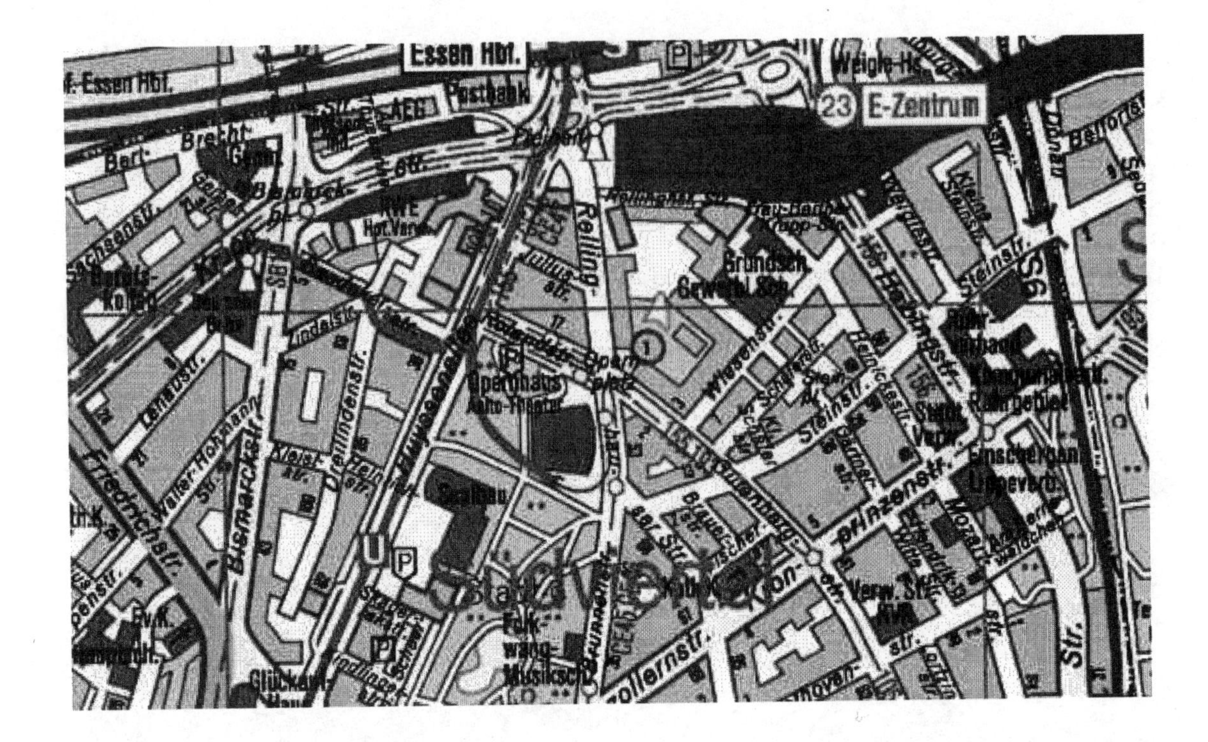

Dialog 3

Messe-Besucher: Entschuldigen Sie, wie komme ich von hier zur Grugahalle? Ich möchte zur Baby-Messe.

Passant: Sind Sie mit dem Auto hier?

Besucher: Ja.

Passant: Fahren Sie auf die Autobahn 40 Richtung Westen. Fahren Sie an der Ausfahrt Essen Hoisterhausen Richtung Universitätsklinikum ab. Fahren Sie zunächst auf die Friedrichstraße, nur ein kurzes Stück. Biegen Sie rechts in die Bismarckstraße. Fahren Sie ein Stück weiter, dann sehen Sie schon die Grugahalle.

Besucher: Herzlichen Dank.

Passant: Viel Spaß auf der Messe!

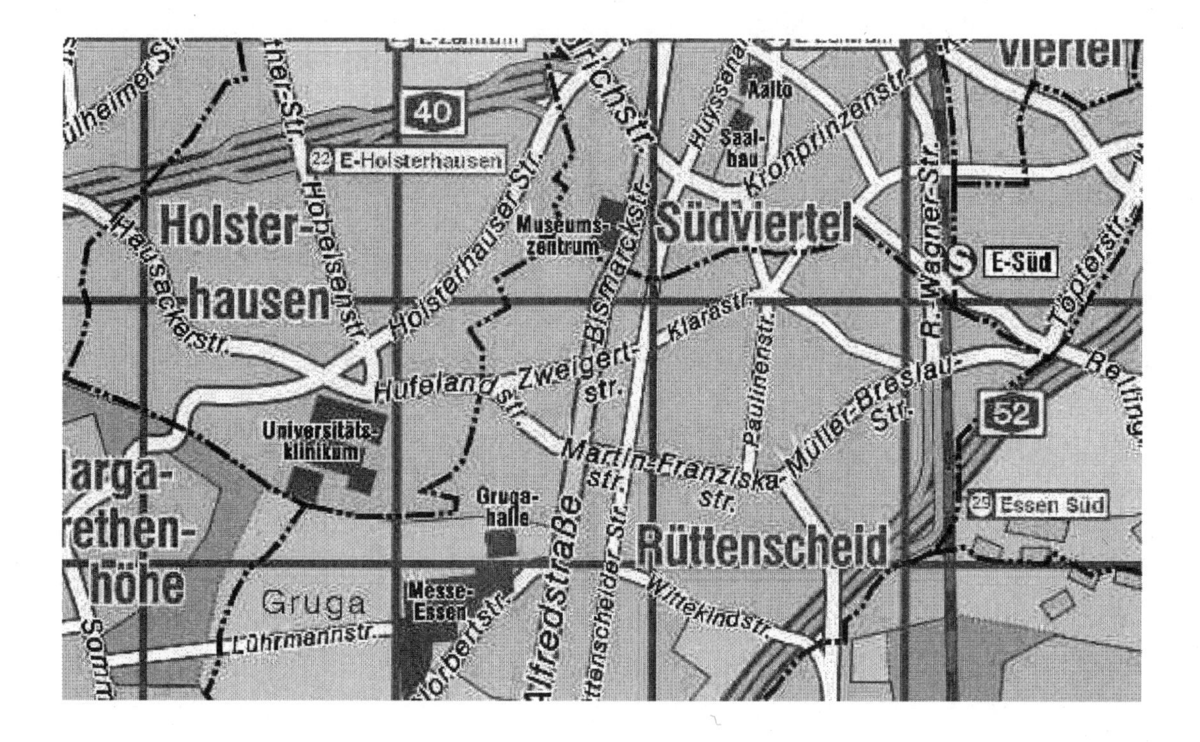

Hörverständnis 12.2

Kleiner Karnevals-Guide

Der Karneval wird traditionell am 11.11. um 11 Uhr 11 auf dem Alten Markt eröffnet. Damit beginnt die so genannte fünfte Jahreszeit, die für einige Karnevalsjecken die lange Durststrecke[36] im Sommer endlich beendet. Ab dem 11.11. laden Hunderte von Sitzungen das Publikum zum lachen, singen und feiern ein. Es gibt gemischte, sowie reine Damen- und Herrensitzungen, Kinder- und Vereinssitzungen. Der Straßenkarneval beginnt zwar erst etwa drei Monate später, trotzdem wird am Tag der Eröffnung auch auf der Straße und in den Kneipen der Innenstadt kostümiert gefeiert.

Der Rosenmontag ist ein Höhepunkt des Straßenkarnevals. Der berühmte Rosenmontagszug geht um 11 vor 11 am Chlodwigplatz los und braucht für den 6,5 Kilometer langen Weg etwa vier Stunden. Die Zuschauer können dem Zug über drei Stunden zuschauen. Im Jahre 2003 steht er unter dem Motto "Klaaf und Tratsch - auf kölsche Art". Stunden, bevor er kommt, beziehen einige Jecken[37] schon ihre Plätze am Straßenrand, mit Campingstühlchen, Proviant und Kölsch ausgestattet. Zur Musik aus den mitgebrachten Kassettenrekordern schunkelt[38] man sich warm. Tipp: mit so vielen Freunden und Bekannten wie möglich zum Zug[39] gehen. So vergeht die Zeit am Zugweg wie im Fluge, man trinkt, tanzt und schunkelt, und bekommt, im besten Fall, vom Zug selbst gar nicht so viel mit. Wer zum ersten Mal dabei ist: Tüte für die Süßigkeiten mitbringen!

---

[36] lean period
[37] eigentlich: Clown; hier: Zuschauer
[38] rock to and fro together to music
[39] Short for „Umzug“ - procession

Nach dem anstrengenden Montag, an dem die meisten Kölner frei haben, ist am Veilchendienstag wieder ein relativ ruhiger Tag. Abends muss man aber noch zu einer Nubbelverbrennung gehen. Der Nubbel ist eine lebensgroße Strohpuppe, die während der Karnevalstage über vielen Kneipen hängt. Er muss für alle Sünden büßen, die während der tollen Tage begangen wurden und wird unter großem Wehklagen, Beschimpfungen und dem Singen von fröhlichen Karnevalsliedern verbrannt. Anschließend strömt das Volk in die Kneipen, um den letzten Karnevalstag der Session gebührend ausklingen zu lassen. Tipp: Sich in der Kneipe erkundigen, wie und wann der Nubbel verbrannt wird.

Am Aschermittwoch (25.02.2004) ist alles vorbei, und beim traditionellen Fischessen wird der Kater bekämpft.

An adaptation of http://www.koeln.de/karneval/karneval_einfuehrung.html

Aus dem Inhalt

Kultur

Hier lernen Sie etwas über:

die Umwelt
das deutsche Bankwesen

Grammatik

das Passiv
das Futur

Abschnitt 13

Frankfurt

1. Welche Stadt ist die größte Stadt in Hessen?
2. Wo liegt Hessen?
3. Welche Stadt ist die Hauptstadt von Hessen?

→ For practice, see exercise 13.10 in the workbook.

http://www.frankfurt.de/sis/index.html

Ekursion eins: Zusammenleben

Multi-Kulti-Aktivität 13.1

Sie übernachten bei einer deutschen Familie und wollen helfen, den Tisch abzuräumen.

Was machen Sie mit dem Essen, das übrig geblieben ist?
Was machen Sie mit den Flaschen und Dosen?
Wo tun Sie die Servietten hin?
Was würden Sie mit diesen Sachen zu Hause machen?
Was machen die meisten Menschen in Ihrem Land mit dem Müll?

Wort-Box	
die WG (-s) = die Wohngemeinschaft (-en)	people sharing an apartment
der Dialekt (-e)	dialect
damals	then, some time ago
die Beziehungskiste (-n) (coll.)	relationship
fleißig wie die Bienen (idiom.)	busy like bees
abräumen (sep.)	to clear off
der Abwasch (no pl)	dishes, the washing up
fegen	to sweep
der Müll (no pl)	waste, trash, garbage
sammeln	to collect
wegschmeißen (sep.)	to throw away
ausspülen (sep.)	to rinse

"Die WG"

Hören und lesen Sie den folgenden Dialog und beantworten Sie anschließend die Fragen.

Kurz nach 18 Uhr kommt Daniel mit dem Zug aus Essen am Hauptbahnhof Frankfurt an. Dort wird er schon von Stefan erwartet, den er seit zwei Jahren nicht mehr gesehen hat.

Stefan und Daniel haben sich an der Columbia Universität in New York City kennen gelernt, wo Stefan ein Jahr lang als Austauschstudent war.

Stefan: Hallo, Daniel. Mensch, lange nicht gesehen, was?
Daniel: Ja hallo, Stefan, das ist echt schön, dich mal wieder zu sehen. Wie geht's dir denn?
Stefan: Na ja, es geht so.
Daniel: Hm, das klingt ja nicht so toll. Ist was?
Stefan: Nee..., ach, das erzähle ich dir später. Jetzt erst mal: Herzlich Willkommen in Frankfurt. Wie war denn die Zugfahrt?
Daniel: Sie war gut.
Stefan: Sag mal, dein Deutsch ist aber wirklich gut geworden. Du hast in den paar Wochen, in denen du hier warst, ganz schön viel dazu gelernt, finde ich.
Daniel: Danke, es freut mich, dass du das jetzt sagst. Viele Gegenden in Deutschland haben ja auch so einen verrückten Dialekt, da konnte ich fast nichts verstehen. Ganz schön frustrierend.
Stefan: Das glaube ich dir. In Deutschland werden so viele unterschiedliche Dialekte gesprochen, da ist es kein Wunder, dass man als Nichtmuttersprachler Probleme mit dem Verständnis hat. So, komm, wir gehen zu uns in die WG und dann überlegen wir uns, was wir heute Abend noch machen wollen.

Stefan und Daniel fahren mit der U-Bahn zu Stefans Wohngemeinschaft. Unterwegs erzählt Stefan, dass sich seine Freundin vor zwei Wochen von ihm getrennt hat. Daniel kannte Jette auch, weil sie Stefan damals in den USA besucht hatte.

Stefan: So, das hier ist das Haus, in dem wir wohnen. Da ganz oben unterm Dach ist unsere Wohnung.

Oben angekommen, wird Daniel den vier Leuten in der Küche vorgestellt.

Stefan: Das ist Gudrun, die Freundin meines Mitbewohners Emil, und das ist Peter, ein Freund meiner Mitbewohnerin Eva. Das ist Daniel, von dem ich euch schon erzählt habe.
Eva: Na dann, Willkommen in Frankfurt, Daniel! Ihr kommt genau richtig, Emil und Peter haben was Leckeres gekocht. Habt ihr Lust mitzuessen?
Stefan: Na klar doch! Oder, Daniel?
Daniel: Ja gerne.

Während des Essens reden sie über Daniels Reise, eigene Beziehungskisten, die Universität, die USA, Politik, und vieles mehr. Die Zeit vergeht wie im Fluge, und gegen Mitternacht stellen sie fest, dass im Laufe des Abends vier Flaschen Wein getrunken worden sind... Fleißig wie die Bienen arbeiten alle zusammen: der Tisch wird von Daniel und Eva abgeräumt, der Abwasch wird von Emil und Peter erledigt, der Fußboden wird von Gudrun gefegt, die Teppiche werden von Stefan gesaugt und die Reste des Essens werden in den Kühlschrank gestellt.

Eva: Warte, Daniel, die Konservendosen kommen nicht in den Müll. Die sammeln wir in dieser Tonne. Das Papier schmeißen wir auch nicht weg, sondern sammeln es in diesem Karton. Die Aluminiumfolie kannst du in diese Kiste werfen, und der Bioabfall wird hier in die Biotonne geworfen, die leeren Flaschen werden saubergemacht und dann in diese Kiste gestellt. Milchflaschen oder Joghurtgläser werden hierhin gestellt, aber erst, nachdem sie ausgespült worden sind.

Daniel: Oh, tut mir Leid. Ich wusste nicht, dass der Müll hier so genau getrennt wird. Alles wird recycled, was?

Emil: Ja klar. So, jetzt sind wir aber endlich fertig. Ich bin todmüde. Gehen wir ins Bett, Gudrun?

Gudrun: Ja, gute Nacht allerseits, das war echt ein netter Abend. Träumt schön.

Alle: Nacht!

Um zwei Uhr gehen auch Daniel und Stefan ins Bett. Daniel bedankt sich für den netten Abend und dafür, dass er in Stefans WG wohnen darf. Dann legt er sich in seinen Schlafsack und freut sich schon auf den nächsten Morgen.

Beantworten Sie die folgenden Fragen.

1. Woher kennen sich Daniel und Stefan?
2. Warum freut Daniel sich so sehr, als Stefan sein gutes Deutsch lobt?
3. Warum geht es Stefan nicht so richtig gut?
4. Was ist eine WG? Wohnen Sie in einer WG oder haben Sie schon einmal in einer WG gewohnt? Möchten Sie in einer WG wohnen?
5. Wer sind Gudrun und Emil?
6. Von wem wurde das Abendessen gekocht?
7. Warum muss nach dem Essen gespült und aufgeräumt werden?
8. Wer macht was beim Hausputz?
9. Wird bei Ihnen zu Hause der Müll auch getrennt gesammelt? Wenn ja, was sammeln Sie? Was machen Sie mit dem Müll?

→ For practice, see exercise 13.1 in the workbook.

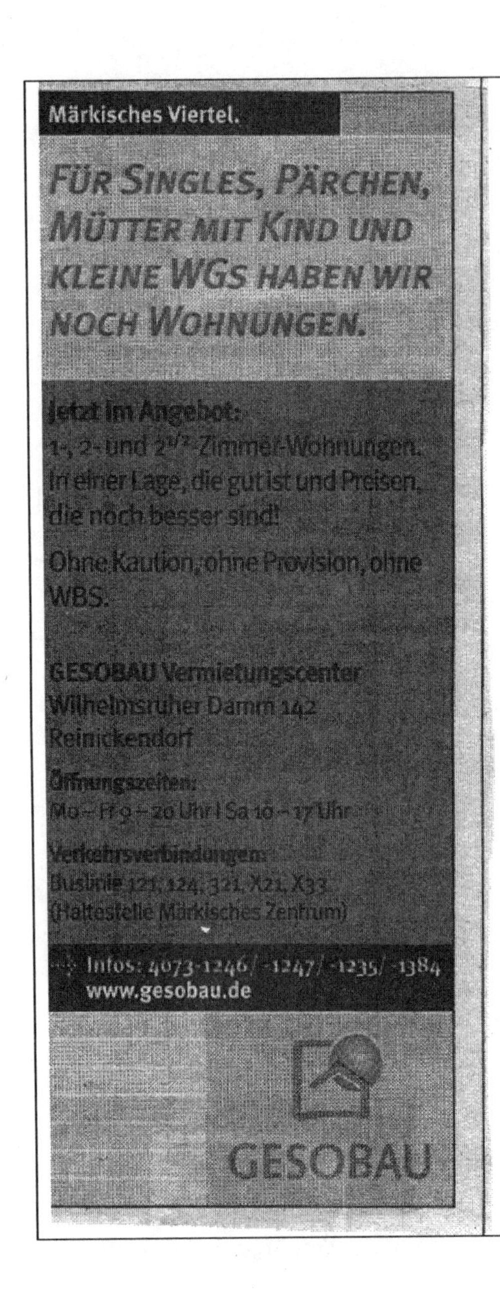

1. Sie wollen am Montag um 19 Uhr zu GESOBAU, um eine Wohnung zu finden. Ist es um diese Zeit möglich?

2. Sie suchen eine Wohnung mit 3 Zimmern, hat GESOBAU etwas für Sie?

3. Sie haben nicht viel Geld und können keine Kaution zahlen, ist das ein Problem bei GESOBAU?

4. Sie und Ihre Freunde (2 Personen) wollen eine WG gründen und suchen natürlich eine große Wohnung. Hat GESOBAU eventuell etwas für Sie?

5. Sie wollen im Internet etwas über GESOBAU lesen, wo finden Sie die Informationen?

Der jährliche Müllberg
25.04.2003

Der jährliche Müllberg in Deutschland ist 40 Millionen Tonnen schwer; das entspricht einem Müllaufkommen von fast 500 Kilogramm pro Einwohner. 41 Prozent davon werden nach Angaben der OECD (Organisation für wirtschaftliche Zusammenarbeit und Entwicklung) wiederverwertet. Mit dieser Recyclingquote liegen die Deutschen zusammen mit den Südkoreanern an der Spitze der Wiederverwerter. Den größten Müllberg der westlichen Welt produzieren die US-Amerikaner - 760 Kilogramm pro Einwohner und Jahr. Dort werden 22 Prozent des über 200 Millionen Tonnen großen

Abfallberges recycelt. - Der durchschnittliche Einwohner eines Industrielandes produziert übrigens pro Jahr 505 Kilogramm Müll (Recyclingquote: 20 Prozent).

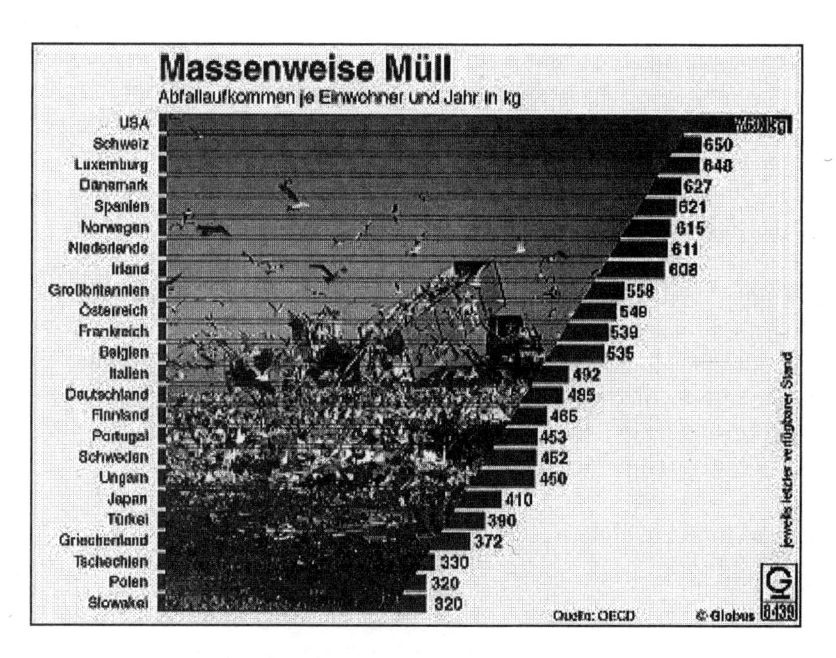

Sind die Aussagen richtig oder falsch? Wenn sie falsch sind, ändern Sie sie, damit sie richtig sind.

__________ 1. Die USA produzieren den meisten Müll.
__________ 2. Die Deutschen haben 35 Millionen Tonnen Müll pro Jahr.
__________ 3. 40 Prozent davon werden wieder verwertet.
__________ 4. Die Deutschen und die Südkoreaner sind an der Spitze der Wiederverwerter.
__________ 5. Der normale Einwohner im Westen produziert pro Jahr 500 Kilo Müll.
__________ 6. Die Slowaken produzieren den wenigsten Müll.

Grammatik-Spot **Passiv**

Up until now you have expressed sentences in German in the active voice. In the active voice, the agent (the subject) that is performing the action is expressed. In the passive voice, the object being acted upon is expressed and the agent that carries out the action is not necessarily included, it is either understood, unimportant, or unknown.

ACTIVE VOICE
Emil und Peter erledigen den Abwasch.
Stefan saugt die Teppiche.

PASSIVE VOICE

Der Abwasch wird von Emil und Peter erledigt.
Die Teppiche werden von Stefan gesaugt.

The active voice emphasizes the agent that performs the activity, while in the passive voice, the action receives the emphasis. Therefore, the passive voice tends to be more impersonal. The passive voice is used in German much more than in English; it is commonly used in newspapers, technical writing, and descriptions of procedures and instructions.

Formation of the passive voice

A form of the helping verb *werden* and the past participle are used to form the passive voice in German. Note that English uses *to be* and the past participle. The Passive voice occurs in all personal forms; however, it most frequently occurs in the third-person singular and plural forms. The subject of the active voice sentence becomes the object of a preposition (**von**) in a passive voice sentence. The subject in a passive voice sentence becomes the direct object in an active voice sentence. (This is true in most cases.)

The passive can be found in all tenses that also occur in the active voice.

PRESENT

Der Tisch wird von Daniel und Eva abgeräumt.
Die Reste des Essens werden in den Kühlschrank gestellt.

SIMPLE PAST

Der Tisch wurde von Daniel and Eva abgeräumt.
Die Reste des Essens wurden in den Kühlschrank gestellt.

PRESENT PERFECT

Der Tisch ist von Daniel and Eva abgeräumt worden.
Die Reste des Essens sind in den Kühlschrank gestellt worden.

In the perfect tense, the past participle **geworden** is shortened to **worden** in the passive voice. The presence of **worden** in any sentence clearly signals that the sentence is in the passive voice.

Expressing the agent

As we have already seen, the agent in a passive voice sentence is often not stated. When it is included, the agent is referred to through the use of **von** (+ dative case).

Der Tisch wird von Daniel und Eva abgeräumt.

When the action is caused by an impersonal force, you use the preposition **durch** (+ accusative case).

Die Umwelt wird durch Wasserverschmutzung zerstört.

Expressing a general activity

In some cases a passive voice sentence expresses a general activity without stating a subject at all. If there is no subject, the impersonal **es** is used as the subject or the subject is omitted. Therefore, the verb always appears in the third-person singular. There is nothing like this in English.

Es wird hier gesungen.
Im Radio wird viel über Finanzen gesprochen.
Hier wird nur Spanisch verstanden.

→ For practice, see exercises 13.2-4 in the workbook.

Bei Ihnen zu Hause

1. Von wem wird abgewaschen?
2. Von wem wird aufgeräumt?
3. Von wem wird eingekauft?
4. Von wem wird gebügelt?[1]
5. Von wem werden die Fenster geputzt?
6. Von wem wird gefegt?
7. Von wem wird das Badezimmer sauber gemacht?
8. Von wem wird der Müll rausgebracht?
9. Von wem wird das Frühstück gemacht?
10 Von wem werden die Schuhe geputzt?

Gebrauchsanweisungen

In Deutschland werden die Gebrauchsanweisungen normalerweise im Passiv geschrieben, weil die Person, die die Tätigkeit macht, weniger wichtig ist als die Tätigkeit selbst. Stellen Sie die folgenden Anweisungen ins Passiv um,

zum Beispiel: Man macht das Radio an.
Das Radio wird angemacht.

1. Man stellt das Radio leiser.
2. Man wechselt den Sender.
3. Man hört die Musik.
4. Man holt etwas zum Essen.
5. Man isst und hört weiter Radio.
6. Man schaltet die Nachrichten ein.
7. Man macht das Radio aus.
8. Man schließt das Fenster.
9. Man öffnet die Tür.
10. Man macht die Lampe aus.

[1] to iron or press clothes

Schreiben Sie alle Sätze ins Imperfekt um.

Beispiel: Das Radio wird angemacht.
Das Radio wurde angemacht.

BREMSEN SIE DIE SPRITKOSTEN AUS
Erdgas-Fahrzeuge sparen beim Tanken und schonen die Umwelt
Ob Familienkutsche oder Fahrzeugflotte: Mit Erdgas-Fahrzeugen können Privatnutzer und Unternehmen jetzt richtig sparen. Weil Sie Ihre Kraftstoffkosten im Vergleich zu konventionellen Antrieben um bis zu 50 % senken können. Weil Sie weniger Kraftfahrzeugsteuer zahlen als bei einem Dieselmotor. Weil Sie die attraktiven Förderprogramme der GASAG in Anspruch nehmen können. Und dazu fahren Erdgasautos auch noch umweltschonend. Deshalb: Entscheiden Sie sich für den intelligenten Kraftstoff von heute.
Mehr erfahren Sie bei der 24-h-Hotline 0180 2 234500 (0,06 € je Anruf) oder unter www.gasag.de.

1. Womit wird gespart?
2. Um wie viel werden die Kraftstoffkosten mit Erdgas gesenkt?
3. Von wem wurde die Reklame herausgebracht?

Was wurde gestern Abend in der WG gemacht?

Daniel erzählt am nächsten Morgen, was gestern Abend in der WG gemacht wurde.

Lesen Sie den Dialog noch einmal. Schreiben Sie auf, was Daniel erzählt.

Beispiel: Es wurde abgewaschen.

____
____
____
____
____
____
____
____
____
____
____

Die Umwelt

Sie und ein/e Freund/in reden über die Umwelt, über die Probleme, die Verschmutzung verursachen, und über mögliche Lösungen. Schreiben Sie mit einem/einer Partner/in diesen Dialog.

Listen Sie alle Probleme und mögliche Lösungen an der Tafel auf.

Welche Probleme kommen am meisten vor?
Welche Lösungen?
Was bedeuten diese Lösungen für unsere Zukunft?

Sehen Sie die Graphik "Massenweise Müll" noch einmal an.

Warum meinen Sie, dass die USA Nummer eins sind?
Warum meinen Sie, dass Länder wie die Slowakei an der letzten Stelle sind?

Hörverständnis 13.1 Hören Sie den folgenden Text an und beantworten Sie die Fragen. Lesen Sie sich die Fragen zuerst durch.

Brief aus Wien

Als Daniel am Morgen in die Küche kommt, wartet Stefan schon auf ihn. In der Hand hält er einen Brief, der von Stefans Tante Elisabeth aus Wien gesandt wurde. Stefan liest den Brief vor:

1. Von wem wurde der Brief gesandt?
2. Wofür möchten sich Elisabeth und Otto bedanken?
3. Was sagt Lotte über Daniel?
4. Woher kennt Stefans Tante Daniels Freundin Gabi? Was möchte sie wissen?

5. Stellen Sie sich vor, Sie wären Daniel. Schreiben sie einen Brief an Stefans Verwandte in Wien, in dem Sie Elisabeths Fragen an Daniel beantworten.

Ökostrom?

Daniel hat eine Broschüre bei der Post über Ökostrom gefunden. Diese Seite kommt aus der Broschüre.

Worum geht es im Text?
Welche Alternative wird hier beschrieben?
Auf welchen Partner können Sie sich verlassen?
Was bietet dieser Partner?

Ökostrom? Die saubere Alternative!

LichtBlick-Ökostrom stammt aus regenerativen Energiequellen wie Wind, Wasser und Biomasse sowie aus umweltfreundlicher Kraft-Wärme-Kopplung auf Erdgasbasis. Bei der Ökostrom-Erzeugung entsteht mindestens 2/3 weniger CO_2 als bei der Erzeugung von „Normalstrom", wodurch der Treibhauseffekt reduziert wird.

Ausgewählte Partner? Worauf Sie sich verlassen können!

Unser ausgewählter Ökostrom-Partner LichtBlick:

- bietet sauber erzeugten Strom zu einem günstigen Preis
- garantiert durch das TÜV-Zertifikat Verbraucherfreundlichkeit und ökologische Qualität
- hat bei der Stiftung Warentest das beste Ergebnis bei den Ökostrom-Lieferanten erzielt

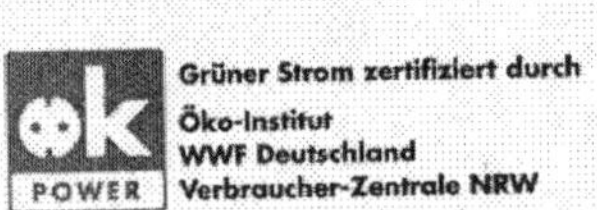

ok
POWER
Grüner Strom zertifiziert durch
Öko-Institut
WWF Deutschland
Verbraucher-Zentrale NRW

Durch Ihre Entscheidung für LichtBlick sichern Sie sich:

- Ökostrom zum garantiert günstigen, fairen Tarif
- einen festen Endpreis ohne zusätzliche Kosten oder „versteckte Gebühren"
- kurze Vertragslaufzeiten und damit hohe Flexibilität

Taken from Ökostrom: Hier ist der Schalter! Deutsche Post,
Januar 2003, Mat.-Nr. 678-111-200

Kultur-Aspekte

Umweltbewusstsein

Was bedeuten die folgenden Wörter:

Abfallentsorgung Pfand Abfallbeseitigung Biomüll
umweltschädlich

Lesen Sie den Text und beantworten Sie die folgenden Fragen.

Mülltrennung - eine Wissenschaft für sich

In Deutschland wird die Abfallentsorgung sehr gründlich durchgeführt. Jede Stadt hat öffentliche Container für Glas, Altpapier und Weißblech. Sondermüll - das heißt Batterien oder defekte Neonröhren - wird an speziellen Orten gesammelt.

Viele Getränkeflaschen können mit Pfand gekauft und nach dem Verzehr zurückgegeben werden. Die Abfallbeseitigung ist gründlich und sie ist bunt. Plastik gehört in gelbe, Papier in blaue und der Rest in graue Tonnen.

adapted from http://www.campus-germany.de/german/1.62.208.html

Große Container mit der Aufschrift Pappe, Plastik, Dosen, Altglas (grün, braun oder weiß) sind heute in jeder Stadt und in jedem Dorf zu finden. Viele Deutsche sind umweltbewusst und trennen ihren Müll nach Glas, Plastik, Dosen, Papier und Biomüll. In vielen Haushalten, und vor allen Dingen in WGs, wird der Müll in getrennten Kisten und Kartons gesammelt und regelmäßig zu diesen Recycling-Zentren gebracht. In einigen Städten wird Recycling dadurch leichter gemacht, dass den Haushalten verschiedene Mülleimer gegeben werden (zum Beispiel für Altglas, Altpapier oder Biomüll). Die verschiedenen Tonnen werden einmal wöchentlich von der Müllabfuhr entleert. Umweltbewusstsein beginnt aber nicht erst mit der Mülltrennung. Viel wichtiger ist es, weniger Müll zu produzieren. Eine Party mit Plastikbechern und Plastikbesteck ist für die meisten unvorstellbar. Es wird versucht, so wenig wie möglich Verpackung und umweltschädliches Material zu kaufen. Braucht man Toilettenpapier, wird solches aus wiederverwertetem Papier gekauft. Getränke werden meistens in Flaschen gekauft; auf Flaschen und Dosen gibt es Pfand. Das heißt, dass man für jede Flasche, jedes Glas, oder jede Dose ein bisschen mehr Geld bezahlt. Wenn man die leeren Flaschen oder Dosen zum Geschäft bringt, bekommt man das wieder zurück. Auch auf Milchflaschen und

Joghurtgläser wird Pfand gegeben. Es gibt in jedem Geschäft eine gute Auswahl von umweltfreundlichen Wasch-, Putz- und Spülmitteln. An der Kasse im Supermarkt wird man nicht gefragt, ob man "Papier oder Plastik" möchte. Es wird erwartet, dass man seine eigene Einkaufstasche mitbringt. Sollte man die Tasche mal vergessen haben, kann man sich eine Plastiktüte, eine Stofftasche oder eine Papiertasche kaufen.

1. Was kann alles zu einem Recycling-Center gebracht werden?
2. Gibt es in Ihrem Haushalt verschiedene Mülleimer, die dann von der Müllabfuhr geleert werden?
3. Was ist noch wichtiger als Mülltrennung und Recycling? Warum?
4. Welche Gründe fallen Ihnen gegen eine Party mit Plastikbechern und Plastikbesteck ein? Welche dafür?
5. Was ist "Pfand"?
6. Werden in Ihrem Hauhalt mehr Dosen oder mehr Flaschen benutzt?
7. Was halten Sie von der Idee, für Plastiktüten im Supermarkt zahlen zu müssen?

Exkursion zwei: Die Bank

http://www.journal-frankfurt.net/winart/

Multi-Kulti-Aktivität 13.2

Was ist die beste Antwort für die meisten Deutschen?

1. Sie kaufen Kleidung im Warenhaus, wie zahlen Sie am besten?
a. mit Scheck
b. bar
c. mit einer Kreditkarte

2. Wie zahlen Sie Ihre monatlichen Ausgaben wie Miete?
a. mit Scheck
b. bar
c. mit einer Überweisung

3. Sie kaufen ein neues Auto, wie würden Sie dafür zahlen?
a. Sie nehmen Kredit auf.
b. Sie sparen, bis Sie genug Geld haben.
c. Sie sparen genug für die Anzahlung und nehmen Kredit für den Rest auf.

Wort-Box

die Überweisung (-en)	money transfer
der Kater (-)	hier: hangover; tomcat
der Mietvertrag (-äge)	(rental) contract
unterschreiben	to sign
der Dauerauftrag (-äge)	monthly automatic transfer

Überweisungen

Lesen und hören Sie den folgenden Dialog und beantworten Sie dann die Fragen.

Es ist morgens halb zehn, als Daniel in die Küche kommt. Er sieht noch ganz verschlafen aus. Stefan und Eva haben schon den Frühstückstisch gedeckt, Emil und Gudrun sitzen auch bereits am Tisch.

Alle: Morgen, Daniel. Na, gut geschlafen? Du siehst etwas müde aus.
Gudrun: Du wirst doch wohl keinen Kater haben? So viel Wein hast du gestern gar nicht getrunken.
Daniel: Was? Wieso hab' ich einen Kater? Das ist wohl eine männliche Katze. Was hat das mit dem Rotwein zu tun? Ihr habt keine Haustiere, oder?

(Alle lachen herzhaft)

Eva: Mensch, das ist lustig...
Daniel: Ja, ja, lacht ihr nur. Was habe ich denn jetzt schon wieder falsch verstanden?
Stefan: Gar nichts..."einen Kater haben" bedeutet auch, dass man sich morgens ganz schlecht fühlt, weil man abends zu viel getrunken hat.
Daniel: Ach so, hm, ja, wieder was gelernt. Nein, ich hab' keinen Kater, ich bin nur noch ein bisschen müde.
Emil: Du brauchst einen Kaffee! Komm, setz dich erst mal hin und iss ein paar Brötchen. Hier, frisch vom Bäcker. Die werden direkt vor unserer Haustür gebacken.
Daniel: Hm, toll, frische Vollkornbrötchen... die werde ich vermissen, wenn ich wieder zu Hause bin.
Stefan: So, Leute, der Mietvertrag ist unterschrieben. Die Kontonummer des Vermieters hat sich geändert, und die Miete ist 10 Mark mehr pro Monat. Jetzt muss nur noch der Dauerauftrag geändert werden und dann ist wieder alles in Butter.
Daniel: (*verwirrt*) In Butter?
Eva: Das heißt, es ist alles in Ordnung, alles o.k.

Daniel:	Ach so.
Emil:	Und das Telefon für diesen Monat muss noch bezahlt werden. Ich kann das heute machen, ich muss sowieso noch auf die Bank. Ich schreibe dann eine Überweisung und ihr könnt mir das Geld geben.
Eva:	Hört sich gut an.
Daniel:	Überweisung und Dauerauftrag... diese zwei Wörter kenne ich nicht. Was ist das denn?
Emil:	Das hat was mit der Bank zu tun. Ach ja, du als BWLer interessierst dich sicher für solche Finanzgeschichten. Wenn du willst, kannst du mit mir zur Bank gehen, dann erkläre ich dir genau, was das ist.
Daniel:	Ja, das würde ich gern machen. Ist das in Ordnung, Stefan? Oder hast du was anderes geplant?
Stefan:	Ich dachte, ich könnte dir heute die Stadt zeigen. Nur, wenn du das möchtest, natürlich. Und vorher können wir zur Bank gehen.
Daniel:	Das klingt gut. Klar will ich die Stadt sehen.

Beantworten Sie die folgenden Fragen.

1. Warum dachte Gudrun, dass Daniel einen Kater hätte?
2. Was müssen Stefan, Eva und Emil noch auf der Bank machen?
3. Welche Rechnungen müssen bezahlt werden?
4. Warum möchte Daniel mit zur Bank gehen?
5. Was wollte Stefan heute machen?

→ For practice, see exercise 13.5 in the workbook.

Frankfurt am Main, die Bankenmetropole

http://www.campus-germany.de/campus/german/4.21.3.606.html

So viel gespart
09.05.2003

Die Italiener sind die eifrigsten Sparer: Fast ein Sechstel ihres verfügbaren Einkommens legen sie auf die hohe Kante. Das ergaben Berechnungen der Organisation für wirtschaftliche Zusammenarbeit und Entwicklung (OECD) zur Sparquote im internationalen Vergleich. In Deutschland erreichte die Sparquote im Jahr 2002 eine Höhe von 10,4 Prozent und lag damit international im Mittelfeld. Besonders niedrig ist die Sparquote jenseits des Atlantiks. Die konsumfreudigen US-Amerikaner geben 96,3 Prozent ihres verfügbaren Einkommens aus; nur 3,7 Prozent werden gespart.

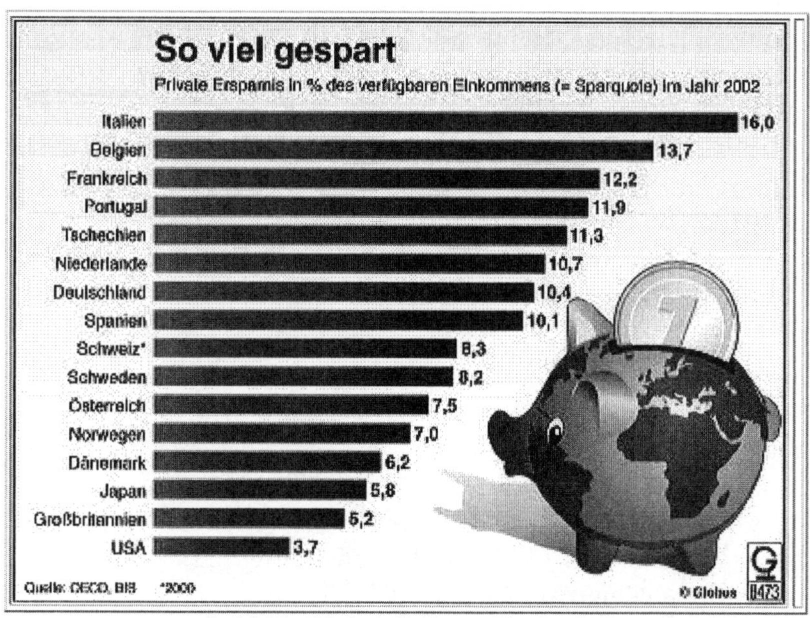

1. In welchem Land sind die meisten Sparer?
2. Wo liegt Österreich beim Sparen?
3. Die Schweiz ist das Land der Banken, warum liegt die Schweiz nur im Mittelfeld?
4. Wer spart am wenigsten auf der Welt?
5. Wo liegen die Deutschen?

Grammatik-Spot **The Passive with Modal Verbs**

Modal verbs are used with a passive infinitive to convey that something should, must, or can be done. This form of passive voice is usually only found in the present tense, the simple past tense, and the present subjunctive of modal verbs.

Jetzt muss nur noch der Dauerauftrag geändert werden.
Das Telefon für diesen Monat muss noch bezahlt werden.

The passive voice infinitive is comprised of the past participle of the main verb and **werden**:

geändert werden
bezahlt werden
erledigt werden

→ For practice, see exercise 13.6 in the workbook.

Was muss gemacht werden?

Daniel und Stefan reden darüber, was in der WG gemacht werden muss.
Was muss noch alles gemacht werden? Suchen Sie die Antworten im Text.

zum Beispiel: Das Geschirr muss noch gespült werden

Der Tisch muss...

Hörverständnis 13.2
Stefan kommt nach Hause und sieht alles, was Katja nicht gemacht hat. Das Telefon klingelt, es ist Emil. Stefan erzählt, was nicht gemacht wurde.

Richtig oder falsch

____________ 1. Die Wäsche wurde nicht gewaschen.
____________ 2. Der Tisch wurde nicht aufgeräumt.
____________ 3. Die Kleidung wurde nicht weggeräumt.
____________ 4. Die Schuhe wurden nicht geputzt.
____________ 5. Das Essen muss noch gekocht werden.

Auf der Bank

In Deutschland ist es oft so, dass man für Zahlungen, die regelmäßig von einem Konto abgehen und die immer den gleichen Betrag haben (wie z.B. Miete, Versicherung, Sparvertrag, Zeitungsabonnement usw.) einen Dauerauftrag abschließt. Auf diese Art und Weise braucht man nicht jedes Mal auf die Bank zu gehen, wenn man die Miete bezahlen muss. Das Geld wird jeden Monat (oder jedes Jahr, jede Woche, alle drei Monate usw.) automatisch vom Konto abgebucht. Schecks werden in Deutschland fast nie mit der Post geschickt. Wenn man Rechnungen zahlen muss, die immer verschiedene Beträge haben (wie zum Beispiel die Telefonrechnung), kann man das Geld überweisen. Das heißt, dass man zur Bank geht und dort einen Überweisungsauftrag ausfüllt. Das Geld wird dann vom eigenen Konto abgebucht und auf das Konto des Empfängers überwiesen.

Hier sehen Sie zwei Formulare. Das eine ist ein Dauerauftrag und das andere ist eine Überweisung. Lesen Sie sich die folgenden Situationen durch und entscheiden Sie, was besser ist: der Dauerauftrag oder die Überweisung. Dann füllen Sie die Formulare mit den gegebenen Informationen aus.

Überweisung

COMMERZBANK
AKTIENGESELLSCHAFT

Bitte immer ausfüllen

Bankleitzahl Kontoinhaber/in

Bitte möglichst mit Schreibmaschine ausfüllen. Bei Handausschreibung in Druckschrift und »GROSSBUCHSTABEN«

Begünstigter: Name, Vorname/Firma (max. 27 Stellen)

Konto-Nr. des Begünstigten

Bankleitzahl

Kreditinstitut des Begünstigten

EUR

Betrag: Euro, Cent

Kunden-Referenznummer - Verwendungszweck, ggf. Name und Anschrift des Überweisenden - (nur für Begünstigten)

noch Verwendungszweck (insgesamt max. 2 Zeilen à 27 Stellen)

Kontoinhaber: Name, Vorname/Firma, Ort (max. 27 Stellen, keine Straßen- oder Postfachangaben)

Konto-Nr. des Kontoinhabers

16

30/02/44
20216

Situation A:
Sie studieren Musik und sind jetzt auf ein Jahr in Deutschland. Sie möchten Klavierunterricht nehmen und suchen einen Klavierlehrer oder eine Klavierlehrerin. Sie finden eine talentierte Französin, Madame Bordeau, die Ihnen für 120 Mark im Monat (einmal pro Woche) Unterricht gibt. Sie hat ein Konto auf der Sparda Bank Saarbrücken, die Bankleitzahl (BLZ) ist 590 991 00, die Kontonummer ist 234-58670-7. Sie möchte Ihr Geld pünktlich am fünfzehnten jeden Monats. Was machen Sie?

Situation B:
Sie haben sich ein Abonnement für Theaterkarten des Saarbrückener Staatstheaters bestellt. Jetzt ist die Rechnung in der Post. Für die Spielsaison im Winter müssen Sie als Student 110 Mark zahlen, in der Sommerspielzeit kostet es nur 50 Mark, weil weniger Konzerte und Theaterstücke gezeigt werden. Die Kontonummer der Stadt Saarbrücken ist 678-57776-8 bei der Sparkasse Saarbrücken, BLZ 590 501 000. Was machen Sie?

An
COMMERZBANK Aktiengesellschaft

DAUERAUFTRAG

Folgender Dauerauftrag ist zu Lasten des angegebenen Kontos bis auf Widerruf auszuführen bzw. zu ändern, befristet auszusetzen, zu löschen (Zutreffendes bitte ankreuzen).

TX-Code: T20231

☐ Zugang ☐ Änderung

Ausführung erstmalig am: gültig ab:

Folge: Terminschlüssel*)

*) Terminschlüssel siehe Rückseite dieses Vordruckes

Ausführung letztmalig am:

☐ Ausführung befristet aussetzen ab:

Anzahl der Nichtausführungen:

☐ Löschung

Schreibmaschine: normale Schreibweise !
Handschrift: Blockschrift, Kästchen beachten !

Konto-Nr. des Auftraggebers

Bankleitzahl des Auftraggebers

Auftraggeber (max. 27 Stellen)

DM/EUR

Betrag

Konto-Nr. des Empfängers

Bankleitzahl des Empfängers

Empfänger: Name, Vorname / Firma (max. 27 Stellen)

bei (Kreditinstitut)

Verwendungszweck (nur für Empfänger) max. 2 Zeilen à 27 Stellen

noch Verwendungszweck

Die umseitig abgedruckten »Bedingungen für Daueraufträge« werden von mir/uns anerkannt.

39/13/26
HD 1198

Datum:

Unterschrift/en

Hörverständnis 13.3

Stefan bekommt ein Telefongespräch, das ihn sehr überrascht!

Hören Sie sich dieses Telefongespräch an und beantworten Sie die folgenden Fragen.

Beantworten Sie die folgenden Fragen.

1. Mit wem hat Stefan am Telefon gesprochen?
2. Was möchte diese Person von Stefan wissen?
3. Kennt Stefan die Person am Telefon?
4. Was sagt Stefan zu Daniel, wer angerufen hat? Ist das die Wahrheit oder eine Lüge?
5. Welchen Plan hat die Person, die angerufen hat? Was glauben Sie?

http://www.frankfurt.de/sis/index.html

Kultur-Aspekte

Wohin mit dem Geld? - Eröffnen eines Girokontos

"Am besten geht es Ihrem Geld auf der Bank." So oder so ähnlich lautet die Mehrzahl von Werbeslogans, mit denen Banken ihre Kunden locken.[2] Die Zeiten sind vorbei, in denen man sein Geld unter dem Kopfkissen versteckte. Das Girokonto ermöglicht Ihnen den schnellen Zugriff[3] auf Ihr Geld. Um ein Girokonto zu eröffnen, brauchen Sie Ihren Reisepass oder Personalausweis. Die meisten Banken bieten längst auch "Onlinebanking" an.

Bargeldloser Verkehr

Besonders praktisch: Mit einer Scheckkarte können Sie an Geldautomaten Bargeld abheben[4] und sind auf diese Weise nicht von den Öffnungszeiten oder der Lage Ihrer Bank abhängig. Sie können über ein "Lastschriftverfahren" per "Dauerauftrag" die Miete bezahlen und müssen keine Schecks mehr verschicken. Aber auch ständige Kosten, deren Höhe variiert, wie zum Beispiel die Telefonrechnung, können über eine "Einzugsermächtigung" problemlos erledigt werden. Der Zahlungsempfänger hebt dann einfach selbstständig den entsprechenden Betrag ab. Ein Missbrauch kann nicht stattfinden, da Sie die Buchung innerhalb einer Frist problemlos rückgängig machen können.

Unterwegs

Mit der so genannten "EC-Karte" Ihres Girokontos können Sie in den meisten Ländern der Welt Geld am Geldautomaten abheben. Die Öffnungszeiten der Banken und Sparkassen sind verschieden. Als grobe Orientierung kann gelten: Werktags von 9 Uhr bis 16 Uhr, donnerstags zusätzlich bis 18.30 Uhr. Mittags sind sie eventuell von 13 bis 14.30 Uhr geschlossen.

1. Warum soll man ein Girokonto eröffnen?
2. Was ist bargeldloser Verkehr?

---

[2] to attract
[3] access
[4] to withdraw

3. Wie bekommt man Geld, wenn man unterwegs ist?

Treffpunkt: Was passiert nach diesem Gespräch? Wie geht es weiter zwischen Stefan und Daniel?

Exkursion drei: Das Ende

1. Wofür ist Frankfurt bekannt?
2. Wie ist Frankfurt als Stadt?
3. Welche Institutionen der EU sind in Frankfurt?

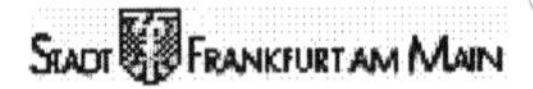

http://www.frankfurt.de/sis/index.html

http://www.flughafen-frankfurt.de/b2c/livecontroller/m019/m019_045.jsp?teaserarea=arrival

Wort-Box

die Überraschung (-en)	surprise
unsicher	uncertain, insecure
Das passt uns gut.	This is convenient./ It suits us well.
herausfinden (sep.)	to find out
beneiden	to envy
schwierig	difficult

Dialog "Die Überraschung"

Hören und lesen Sie den folgenden Dialog und beantworten Sie die Fragen.

Nachdem Stefan und Daniel sich ein bisschen ausgeruht haben, planen sie den Rest des Abends.

Emil: Na, ihr zwei? Wie war euer Tag?
Daniel: Schön, wir haben viel gemacht und ich hab' viel gesehen.
Eva: Habt ihr schon Pläne für heute Abend? Peter, Gudrun, Katja, Emil und ich haben Baguette, Wein und Käse gekauft und wollen uns einen gemütlichen Abend hier zu Hause machen.
Stefan: Das passt uns sehr gut!

Daniel guckt ein bisschen überrascht. Emil stellt Katja vor. Sie ist eine Freundin von Gudrun.

Daniel: Warst du schon mal in den USA?
Katja: Nein, das wird das erste Mal für mich sein. Ich war schon in England und Irland, aber noch nie im Amiland. Was wirst du eigentlich am meisten vermissen, wenn du wieder in den USA bist?
Daniel: Oh, ich werde auf jeden Fall das leckere Brot und die Brötchen vermissen, den guten Käse, den Quark, Joghurt und Nutella. Und auch, dass ich nicht mehr so viel Deutsch sprechen kann. Keine deutschsprachigen Zeitungen oder Nachrichten mehr...
Katja: Ach ja, das wird mir sicher auch fehlen, wenn ich in Wisconsin bin. Zum Glück gibt es das Internet. Da kann man viele deutschsprachigen Sachen lesen und hören.
Daniel: Und Nutella gibt es auch in einigen Supermärkten in den USA.
Eva: Daniel, wie viele Tage wirst du denn jetzt noch in Deutschland bleiben? Werden deine Eltern dich vom Flughafen abholen?
Daniel: Ich denke ja. Ich fliege morgen.
Emil: Und, wirst du deine Freundin Gabi noch treffen, bevor du fliegst? Oder werdet ihr wenigstens noch miteinander sprechen, bevor du wieder zurückfliegst?
Daniel: *(etwas traurig)*. Nein, wir werden uns nicht mehr sehen. Sie hat leider keine Zeit. Aber ich werde sie heute Abend anrufen.
Peter: Wird sie dich mal besuchen? Oder ist die Frage zu indiskret?
Daniel: Nein, nein, das ist schon o.k. Wir haben uns überlegt, dass wir uns Weihnachten sehen könnten. Aber das ist alles noch so unsicher.
Gudrun: Das ist aber auch zu blöd, wenn man sich im Ausland verliebt.
Stefan: Wann musst du morgen am Flughafen sein?
Daniel: Ich fliege um 15 Uhr. Also mit Einchecken und allem muss ich gegen 13 Uhr dort sein.
Stefan: Gut, ich finde heraus, wann wir fahren müssen.
Daniel: Danke. Katja, ich kann dir mal meine Adresse in den USA geben. Wenn du bis New York City fliegst, kannst du gerne bei mir übernachten.
Katja: Oh, danke, das ist nett von dir. Ich werde mich bestimmt bei dir melden. Nach New York werde ich sicher mal kommen.
Daniel: Irgendwie beneide ich dich, Katja. Ich hätte auch Lust, ein Jahr lang im Ausland zu studieren. Ob in Deutschland, Österreich oder in der Schweiz ist mir eigentlich egal.
Peter: Ja, mach das doch. So schwierig kann es doch nicht sein, oder? Und Gabi

	wird sich sicher freuen...
Daniel:	Ach ja, mal abwarten.

Daniel klingt traurig. Es klingelt an der Tür.

Stefan:	Oh Daniel, kannst du bitte die Tür aufmachen? Du sitzt am nächsten an der Tür.
Daniel:	Ja, klar.

(Daniel geht zur Haustür und öffnet sie...)

Daniel: Oh, Mensch! Gabi!!!

Beantworten Sie die folgenden Fragen.

1. Was haben Eva und ihre Freunde abends vor?
2. Wen lernt Daniel am letzten Abend kennen?
3. Was wird Daniel vermissen, wenn er wieder zu Hause ist?
4. Denkt Daniel, dass er Gabi wieder sehen wird, bevor er zurückfliegt?
5. Warum gibt Daniel Katja seine Adresse in New York?
6. Wie wird Daniel zum Flughafen kommen?
7. Warum beneidet Daniel Katja?
8. Könnten Sie sich vorstellen, ein Jahr im Ausland zu studieren oder zu arbeiten?

→ For practice, see exercise 13.7 in the workbook.

Biergarten am Mainufer

http://www.campus-germany.de/german/4.21.3.607.html

Online-Banking
19.07.2002

Immer mehr Verbraucher steigen um aufs Online-Banking. Bequem vom heimischen PC aus Überweisungen ausführen, den Kontostand abrufen, Wertpapiere ordern - und das alles ohne auf Öffnungszeiten achten zu müssen. Diese Möglichkeit nutzen heute rund 20 Millionen Bankkunden. Damit ist die Zahl der Online-Kunden seit Mitte der 90er-Jahre auf das 14-Fache gestiegen. Die meisten Online-Kunden können die privaten Banken an ihren virtuellen Bankschaltern begrüßen (46 Prozent). Es folgen die Sparkassen mit einem Marktanteil von 30 Prozent und die Volks- und Raiffeisenbanken mit 18 Prozent.

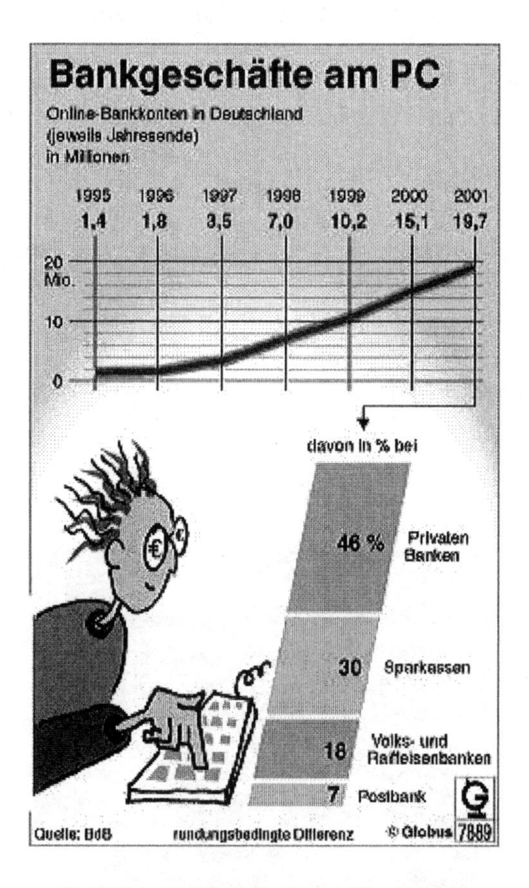

1. Was kann man alles mit Online-Banking machen?
2. Wie viel ist die Nutzung von Online-Banking seit Mitte der 90er-Jahre gestiegen?
3. Wie viele Online-Banking Konten gab es im Jahre 2000?
4. Welche Bankart hat die wenigsten Online-Kunden?
5. Wie oft benutzen Sie Online-Banking? Wofür?

Grammatik-Spot **Das Futur**

As we have already seen, the present tense in German can be used to express a future event with the use of an adverb of time.

Morgen fahren wir nach Frankfurt.
Mein Vater kommt nächste Woche zu Besuch.

The standard future tense in German is normally used to express a future event when the context does not provide an explicit reference to the future.

Das wird das erste Mal für mich sein.
Ich werde auf jeden Fall das leckere Brot und die Brötchen vermissen.

The future tense in German is formed by using the helping verb **werden** and the infinitive of the main verb. The infinitive is located at the end of the main clause (sentence).

singen

ich werde singen	wir werden singen
du wirst singen	ihr werdet singen
Sie werden singen	Sie werden singen
er sie wird singen es	sie werden singen

→ For practice, see exercise 13.8 in the workbook.

Was wird aus Ihrem Leben?

1. Was werden Sie nach der Uni tun?
2. In welchem Beruf werden Sie arbeiten?
3. Wen werden Sie heiraten?
4. Wo werden Sie wohnen?
5. Was für ein Auto werden Sie haben?
6. Wie viele Kinder werden Sie haben?
7. Was werden Sie in der Freizeit machen?

Interviewen Sie Ihre Mitstudenten/innen und erfahren Sie, was aus ihren Leben wird. Seien Sie kreativ!

Hörverständnis 14.4

Daniel und Gabi reden über die Zukunft. Daniel erzählt Gabi alles, was er machen wird. Schreiben Sie sechs Sachen auf, die er machen wird.

1. ____________________________________
2. ____________________________________
3. ____________________________________
4. ____________________________________
5. ____________________________________
6. ____________________________________

Kultur-Aspekte

Stadtporträt Frankfurt/Main

Was ist eine Metropole für Sie?
Was haben Banken mit einer Metropole zu tun?
Wo in Deutschland liegt die größte Börse?[5]

---

[5] stock market

Hoch hinaus

1. Die Skyline von Frankfurt am Main ist einzigartig[6] in Deutschland. 43 größere und kleinere Wolkenkratzer[7] recken[8] sich in Frankfurts Himmel. Und es sollen noch mehr werden. Die Metropole des Kapitals demonstriert ihre Wichtigkeit durch möglichst hohe und auffallende[9] Bürogebäude. In Frankfurt gibt es das dichteste Bankennetz und die viertgrößte Börse der Welt und der Handel[10] mit dem Geld gehört zum dynamischsten Wirtschaftszweig der Stadt. Mehr als 10 Prozent aller Beschäftigten[11] leben hier für das Geld und vom Geld, und das nicht schlecht.

2. Aber in Frankfurt geht es nicht nur um Geld, sondern auch um Politik: die Währungspolitik.[12] Hier ist der Sitz der Deutschen Bundesbank. Seit 1999 ist hier auch die Europäische Zentralbank angesiedelt, die die neue gesamteuropäische Währung, den Euro, steuert.

Wiege der Demokratie

3. Die Stadt war, vor allem auch wegen ihrer Lage[13] am Fluss Main, schon immer ein Knotenpunkt,[14] sowohl was wichtige Verkehrswege betrifft, als auch im Hinblick auf den Handel. Aber auch die Politik hat in Frankfurt Tradition. Im Herzen der Altstadt steht die Wiege[15] der deutschen Verfassung und Demokratie, die Paulskirche. Hier fanden Mitte des 19. Jahrhunderts die "Nationalversammlungen" der Abgeordneten[16] der deutschen Kleinstaaten statt. 1849 wurden in der Frankfurter Paulskirche die "Grundrechte des deutschen Volkes" verabschiedet.[17]

4. Was tun in Frankfurt, wenn man gerade keine Geschäfte macht, nicht arbeitet, nicht studiert? Gut, die Finanzmakler[18] haben noch keinen Feierabend, wenn Börse und Banken schließen. Solange der Börsentag in New York noch nicht vorbei ist – der Zeitunterschied beträgt sechs Stunden – , müssen auch sie weiterhin aufmerksam sein. Manchmal bricht in einem der traditionellen Apfelwein-Lokale eine ganze Tischrunde in Panik und hektische Geschäftigkeit aus. Die anderen Gäste schlürfen[19] ungestört ihren "Ebbelwoi" (so heißt der Apfelwein in hessischer Mundart).

---

[6] unique
[7] skyscrapers
[8] to stretch
[9] attention getting
[10] trade
[11] employed people
[12] currency policy
[13] location
[14] hub
[15] cradle
[16] representatives
[17] to pass as in the sense of to pass a law or bill of legislation
[18] Makler (m) = agent
[19] to sip, here to drink

5. In der Kneipe oder bei schönem Wetter in einem der vielen Schankgärten zu sitzen und zu "babbeln" (das ist das hessische Wort für "reden"), das ist das größte Freizeitvergnügen der Frankfurter. Man kann hier schnell in Kontakt kommen: mit dem Tischnachbarn oder den Leuten am Nebentisch. Was die Unterhaltung jedoch etwas schwer machen könnte, ist der Frankfurter Dialekt, der selbst für deutsche Muttersprachler aus anderen Regionen ungewohnt ist. Die Einheimischen bemühen sich zwar mit auswärtigen Gästen Hochdeutsch zu reden, aber bei steigendem Ebbelwoi-Konsum ist das nicht immer durchzuhalten.

adapted from http://www.campus-germany.de/german/1.62.259.2.html

Welcher Titel passt zu welchem Absatz und warum?

	Absatz	Grund
Frankfurts Geschichte		
Quatschen in der Freizeit		
Architektur in Frankfurt		
Die Stadt der Währung		
Was man in Frankfurt macht		

→ For practice, see exercise 13.9 in the workbook.

Treffpunkt. AlsDaniel die Tür öffnet, steht Gabi plötzlich vor ihm. Schreiben Sie, wie die Geschichte weitergeht? Was werden Daniel und Gabi jetzt machen?

Lese-Ecke

Wie sind die Deutschen für Sie?

empfindungswörter

von Rudolf Otto Wiemer

aha die deutschen
ei die deutschen
hurra die deutschen
pfui die deutschen
ach die deutschen
nanu die deutschen
oho die deutschen
hm die deutschen
nein die deutschen

ja ja die deutschen

Welche Empfindungswörter aus dem Gedicht sind positiv für Sie? Welche negativ?

Schreiben Sie ein Gedicht über Ihre Landsleute.

Glossar: Abschnitt 13 "Frankfurt"

Verben
abräumen – clear away/off
erledigen – to take care of
fegen – to sweep
saugen – to vacuum clean
entsprechen – to correspond to
wiederverwerten (sep) – to recycle
senden (partic. gesandt/gesendet) – to send
lauten (ä) – sound
abhängig sein – to be dependend
rückgängig machen – to reverse
sparen – to save money
feststellen (sep) – to determine, find out
durchhalten (sep) – to hold out till the end
umsteigen auf (sep) – change to
ausführen (sep) – to carry out
abrufen (sep) – here: to check, retrieve

Adjektive
umweltschädlich – environmentally damaging
gründlich – thorough
überflüssig – redundant
ständig – constant
grob – rough
eifrig – keen, ambitious, industrious
verfügbar – available
unsicher – uncertain
protzig – showy, grand
ungestört – undisturbed
auswärtig – from elsewhere

Adverbien
regelmäßig – regularly
zusätzlich – additionally

Ausdrücke
Na klar doch! – Of course!
wie im Fluge – in a twinkling
alles in Butter – everything is fine

Substantive
der/die Muttersprachler/in – native speaker
der/die Mitbewohner/in – room mate
die Beziehungskiste (n) – matters of relationships
der Müll (no pl) – trash, waste, garbage
der Bioabfall (älle), der Biomüll – organic waste
der Schlafsack (äcke) – sleeping bag
der Hausputz (no pl) – house cleaning
die Abfallentsorgung (en), die Abfallbeseitigung (en) – garbage disposal
der Pfand (änder) – deposit
der Verzehr (no pl) – consumption
die Aufschrift (en) – label
der Mülleimer (-) – trash can
die Müllabfuhr (no pl) – trash collection
die Auswahl (en) – selection
das Wasch-, Putz- und Spülmittel (-) – detergent for laundry, cleaning, and dish washing
die Einkaufstasche (n) – shopping bag
die Stofftasche (n) – canvas bag
das Müllaufkommen (-) – amount of waste
die Spitze (n) – top
die Gebrauchsanweisung (en) – instruction
die Umwelt (en) – environment
der Kater (-) – tomcat; hangover
das Haustier (e) – pet
das Vollkornbrötchen (-) – whole wheat roll
der Mietvertrag (äge) – lease
der/die Vermieter/in (-/innen) – landlord/-lady
der Dauerauftrag (äge) – standing order
die Überweisung (en) – money transfer
das Girokonto (konten) – checking account
die Großzahl (no pl) – majority
das Kopfkissen (-) – pillow
der bargeldlose Verkehr – payment by money transfer
das Bargeld (no pl) – cash
das Lastschriftverfahren (-) – procedure for

auf die hohe Kante legen – to put money into a savings account das passt … sehr gut – that suits … well etwas Ausdruck verleihen – give expression to sth. was … betrifft – concerning/ with regard to im Hinblick auf – with regard to etw. ist gewöhnungsbedürftig – sth. requires getting used to	debit entry die Höhe (n) – here: amount die Einzugsermächtigung (en) – permission to take money out of your account der/die Zahlungsempfänger/in – recipient of a money transfer der Missbrauch (äuche) – misuse die Buchung (en) – entry, booking die Frist (en) – period of notice die Bankleitzahl (en) – routing number die Hab-Acht-Stellung (no pl) – concentrated attention bei Fuß – heel *(both terms are from dog training language)* der/die Einheimische (n) – native das Wertpapier (e) – stocks and shares der Bankschalter (-) – bank counter

Key

Hörverständnis 13.1

Lieber Stefan,

wie geht es dir? Wir haben uns ja leider schon längere Zeit nicht mehr gesehen, aber dein Freund Daniel aus Amerika war ja ein paar Tage lang in Wien zu Besuch bei seiner Tante Lissi und er hat erzählt, dass es dir ganz gut geht. Du und Jette, ihr solltet uns mal wieder in Wien besuchen. Vielleicht habt ihr im Herbst Zeit, dann ist Wien am schönsten, finde ich.

Otto und ich wollten uns noch bei Daniel für die Postkarten bedanken, die er uns aus Dresden und der Lüneburger Heide geschickt hat. Wenn ich ihn richtig verstanden habe, fliegt er in ein paar Tagen schon wieder nach Amerika. Daniel ist wirklich ein netter Kerl, es hat uns richtig Spaß gemacht, ihm etwas von Wien zu zeigen. War er denn in Dresden auch in der Semper Oper? Wir waren vor zwei Jahren dort, und das Programm war fantastisch. Damals wurde Mozarts Zauberflöte aufgeführt.

In der Lüneburger Heide waren Otto und ich noch nicht, aber die Heide mögen wir trotzdem gern. Frag Daniel mal, ob er die Heide gerochen hat, als er in der Lüneburger Heide war.

Ich weiß, du denkst jetzt sicher wieder, dass ich neugierig bin. Aber hat Daniel noch Kontakt zu dieser netten deutschen Studentin, von der er uns so viel erzählt hat? Gabi hieß sie, glaube ich. Er hat uns ein Foto von ihr gezeigt und sie sieht sehr nett aus. Und zwei Tage, nachdem Daniel weitergereist war, hat sie bei uns angerufen. Schade, da war Daniel schon in Linz.

So, lieber Stefan, melde dich doch mal wieder. Ich wünsche dir und Daniel noch ein paar schöne Tage zusammen. Gruß auch an Jette.

Bis bald

Elisabeth und Otto

Hörverständnis 13.2

Stefan: Hallo, Emil. Ich bin gerade nach Hause gekommen. Nichts wurde gemacht. Sie hat nichts gemacht.
Emil: Stefan, beruhige dich. Erzähl, was wurde nicht gemacht?
Stefan: Das Geschirr, beispielsweise, wurde nicht abgewaschen. Die Wäsche wurde nicht aufgehängt. Die Kleidung wurde nicht weggeräumt. Sie hat nichts gemacht!
Emil: Schreibe ihr einen Brief, in dem du ihr sagst, was gemacht werden muss.
Stefan: Eine gute Idee. Der Vogelkäfig muss sauber gemacht werden und die Teppiche müssen gesaugt werden. Außerdem muss das Essen noch gekocht werden. Ich habe Hunger! Der Kaffee wurde gekocht und der Kuchen gebacken, das hat sie doch gemacht. Die Fenster wurden auch geputzt und der Tisch wurde aufgeräumt.
Emil: Schön, schon etwas! Und die Schuhe?
Stefan: Sie wurden doch geputzt.

Hörverständnis 13.3

Das Telefon klingelt, Stefan geht ran. Daniel sitzt in der Küche und kann nur wenig von dem Gespräch verstehen.

Stefan: Stefan König, hallo.
(Pause. Anrufer sagt etwas)
Stefan: Wer? Ga...
(Pause. Anrufer sagt etwas)
Stefan: Oh, ich verstehe. Ich hab' schon viel von dir gehört.
(Pause. Anrufer sagt etwas)
Stefan: Nein, nein, oben in der Küche. Nein, er kann nichts hören, wenn ich leise rede.
(Pause. Anrufer sagt etwas)
Stefan: Das ist ja eine tolle Idee. Da freut er sich bestimmt riesig!!!
(Pause. Anrufer sagt etwas)
Stefan: Klar, ich sage kein Wort.
(Pause. Anrufer sagt etwas)
Stefan: Also, er bleibt noch bis Donnerstag hier.
(Pause. Anrufer sagt etwas)
Stefan: Ich glaube, am Donnerstag geht das Flugzeug zurück.
(Pause. Anrufer sagt etwas)
Stefan: Ich denke, mit dem Zug.
(Pause. Anrufer sagt etwas)
Stefan: Ja, ich rufe dich an, wenn ich weiß, wann er fährt. Wie ist denn deine Telefonnummer? Die Vorwahl weiß ich.
(Pause. Anrufer sagt etwas)
Stefan: 566712. Gut, alles klar. Ich melde mich bald.
(Pause. Anrufer sagt etwas)
Stefan: Oh, kein Problem, das mach' doch gerne. Ich freue mich schon, dich endlich kennen zu lernen.
(Pause. Anrufer sagt etwas)
Stefan: Tschüss.

Stefan geht wieder zu Daniel in die Küche.

Daniel: Das ging ja schnell. War wohl nicht so wichtig.
Stefan: Stimmt, war nicht so wichtig. Es war die Freundin eines Freundes, die ich nicht mal kenne.

Hörverständnis 13.4

Gabi, ich werde zurückkommen. Deutschland gefällt mir sehr gut. Wir werden eine Wohnung zusammenfinden und wir werden zusammen in Berlin leben. Ich werde eine Stelle finden und in Berlin arbeiten. Wir werden jeden Abend zusammen essen und am Wochenende werden wir unser Leben zusammen genießen. Wir werden glücklich sein.

Appendix

1. Personal Pronouns

	singular					plural		
Nominative	ich	du/Sie	er	sie	es	wir	ihr/Sie	sie
Accusative	mich	dich	ihn	sie	es	uns	euch/Sie	sie
Dative	mir	dir	ihm	ihr	ihm	uns	euch/Ihnen	ihnen

2. Definite Articles

	singular			plural
	masculine	feminine	neuter	all genders
Nominative	der	die	das	die
Accusative	den	die	das	die
Dative	dem	der	dem	den
Genitive	des	der	des	der

3. Indefinite Articles and the Negative Article "kein"

	singular			plural
	masculine	feminine	neuter	all genders
Nominative	(k)ein	(k)eine	(k)ein	keine
Accusative	(k)einen	(k)eine	(k)ein	keine
Dative	(k)einem	(k)einer	(k)einem	keine
Genitive	(k)eines	(k)einer	(k)eines	keiner

This applies to all words declined like the indefinite article: all possessive adjectives, *mein, dein, sein, ihr, unser, euer,* and *ihr*.

4. Relative and Demonstrative Pronouns

	singular			plural
	masculine	feminine	neuter	all genders
Nominative	der	die	das	die
Accusative	den	die	das	die
Dative	dem	der	dem	denen
Genitive	des	der	des	deren

5. Principal Parts of Regular and Irregular Verbs

infinitive	3rd person sing.	simple past	past participle	meaning
anbieten		bot an	angeboten	to offer
anfangen	fängt an	fing an	angefangen	to begin
backen		backte	gebacken	to bake
beginnen		begann	begonnen	to begin

begreifen		begriff	begriffen	to comprehend
beißen		biss	gebissen	to bite
bitten		bat	gebeten	to ask, to beg
bleiben		blieb	(ist) geblieben	to stay, to remain
bringen		brachte	gebracht	to bring
denken		dachte	gedacht	to think
dürfen	darf	durfte	gedurft	to be allowed
einladen	lädt ein	lud ein	eingeladen	to invite
empfehlen	empfiehlt	empfahl	empfohlen	to recommend
entscheiden		entschied	entschieden	to decide
essen	isst	aß	gegessen	to eat
fahren	fährt	fuhr	gefahren	to drive
fallen	fällt	fiel	(ist) gefallen	to fall
finden		fand	gefunden	to find
fliegen		flog	(ist) geflogen	to fly
geben	gibt	gab	gegeben	to give
gefallen	gefällt	gefiel	gefallen	to like; to please
gehen		ging	(ist) gegangen	to go
genießen		genoss	genossen	to enjoy
geschehen	geschieht	geschah	(ist) geschehen	to happen
gewinnen		gewann	gewonnen	to win
haben	hat	hatte	gehabt	to have
halten	hält	hielt	gehalten	to hold; to stop
hängen		hing	gehangen	to hang
heißen		hieß	geheißen	to be called
helfen	hilft	half	geholfen	to help
kennen		kannte	gekannt	to know
kommen		kam	(ist) gekommen	to come
können		konnte	gekonnt	can; to be able
lassen	lässt	lies	gelassen	to let; to allow
laufen	läuft	lief	(ist) gelaufen	to run
leihen		lieh	geliehen	to loan; to lend
lesen	liest	las	gelesen	to read
liegen		lag	gelegen	to lie
mögen	mag	mochte	gemocht	to like
müssen	muss	musste	gemusst	must; to have to
nehmen	nimmt	nahm	genommen	to take
nennen		nannte	genannt	to name
raten	rät	riet	geraten	to advise
reiten		ritt	(ist) geritten	to ride
scheinen		schien	geschienen	to seem; to shine
schlafen	schläft	schlief	geschlafen	to sleep
schließen		schloss	geschlossen	to close

schreiben		schrieb	geschrieben	to write
schwimmen		schwamm	(ist) geschwommen	to swim
sehen	sieht	sah	gesehen	to see
sein	ist	war	gewesen	to be
singen		sang	gesungen	to sing
sitzen		saß	gesessen	to sit
sollen	soll	sollte	gesollt	should, ought; to be supposed
sprechen	spricht	sprach	gesprochen	to speak
stehen		stand	gestanden	to stand
steigen		stieg	(ist) gestiegen	to rise; to climb
sterben	stirbt	starb	(ist) gestorben	to die
tragen	trägt	trug	getragen	to carry; to wear
treffen	trifft	traf	getroffen	to meet
trinken		trank	getrunken	to drink
tun		tat	getan	to do
umsteigen		stieg um	(ist) umgestiegen	to change; to transfer
vergessen	vergisst	vergaß	vergessen	to forget
vergleichen		verglich	verglichen	to compare
verlieren		verlor	verloren	to lose
wachsen	wächst	wuchs	(ist) gewachsen	to grow
waschen	wäscht	wusch	gewaschen	to wash
werden	wird	wurde	(ist) geworden	to become
wissen	weiß	wusste	gewusst	to know
wollen	will	wollte	gewollt	to want
ziehen		zog	(ist/hat) gezogen	to move; to pull

6. Verb Conjugations

Present Tense

Helping Verb

	sein	haben	werden
ich	bin	habe	werde
du	bist	hast	wirst
er/sie/es	ist	hat	wird
wir	sind	haben	werden
ihr	seid	habt	werdet
sie/Sie	sind	haben	werden

Regular Verbs, Verbs with Vowel Changes, and Irregular Verbs

	regular	regular	vowel change		irregular
	sagen	senden	essen	fahren	wissen
ich	sage	sende	esse	fahre	weiß
du	sagst	sendest	isst	fährst	weißt
er/sie/es	sagt	sendet	isst	fährt	weiß
wir	sagen	senden	essen	fahren	wissen
ihr	sagt	sendet	esst	fahrt	wisst
sie/Sie	sagen	senden	essen	fahren	wissen

Simple Past Tense

Helping Verbs

	sein	haben	werden
ich	war	hatte	wurde
du	warst	hattest	wurdest
er/sie/es	war	hatte	wurde
wir	waren	hatten	wurden
ihr	wart	hattet	wurdet
sie/Sie	waren	hatten	wurden

Regular and Irregular Verbs

	regular	irregular	irregular	irregular
	sagen	essen	fahren	wissen
ich	sagte	aß	fuhr	wusste
du	sagtest	aßt	fuhrst	wusstest
er/sie/es	sagte	aß	fuhr	wusste
wir	sagten	aßen	fuhren	wussten
ihr	sagtet	aßt	fuhrt	wusstet
sie/Sie	sagten	aßen	fuhren	wussten

Present Perfect Tense

	sein		haben		essen		fahren	
ich	bin		habe		habe		bin	
du	bist		hast		hast		bist	
er/sie/es	ist	gewesen	hat	gehabt	hat	gegessen	ist	gefahren
wir	sind		haben		haben		sind	
ihr	seid		habt		habt		seid	
sie/Sie	sind		haben		haben		sind	

Past Perfect Tense

	sein	habe	essen	fahren
ich	war	habe	habe	bin
du	warst	hast	hast	bist

er/sie/es	war gewesen	hat gehabt	hat gegessen	ist gefahren
wir	waren	haben	haben	sind
ihr	wart	habt	habt	seid
sie/Sie	waren	haben	haben	sind

Future Tense

	singen
ich	werde
du	wirst
er/sie/es	wird singen
wir	werden
ihr	werdet
sie/Sie	werden

Subjunctive

Present Tense: Subjunctive II

	wollen	sollen	dürfen	müssen	werden	sein	haben
ich	wollte	sollte	dürfte	müsste	würde	wäre	hätte
du	wolltest	solltest	dürftest	müsstest	würdest	wär(e)st	hättest
er/sie/es	wollte	sollte	dürfte	müsste	würde	wäre	hätte
wir	wollten	sollten	dürften	müssten	würden	wären	hätten
ihr	wolltet	solltet	dürftet	müsstet	würdet	wär(e)t	hättet
sie/Sie	wollten	sollten	dürften	müssten	würden	wären	hätten

Passive Voice

		abholen	
	present	simple past	present perfect
ich	werde	wurde	bin
du	wirst	wurdest	bist
er/sie/es	wird abgeholt	wurde abgeholt	ist abgeholt worden
wir	werden	wurden	sind
ihr	werdet	wurdet	seid
sie/Sie	werden	wurden	sind

Imperative

	sein	geben	fahren	arbeiten
Familiar Singular	sei	gib	fahr	arbeite
Familiar Plural	seid	gebt	fahrt	arbeitet
Formal	seien Sie	geben Sie	fahren Sie	arbeiten Sie